ЭФРАИМ СЕВЕЛА

Собрание сочинений

Издательство «Грамма»

1996

Э. Севела
Собрание сочинений. Том третий. — М., «Грамма», 1996 — 496 с.

В третий том Собрания сочинений классика современной литературы Э. Севелы включены два произведения: «Мужской разговор в русской бане» и «Попугай, говорящий на идиш».

ISBN 5-86061-017-3

ЭФРАИМ СЕВЕЛА

Собрание сочинений

ТОМ ТРЕТИЙ

МУЖСКОЙ РАЗГОВОР В РУССКОЙ БАНЕ

ПОПУГАЙ, ГОВОРЯЩИЙ НА ИДИШ

Издательство «Грамма»

1996

Эфраим Севела — писатель небольшого народа, разговаривает со своим читателем-соплеменником с той строгостью, взыскательностью и... любовью, какие может себе позволить лишь писатель очень большого народа.

Газета «Aachener Zeitung»,
Германия

МУЖСКОЙ РАЗГОВОР В РУССКОЙ БАНЕ

Протопи ты мне баньку по-белому,
Я от белого света отвык,
Угорю я, и мне, угорелому,
Пар горячий развяжет язык.

Из песни Владимира Высоцкого

Отвергая классовую мораль эксплуататоров, коммунисты противопоставляют извращенным эгоистическим взглядам и нравам старого мира коммунистическую мораль — самую справедливую и благородную мораль, выражающую интересы и идеалы всего трудящегося человечества...

*Из Программы
Коммунистической партии
Советского Союза*

Раньше здесь останавливались только местные пригородные поезда и стояли всего одну минуту. Но с тех пор, как в стороне от железной дороги, в глубине сосновых и еловых лесов была отгорожена большая территория с глубокими чистыми озерами среди живописных холмов и построен санаторный комплекс, именуемый в документах «Объект № 2», на этой маленькой станции разрешили делать остановку поездам дальнего следования со спальными вагонами, и стояли здесь поезда по пять, а порой и больше минут, нарушая расписание, чтобы дать высокопоставленным пассажирам и членам их семей возможность спокойно, без спешки выгрузиться вместе с багажом.

Санаторий был зимний, потому что в этом краю лесных холмов и замерзших озер, далеко от больших городов, стояла настоящая русская зима, многоснежная, морозная и при этом ласково-солнечная.

К поездам дальнего следования присылались для транспортировки гостей не автомобили, а настоящие русские тройки, с бубенцами и колокольчиком под дугой, запряженные горячими сытыми конями, с расписными легкими санками, и кучера, как в старые времена, укутывали седоков большой медвежьей шкурой. Кучера, соответственно принаряженные в русские кафтаны и шапки пирожком, гнали тройки с ветерком, и у гостей с первого же момента создавалось радостное праздничное настроение, которое упорно поддерживалось на этом уровне весь срок отдыха усилиями многочисленного медицинского и обслуживающего персонала.

Прежние станционные постройки, жалкие и крохотные, как будка путевого обходчика, снесли и на их месте воздвигли из смолистых рубленых бревен большой вокзал в славянском стиле, с резными наличниками и куполами без крестов — абсолютная копия церкви Василия Блаженного. Зимой, покрытый шапками снега на куполах, вокзал-теремок сразу вводил приезжего в сказку.

От санатория до станции проложили специальную дорогу, и всю зиму бульдозеры содержали ее в порядке, превратив в гладкое накатанное ущелье среди сахарных стен сдвинутого снега.

За триста метров до главного въезда в санаторий дорога была перекрыта аркой, переплетенной еловыми лапами, и во всю ширину арки развевался на морозе красный транспарант:

ВСЕ ДОРОГИ ВЕДУТ К КОММУНИЗМУ

Здесь был шлагбаум и всем посторонним проезжать дальше категорически возбранялось. Подтверждая этот строгий запрет, у шлагбаума стоял вооруженный вахтер в тулупе, а на цепи поскуливал злой сторожевой пес.

От шлагбаума начинались фонари на столбах чугунного фигурного литья, лес густел, обступая накатанную дорогу сплошной гудящей стеной.

Затем шел второй шлагбаум с вахтером и аркой, на которой было написано:

ДОБРО ПОЖАЛОВАТЬ!

От этой арки убегали в лес столбы с колючей проволокой, намертво отгораживавшей территорию санатория от внешнего мира.

Дальше начиналась сама территория — снежный сказочный городок, без конца и края, с чисто выметенными дорогами и дорожками среди искрящихся снежных сугробов, с голубыми елями по краям. И в снежных сугробах под снежными шапками стояли дома-терема с веселыми крылечками, с коньками на крыше и кирпичными трубами, откуда в небо уходил дым из печей, растопленных смолистыми дровами.

Каждой семье отводился отдельный, с тремя спальнями, терем, снаружи отделанный под русскую сказку, а внутри — полнейший европейский комфорт, от импортных ковров на полу до туалета и ванной. Даже обои на стенах были заграничные.

В каждом тереме — цветной телевизор, а на высокой антенне над заснеженной крышей, чтоб не нарушить сказочного стиля, посадили резного золотого петушка.

В каждом тереме — рояль, независимо от того, умеют ли его обитатели стучать по клавишам. А так как пройти мимо белых и черных клавиш и не стукнуть по ним — сверх человеческих сил, все рояли в теремах стоят расстроенные и издают дребезжащие звуки.

Врачей и медицинских сестер в санатории больше, чем отдыхающих, и уж они отрабатывают свою высокую зарплату и теплые местечки в поте лица своего и обихаживают каждого попавшего к ним в руки по-царски, докапываясь до самых застарелых и забытых болезней.

Крытый бассейн с подогретой водой, каток с набором любых коньков и костюмов, ледяные горки с финскими санями, лыжи. А какой клуб! А кинотеатр! А бильярдная! А катанье на тройках с бубенцами! А бани с парилками и комнатами отдыха, с выпивкой и закуской в холодильниках!

К услугам отдыхающих просторная, со стеклянными стенами столовая, где ешь в тепле и без ветра, а чувствуешь себя среди снегов и на морозе. В столовой все подавалось к столу официантками, одетыми в русские костюмы, с кокошниками на головах, в таком изобилии, какого давно уж не увидишь на полках магазинов, а лишь в ресторанах «Интуриста», для иностранных гостей. Архангельская семга и байкальский омуль, амурская красная икра и черная зернистая с Каспия, тамбовские окорока и донские перепелки, вологодское масло и латвийский сыр. Фрукты и овощи всю зиму. И напитки всех сортов: от кавказских вин и коньяков до французских «Шартреза» и «Камю».

Все это доставлялось из правительственных фондов в автомобилях-холодильниках, и они проносились по дорогам на большой скорости мимо бедных деревень с покосившимися избами и сельских магазинов с пустыми полками и витринами, где вместо товаров висели лозунги и плакаты, прославляющие советскую власть и призывающие народ трудиться еще упорней, чтоб наконец догнать и перегнать капиталистическую Америку.

Вначале на вокзале-тереме был открыт буфет с кипящими самоварами и скатертями, расшитыми петухами. Но кто-то из хозяйственников перестарался и забросил в буфет жигулевского пива и свиных сосисок. И тогда из окрестных деревень на вокзал повалили толпы мужиков и баб за пивом и сосисками, каких в продаже здесь годами не бывало.

Это нарушило сказку. Деревенский люд был одет в стеганые ватные телогрейки, в рваные полушубки и лысые плюшевые жакеты, на ногах, что у мужиков, что у баб, — сбитые кирзовые сапоги. И вся эта орава, потная, с выпученными глазами, штурмом брала буфет, опрокидывая столы с самоварами и льняными скатертями, расшитыми петухами.

Продажу пива и сосисок пришлось прекратить. И кое-кому досталось по шее за головотяпство и притупление политической бдительности. Потому что, кроме своих партийных вельмож, сюда приезжали подкрепить здоровье на русском морозе и черной икре иностранные гости: коммунисты и прогрессивные деятели из сочувствующих.

Один из них, итальянский журналист Умберто Брокколини, не коммунист, но прогрессивный, из сочувствующих, проявил нездоровое любопытство при виде толпы мужиков и баб, осаждающих станционный буфет... А был этот Брокколини занозистый господин, никогда не знаешь наперед, что он напишет. В своих статьях в итальянских газетах он то похвалит Советский Союз, то ругнет, и в зависимости от этого советская пресса реагировала в ответ, называя его то «известный итальянский прогрессивный журналист Брокколини», то «небезызвестный борзописец Брокколини» или просто «пресловутый Брокколини».

Пригласили его отдохнуть с семьей в тот недолгий период, когда в СССР его величали «известный и прогрессивный». И надо же! Выходит Умберто с семьей из спального вагона, жмурится на слепящий снег, на горячую тройку, звенящую бубенцами и от нетерпения приплясывающую в ожидании иностранных седоков, а когда глаза его привыкли к блеску снега, узрел Умберто Брокколини жаждущих пива и сосисок обитателей этой страны — строителей коммунизма. И спросил с дотошностью западного борзописца, отчего, мол, эти люди одеты в живописные лохмотья, кто они такие и почему здесь толпятся? И достал блокнотик с карандашом-фломастером.

— Кое у кого из встречавших гостя запершило в горле и засосало под ложечкой в предчувствии большой беды. Но выручил переводчик, лихой малый, прикрепленный к Умберто:

— А это, — сказал он, не моргнув, — фольклорный ансамбль песни и пляски. В старинных костюмах, отображающих, как жили крестьяне до революции. Собрались они здесь для репетиции. Скоро фестиваль. Наша страна любовно сохраняет старинный фольклор.

Умберто Брокколини был растроган до слез и обменялся рукопожатиями с некоторыми участниками «ансамбля». А вскоре в итальянской прессе появилась статья Умберто Брокколини о талантливости русского народа, трогательно сохраняющего старинные обычаи и обряды. Брокколини увез в Рим несколько редких русских икон, подаренных ему перед отъездом.

Переводчик за смекалку и находчивость получил поощрение от своего начальства и на три года укатил работать за границу.

В той же статье Умберто Брокколини воздал должное заботе советского государства о здоровье трудящихся, живописно обрисовав изобильное питание и условия жизни в закрытом санатории «Объект № 2», где он со своей семьей бесплатно блаженствовал три недели.

Заканчивалась статья «известного итальянского прогрессивного журналиста» Умберто Брокколини так:

«Здесь, в этой стране, наяву осуществляется мечта всего угнетенного человечества. Не только ракеты и спутники создала советская держава, но и нового человека, с новой моралью, с крепкой семьей и чистыми чувствами. Этот человек, не знающий порнографии и проституции, продажности и коррупции, сексуальной грязи, в которой потонул разлагающийся Запад, строит на своей земле царство свободы и духовной красоты».

Рано-рано утром, когда солнце еще не поднялось из-за холмов и припорошенные снегом леса стоят заиндевелые в морозном дыму, к арке с красным транспарантом «ВСЕ ДОРОГИ ВЕДУТ К КОММУНИЗМУ» из разных концов леса по заметенным тропкам и проселкам, проваливаясь по пояс в снег и нещадно матерясь, выбираются деревенские бабы в ватниках и сапогах, в платках, натянутых по самые брови, и каждая несет в руке порожнее, чисто вымытое ведро. Эти бабы считаются в округе счастливицами, им здорово повезло, и им отчаянно завидуют, а потому и злословят их подруги, чей удел гнуть спину в колхозе, получая за это лишь пустые трудодни. Эти бабы работают на «Объекте №2» обслугой: официантками, уборщицами, дворниками и нянечками в лечебных корпусах. Им платят деньгами, как рабочим, они едят вволю, сколько влезет, самых вкусных, невиданных в деревне кушаний, и еще им позволяется уносить с собой объедки из столовой и кухонные помои, чтобы подкормить дома оголодавшую скотину, для чего они предусмотрительно прихватывают из дому ведра.

Эти бабы проводят день среди довольства, богатства и сытости, а на ночь возвращаются в убогие деревни, откуда сбежали в города почти все мужчины, в холодные пустые избы, бегают за водой полкилометра к обледенелому колодцу, а по нужде ходят на огороды, в дощатую, продуваемую всеми ветрами будку над выгребной ямой. И не ропщут, а, наоборот, нарадоваться не могут, что им так повезло, и поэтому трудолюбивы и старательны без приказа, а также покорны и послушны начальству.

В санатории у каждой в шкафчике хранится казенная рабочая одежда, красивая до невозможности, которую строго возбраняется выносить за территорию. В этой сказочной униформе щеголяют они весь день. В теплых бархатных душегрейках, отороченных мехом, в шитых бисером кокошниках на голове выглядят они словно оперные боярыни. А на ногах — черные валенки-чесанки, мягкие-мягкие, теплые-теплые. Когда настает оттепель, выдают со склада галоши и непромокаемые плащи с капюшоном.

Бабы идут на работу пешком, порой за три, а то и за все пять километров. Без дороги, по тропкам, заметенным за ночь сугробами. А обратно еще надо переть полное ведро объедков и — Боже упаси упасть и разлить.

Вахтер у арки ленится поднять шлагбаум — деревенским, мол, бабам не привыкать, и они, сгибаясь в три погибели, пробираются под шлагбаумом и снова разгибаются на той стороне за транспарантом «ВСЕ ДОРОГИ ВЕДУТ К КОММУНИЗМУ».

Снег, сыпучий и сухой, искрился на солнце и слепил, отчего все три лыжника жмурились. Они стояли на лыжах, опершись на бамбуковые палки, и за ними извилисто змеились три парных следа. Сзади, за снежным полем, тянулись ряды голубых елей, а за ними сказочные домики-терема с нахлобученными шапками снега и уютными столбами дыма из печных труб, уходившими прямиком в морозное небо.

Лыжники были немолоды и, хоть одеты были в щегольские спортивные одежды: одинаковые пестрые свитера, синие, в обтяжку, штаны, шерстяные вязаные шапочки, — имели далеко не спортивный вид. Каждому подвалило уже под шестьдесят. Выглядели они по-разному. Сергей Николаевич Астахов, выше всех и стройней, с благообразной сединой, с лицом красивого баловня и барскими замашками, стоял и на лыжах ловчей остальных. Виктор Иванович Зуев, ниже всех и наиболее раскисший и обрюзгший, с круглым крестьянским лицом и толстым коротким носом, имел вид простоватый, но себе на уме. Из-под лыжной шапочки был заметен край обширной лысины, обрамленной редкими кольцами бесцветных волос. Большие оттопыренные уши пылали на морозе. Александр Дмитриевич Лунин, блондин с пшеничными усами и голубыми глазами, тоже не сохранил фигуры и был тяжеловат и приземист.

Некогда, четверть века назад, были они неразлучными друзьями. Они тогда, вскоре после второй мировой войны, учились в Москве, в Высшей партийной школе, а потом жизнь раскидала их в разные концы огромной страны. Каждый строил свою карьеру, поднимаясь со ступеньки на ступеньку по шаткой иерархической лестнице руководящей партийной работы. И каждый достиг немалого. Их пути иногда пересекались. Но так, чтобы встретиться втроем и свободно, ни на что не отвлекаясь, провести несколько недель вместе, упиваясь разговорами, воспоминаниями, такое случилось впервые. И повинен был в этом коротенький, лысый Виктор Иванович Зуев, дольше других сохранивший молодость духа. Он списался с Астаховым и Луниным, сам организовал все путевки в этот правительственный санаторий, а им только оставалось получить отпуск в указанный Зуевым срок и согласие жен.

Теперь они стояли на лыжах раскрасневшиеся от мороза и смотрели на неровный снежный холмик, высившийся перед ними. Зуев, хитро поблескивая глазами, показал бамбуковой палкой на холмик:

— Предлагаю концерт-загадку. Что сей холмик скрывает? Победитель получает право первым выбрать себе березовый веник в бане, а мы обязуемся хорошенько попарить его.

— По-моему, куст, — не раздумывая, сказал Астахов.

— Мимо. Ваша очередь, Александр Дмитриевич.

Лунин прищурился на холмик, словно пытаясь что-то увидеть под снежной толщей, и Зуев рассмеялся:

— Ты, Саша, своим проницательным взглядом напомнил мне анекдоты тех времен, когда в нашей богоспасаемой стране стремились доказать, что мы самый великий народ в мире и все лучшее на земле сотворили русские руки и русские мозги:

«Выступает в Москве ученый на научной сессии Академии наук СССР и, не моргнув, заявляет:

— До сих пор считалось, что рентгеновские лучи открыл немецкий ученый Рентген. Усилиями советских ученых этот миф нынче опровергнут и разоблачен. В Новгородской летописи обнаружена интереснейшая информация, проливающая подлинный свет на происхождение этого открытия. В 1194 году нашей эры, пребывая на постоялом дворе, русский купец Иван Петров сказал своей законной жене Евдокии такие слова:

— Дунька, ты — блядь, я тебя вижу насквозь.

Это дает нам повод утверждать, что уже тогда в России, задолго до Германии, были известны рентгеновские лучи».

И выждав, пока утихнет смех, довольный Зуев снова спросил:

— Так что скрывает сей холм?

— Не томи, — отмахнулся Астахов. — Мы не угадаем.

— Ладно, тупые головы, — вздохнул Зуев. — У вас фантазии не хватит. Я-то знаю, видал это чудо летом, без снега. Вот сейчас давайте дружно разгребем снежок, и вашему взору предстанет удивительный монумент, который я бы назвал «Борьба с культом личности».

Астахов, Лунин и Зуев принялись дружно разгребать снег лыжными палками, поднимая искрящуюся пыль. Сначала открылась укутанная по шею в снег гипсовая голова Ленина, затем понемногу обозначилось все остальное.

Это была довольно известная в свое время скульптура, размноженная в тысячах копий и установленная по всему Советскому Союзу, где надо и где не надо, под названием «Ленин и Сталин в Горках», изображающая обоих вождей революции сидящими на парковой скамье и мирно беседующими и долженствующая олицетворять преемственность власти, естественно перешедшей от гениального учителя к не менее гениальному ученику. Ленин даже трогательно обнимал Сталина, положив руку на спинку скамьи.

Когда Хрущев, придя к власти, раскрыл миру, что король, то есть Сталин, голый, и назвал период его жестокого правления мрачным периодом «нарушения социалистической законности и культа личности», бесчисленные изображения Сталина на полотне, в гипсе и бронзе стали исчезать с людских глаз. Портреты уносили в подвалы и ставили лицом к стенке, бронзу ломали и отправляли на переплавку, гипс раскалывали в серую крошку.

А вот тут, в правительственном санатории, чей-то хозяйственный ум сотворил чудо: сорвал Сталина со скамьи, оставив в ней дыру, из которой торчали вверх три ржавых прута арматуры, и остался возле дырки гипсовый Ленин, обнимавший теперь не Сталина, а эти три прута. Таким образом, скульптура сохранилась и приняла политически выдержанный вид.

Астахов и Лунин лишь переглянулись, но не рассмеялись.

— Здесь мы одни, — ободряюще сказал приятелям Зуев. — Никто не подслушивает, а уж мы друг на друга писать доносы не станем.

— Кто знает, — усмехнулся Лунин.

— Я доверяю вам обоим, как себе, — сказал Астахов. — Но тем не менее предпочитаю не распускать язык. Береженого Бог бережет. Впереди — персональная пенсия и обеспеченная старость, этим не рискуют.

— А когда-то и вы были рысаками, — покачал головой Зуев. — Кровь кипела и руки чесались что-нибудь сотворить. Рано скисли, братцы, а я не сдаюсь.

— Анекдоты собираешь? — прищурился на него Лунин. — Ходишь с кукишем в кармане?

— Ну, уж лучше так, чем проглотив язык. Кстати, ты, провинциал, послушай свеженький анекдотец. Может быть, он тебя надоумит, что и в России пахнет переменами.

— Валяй рассказывай, — сказал Астахов.

— Сидят, значит, наши руководители, Брежнев и Косыгин, и беседуют, — начал Зуев и все же из предосторожности оглянулся по сторонам, вызвав улыбки у Астахова и Лунина.

— Слушай, говорит Брежнев, не нравится мне ситуация. Евреи, понимаешь, уезжают в Израиль. Немцы просятся в Германию, армяне — куда глаза глядят. Литовцы и латыши во сне видят, как бы из СССР эмигрировать. Украинцы тоже на Запад косят, да и сами русские подумывают, куда бы податься. Если так дальше пойдет, может получиться, что во всей России только мы с тобой и останемся.

— Нет, мой друг, — отвечает Косыгин, — ты останешься один.

Лунин и Астахов расхохотались.

— Айда в баню, — позвал Зуев, поворачивая лыжи назад. — Я распорядился, чтобы нам сегодня на весь день протопили баньку. Там мы можем всласть потрепаться, отвести душу как следует. Никто не потревожит, не помешает. А вспомнить-то нам есть что.

Попаримся, послушаем друг друга. Когда еще нас судьба сведет? Только, братцы, один уговор: в бане без цензуры, говори, как на духу. Нам же всем любопытно узнать, как мы жили эти годы.

Баня стояла в стороне от жилых домов отдельным теремом с куполами и резными наличниками на заиндевелых окнах. Из снежной шапки на крыше торчала печная труба, и оттуда веселыми клубами уходил в небо дым.

Астахов, Лунин и Зуев, неся чемоданчики с бельем, прошли к бане по расчищенной от снега дорожке, как по глубокому ущелью — такие сугробы кругом намело.

Они разделись в прихожей, косясь с любопытством на наготу приятелей юности и отмечая в уме нелестные перемены в фигурах.

Зуев принес из кухни поднос с чаем, каждому налил по чашке, и, потягивая горячий чай, они пришли в хорошее расположение духа.

— Кто первый начнет? — спросил Лунин.

— Я полагаю, никто не станет возражать, — сказал Астахов, поглаживая ладонями бока, — если мы возьмем за принцип наших рассказов завет незабвенного нашего одноклассника, рано ушедшего в мир иной, Шурика Колоссовского.

— Шурик? — растроганно улыбнулся Лунин. — Вот кого вспомнил? Господи! Да кто ж лучше меня его знал? Мы с ним два года делили одну комнату в общежитии... Вот кого матушка-природа одарила сверх меры... Учился, поплевывая, а был всегда первым. А языки? Немецким владел как! Помните? Диалекты знал... Баварский... прусский. И все выучил самостоятельно... ухо имел тонкое... на лету ловил. Он в войну, как пленного захватят, обязательно с ним потолкует часок-другой... вот и вся школа.

— А пел как! — мечтательно произнес Астахов.

— Он и у нас, и в консерватории учился... — подхватил Лунин. — В Шаляпины прочили... Голосина был... Как, бывало, грянет, люстра дрожит:

И-и-э-э-эххх, вышла я
Да ножкой топнула.
А-а-а-а у милого
Терпенье лопнуло.

Хулиганская песня, блатная, а в его устах — романс, ария, чистая поэзия.

— А красив как был! Помните? — грустно покачал лысой головой Зуев. — Как бог! Что рост, что плечи — классическая пропорция мужчины, самца, покорителя... Глаза голубые, как васильки, а волосы черные, густые и чуть-чуть вьются. Посредине — седая полоска. Другие деньги платят, чтоб им парикмахер такую выкрасил... А у него — натуральная, с войны.

— Ему бы в киноактеры пойти, уж был бы сейчас народным артистом СССР и лауреатом всех премий, — убежденно сказал Лунин.

— Зачем ему в актеры было, — не согласился Астахов. — Ему такую карьеру политическую прочили... Быть бы ему нынче не меньше чем министром культуры.

— Или дипломатом высокого ранга... — вздохнул Лунин.

— Нет, — мотнул лысиной Зуев — Не умри он вовремя сам, его бы в Сибири сгноили... Вы что? Такой экземпляр в сталинские годы недолго бы по земле походил...

— Ладно, заладил... — оборвал его Лунин, — сталинские годы, культ личности... Ты нам тут в бане давай лекцию закати по политическому просвещению... Вот Сережа чего-то хотел сказать про заветы Шурика Колоссовского, а мы отвлекли его...

— Верно, верно, — согласился Астахов. — Возраст... Начинаешь... и... забываешь, о чем... Шурик никогда не говорил пошлостей, хотя любил рассказывать о своих похождениях. Но всегда строго соблюдал одно условие... Это не был голый рассказ о совокуплении. Это всегда была лирическая история... психологическая... и даже социальная... и всегда необычная женская судьба. Колоссовский был не только талантливым рассказчиком, он был одарен редким даром талантливого слушателя. Свою даму в постели он слушал так, что она наизнанку выворачивалась, открывая свою душу. Помню, Шурик говорил: каждая женщина — это удивительная судьба, похлеще любого романа. Надо только уметь слушать. И при этом добавлял: женщину нужно сначала ублажить в постели, удовлетворить ее. На то, мол, мы мужчины, а не импотенты... И она уж, размякнув, проникнется к тебе такой благодарностью... и так начнет исповедоваться... только успевай слушать и запоминать.

Так вот давайте соблюдать это золотое правило, которое вполне можно было бы назвать «законом Колоссовского»: о женщинах — или талантливо, психологично... или ничего.

Все то, что противоположно этому условию, тот же Шурик, помню, весьма метко охарактеризовал. Рассказывать о бабах по принципу: сунул, вынул и бежать — удел млекопитающих типа моего командира роты Загоруйко и нашего заведующего кафедрой марксизма-ленинизма профессора Балабана. Все остальное человечество, спустившись с деревьев, стало искать более сложное объяснение сексуальных проблем.

— Не возражаю, — сказал Лунин и хитро покосился на Зуева.

— А вы, маэстро?

— Я тоже не отношу себя к парнокопытным, — поспешно согласился Зуев. — Но раз уж Сережа решил задать тон, то ему и карты в руки. Начнем с тебя. Рассказывай, товарищ Астахов.

РАССКАЗ АСТАХОВА

Не знаю, попадались ли вам на глаза два небольших рассказика, похожие один на другой, как близнецы, хотя написаны они двумя совершенно разными, абсолютно непохожими писателями. Одного звать Ги де Мопассан, другого — Лев Николаевич Толстой.

И в том и в другом рассказах обсасывается одна и та же ситуация: моряк, много лет скитавшийся по морям и океанам, в одном порту, кажется, в Марселе, провел ночь в публичном доме с девкой и под утро обнаружил, что это его сестра, которую нужда и бедность сделали проституткой.

Историйка банальная, с сантиментом, рассчитанная на чувствительных кухарок, с примитивным, прямолинейным смыслом: как, мол, нехорош социальный строй, в данном случае капиталистический, который толкает безработных девушек на панель и оскверняет душу такого славного малого, как этот морячок — потребитель продажной любви.

Прочтя эти рассказы, я ощутил во рту вкус приторной карамели и с грустью констатировал, что и у великих бывают жестокие провалы по части вкуса.

Но жизнь сыграла со мной злую шутку и проучила, чтоб не спешил с безапелляционными выводами. Нет, конечно, я не переспал со своей сестрой. У меня, кстати сказать, и сестры-то нет. Но все же влип в историю, не менее фантастическую, и, расскажи я ее Мопассану или Льву Николаевичу, они бы состряпали рассказец похлеще того, о котором я упомянул.

Судьба привела меня лет двадцать спустя в тот город, где я некогда учился в университете. Тогда, сразу после войны, это был не город, а груды каменных развалин, даже улицы были непроходимы из-за нагромождений ржавых балок, обломков стен и куч битого кирпича. Университетские аудитории были разбросаны по всему городу, в редких уцелевших зданиях. Студенты в основном были из демобилизованных и донашивали военную форму. На лекциях нечасто можно было увидеть штатский костюм. И на каждых двух студентов приходилось не больше трех ног — обрубки, инвалиды войны.

Что вам рассказывать! Это наша с вами молодость. Инвалидная, голодная, разутая, но мы ее прожили, и для нас она — источник теплых и даже романтических воспоминаний, как любая юность.

Города я, конечно, не узнал. Ни следа от руин. Широкие асфальтированные проспекты, зеркальные витрины, троллейбусы. Нарядная, совсем не провинциальная толпа. Я остановился в гостинице на десять этажей, весьма современной, с хорошим рестораном, и там по вечерам наигрывал вполне пристойный джаз. Место, где высилась гостиница, когда-то было свалкой ржавого железа — сюда стаскивали со всего города подбитые танки, остовы сгоревших грузовиков, покореженные лафеты артиллерийских орудий, и пробираться через эти завалы, чтобы сократить дорогу, было делом рискованным — порой там взрывались под неосторожной ногой снаряды и мины.

Я отлично поужинал в ресторане, принял душ в сверкающей никелем и цветным кафелем ванной, протопал босыми ногами по ворсистому ковру к широкой двуспальной кровати и с наслаждением вытянулся под холодящей льняной простыней, взволнованный предстоящей встречей с моей юностью — назавтра я намечал несколько визитов к друзьям студенческих лет.

Я уже потянулся к кнопке настольной лампы, чтобы выключить свет, как зазвенел телефон на ночном столике, и, протягивая руку к трубке, я недоуменно прикидывал, кто бы мог мне звонить в этом городе, где о моем приезде никто не был предупрежден.

— Коля, — обдал меня из трубки низкий вибрирующий женский голос.

— Простите, вы ошиблись номером, — сказал я, уверенный, что это действительно телефонная ошибка.

— Ах, простите, пожалуйста, — заворковал на том конце голос, не выразив никакого удивления. — В этом номере еще вчера жил мой приятель... Как жаль... Он не оставил никакой записки?

— Никакой записки вам не оставили, — сухо ответил я. — Ибо не имел чести быть знакомым с этим самым Колей, который занимал этот номер до меня.

— Ах, как жаль, как жаль, — завздыхал грудной, теплый голос, и я вдруг почувствовал грусть оттого, что обладательница такого голоса звонит какому-то Коле, а не мне.

— Не стоит расстраиваться, — утешающе и с некоторой долей игривости сказал я. — Видать, не так уж он вами дорожил... этот Коля... если даже не предупредил о своем отъезде...

— Ну его к черту! — сразу клюнула она. — У вас есть что выпить? Хотите, я к вам сейчас приду? Вы еще не спите?

— Не сплю, но... уже лег, — растерялся я.

— Не надо одеваться, лежите в постели. Я тут внизу... Отоприте дверь, чтобы не пришлось стучать.

— Простите, — забормотал я. — Я не совсем понимаю... Кто вы такая?

— Я? Софи Лорен. Да, да. Видали в кино эту роскошную бабу? Так я ее русская копия. Но получше. Потому что мне двадцать лет, а она уже старуха.

В трубке раздался треск и затем долгие гудки.

«Сейчас ко мне войдет женщина, Софи Лорен, — лихорадочно соображал я. — А я в постели... в этих несуразных трусах... »

И, выскочив из-под простыни, я стал поспешно, путаясь и не попадая ногами куда следует, натягивать на себя брюки и даже в уме прикидывал, какой галстук больше приличествует такому случаю, как услышал за спиной ее голос, низкий, грудной. Она вошла неслышно и так же беззвучно прикрыла за собой дверь.

— Вот вы какой! Совсем не старик. А я уж шла сюда и думала: вдруг развалина, песочек сыплется. Какой прок мне с таким возиться.

Я застыл с одной ногой в штанине, а другой, голой, — задранной вверх.

Это была Софи Лорен. Только моложе, чем в кино. Высокая, большая, с массивными гладкими боками и такой же грудью, распирающей верх платья. Сочные, красные, растянутые в пьяной и чувственной улыбке губы, оскал прекрасных белых зубов. Взгляд томный, чуть сонный, хмельной. Спутанные нечесаные волосы густой гривой ниспадали на полные круглые плечи.

Она нетвердо стояла в туфлях на высоких каблуках.

— Можно, я сяду? — и, не дождавшись моего согласия, тяжело опустилась не в кресло, а на мою неубранную кровать.

— Ну, что стоишь? Чудак! Или одень штаны, или сними их к черту!

Я все еще стоял одной ногой в брюках, совершенно сбитый с толку, не соображая, что я делаю. До того она, пьяная, похотливая, вульгарная, была мне желанна, что я позабыл все предосторожности, спасавшие меня до того от случайных и опасных для здоровья и репутации связей, и смотрел на нее зачарованно, как мальчишка, впервые увидевший готовую ему отдаться женщину...

— Выпить есть что? — спросила она, перестав замечать меня, и зевнула, не прикрыв рукой рта.

— Я могу в ресторане взять, — поспешно сказал я.

— Тогда чего стоишь? Натягивай штаны и дуй вниз, пока не закрыли.

Когда я, запыхавшись, поднялся на свой этаж, прижав к груди бутылку молдавского коньяка и пакет с бутербродами, дверь моей комнаты была раскрыта, и я ужаснулся при мысли, что она не дождалась и ушла. С бьющимся сердцем заглянул я в комнату. Она лежала на спине поверх простыни на моей кровати и спала. Не раздевшись. В платье и чулках. Только скинув с ног туфли, которые валялись далеко от кровати на разных концах ковра.

Она была божественно хороша при свете настольной лампы, озарявшей ее лицо с удивительно гладкой и свежей кожей, нежную шею и высокую полную грудь, вздымавшуюся почти до подбородка при каждом вдохе. Пухлые покусанные губы шевелились, что-то невнятно бормоча.

Не помню, как долго стоял я над ней, нелепо прижимая к груди коньяк и бутерброды. Потом разделся и осторожно, стараясь не будить ее, прилег рядом, поверх простыни, и она, почуяв мое присутствие, задвигалась, грузно повернулась на бок, привалилась ко мне и, уткнувшись носом мне в щеку, задышала ровно и тепло, как ребенок, причмокивая губами.

Я спал и не спал. В каком-то непонятном состоянии, как в бреду, провел я ночь, пока она не проснулась. А проснувшись, долго потягивалась, сладко-сладко, безо всякого умысла прижимая меня бедрами, животом, мягкой и большой грудью, доводя тем самым почти до неистовства. Потом она какое-то время в недоумении смотрела на меня, стараясь угадать, кто я и как она очутилась здесь. Потом рассмеялась, растянув пухлые обветренные губы до ушей и сверкая матовой белизной ровных больших зубов.

— Кто ты, дядя? Давай знакомиться. Я — Вика, Виктория. Мои идиоты предки назвали меня так в честь победы над Германией. О, коньяк! Ну, какой ты умница! Глотну полстаканчика и приду в себя.

Она опрокинула в рот полстакана коньяку, крякнула, как мужчина-пьяница, и даже губы вытерла тыльной стороной ладони.

— Вот теперь — порядок! Слушай, ты меня вчера ночью не имел? Правильно! Что толку от пьяной бабы? Зато вот сейчас я тебе покажу класс. Честное слово, даже самой захотелось.

Она ленивыми кошачьими движениями стала стягивать через голову платье, и я как дурак смотрел, не шевелясь, на ее тугое, налитое тело. Дальше пошло нечто совсем невообразимое. Я ошалел. Все же не мальчик. Под пятый десяток. Я буквально не слезал с нее. Она меня выпотрошила до состояния полной прострации. И, когда, уже не помню, в пятый или шестой раз, вожделенно потянулся к ее телу, эта сытая, плотоядная и абсолютно не уставшая самка блудливым глазом скользнула по моему бледному, с провалившимися глазами лицу и ехидно ухмыльнулась:

— Не много ли, дядя? Так свой месячный лимит израсходуешь.

Что рассказывать. Я насладился с избытком. На много дней вперед. Уже совсем выпотрошенный, не в силах рукой шевельнуть, лежал я тюфяком рядом с этим свежим и порочным мясом и по привычке, из вежливости, спрашивал ее и слушал ленивые ответы, пока не насторожился, услышав женское имя, произнесенное ею.

— Альма. Да. Как собачья кличка. Так зовут мою маму. Честное слово.

— Альма? — переспросил я. — А фамилия как?

— Станкевич.

Я приподнялся на локте и строго, словно в первый раз видел ее, посмотрел в лицо Виктории.

— А девичью фамилию матери... не помнишь?

— Почему не помню? Знаменитая фамилия. Мой дедушка был большой ученый. Профессор Никольский.

Меня обожгло. Никаких сомнений больше не было.

Я еще спросил, родилась ли Виктория в этом городе и в каком году. Все совпадало. Да и черты лица ее, чуть измененный портрет Альмы, неумолимо подтверждали догадку. Виктория продолжала беспечно болтать, поглаживая ладошкой мой рыхлый живот, а я не слушал, слова пролетали мимо моего сознания.

Двадцать лет тому назад в этом разрушенном войной городе на нашем курсе родился первый ребенок, и родителями его были избалованная красавица, редко посещавшая занятия на факультете, дочь профессора Альма Никольская и беловолосый высоченный студент Саша Станкевич, кроме своего роста отличавшийся от других студентов тем, что был одет в дорогое пальто и меховую шапку из молодого оленя, потому что отец его по тем временам был важной шишкой в этом городе. Сашу Станкевича, единственного на всем факультете, привозил на занятия в черном трофейном «хорьхе» персональный шофер папаши.

Все наши студенты толпились в родильном доме, когда Альму выписывали оттуда, и одеяльный сверток со сморщенным красным личиком переходил из рук в руки под радостные вопли, словно это был наш общий, коллективный ребенок. Из родильного дома до персональной машины Станкевича-старшего нес на руках этот сверток я.

Девочку назвали Викой, Викторией. В честь победы в недавно оконченной войне. Имя это придумал я. И Альма сразу согласилась. Оснований для этого было немало.

Дело в том, что еще задолго до того, как она выскочила замуж за белобрысого истукана Станкевича, красотка Альма Никольская, каждый раз появлявшаяся среди плохо одетых голодных студентов в новом блистательном наряде, влюбилась по уши в демобилизованного лейтенанта, хромого после ранения в ногу, все имущество которого была инвалидная трость, выданная в госпитале, и запасная пара синих суконных офицерских брюк галифе. Да, да. У нее был роман со мной. Она была красива и чувственна и жадно искала наслаждений. Почему она избрала для этой цели меня, один Бог знает. Она отдавалась мне в пустых аудиториях на полу, в коридорах на подоконнике, среди руин на выщербленных ступенях упавшего лестничного марша.

Однажды я провожал ее домой пешком. Она была в коричневой норковой шубке, пожалуй, единственной во всем городе, и ходить в ней без сопровождающего было смертельно опасно. Из-за шубки грабители могли убить.

Под эскортом молодого офицера-фронтовика в драной шинели со споротыми погонами обладательница шубки чувствовала себя в относительной безопасности.

В пустынном, по колено засыпанном снегом парке, где голые деревья, как инвалиды, были нашпигованы железными осколками гранат и снарядов, Альме вздумалось отдаться мне при свете зимней луны. Она опрокинулась в сугроб, распахнув полы норковой шубки, как мохнатые крылья летучей мыши, и на морозе, на ветру бесстыдно заголилась и отдалась мне, горячая, стонущая от страсти. Я был молод и даже в такой обстановке действовал безотказно.

Почему мы не женились? Куда мне было создавать семью, нищему студенту? Что я мог предложить Альме? Перешить мои суконные галифе в домашнюю юбку? В те годы зарождалась советская элита, к которой мы с вами имеем честь принадлежать нынче. Альма была из той среды. И ей полагался муж оттуда же. Вот почему она выскочила за Сашу Станкевича. Не любя, но и не страдая из-за этого.

Их дочь была первым ребенком на нашем курсе, и мы все чувствовали себя его родителями. Я для этого имел больше оснований, чем все остальные. Конечно, Виктория не была моей дочерью. Она, переняв черты красавицы Альмы, вымахала, не в пример матери, крупной, массивной, как Саша Станкевич. И эти ее формы делали ее еще женственней, бешено желанной, и я уверен, что не было в том городе мужчины, который, завидев ее, в мыслях не волок бы сразу в постель.

Я лежал в гостинице с дочерью Альмы и Саши, к которому я собирался с визитом в этот вечер. У меня было ощущение, что свершилось нечто вроде кровосмесительства. Во рту появился металлический привкус, как после пищевого отравления.

Виктория осушила до дна бутылку коньяка и ушла, с ленивой грацией шевельнув крутыми бедрами в дверях.

К вечеру, одеваясь, я не обнаружил моих ручных часов. Золотых, швейцарской фирмы «Докса», купленных в Москве в закрытом распределителе, на что я ухлопал мое месячное жалованье. Виктория прихватила их с собой. Вместо гонорара, положенного ей за сексуальные услуги, оказанные щедро, умело, почти так, как бывает при любви.

К супругам Станкевич, друзьям моих студенческих лет, я не поехал ни в тот вечер, ни в другой. И так и не повидал их. И до отъезда не встретил больше их дочь, Викторию, названную мною в честь победы, порочную красавицу, предлагающую себя за стакан коньяка постояльцам гостиницы, очень похожую внешне на итальянскую киноактрису Софи Лорен, только намного моложе ее.

— Браво! Браво! — сказал Зуев. — Теперь мой черед.

— Может, сначала попаримся? — неуверенно спросил Лунин.

— А что, у нас времени мало? — удивился Астахов. — Послушаем Витю — потом...

— Давай, Витя, — согласился Лунин, наливая себе еще одну чашку чая.

Зуев задумчиво глядел под ноги.

— Я не претендую на то, что моя история будет похлеще этой, но загадок она полна, и вот уже столько лет прошло, а я найти им ответа вразумительного никак не могу. Потому и выношу на ваш суд, уповая на коллективную мудрость.

РАССКАЗ ЗУЕВА

Было это действительно давно, и я еще не достиг нынешнего положения, зато, в порядке компенсации, был не так толст, а худ и подвижен, и на голове моей на месте теперешней лысины еле поддавались гребешку упрямые густые волосы, в которые так любили запускать свои пальчики юные девы, ласкавшие нас в ту пору неутомимо в разных городах и городишках нашей необъятной советской Родины.

Как вы знаете, я в те годы много ездил в командировки, как мальчик на побегушках, потому что барахтался у самого подножия моей нынешней карьеры. И была в этом своя прелесть: новизна впечатлений, неожиданные встречи, а главное, подальше от начальственных глаз, а посему и больше вольностей можно себе позволить.

Занесла меня судьба как-то в Ригу. Инспекция кадров. Что-то в этом роде. Занятие несложное, времени свободного — уйма. Приехали мы на пару дней с Колей Филипповым, таким же неоперившимся инструктором, как и я. Оба молоды и здоровы и распираемы от жажды наслаждений. А тут — Рига. Не город, а мечта. Порт, моряки и западный дух. Свобода нравов. В ресторанах — джазы, с ума сойти можно. Женщины одеты... Москва по сравнению с ним — глубокая провинция.

Я в этом злачном городе был уже не впервые, имел представление о тамошних нравах и знал, что, где и почем. В гостиницу ЦК, естественно, ни ногой. Там, хоть комфортабельно и дешево, мне делать нечего. Круглосуточный надзор, стерильность, как в больнице, ни привести, ни вывести, дежурные дамы на этажах, как церберы блюдут мораль партийных постояльцев и при малейшем нарушении сразу докладывают куда следует, а это значит, что был ты в командировке в последний раз.

Человек с моим опытом, конечно, останавливался в гостинице «Рига» — в самой сердцевине города, у оперного театра. В этой гостинице, построенной в стиле советского модерна, жить было дорого, но уютно. Все прелести «сладкой жизни» еще не совсем осоветившейся Риги были к твоим услугами. В ту пору. Сейчас не знаю, возможно, и тот райский уголок прибрали к рукам. Чего греха таить, мы же умеем утюжить то, что чем-то выделяется, и приводить все к общему знаменателю, скучному, как кладбищенский покой.

В этой гостинице, где останавливались большей частью иностранные туристы и советская элита: офицеры высокого ранга, артисты, ученые и такие, как мы, голодные партийные мальчики из Центра, которых здесь, в провинции, принимали как всесильных вельмож, — был свой установившийся порядок: гостям мужского пола очень неназойливо, а главное, бесплатно подсовывали на ночь в постельку девиц на выбор. Блондинок и брюнеток. Юных и зрелых. Туземных латышек и наших русопятых. Все удовольствие обходилось в стоимость ужина на двоих, заказанного в номер. И все. Вполне по карману даже таким голодранцам, как мы с Колей Филипповым. Можно было легко уложиться в суточные, которые нам платили в командировке, и не тратить кровных из зарплаты, кои полагались семье, дожидавшейся в Москве возвращения папули.

А занимался поставкой живого товара упитанный малый с мордой вышибалы, торговавший одеколоном и туалетным мылом в мраморном холле гостиницы, в киоске «Сангигиена». Кстати, у него же можно было достать заграничные презервативы. Тонкие, как паутина, и с усиками на головке, доводившими бабу до исступления. Надо было лишь негромко сказать ему, в каком номере ты остановился и в каком часу желательней всего получить товар. И точно в оговоренное время, когда уже на столе дымился доставленный официантом из ресторана ужин, раздавался негромкий стук в дверь и входила фемина — блондинка или брюнетка, но, независимо от масти, обязательно с хорошей фигурой и вполне пристойными манерами средней советской служащей. Эдакая «скорая половая помощь». И даже модные в ту пору большие дамские сумки напоминали докторский саквояж с набором медицинских инструментов. Выпьет, закусит, посмеется сальному анекдоту, без шума, без орания песен, как у нас на Руси полагается, а потом разденется, не погасив света, чтобы ты лицезрел все ее прелести и по мере обнажения доходил до неистовства, и в постели покорно и ненавязчиво будет делать все, что твоей небогатой фантазии заблагорассудится. И уйдет утречком, чуть свет, оставив тебе свой номер телефона на оторванном крае газеты и поцеловав тебя, сонного, в щечку, от чего ты, окончательно проснувшись через пару часов, обнаруживал на небритой щетине отпечаток губной помады в форме сердечка.

В тот раз, как вы догадываетесь, мы с Колей Филипповым направились прямо с вокзала в гостиницу «Рига», где нас ожидал заказанный из Москвы номер — полулюкс из двух комнат: спальни на две кровати и гостиной, с ванной, соединяющейся с обеими комнатами.

Мы бросили вещи в номере и затопали к лифту — скорее вниз, в холл, к киоску «Сангигиена», чтобы напомнить мордастому малому, что мы здесь и он вполне может направлять к нам девиц для «парного этюда», то есть для одновременного употребления их на двух рядом расположенных кроватях с последующим обменом — кавалеры меняют дам.

В холле под пудовыми бронзовыми люстрами гудит толпа, как обычно в больших гостиницах. Мы протолкались к киоску «Сангигиена», и я оторопел. Мордастый парень стоял за стойкой и игриво болтал с неземным созданием. Юное, лет семнадцати, существо с классической головкой, в серой кроличьей шубке, какие носят школьницы-подростки, и в берете из такого же меха. Божество! Хрупкая тростиночка! Неземное создание с огромными глазами газели и удивительно стройной фигуркой, угадывавшейся по ножкам, затянутым в серые, домашней вязки чулки.

Мы с Колей Филипповым стояли, разинув рты, и Коля прошептал огорченно, что это, мол, существо не из категории поставляемого товара. Конечно, подтвердил я, таких он никому не поставляет. Сам пользует. Видишь, облизывается, как кот. Коля возразил, что никто ее не пользует. Еще дитя. Школьница. В гостиницу зашла случайно. Может, мама с папой послали с каким-нибудь поручением? А что болтает с мордастым малым из киоска «Сангигиена», так это случайное совпадение и к ее нравственности никакого отношения не имеет.

Я с Колей не согласился. Я был полон сомнений. Да, конечно, она совершенно не похожа на тех девиц, какие стучали ко мне в номер. Она божественно хороша невинной прелестью входящей в пору цветения красавицы. Ее огромные глаза так непорочно и удивленно распахнуты на этот гудящий, как улей, многоязычный мраморный холл, пропитанный насквозь пороками всех континентов, что хочется подойти к ней, бережно взять за руку и вывести отсюда прочь, подальше, на чистый воздух. К школьным подругам.

— Вот, видишь, — сказал Коля. — Уходит. Она здесь случайно. Она не из тех. Пойдем, спросим у мордастого. Он только подтвердит.

— Обойдемся без мордастого, — сказал я, и, как потом утверждал Коля, глаза мои загорелись хищным блеском, какой бывает у охотничьего пса. — Сейчас ты, Коля, убедишься, какой ты наивный птенец.

И я ринулся в толпу, ей наперерез. У самой вертящейся двери настиг серую кроличью шубку, поравнялся и интимно зашептал в ушко под меховым беретом:

— Через десять минут я вас жду у себя... Четвертый этаж... Номер 425... Итак, через десять минут.

Прошептал все это без заигрываний в голосе, тоном приказа.

Я даже не взглянул на нее. Поэтому не знаю, как она восприняла мои слова. Покраснела ли, побледнела?. . Я благоразумно затормозил, растворился в толпе и стал пробиваться к Коле Филиппову.

— Пошли, — заторопил я его. — Через десять минут она будет у нас в номере. Мы должны приготовиться к встрече.

— Ты с ума сошел! — завопил Коля. — Она что, согласилась?

— Это меня не интересует. Я ей велел. И уверен, не ошибся.

— Она тебе по морде не съездила?

— Хочешь быть в доле, заткнись, товарищ Филиппов. Нам нужно успеть приготовиться к ее приходу.

Ошарашенный Коля Филиппов стонал и охал в лифте, не умолкал на всем пути по длинному коридору, а в номере, свалившись в кресло, изрек:

— Спорю на любую сумму, что ты напрасно прождешь до утра.

— Не хочу с тобой спорить, — отмахнулся я, поспешно сбрасывая с себя одежду и натягивая вынутую из чемодана пижаму. — Как только постучит, милости просим убраться отсюда и через стеклянную дверь, разделяющую гостиную и спальню, можете смотреть концерт, который я здесь с ней исполню на диване. И облизываться. Беззвучно.

Коля закатился заливистым смехом, и так громко, что

я вначале не расслышал слабый стук в дверь. Колин хохот оборвался на визгливой ноте — он раньше меня распознал звук и, вскочив с кресла, заметался по гостиной. Я жестом показал ему на стеклянную полупрозрачную дверь в спальню и, когда он исчез, застегнул пуговицы на пижамной куртке, нервно откашлялся и открыл входную дверь.

На пороге стояла она. В серой кроличьей шубке, в сдвинутом на ухо берете из кроличьего меха, и большие, глубокие, как у газели, глаза смотрели на меня застенчиво и выжидающе.

— Прошу.

Я закрыл за ней дверь и незаметным движением руки за спиной повернул ключ в замке.

Сердце гулко стучало под пижамной курткой. Я чувствовал себя неуверенно и был возбужден чрезмерно. В том, как она позволила мне снять с нее шубку, как стащила с прелестной головки берет и, оставшись в зеленом, в талию, коротком платье, села на диван, положив руки на колени, и взглянула на меня с доверчивой и в то же время робкой улыбкой, я кожей учуял, что меня ожидает множество сюрпризов, и Коля за полупрозрачным стеклом, где темнел силуэт его фигуры, приникшей к двери, получит сказочное удовольствие в качестве зрителя. Меня же ожидают скорее всего неприятности.

Опустившись в кресло напротив нее, я тоже улыбнулся, очевидно, идиотской ухмылкой и стал лихорадочно прикидывать, что предпринять дальше.

Ее не удивило, что я встретил ее в пижаме. Это уже хорошо. Но она сидит, как школьница в гостях у дяди, и, судя по ее лицу, даже не предполагает, чего я жду от нее. Раздеваться она и не собиралась. Во взгляде ее и в каждом движении головки, когда она с искренним любопытством рассматривала обстановку в гостиной, не было и намека на ту развязность и натянутую игривость, которые безошибочно определяли женщин, профессионально занимающихся этим делом.

— Ну, что ж, приступим, — бодро сказал я, потирая взмокшие ладони.

— К чему приступим? — невинно уставилась она на меня.

— Как к чему? — заерзал я в кресле и даже прикрыл

рукой раскрытую ширинку в пижамных штанах, за которой светилось мое голое тело. — Ну, а что делают мужчина и женщина вечером в такой уютной обстановке... когда, остаются, так сказать, наедине?..

Она рассмеялась:

— Не знаю. Расскажите мне...

Из спальни, за стеклянной дверью за моей спиной, я услышал легкое похрюкиванье. Это Коля подавился сдерживаемым хохотом.

— Как тебя зовут? — спросил я, чтобы выиграть время и найти выход из положения, в которое я себя сам поставил.

— Рита, — сказала она кротко и доверчиво. — А вас?

Я представился. Вымышленным именем, конечно.

— Вы — инженер? — спросила она.

— Почему ты так решила?

— А вы похожи на одного инженера... папиного приятеля.

— А кто твой папа? — насторожился я.

— Разве не знаете? Он — большой человек в нашем городе.

В спальне снова хрюкнули, и Рита вскинула брови, прислушалась.

— Ничего, ничего, — заторопился я и пересел к ней на диван. — Это вода... в трубах парового отопления.

Теперь, когда я сел рядом с Ритой на диван и положил руку на спинку, как бы обняв ее, Коля мог лицезреть эту умилительную картинку в фас.

— Понимаешь, деточка, — тоном развязным, но в меру, оставляя возможность для благопристойного отступления, заговорил я, и рука моя, лежавшая на спинке дивана, за ее шеей, коснулась ее плеча и стала поглаживать острый, еще детский выступ под шерстяным платьем движениями интимными и настойчивыми, — ты мне нравишься как женщина.

Она не сбросила моей ладони со своего плеча и слушала, глядя прямо мне в глаза с каким-то любопытством, в котором не сквозило и тени сексуального интереса.

— И я тебе, надеюсь, не противен.

Она кивнула.

Я облегченно перевел дух и стал прокладывать дорогу ближе к цели.

— Что же нас останавливает? Почему мы не можем... любить друг друга?

Она передернула плечиками, и моя рука, скатившись, застряла между спинкой дивана и ее талией, так что я пальцами мог прощупать под тканью платья края трусиков, там, где резинка стягивает их на пояснице.

— Я вас совсем не знаю...

— Но ты ведь пришла ко мне в номер... и в такой поздний час.

— Вы меня попросили... — невинно распахнула она газельи глаза.

— Что значит, я тебя попросил? В гостинице сотни людей живут. И если бы другой тебя пригласил в свой номер, ты бы и ему не отказала?

— Не знаю. Может быть...

— Вот ты какая птичка? — с нарочитым удивлением закатил я глаза.

— Какая? — насторожилась она.

— Не притворяйся дурочкой. Давай говорить дело.

— Давайте.

— Вот, так лучше. Ты молода, наверно, студентка.

Она кивнула.

— Я тоже был студентом. Знаю, что такое жить на стипендию... а у девушки потребности... косметика... там... чулочки... шляпки... на стипендию не разгуляешься...

Она слушала, глядя мне прямо в глаза, и я решил идти напролом, чтоб вырваться из этой порядком надоевшей словесной шелухи, в которой увязал, пробираясь окольными путями.

— Я уже не студент, хорошо зарабатываю и... с удовольствием помог бы... такой очаровательной... Скажи мне... и я тебе сделаю подарок...

Предложить ей денег наличными я не отважился, считая, что «подарок» не совсем покоробит ее еще неокрепшее ушко.

Она сдвинула брови на переносице и смотрела мне в глаза, обиженно моргая мохнатыми ресницами.

— За кого вы меня принимаете?

— Вот те раз! — я слегка хлопнул ладонью по ее колену и не отнял руки, а пальцами пролез под край зеленого платья и задвигал ими вверх, сначала по вязаному чулку, а когда он кончился резинкой, ощутил голое упругое бедро.

— Уберите руку, — попросила она, и ее губы задрожали: вот-вот заплачет. — Я невинная девушка.

— Ты никогда не спала с мужчиной?

— Никогда.

Я вскочил с дивана и, забыв про Колю Филиппова за стеклом двери, нервно зашагал по гостиной взад и вперед, смешной и нелепый в своей пижаме.

— Зачем же ты ко мне пришла?

— Вы меня пригласили...

— Для чего?

— А это... вам лучше знать.

— Не знаешь?! Ты что, дурочка? Прешь к мужчине ночью в номер... по первому зову... и не знаешь, для чего тебя пригласили?

Ее глаза до краев набухли, переполнились слезами.

— Я могу уйти...

Но при этом она не сделала движения, чтобы встать, и слезы по-прежнему ползли по щекам к уголкам губ, собираясь там крупными каплями.

— Я тебя не гоню, — смирив свой гнев, перевел я дух, приблизился к ней вплотную и положил ладонь на голову, чтобы утешить, успокоить ее. А затем потихонечку, без шума выпроводить.

Я стоял и гладил ее по макушке и незаметно возбудился, и мой напрягшийся член вывалился из пижамных штанов, замаячив перед ее носом. Она отдернула голову и тыльной стороной ладони закрыла рот... Мгновенная догадка сверкнула в моем мозгу. Я решительно отдернул ее ладонь от раскрытого рта и сунул ей в губы свой член.

На сей раз она не отшатнулась. Приняла его в рот, мягко обжав губами. Глубоко-глубоко. И заиграла языком. Движениями изнуряюще-сладкими, от которых у меня защипало в носу.

Она делала минет. Умело. И с наслаждением. Прикрыв в истоме глаза. И мохнатые ресницы легли темной бахромой на непросохшие от слез нежные щечки.

У меня звенело в голове от изумления и наслаждения. Ее гибкий упругий язык творил чудеса, а губки, пухлые и крепкие, ритмично и ласково двигались по члену от основания до самой головки и обратно.

Я чуть не выл. Мои колени задрожали, готовые подкоситься. Произошел взрыв, извержение вулкана. Она не отняла головы, не выпустила член изо рта, а несколькими движениями горла проглотила все, что я изверг. Потом облизала его языком, придерживая ладошкой, и делала это до тех пор, пока он не обмяк, сжался и не исчез в пижамных штанах.

Тогда она откинулась на спинку дивана и глубоко, удовлетворенно перевела дух. Я плюхнулся рядом на диван, пустой, как выжатый лимон. И тут вспомнил про Колю Филиппова. За мутным стеклом двери не видно было его силуэта. Должно быть, приводит себя в чувство в ванной.

— Ну-с, — понемногу приходя в себя, сказал я слабым голосом. — Теперь-то подарок возьмешь?

— Зачем вы меня оскорбляете? — ее глаза снова наполнились слезами. — Я могу уйти, если вы этого хотите.

Я ничего не понимал. Мне нужна была ясность.

— Может быть, выпьешь со мной?

— Что вы? Я не пью. И если мама учует запах вина, то знаете, что дома будет?

— Кто же ты, черт побери, такая?

— Рита, — заморгала она пушистыми ресницами и доверчиво улыбнулась мне.

— Откуда тебе знаком этот малый, что торгует в холле парфюмерией?

— Это кто? Сеня, что ли?

— Возможно, Сеня. Я не имею чести знать его имени.

— Его сестра со мной учится. У них нет дома телефона. Вот я и зашла, чтобы ей передать...

— Понятно, — протянул я.

Мне ничего не было понятно. Я никак не мог определить, что за птица эта Рита, понять мотивы ее поступков.

И тут меня осенила идея.

Я вскочил и направился в ванную, прикрыв за собой дверь. В ванной, как я и ожидал, пасся совсем обалдевший Коля Филиппов.

— Уму непостижимо, — простонал он, сжав голову руками.

— Хочешь, попробуй и ты? Я в спальне подожду.

Коля захлебнулся от восторга, протиснулся мимо меня и исчез за дверью, ведущей в гостиную, а я пустил из крана холодную воду и стал ополаскивать лицо.

Я еще вытирался мохнатым полотенцем, как из гостиной донесся шум. Голос Риты, срывающийся на крик, заставил меня насторожиться:

— Уходите! Вы что затеяли? Групповое насилие? Я закричу. Я милицию позову.

Я выскочил в гостиную, схватил растерянного Колю за плечи и вытолкал его в ванную, приговаривая, негодуя:

— Ах, негодник! Подумать только, нельзя на минутку отлучиться! Это мой сосед. Дверь осталась незапертой, и он проник сюда. И стал приставать? Да? Делать тебе гнусные предложения? Ну, я ему покажу! Какое хамство!

Рита плакала на диване, спрятав лицо в ладони и склонившись головой к коленям. Я гладил ее по плечам, по волосам, а она всхлипывала, как обиженный ребенок, и руки моей не отталкивала.

— За кого вы меня принимаете? Что я вам плохого сделала? Я к вам, как к человеку, а вы...

— Прости меня, родная... — утешающе нашептывал я, боясь, что ее слезы перейдут в истерику, в крик, и тогда прибегут из коридора, начнутся выяснения и мне не оборбраться хлопот. — Кто бы мог подумать? На минуту тебя оставил, и этот хам... это ничтожество...

За стеклом двери темнел застывший Колин силуэт, и он слышал каждое мое слово.

— Этот подонок... этот шакал... без совести и чести.

Убаюканная моим голосом, Рита склонилась головой мне на грудь, глубоко и тепло дыша в расстегнутый ворот пижамной куртки. Она уже не плакала. Ее ладошка покоилась на моем бедре и незаметно сдвинулась к ширинке, легла на мой выдохшийся, съеженный член. Я же просунул свою руку под край ее платья, продвинулся по нежному бедрышку до трусиков и, пошевелив пальцами, добрался до курчавых волос.

Рита глубоко, возбужденно задышала, уронила головку на мой живот и мягкими теплыми губами снова взяла мой сразу напрягшийся член. Начался второй сеанс минета. Слаще и вкуснее первого. Рита была неутомима и профессионально умела. Она забирала в удивительно вместительный ротик все, даже яички, и перекатывала их язычком, как морская волна перекатывает, набегая на берег, крупную гальку. Я был на седьмом небе от вкушаемого удовольствия. Даже постанывал. Чем добил окончательно прильнувшего к двери отвергнутого Ритой Колю.

Потом, когда я, опустошенный, лежал ничком на диване, Рита, взглянув на часики, заторопилась домой. Подавая ей серую кроличью шубку, я смущенно и растерянно искал возможность выразить ей свою благодарность и снова забормотал о подарке.

Рита метнула на меня печальный, полный обиды взгляд.

— Я к вам больше не приду. Вы — примитив.

И ушла, мягко, без стука прикрыв за собой дверь. Прекрасная, как небесное создание, как сон, который обласкал и испарился. Чтоб больше никогда не повториться.

Я стоял растерянный, оглушенный, в своей нелепой пижаме. И Коля, выползший из спальни, имел вид не лучше моего.

Вот загадка. Ну, решайте ее, профессора. Прошло столько лет, а я, как вспомню, дохожу до головной боли. Кто такая Рита? Как понять ее поведение? Поступила так она со мной одним? Или с каждым, кто ее поманит? Но ведь домогания Коли Филиппова она с гневом отвергла? А Коля был парень покрасивей меня. Намек на подарок вызывал ее оскорбленные слезы. Никаких чувств ко мне она не могла испытать. Так как же?

Русская парилка!

Спасение и утеха не избалованной радостями русской души.

Дух спирает, как войдешь и глянешь на дубовые полки уступами в пять колен, уходящие к самому потолку, с набухшими на них тяжелыми каплями влаги. Каждый полок выскоблен и натерт распаренными ягодицами, и дерево все в трещинах, как в морщинах, от горячего пара и холодной воды.

Под грудой посиневших от жара камней-валунов с веселым треском пылают березовые поленья, в пахучем дыму завивая колечками белую кожицу-бересту.

На дубовом полу кучей свалены веники. Еще сухие. Ломкие. Плоские от летней сушки. Воткнешь такой веник в деревянную бадейку с крутым кипятком, и он взрывается пьяным березовым духом, распушается букетом оживших ветвей с кружевными листочками. И такой аромат наполняет баню, какой бывает лишь после летней грозы в березовой роще, когда солнышко снова припечет и белые красавицы в курчавой салатовой зелени сомлеют в его тепле.

Плеснешь бадью воды на синие от жары камни! Как бабахнет белыми клубами! Будто из старинной пушки стрельнули. Вторую бадью. Третью.

Уф-ф-ф! Уф-ф-ф! Уф-ф-ф!

Дышать нету мочи. Рот беспомощно разинут. Горло забито. Ноздри горят. Все тело преет, сочится клейкой влагой. Очищается.

И становишься как бы невесом. Еще немного — и со звоном в голове оторвешься от пола и поплывешь в белом тумане.

Хорошо-то как! Господи! Нет. Дорогие товарищи! И жизнь хороша-а-а, и жить, едрена вошь, тоже хорошо-о-о. Ой, до чего хорошо! Мочи нет!

Румяные, в красных пятнах и полосах тела растеклись по мокрым доскам.

Мечется веник, со свистом режет густой воздух и сладко сечет кожу, вышибая дух вон, оставляя прилипшие березовые листочки на размякших плечах, на лопатках, на бедрах.

— Давай! Секи! Жги! Не жалей!

Багровеет лицо до предела. Вот-вот лопнет, брызнет закипевшей кровью. Ан нет! Утопишь голову в холодной воде, выдавив ее волной через края бадейки и пустив пузыри. Затем мягко смажешь тело мыльным мочалом. Без нажима. Легонько.

И снова жить можно. И лениво хлестать себя веничком. И стонать от услады, и ухать, и выть, как зверь лесной.

В бане ты сам себе судья и хозяин. Здесь каждый, каков он есть. Как мать родила и в жизнь пустила. Без одежды и притворства. Весь — нагишом.

Они вышли из парилки багровые, с прилипшими к мокрым телам листьями от березовых веников и прилегли на диван и кресла отдохнуть, перевести дух. Кувшин с квасом, холодный, запотевший, переходил из рук в руки, и они пили без стаканов, прямо из кувшина, как бывало делали это четверть века назад, когда были молодыми и не такими важными персонами.

— Твоя очередь, Саша, — сказал Лунину Зуев. — Давай, не отставай от нас.

— Что ты нам поведаешь, блондин? — насмешливо спросил Астахов.

РАССКАЗ ЛУНИНА

Кто из вас спал с иностранкой? Никто? Повезло вам, уж поверьте. Я вот умудрился и чуть инфаркт не схватил. И не потому, что баба меня заграничная до того довела, а от страху. От страху, что узнают, и тогда мне — хана.

А бабы за границей свое дело знают. Получше наших. Умеют себя подать как следует. И не выламываются, не строят из себя невесть что. Раз пошла на это дело, значит, на полную катушку, без оглядки. Чтоб и мужику доставить удовольствие, и себя не обидеть. Ну, подарочек какой перехватить, а лучше всего — деньгами.

Есть у меня приятель в Москве, известный поэт и большой любитель женским мясом полакомиться. За границей он бывает больше, чем дома. И вот как он наших и иностранных баб сопоставляет.

Там, говорит, за границей, все просто. Время — деньги. Остановил на улице бабенку поинтересней. Чтоб грудки на месте и задок на отлет. Как из журнала мод. Никаких лишних слов. Разговор чисто деловой. Сколько, мол, стоит? Столько-то. А нельзя ли подешевле? Нельзя. У нас и так, мол, инфляция. Ладно. Где наша не пропадала. Вот тебе адрес моей гостиницы и номер комнаты, в какой проживаю. В восемь ноль-ноль чтоб была как штык. Я, понимаешь, в заграничной командировке, времени лишнего ни минуты.

Я к восьми уже принял душ (там горячая вода — круглые сутки), одеколоном парижским побрызгался, облачился в пижамку и жду. Ровно в восемь стук в дверь. Приходит. Улыбка — на все тридцать два белоснежных зуба, будто и впрямь к любимому на свидание пришла.

А уж в постели такое мастерство покажет — глаза на лоб лезут. Сделала все как следует, оделась, в лобик тебя чмокнула, денежки в сумку спрятала и завихляла задом к выходу. Даже провожать не надо. Лежи, мол, отдыхай. Гуд бай, дорогой товарищ.

А у нас? Сидишь где-нибудь в командировке. Баба нужна до зарезу — аж штаны трещат. Ну, зацепил где-нибудь в кинотеатре или в парке (на улице, Боже упаси, не знакомятся) местную красулю из фабричных девчонок, лет под двадцать. Бабец по формам не хуже той иностранки, и по глазкам бедовым, видать, не из монашек, под конем бывала не единожды.

Так и так, мол, уговариваешься, приходи в гостиницу в восемь часов, я ужин закажу в номер, выпьем, поговорим за жизнь. Упаси Бог, нашей-то девице открыто сказать, зачем ее приглашают, примет за самое страшное оскорбление и больше разговаривать не станет, хоть и отлично знает, зачем я ее приглашаю. Не кормить ведь, у меня — не ресторан.

Поломавшись для виду, соглашается. Значит, жду тебя, говорю, в восемь ноль-ноль. Ни минутой позже. В десять в гостиницу посторонним вход воспрещен. Понятно? Понятно, говорит, не обману.

Сижу я в своем номере. На столе бутылка «Столичной», селедка, винегрет да пара пива. Больше ничего в местном буфете не водится. Да моя-то красавица других деликатесов и не знает. Сойдет.

Восемь часов. Нету. Девять часов — ни гугу. Тут уж начинаешь подвывать от расстройства. Настроение портится окончательно. Пульс начинает падать. Принимаешь валокордин. Спасибо жене-умнице, не забыла, сунула пузырек в карман в самый последний момент. А то бы впору «скорую помощь» вызывать. Без пятнадцати минут десять — телефонный звонок.

— Это я, — кокетливым голосом.

— Да где же ты, черт бы тебя побрал? — не выдерживают нервы.

— Тут рядом. В телефоне-автомате.

— Чего же ты ждешь? Через десять минут будет поздно. Тебя сюда не впустят. Беги скорей!

— Хорошо. Но я не одна. Я — с подругой.

— На хрен мне твоя подруга? — я уже перехожу на визг, как баба. — Приходи одна. Идешь?

Молчание. Сопение в трубке. Шепоток на два голоса.

— Ладно. Ждите.

Меня прошибает цыганский пот. Как же ее провести? Дежурная на этаже — старая карга с мордой бандерши — не пропустит. Надо ее подмазать. Хватаю из чемодана флакон парижских духов, которые тут по большому знакомству раздобыл для жены в подарок, и — бегом в коридор. Сую карге, а самому выть хочется от унижения.

Так, мол, и так, объясняю. Тут ко мне местная поэтесса зайдет. Для консультации по поводу ее сборника новых стихов. Так уж, будьте любезны, не задерживайте, пропустите.

— Ну, уж если на консультацию, — понимающе соглашается старая карга и прячет в ящик стола французские духи, — то почему не пропустить? Пропустим. За милую душу.

Бегу обратно в номер, снова глотаю валокордин. Жду. Осторожный стук в дверь.

— Войдите.

Входит, потупясь. Как невинная девица. В пол смотрит, мнется.

— Я всего лишь на минутку. Ботики снимать не стану.

Утром просыпаешься с ней в кровати — действительно, ботики не сняла. Так и провела ночь, не разуваясь.

Вот так сравнивает известный поэт наших девиц с заграничными.

У меня впечатления иные. Не буду вас томить и изложу все по порядку, чтоб смогли пережить то, что со мной приключилось, и самим сделать соответствующие выводы.

Я не стану рассказывать, как я выезжал за границу, ибо каждый советский человек, кто оказался «счастливчиком» и попал в туристскую группу, знает, чего это стоит.

Знает, как тебе завидуют товарищи и в особенности их жены, потому что ты с женой едешь, а они — нет. Значит, у тебя своя рука там, где это решается, значит, умеешь жить, то есть ловчить, и так далее.

Знает, как тебе душу вынут в партийной комиссии, где геморройные старики с большим стажем в партии будут потрошить все твое белье и допытывать, как во времена инквизиции. Хотя при этом отлично знают все о тебе по твоему личному делу, знают, что ты — партийный работник и уже не менее чем сто раз проверен и перепроверен.

Знают, что ты пограмотнее их и больше читал и поэтому тебе не нужно, как несмышленышу, пояснять, как себя вести за границей, чтоб, не дай бог, не уронить чести советского человека, не поддаться на провокацию врагов. Хотя о какой провокации и о каких врагах может идти речь, если едешь ты не к капиталистам, а к нашим верным союзникам, которые у нас по струнке ходят на коротком поводке и сами норовят казаться святее папы.

И тем не менее тебе мотают нервы, припугивают, что в любой момент могут отменить решение и не пустить тебя за границу. И вместо тебя поедет кто-нибудь более достойный. И это при том, что едешь ты за свои кровные денежки, иностранной валюты тебе меняют с воробьиный нос, чтоб только хватило на прохладительные напитки да почтовые открытки с видами заграничных городов, по которым тебя провели галопом и чуть ли не в армейском строю.

И это еще при том, что раз едешь с женой, то дома обязательно должны оставаться, вроде как в залог, твои детишки с бабушкой. Это для того, чтобы ты не вздумал бежать и попросить политического убежища.

Куда бежать? Где просить? У коммунистов просить убежища от коммунистов. При том, что ты сам коммунист с солидным стажем и занимаешь немаленький пост в партийном аппарате.

Бред. Идиотизм. Вывихнутые мозги.

Но вот — все позади. Последняя пограничная проверка. И — прощай любимая страна. Мы — за границей.

В нашей туристской группе подобрался народ серый, невыразительный, но успешно прошедший проверку на идеологическую чистоту и патриотизм. Дамы провинциальные, одеты так, что в чужой стране, где цивилизации побольше, готов провалиться сквозь землю от стыда за своих соотечественников и за нашу разнесчастную Россию — светоч человечества и знаменосец мира.

Какие им там исторические памятники и музеи? Глазеют только на витрины магазинов, и все мозги заняты решением одной задачи: как умудриться из жалкой суммы иностранной валюты выкроить так, чтобы купить хоть что-нибудь поприличней, сэкономив на газированной воде и почтовых открытках.

Я уж не говорю, что держи язык на привязи, не болтай, не остри. В другой раз за границу не поедешь. Старший в группе, «нянька» из государственной безопасности, составит рапорт куда следует, и потом будешь отдуваться. Да и соседи по группе не лучше. Меня мой приятель из органов предупредил, что в подобных туристских поездках каждый второй получает строгий наказ — следить за определенной особой и доносить «няньке». Я не удивился бы, узнав, что моя жена получила задание контролировать меня и писать доносы. Меня, слава Богу, не попросили следить за ней.

Фарс. Водевиль. В нормальной голове не умещается. Но, как поется в известной песне, мы, коммунисты, рождены, «чтоб сказку сделать былью», а также «и в воде мы не утонем и в огне мы не сгорим». Что уж нам — поездка за границу!

Ездили мы в роскошных итальянских автобусах по довольно красивой, скажу я вам, стране, и кормили нас вкусно и обильно. Останавливались в хороших современных гостиницах: семейная пара — вдвоем в комнате, одиночки — каждый в отдельности.

Случилось это в старинном городе, расположенном по склонам холмов, с узкими извилистыми улицами, остроконечными черепичными крышами, фонтанами на крошечных площадях, мощенных булыжником, по которым стучали подошвами еще римские легионеры.

Наша гостиница на двадцать этажей высилась над морем красной черепицы серыми бетонными боками, как чужая заморская гостья. Но жить в этой гостинице было очень уютно — последнее слово мировой архитектуры.

Должен оговориться, что весь наш с женой капитал в местной валюте хранился у меня — жена страдала рассеянностью. Даже свои ручные часы она забыла дома в предотъездных хлопотах и порядком надоела мне, осведомляясь то и дело о времени. Я даже иногда отдавал ей носить мои часы — отечественную, не Бог весть какую штуку марки «Мир».

Мы старались не тратить ни гроша из той жалкой суммы, которую нам обменяли в банке перед отъездом. Восемнадцать долларов на нос на всю поездку. Больше не позволено. Жена решила, что в последний день нашего путешествия, когда она будет знать все цены, мы купим на эти деньги подарки детям и бабушке. Какую-нибудь вязаную вещь, которая в нашем отечестве блистательно отсутствует на полках магазинов.

Вот в этом-то городе, расположенном на холмах, жена учинила мне скандал, застав на месте преступления — я на валюту выпил бутылку пива, потратив, по ее хитрым подсчетам, сумму, достаточную для покупки кофточки младшей дочери.

Я рассердился не на шутку. Да нельзя быть таким крохобором! Хрен с ней, с кофточкой! Если так трястись над каждой копейкой, так лучше уж сидеть дома и никуда не ездить.

Жена тоже не осталась в долгу, повысила голос до визга. Услышал «нянька», велел нам немедленно перестать ссориться, ибо нас слышат иностранцы, и они могут нехорошо подумать о советских людях. На всякий случай в гостинице он разместил нас в двух отдельных номерах и даже на разных этажах, чтобы мы поостыли маленько.

Так создались идеальные условия, бросившие меня в объятия иностранки. В тот вечер нас, советских туристов, местное отделение общества дружбы с СССР угощало ужином, обильно сдобренным местным вином, которое можно пить бесконечно, настолько кажется оно слабым и вкусным, вроде виноградного сока. Последствия сказываются значительно позже, когда внезапно начинают деревенеть язык, наливаться свинцом ноги, потом начинаешь откалывать номера совсем уж бесконтрольно, как после бутылки водки.

Когда мы поздно ночью возвращались домой нестройной и галдящей толпой, привлекая внимание прохожих громкой русской речью и взрывами беспричинного смеха, кто-то из наших туристов, расхрабрившись после изрядных возлияний, стал спорить с «нянькой» — единственным трезвым и хмуро-озабоченным существом, что две девицы, одиноко сидящие за столиком среди десятка других пустых перед входом в наш отель, — не кто иные, как местные проститутки. «Нянька» не стал вступать с ним в дискуссию и велел прикусить язык и заткнуться. Но моя жена, которая в этот день меня демонстративно не замечала и на банкете сидела на противоположном конце стола, не последовала примеру «няньки» и резко возразила, что это клевета на дружественную нам страну, успешно, по нашему примеру, строящую социализм. Следовательно, проституток в таком обществе нет и быть не может.

Логика моей жены, как всегда, была восхитительной, а ее суждения категоричны и неоспоримы.

Когда мы поравнялись с этими девицами, сидевшими в полном одиночестве на огромной каменной веранде перед фронтоном отеля за совершенно пустым столиком, даже без бутылки лимонада для блезира, та, что была слева, со змеиной гибкой фигуркой, туго обтянутой черным платьем с глубокими вырезами на груди и спине и с красной дразнящей розой в черных волосах, подмигнула мне озорно и вызывающе, и я чуть не взбрыкнул публично, как старый армейский конь при звуках боевой трубы.

Мы обменялись быстрыми, понимающими взглядами, и я поспешно отвел глаза, дабы дружный коллектив советских туристов во главе с моей законной супругой не заподозрил неладное.

Даже быстрого взгляда было достаточно, чтобы понять, что девка — чудо. Совсем юная, жгучая брюнетка, с пухлым пунцовым, как роза в волосах, ротиком, с глазами, как влажная вишня, — ни дать ни взять — испанская Кармен из одноименной оперы композитора Бизе. В глубоком вырезе черного платья дразняще бугрились каменные груди.

Мы гурьбой ввалились через вертящиеся двери в уже опустевший, с наполовину притушенными плафонами вестибюль, где в кресле дремал старый швейцар, а два рослых усатых полицейских в диковинной форме с лампасами парой, и даже в ногу, прогуливались по мягкому ковру. Нас они приветствовали, четко приложив руки к лакированным козырькам, и, оскалив белые зубы под черными усами, даже изрекли несколько русских слов, как знак особого к нам благоволения.

Администратор во фраке и с «бабочкой» на крахмальной груди лучился всеми морщинами бритого и порядком потасканного лица, когда вручал нам ключи от комнат.

В этой стране нас, советских, если и не любили, то порядком боялись и потому постоянно демонстрировали не совсем искреннее дружелюбие, когда нужно и не нужно.

В лифте я поднимался вместе с женой, оттесненный от нее горячими, распаренными телами наших туристок, которых все больше и больше разбирало выпитое сверх меры вино, притупив чувство бдительности и развязав языки. Они громко, с подвизгом хвалили качество кабины бесшумного лифта, мерцавшей гладкими алюминиевыми стенками и отражавшей их распаренные физиономии со сбитыми прическами в зеркальном потолке. Они наперебой уверяли друг друга, что таких лифтов в СССР нет и еще не скоро будут, и вообще Европа умеет жить, не в пример нам, русским.

Моя жена, правда, попыталась вставить, что зато у нас имеются спутники и баллистические ракеты, но ей тут же заткнули рот таким сокрушительным аргументом, что, мол, спутник и ракету в рот не положишь и на себя не наденешь.

Она вышла этажом раньше меня и, пока алюминиевые двери кабины медленно смыкались, смотрела из коридора на меня презрительным и в то же время жалким бабьим взглядом, все еще надеясь, что в последний миг я выскочу из лифта и последую за ней в ее комнату.

Я закрыл глаза и открыл их лишь тогда, когда лифт, мягко вздрогнув, остановился на следующем этаже. Отперев свою комнату, сразу бросился к окну, распахнул его и, грудью навалившись на подоконник, заглянул вниз, как в пропасть. Пятнадцатью этажами ниже при свете круглых фонарей я разглядел среди пустых столиков, казавшихся совсем маленькими, обеих девиц. Вернее, одну. Мою. С красной розой в волосах. Ее подругу уже уводил вниз по ступеням к черному большому американскому автомобилю мужчина в темном костюме. А моя (я спьяну уже считал ее моей из-за одного лишь взгляда, которым мы обменялись внизу) помахала подруге рукой и уселась, как птичка, на металлической ограде, по-птичьи поджав под себя ноги и запрокинув лицо кверху, словно обозревая все двадцать этажей с пунктирами темных и светящихся окон.

Мое окно светилось, и с подоконника свешивалась моя пьяная башка. Клянусь честью, она меня узнала на таком расстоянии. Помахала ручкой и улыбнулась на все тридцать два жемчужных зуба.

Меня прошибло потом. Не отдавая себе отчета в том, что я делаю, я вырвал из блокнота листок, размашисто начертал на нем номер моей комнаты и хотел было выбросить записку в окно, но спохватился, что ее унесет ветром черт знает куда, и, вырвав из горла графина стеклянную полую пробку, завернул ее в мое страстное послание, состоявшее лишь из номера комнаты, и опустил за подоконник, предварительно пояснив взмахами руки, чтобы ловила внизу. Она соскочила с ограды и подняла руки кверху.

Хорошо, что я промахнулся, иначе бы ей несдобровать. Стеклянная пробка, завернутая в бумажку, камнем пролетела мимо нее и взорвалась, как бомба, от удара об землю. Так, по крайней мере, показалось мне. И еще мне показалось, что на этот грохот во многих темных окнах вспыхнул свет и сонные люди, в том числе советские туристы, недовольно выглянули наружу. Но это мне, к счастью, только показалось спьяну. Меня развозило все больше и больше. Коварное местное вино выказывало свой нрав, и дальше все мои поступки диктовались уже не разумом и даже не инстинктом, а лишь давлением винных паров.

Моя красотка подобрала с земли записку, отошла к фонарю, чтобы прочесть, и несогласно мотнула головой, показывая мне, что ей ко мне подняться никак нельзя, а лучше мне самому спуститься вниз.

«Куда вниз? — тяжело ворочались мысли в моей мутной башке. — Здесь у меня комната, хорошая кровать с упругим матрасом, на которой мы с ней взлетали бы до потолка, и душ с горячей водой. Куда мне идти? К себе поведет? А куда к себе? И нет ли там засады? Нас же предупреждали перед отъездом все время быть начеку, не притуплять бдительности и не поддаваться на про-во-ка-ции».

— Ну, это мы еще посмотрим, — решил я, не размышляя, — кто кого спровоцирует. Нас, боль-ше-ви-ков, голыми руками не возьмешь. Понял? Вот... и катись!

И я покатил к выходу. Предварительно догадавшись взять из чемодана всю пачку денег в иностранной валюте, мои и женины, которые она отдала мне на сохранение, чтобы в последний день, перед отъездом домой, купить детям и бабушке подарки. Проститутки ведь бесплатно не отдаются. Это я даже в пьяном виде хорошо понимал.

Я был пьян, как говорится, вдрызг. Еле передвигал ноги, расставляя их как можно шире, чтоб найти упор, как матрос во время шторма на качающейся палубе. Вино булькало у меня в горле, я был переполнен выше верхней отметки и опасался покачнуться, чтобы вино не хлынуло изо всех пор, в том числе и из ушей.

Серебристая кабина лифта мягко опустила меня в вестибюль, но при торможении я сделал несколько отчаянных глотательных движений, чтобы удержать вино в горле и не прыснуть тонкой струйкой в зеркало.

Проснувшийся в кресле швейцар и оба полицейских с недоумением проводили взглядом мою покачивающуюся фигуру, и администратор, которому я отдал ключ от номера, даже вскинул брови. За его спиной зияли ячейки с цифрами номеров, но без ключей. В этих ячейках стояли торцом книжечки паспортов обитателей отеля.

У меня еще хватило сообразительности не подойти к ней перед фронтоном здания с сотнями окон, откуда за мной могли наблюдать бдящие глаза моих соотечественников и всевидящее око моей супруги. Я прошел мимо нее, лишь кивком головы предложив ей следовать за мной. Она понимающе подчинилась. Лишь свернув за угол кирпича-небоскреба, я остановился и сгреб ее в свои объятия.

Не знаю почему, но я заговорил с ней по-немецки. Возможно, потому, что она на этом языке стала со мной объясняться. А для меня как раз немецкий — единственный из всех языков на земле, кроме родного, русского, на котором я могу хоть что-то пробормотать. Это — последствия войны и моего пребывания на территории побежденной Германии. Правда, мой лексикон был очень ограничен и блистал такими перлами, как «Хенде хох!» (Руки вверх!), «Гитлер капут!» и «Яволь!» (Так точно!). Но это нисколько нам не помешало. Благо, и ее немецкий не отличался совершенством, и она так коряво выговаривала слова, что я схватывал на лету и безошибочно.

Девчонка меня приняла за немца. Из Западной Германии. У тех, как известно, денег — куры не клюют, и валюта — самая стабильная в мире. Девочка предвкушала иметь в своей ладошке немецкие марки, и в немалом количестве. Чтоб меня вдохновить на щедрость, она, сверкая глазками-вишнями и обжимая горячими руками мою шею, сообщила мне интимную подробность, заключавшуюся в том, что ее подружку увез американец, постоянный клиент, который за каждую ночь платит сто долларов. И ни копейки меньше.

По моей спине прополз влажный холодок и растаял в ложбинке между ягодицами. Мне делали откровенный намек на то, что все удовольствие обойдется в кругленькую сумму, не меньше ста долларов или сколько там выходит в перерасчете на немецкие марки.

В заднем кармане моих брюк тоненькой пачкой лежали жалкие тридцать пять долларов, да еще к тому же в местной, неконвертируемой валюте, и это было все, чем родное государство наделило от щедрот своих меня и мою жену. А жена, как уже известно, берегла их пуще глаза своего, потому как планировала закупить на них шерсть детишкам и бабушке. И так как даже себе не доверяла, отдала их мне на хранение. Когда же я по забывчивости разменял одну купюру, изнемогая от желания испить пива, моя жена буквально чуть башку мне не оторвала. И притом публично, на глазах у местных жителей, которые, по справедливому замечанию нашего «няньки», могли создать себе неправильное, превратное представление о советском человеке.

— Ну, — решил я, — семь бед — один ответ. Ни шагу назад! Погорят сегодня две женщины. И эта девица с красной розой в волосах, которая рассчитывает расколоть меня уж по крайней мере не меньше чем на сто долларов, а я таких денег и во сне не видал. И моя жена. Плакали ее кофточки шерстяные. Останутся без заграничных подарков мои бедные деточки. И бабушка тоже.

Вот сколько народу должно было пострадать в эту ночь. А все оттого, что местное вино лишь на вид такое слабое, а как наглотаешься его под завязку, становишься отчаянным и бесстрашным. Пусть все они винят это коварное вино. А я тут ни при чем. Единственное мое желание — дорваться до этой туземной красотки, содрать с нее штанишки и вонзить ей мой пролетарский член под самую печенку, чтобы задохнулась подо мной и взвыла нехорошим голосом, позабыв даже те несколько слов на немецком языке, которые знала.

Она что-то лопотала, повиснув на моей шее и водя щечкой по моему носу, отчего я воспламенялся все более. Коекак я разобрал, что к себе домой она меня не приглашает, там мне, привыкшему к немецкому комфорту, не понравится, но зато она знает такое место, где нам обоим будет очень хорошо. Так как я немножко пьян, то она предлагает на моей машине не ехать (у меня не только здесь, но и дома автомобиля в помине нет), а взять такси. Кстати, паспорт мой со мной? А то там без документа не пускают.

Мой заграничный паспорт с серпом и молотом, в твердом переплете лежал в ячейке, за спиной у администратора, где висел ключ от моей комнаты.

Она прижалась ко мне, обвив мою шею рукой, и мы пошли, покачиваясь (она качалась в такт со мной), к вестибюлю. Только проскочив с ней через дверь-вертушку и увидев полицейских, швейцара и администратора, я понял, что влип бесповоротно. Уж они-то знают, кто такая девица с алой розой, повисшая на шее у советского туриста, и с абсолютной точностью смогли установить, что, как и Карлу Марксу, коммунисту из СССР ничто человеческое не чуждо. А так как здесь, как и в СССР, все служащие гостиниц, и тем более полицейские, являются осведомителями, то уж они не преминут поделиться своим открытием с определенным учреждением, а те, изумившись, пошлют рапорт в Москву, чтобы порадовать своих советских коллег. И — спи спокойно, дорогой товарищ. Твоя песенка спета. Из партии — ногой под зад, волчий билет в зубы, жена в праведном гневе требует развода. Я остаюсь без семьи, без партии и без гроша в кармане.

Эти мысли, как вихрь, как смерч пронеслись в моей мутной голове, и я даже всхлипнул беззвучно, оплакивая свою судьбу, тем временем продвигаясь к конторке администратора с девицей, повисшей на моей шее. Полицейские смущенно улыбались мне вслед, швейцар делал хитрые глазки, а администратор понимающе и сочувственно смотрел мне в лицо. На стенах вестибюля в золоченых рамах висели большие портреты руководителей этой страны, ее партийных лидеров (я, к стыду, ни одного из них не помнил по фамилии, хотя в наших газетах их имена мелькали часто, да и по должности мне это полагалось знать), и мне казалось, что все они смотрят на меня с укоризной и вот-вот погрозят пальчиком:

— Ай-ай-ай, немолодой человек. Позорите свою страну и партию, вас воспитавшую. Какой же пример вы подаете нам, вашим младшим братьям по борьбе за счастье трудящихся? Дурной пример. Нехороший пример. Бр-р-р-р!

Тем не менее, подстегиваемый винными парами, я попросил свой паспорт, назвав номер комнаты, и администратор, сладенько улыбаясь, вынул из ячейки под моим ключом советский паспорт и протянул его мне. Я как можно более небрежно сунул его в задний карман брюк, где лежала обреченная валюта, и зашагал с девицей в обнимку к вертящейся двери.

Мне, как и пролетариату, терять было нечего, кроме своих цепей. Спасения уже не было, мосты сожжены. Мне стало весело, а в голове пусто и звонко.

Девица сама позаботилась о такси, приставив меня на минуточку к стене отеля, чтобы я не упал, пока она подзывала машину. Она втолкнула меня на заднее сиденье, сама втиснулась вслед за мной и уселась на моих коленях, обняв за шею и тепло дыша мне в глаза и лоб. Шоферу она сказала адрес, куда ехать, и мы покатили.

Она вертелась на моих коленях, как уж, расстегнув мою рубаху, оглаживала ладошкой волосатую грудь, губами ловила мочку моего уха и жевала ее, отчего сладко защемило в переносице и под черепом, в извилинах моего мозга потекли теплые медовые ручейки.

В этом бредовом состоянии я не очень следил, куда мы едем. Единственное, что машинально засек мой затуманенный взор, это то, что мы уже выехали за город и при лунном свете мчались по асфальтовому шоссе, петлявшему по склонам холмов, тоже пустых, без единого огонька.

Девица представилась. Ее звали Анитой. Полагаю, что это была ее профессиональная кличка, а подлинное имя она клиентам не называла. Анита так Анита. Звучит неплохо и почти по-русски, так что не требуется больших умственных усилий, чтобы запомнить.

Спросила, как меня зовут, и я назвался Гансом. Анита взвизгнула от удовольствия и с радостью сообщила, что у нее был друг по имени Ганс и даже похож на меня, как брат. Такой же блондин и голубоглазый. Он ей каждую ночь оставлял по двести немецких марок. Не считая угощений и подарков. У меня заныло под копчиком.

За очередным поворотом дороги замелькали огоньки среди деревьев, и такси затормозило перед аркой, перекрытой шлагбаумом. Рядом стояла сторожевая будка. Это был кемпинг для иностранных туристов. За аркой по склону холма теснились разноцветные палатки, освещенные изнутри. Между палатками лоснились под луной глянцевитыми боками автомобили всевозможных марок. Из палаток на десятки голосов вопили, хрипели, рыдали магнитофоны, оглашая весь холм джазовыми подвываниями, как будто здесь международный фестиваль, и много оркестров в одно время рванули каждый свое.

Первый удар по черепу я схлопотал, взглянув на счетчик такси. У меня глаза полезли на лоб. Цифры, нервно подрагивающие на приборе, показывали сумму, превышавшую половину того, что я вообще имел. А дорога назад? А плата за кемпинг? А Анита ведь тоже ожидает вознаграждения.

Я был банкрот, а банкроту ничего другого не остается, как катиться дальше по наклонной плоскости. В пропасть. И при этом делать вид, что ему очень весело. Я уплатил шоферу небрежным жестом миллионера и отпустил машину. Назад, если меня здесь не придушат, придется топать пешком. Километров пять. Не меньше.

Анита уже щебетала в сторожевой будке с усатым малым явно бандитского вида, но в форменной фуражке местной туристской компании. Он оскалился мне навстречу и попросил паспорт. Взяв его в руки, малый в фуражке был немало удивлен, определив его советское происхождение. Он покачал головой, переводя хитрый, понимающий взгляд с меня на Аниту. Ее он знал. Не первого клиента сюда доставляет, но с советским паспортом впервые. Это все можно было без труда прочесть на его плутоватой роже.

— Тоже небось осведомитель, — засосало у меня под ложечкой, — и непременно сообщит куда следует.

Малый развернул паспорт, заглянул, и его миндалевидные глаза округлились, открыв синие белки. Концы усов полезли вверх, зубы оскалились, и он захохотал, тряся паспортом перед моим носом. Это уже было чересчур. У нас, советских людей, своя гордость. И хоть я влип в беду, но смеяться над собой не позволю. Я вырвал у него раскрытый паспорт, и самого беглого взгляда оказалось достаточно, чтобы понять, что привело усатого в такое веселье. Я бы и сам заржал, не лишен чувства юмора, если б это касалось другого, а не меня. Проклятый администратор гостиницы перепутал паспорта, мой и жены, и сейчас на меня глядела с квадратной фотографии, наполовину пробитой казенной печатью, моя законная супруга. Глядела сурово и бессмысленно, как это часто получается на паспортных карточках.

Это был второй удар по черепу, но я еще стоял на ногах, не грохнулся навзничь. Крепкой мы породы люди. Стойкие. Как говорил поэт, гвозди бы делать из этих людей, не было б в мире крепче гвоздей.

Цена за ночлег в кемпинге втрое превышала остаток денег в заднем кармане моих брюк. Я честно сознался в этом, выложив на стол последние жалкие ассигнации.

Анита искренне опечалилась. Но, к счастью, она меня не запрезирала, а во взгляде ее я даже прочел сочувствие. Вот, что значит своя, социалистическая проститутка. Человек — в первую очередь. Она пошепталась с усатым, он разрешил нам лишь на два часа за эти деньги занимать палатку, спрятал деньги в карман, бросил мне на плечо, как вьючному ослу, два шерстяных одеяла, и наш караван, ведомый усатым осведомителем в фуражке туристского бюро, за которым тащился я, а за мной грустная Анита, проследовал на территорию кемпинга, запетлял между палатками и автомобилями, под грохот джазов, под разноязычные вопли и смех наслаждавшихся отпуском западных туристов. Я брел, как бесчувственный автомат, и почему-то думал о том, что если придется бежать отсюда, то я никак не выберусь из лабиринта и заблужусь, как дитя.

Наконец, мы в пустой розовой палатке, высокой, в полтора роста. С яркой лампой над головой. С надувными, но без воздуха матрасами под ногами. Анита изнутри закрыла палатку на замок-молнию, села на пол и жестом предложила мне последовать ее примеру. Я последовал.

— А теперь давай поговорим, — сказала она. — Я бесплатно спать с тобой не собираюсь. Из-за тебя я и так потеряла весь вечер.

Я согласно кивнул и, как мог, по-немецки объяснил ей, что у меня в банке много денег и завтра, мол, когда банк откроют, она получит свое. И даже больше (завтра рано утром автобус должен был умчать нас в другой город на противоположном конце страны).

Анита выслушала мою ломаную речь с явным интересом, но тем не менее попросила чего-нибудь вперед. Что мог я ей предложить? Заграничный паспорт моей жены? Мой взгляд остановился на часах, кожаным пропотевшим ремешком охвативших запястье левой руки, и я предложил совсем уж не как немец, а как это водится у нас, на Руси, в определенных слоях общества:

— Возьми часы. На память.

У Аниты на смуглой руке золотились изящные часики, и тем не менее она проявила интерес к моим. Я снял их с руки безо всякого сожаления. Часы — дерьмо. Отечественные, марки «Мир».

Анита прочитала марку по латыни, и получилось «Муп».

— Никогда не встречала такой марки, — искренне удивилась она.

— Ого! — сказал я. — Это — уникальные часы. В вашем городе только ты одна и будешь владеть такими часами.

Анита со смехом надела их на свое тонкое смуглое запястье, выше своих золотых, и попросила меня застегнуть застежку. Потом она подтянула к себе резиновый ребристый матрас, губами схватила медную трубочку на конце его и стала дуть, округляя шариком щеки. Я тоже принялся надувать второй матрас. Мы дули оба, сидя на земле друг против друга, как два закадычных приятеля, направившихся в туристический поход за город, на лоно природы, с ночевкой.

Анита оживилась, засияла глазками. Мое обещание сходить утром с ней в банк и щедро одарить свое действие оказало. А я дул из последних сил, неуклюже, часто мимо трубки, издавая губами непристойные звуки. Хмель понемногу улетучивался из головы, и страх за содеянное овладел мною, леденя душу и спирая дыхание.

Я был конченым человеком. Возвращаться домой мне была дорога заказана. Погонят отовсюду с позором. Значит, оставалось одно — бежать. Предать страну, партию, семью и бежать до границы, а там махнуть на Запад. Здесь, я слышал, граница охраняется спустя рукава, небрежно, не то что у нас, и проделать это несложно.

— Прощайте, родные, — целовал я в уме почему-то сонные мордашки моих детей, и слезы закипали во мне, горючие, обидные.

— Прощай, мама. Ты меня, подлеца, больше не увидишь, и тебя похоронят чужие люди.

— Прощайте, товарищи, — перебирал я в уме тех, с кем работал, с кем встречался на именинах, к кому ходил в гости.

С женой я не прощался. Хрен с ней!

Вот в таком полуобморочном состоянии я полез к раздевшейся догола Аните, когда она уложила рядом два надутых матраса и сама легла поперек, широко раскинув крепкие, стройные ноги. И опростоволосился. Я был абсолютно ни к чему не способен. Поелозил по ней безрезультатно, смущенно слез и стал натягивать штаны.

— Постой, — сочувственно заглянула мне в глаза Анита, — я тебе помогу.

Она склонила голову к моим расстегнутым штанам, губами поймала член и стала жевать, тянуть, языком прижимать. И он не выдержал такой атаки, набух, вывалился наружу.

Анита повалилась на спину, потянув меня на себя. Ловкими пальчиками направила его, просунула куда следует и стала снизу покачивать меня, дыша часто и со страстью, ладошками прижимая мои ягодицы.

А я смотрел поверх ее головы, в розовую стенку палатки, слышал джаз и чей-то захлебывающийся стон. Женский. Из соседней палатки. Там, видать, бабе достался настоящий мужик. А я ни на что не был способен. Перед моим взором мелькали сонные мордашки моих детей, я их целовал, и горючие слезы текли по моим щекам.

Как Анита ни прижимала мои ягодицы, он увял в ней и стал вываливаться, а она, должно быть, всерьез возбудившись, сплела обе ноги на моей спине и стала вжимать меня в себя, не давая выскользнуть и темпераментно извиваясь животом.

— Битте, битте, — по-немецки умоляла она меня проявить себя мужчиной и удовлетворить ее возбужденный сексуальный аппетит.

Я ей мог только посочувствовать. Он вывалился окончательно, съежился, стал почти неразличимым. Анита, войдя в раж, не отступилась и проявила удивительную настойчивость. Она его измордовала, затискала, зацеловала. И он — а он у меня не железный — вспомнил, какова его функция на этой земле, и, независимо от моей воли и состояния, распрямился, раздулся и затвердел, как деревянный.

— Битте, битте, — возликовала Анита и шлепнулась на спину, продавив матрас.

Я — на нее. И зашуровал. Думал, порву ей там все. Словно дубиной орудую. Сухостой. Твердый, как камень, и абсолютно нечувствителен. Так можно целый час гонять и не кончить.

Анита была наверху блаженства. Она стонала, выла, кричала дурным голосом, и мне на миг показалось, что у соседей выключили магнитофон и все ближние палатки завистливо прислушиваются.

Она кончила раз десять, и, когда наконец и меня пробрало, Анита осталась лежать, как бездыханный труп, закатив глаза и слабо, бессильно шевеля пальцами раскинутых рук. А когда очухалась, пришла немножко в себя, уставилась на меня восхищенным взором и сказала:

— Никогда не думала, что немцы такие мужчины. Экстра-класс! Ни с кем не сравнимо!

Мне вдруг стало обидно. Я — русский, советский человек, старался, а слава — немцам. Даже захотелось сознаться ей, кто я такой. Вот такая форма патриотизма всколыхнулась во мне, но я промолчал.

А Анита не унималась. Ее распирал восторг.

— Да не с тебя надо деньги брать, а тебе платить. Ты же — чудо природы!

Я, скромно отводя взор, застегивал штаны и чуть было не сказал, что каждый советский человек на моем месте сделал бы то же самое, если бы его башка, как моя, была бы в это время занята мыслями о побеге, прощанием с родиной и детьми.

Назад мы поперлись пешком. Анита висела на моей шее и благодарно зацеловывала меня. Она выглядела счастливой любовницей, обожающей меня и гордящейся мною. Я же еле ноги волочил.

Уже в полусне я добрался до гостиницы, взял у ухмыляющегося администратора ключ, отдал ему, собаке, паспорт жены и, взлетев в лифте под небеса, не раздеваясь, уснул.

Мне показалось, что я не проспал и пяти минут, как меня подняли, нещадно тормоша. «Нянька» и моя жена. Вся группа уже завтракала внизу, торопясь к автобусу. Наши чемоданы стояли в вестибюле.

Я не мог есть и пялил мутные глаза по сторонам. Наши дамы качали головами, переглядываясь, вот, мол, что алкоголь делает с человеком. А моя жена вступилась за нашу семейную честь и кое-кому пояснила, да еще на высоких тонах, мол, ее муж действительно опьянел, не в меру наглотавшись местного вина, а случилось это потому, что он непьющий, чист как стеклышко и к алкоголю привычки не имеет, не то что некоторые.

Скоро комфортабельный автобус уносил нас из этого города. Остались за холмом черепичные крыши, фонтаны на площадях и наша гостиница-небоскреб. Где-то под одной из черепичных крыш сладко-сладко спит прелестная девочка Анита и во сне видит, как она со мной стоит у стойки банка, я подписываю чек, и она считает хрустящие кредитки. В твердой конвертируемой западногерманской валюте. У меня даже не было сил улыбнуться при этой мысли. Я провалился в тягучий сон под мягкое покачивание автобуса.

Жена с беспокойством оглядывала меня.

— Который час на твоих? — спросила она. Как вы помните, свои часы она впопыхах позабыла дома и о времени осведомлялась у меня.

Теперь мои часы «Мир», наверно, покоились на ночном столике рядом со спящей Анитой.

Я полуоткрыл глаза и протянул жене руку без часов.

— Где твои часы? — ахнула жена.

Я не нашел ничего лучшего, как ответить ей:

— Не знаю.

— Пьяная свинья, — прошептала жена, чтобы соседи не слышали, и уже громко, на весь автобус сказала: — Мой муж забыл свои часы в гостинице!

К нам подбежала гид из местного туристского бюро, стала упрашивать жену не волноваться, сказала, что сейчас же сообщит в гостиницу и часы пришлют нам вслед.

— У нас очень строго, — с гордостью сказала она. — Ничего не пропадет.

— Держи карман шире, — съязвила одна из наших дам. — Плакали ваши часики. Жулики на этом свете не перевелись. Даже при социализме.

Другая дама заспорила, взяла под защиту эту страну и в пылу спора, забыв об осторожности, ляпнула:

— Здесь не Россия, тут воровства нет!

«Нянька» предложил прекратить дискуссию и смотреть в окна на прекрасные пейзажи дружественной нам страны.

Когда мы приехали по назначению и сидели в вестибюле гостиницы на чемоданах, ожидая ключей от номеров, пришла, запыхавшись, гид и убитым голосом сказала, что в моей комнате перерыли все, но часов не нашли.

— Я и не сомневалась, — возликовала дама, которая еще в автобусе все это предвидела. — Такие же воры, как у нас!

— Вы не огорчайтесь, — совсем растерялась гид, — мы что-нибудь придумаем.

— Не верю, — отмахнулась моя жена. — Слава Богу, чемодан у него не украли. Видят — пьян, почему не взять? Ты деньги где хранишь?

— В чемодане, — проблеял я, готовясь к самому худшему.

— Открой чемодан, — велела жена, подбоченясь и сверля глазами бедного гида. — Я хочу при свидетелях увидеть, где наши деньги.

В чемодане, как и следовало ожидать, денег не оказалось. Моей жене сделалось дурно. Гид и дамы из нашей группы отпаивали ее холодной водой, и она слабым голосом совершенно раздавленного человека жаловалась всем, кто был в вестибюле:

— Лимонада себе не позволяла, берегла... детям подарки хотела сделать... Бессовестные люди... Ни стыда, ни чести... А еще строят социализм... по нашему примеру...

Дело принимало скандальный оборот. Я снова стал подумывать о побеге, о политическом убежище, но все обошлось благополучно. Местные власти, трухнув не на шутку за свой престиж, компенсировали нам все потери. И при этом в сильно преувеличенном объеме.

В день отъезда мне в присутствии всех наших туристов, извиняясь и оправдываясь, вручили золотые часы швейцарской фирмы «Лонжин», а жене в счет потерянных денег поднесли большой пакет, в котором были не только шерстяные костюмчики и вязаная шаль для бабушки, но и платье «джерси» самого большого размера — как раз впору моей жене.

Остальные туристы, не скрывая, завидовали нам, и все вместе высоко отзывались о гостеприимстве страны, которую мы покидали.

Я отделался легким испугом.

Вот так я переспал с иностранкой, нажив при этом золотые часы и одев с иголочки всю свою семью.

— У меня как-то из головы не идет Шурик Колоссовский. — Астахов затянулся сигаретой и, округлив губы, пустил дым колечками. — Вот вспомнили нашу молодость, и возник Шурик, а не кто-нибудь другой... Он вроде эмблемы, символа той поры. Вспыхнул яркой звездочкой, всех озарил своим светом и исчез, как бы растаял в небытии. А был ли Шурик? — возникает вопрос. Не плод ли он нашего воображения?

— Ты что, шутишь? — недоверчиво хмыкнул Лунин.

— Не до шуток, — вздохнул Астахов. — Скорее грустно... Шурик был... Он с тобой, Лунин, два года в одной комнате жил. Это факт. А вот как умер... уж не помню точно... У меня тогда рана открылась, в госпитале провалялся всю весну. Правда, что он повесился?

— Повесился Шурик 9 мая, в день Победы. В нашей комнате. Вечером был салют. Все небо над Москвой в ракетах. Ну, мы и выскочили на улицу поглазеть. Вернулся я в комнату — Шурик висит.

— Вот чего не пойму, того не пойму, — вскочил с дивана Зуев и, запахнувшись в мохнатую простыню, как в тогу, зашагал по ковру. — С нами учились инвалиды войны. Кто без рук, кто без ног, кто с одним глазом. А учились-то как? Через пень-колоду. Лишь бы сдать. А как за жизнь цеплялись? Никто и не думал покончить с собой.

— Шурик же — король! Красив, умен, одарен, ну, по всем статьям — баловень судьбы. Ему и сталинскую стипендию дали. Значит, в деньгах не нуждался. Не то что мы. Начальство на аркане тащило его вверх. Он — и староста курса, он — и секретарь партбюро. Повсюду, где надо товар лицом показать, совали Колоссовского. А уж о женщинах и говорить не приходится. На его похоронах весь цвет Москвы был, я имею в виду женщин, и рыдали в три ручья, как безутешные вдовы. Чем ему жизнь поперек горла встала? А? Он записки не оставил?

Зуев и Астахов уставились на Лунина, медленными глотками тянувшего пиво из кружки.

— Не оставил. Это я точно знаю. Я первым обнаружил труп. Это уж потом милиция понаехала, начальство галопом прискакало. Комнату опечатали. Меня в другую переселили. Скандал! Чрезвычайное происшествие! Уж больно популярен был Колоссовский. Всем его в пример ставили. Равняйтесь, мол. А тут — повесился! Поди объясни причины, растолкуй народу. Начальство в панике. Похороны запретили. Разговоры и шепотки велено прекратить. Пустили слух, что из-за бабы. Несчастная любовь тому причиной.

— А на самом деле? — нетерпеливо спросил Зуев.

— Как было на самом деле, — ответил Лунин, — только покойник знал, да унес тайну в могилу. Разговоры о бабах — это все туфта. Причина поглубже.

— Шурик прошел всю войну не офицером, а сержантом. В пехоте. В разведке. В офицеры сам не пожелал, нравилось быть солдатом. Четыре медали «За отвагу». Это, если помните, самая почетная медаль была. Ее за красивые глаза не давали. Только за подвиг. Немца живьем захватить. Танк гранатой подорвать. Редко кто до второй медали дотягивал. Заблаговременно попадал в братскую могилу. А Шурик четыре штуки отхватил и жив остался. Это уже чудо. Четыре медали «За отвагу» по нашей армейской шкале ценились больше, чем Золотая звезда Героя Советского Союза.

Как я теперь понимаю, трагедия Шурика была в том, что он всю войну тянул лямку, мечтая, что кончится война и воцарятся на земле мир и справедливость. А реальность оказалась иной. Вся страна в руинах, голод, карточная система, на всех углах инвалиды тянут руку за милостыней. А главное, Сталин так гайки завинтил, что ни вздохнуть, ни охнуть.

Шурику это все было поперек горла. Помню, как-то во хмелю он мне сказал, что у французов есть любопытная поговорка: лучше хорошая война, чем плохой мир. Вот я и полагаю, что плохой мир доконал его. К такой жизни Шурик подладиться не мог. Да, видать, и не хотел. Это было политическое самоубийство.

Все трое задумчиво молчали, но вот Зуев что-то вспомнил, и улыбка развела его толстые губы.

— Саша, — кивнул он Лунину, — а похороны-то ты помнишь? И как мы с тобою влипли?

Лунин наморщил лоб и, вспомнив, тоже улыбнулся в усы.

— Чур, я расскажу, — попросил Зуев. — Сережа не был на похоронах. Вот пусть послушает. Значит, так. Хоронили мы Шурика десятого или одиннадцатого мая. День выдался — настоящая весна. Солнышко в лужах отражается. Небо голубое, ни облачка. Грачи орут как оглашенные. Почки на деревьях лопаются. Так славно, так приятно. Мы же все недавно с войны. Уцелели. И в такой день чувствуешь себя пьяным от счастья.

А тут — похороны. Траур. И хоть близкого друга хоронишь, а никак не в состоянии погрузиться в печаль. Захлестывает биологическая радость жизни.

Да, чуть не забыл. Являться на похороны нам было строжайше воспрещено. И студентам, и преподавателям. А рано утром во дворе больницы собралась огромная толпа. Там были все наши студенты и преподаватели, консерватория, где Шурик учился параллельно, тоже явилась чуть ли не в полном составе. И женщин красивых как на выставке мод. Венков — не сосчитать. Оркестр настраивает инструменты, чтобы грянуть траурный марш, как только вынесут гроб. А гроб-то стоит в морге.

Подъехал автомобиль с открытой платформой, на которую гроб будут ставить.

— Несите покойника.

А кто вынесет Шурика, заранее не договорились. Увидали Лунина. Он, мол, соседом с покойным был по комнате, вот пусть и окажет последнюю услугу товарищу. Лунин перечить не стал. Меня взял для подмоги, и мы вдвоем, на глазах у замершей толпы, направились вниз по каменным ступеням в подвал.

Должен признать, что мы действительно были в подавленном состоянии. Шурика мы увидели посреди подвала на столе, где прозекторы режут и потрошат трупы, но он уже был одет и уложен в гроб, обитый красной тканью.

Он был так же красив, как и при жизни. Смерть не обезобразила его. Руки сложены на животе, на лацкане пиджака колодки военных наград занимали два ряда.

Нам с Сашей предстояло вынести гроб на свет Божий, к ожидающей толпе. Задача несложная для таких молодцов, какими мы тогда были. И все бы обошлось прекрасно, не оглянись я по сторонам...

Мое внимание привлекла стеклянная банка из-под

маринованных грибов. На ней еще виднелся обрывок этикетки. Обычная пол-литровая банка, какими уставлены полки продуктовых магазинов. Банка была заполнена доверху серыми кишками, скрученными жгутом, но это еще полбеды, если б не наклеенная этикетка с четкой надписью: Иванов.

Меня вначале в пот бросило. Кишки в банке принадлежали некоему Иванову, чей труп потрошили здесь до Шурика.

Я толкнул Сашу, и он тоже уставился на банку с кишками.

— Это все, что осталось от бедного Иванова, — сказал я, не думая шутить, а горестно констатируя факт.

Саша Лунин заржал как конь.

— Это все, что осталось от бедного Иванова, — повторял он, хохоча до упаду.

И тогда стал смеяться и я. Мы смеялись вдвоем, держась за животы и сгибаясь чуть ли не до цементного пола. На счастье, никто не удосужился заглянуть в подвал: его бы хватила кондрашка. Два идиота хохочут, как припадочные, посреди морга, рядом с трупом в гробу.

Это был жуткий смех. И прекратить его у нас не было сил. Мы покатывались, мы скулили, мы выли, мы ржали, мы гоготали. Пять минут. И не могли остановиться.

Оба мы при этом сознавали, что если нас обнаружат хохочущими, последствия даже трудно предугадать. Я умолял Сашу заткнуться, он просил меня, но стоило нам взглянуть друг на друга, и новый взрыв хохота сотрясал своды подвала.

О том, чтобы вынести гроб, не могло быть и речи. Цель была одна: как унести отсюда ноги, не произведя переполоха в траурной толпе. Мы пошли на отчаянный шаг. Впереди — Саша, за ним — я, мы бросились бежать из подвала, закрыв лица руками, словно нас сотрясают рыдания. Так мы выскочили наружу, рассекли ошеломленную толпу и, лишь забежав за угол больничного корпуса, остановились... и перестали смеяться. Из-за угла оркестр грянул похоронный марш. Кто-то другой вместо нас вынес гроб с Шуриком Колоссовским.

РАССКАЗ АСТАХОВА

К чему эта история имеет отношение: к сексу ли, или к моей, чего греха таить, весьма нечистой совести, вам судить. Я же изложу только факты.

Было это в Литве, в самом конце сороковых годов, когда в этой крохотной республике, оккупированной — будем вещи называть своими именами — и насильственно присоединенной к Советскому Союзу, шла резня, каких свет не видывал. Наш мудрейший вождь, Иосиф Виссарионович, шибко рассерчал, что литовцы, всего лишь каких-то два миллиона, не склоняются перед русским гигантом, и велел расправиться с ними, как Бог с черепахой.

В Литве стреляли, резали, били. Вешали публично на площадях. А чтобы с корнем вырвать дух сопротивления, очищали Литву от литовцев. По ночам войска МВД оцепляли деревни, и все живое, кроме скота, грузилось в товарные вагоны и прямым сообщением отправлялось в Сибирь. Литву очищали под гребенку: деревню за деревней, уезд за уездом.

Можно было проехать десятки километров и не встретить живой души. Пустые, брошенные дома с распахнутыми настежь дверями и окнами, заросшие бурьяном огороды и непаханые поля да одичавшие кошки, вернувшиеся к своему первобытному способу кормежки: ловле полевых мышей.

Операции по выселению, вернее, охота за живыми людьми, назывались акциями, и в них, кроме солдат и офицеров МВД, принимал участие партийно-советский актив, то есть каждый, кто умудрился примкнуть к новой власти. В том числе и я, молодой и зеленый слушатель Высшей партийной школы в Москве, направленный в Литву на практику. Участвовал я в такой акции один раз, опростоволосился и за потерю политической бдительности был отстранен от следующих операций. К моей великой радости. Хотя нахлебался я горя по горло, и только чудом не рухнула вся моя партийная карьера.

Послали меня в Алитус, гнусное место на юге Литвы. Весь уезд — лесные хутора, непроходимые чащи. «Зеленые братья» — литовские партизаны там себя чувствовали как у Христа за пазухой: резали коммунистов, поджигали автомобили и даже нападали на военные гарнизоны. Ну, поступил приказ: весь уезд, с детьми и бабами, подчистую выселить в Сибирь. Сталин называл такую операцию ликвидацией питательной среды для повстанцев.

Разделили нас на группы: несколько солдат, офицер и штатский, вроде меня. По количеству хуторов. Каждой группе поручен один хутор. Собрать там все живое в кучу, никому не позволить бежать, доставить на станцию, погрузить в товарный вагон, запломбировать и отчитаться по инстанции.

Сразу хочу оговориться: нету тяжкого греха на моей душе. Я не из тех, кто после смерти Сталина стали открещиваться от всего, что было, хотя сами принимали в тех нечистых делах самое активное участие. Повезло ли мне или совесть во мне не совсем иссякла, но я и в ту пору кожей чувствовал, что делаем мы гнусные делишки, и хоть и не протестовал в открытую (таких самоубийц я не встречал), но старался изо всех сил быть подальше, не марать рук. Позиция не из самых благородных, но по тем временам и такое поведение требовало немалых усилий. Ну, не мог я, то ли по природе своей, то ли по воспитанию, что мне дали родители, стать палачом. Поэтому толкался где-то рядом с палачами, что вины с меня не снимает, и совесть свою чистой считать не могу.

Как все это выглядело — сейчас обрисую.

Акция проводилась ночью. Войска оцепили все дороги — мышь не пробежит, а оперативные группы на грузовиках ринулись к хуторам. У каждой группы был свой намеченный хутор и точные данные о тех, кто его населяет.

На американском «студебеккере» помчались мы к своему хутору. В кабине сидят солдат-водитель и лейтенант. Он — наш командир. А я и еще один солдатик с автоматом мотаемся в кузове на жесткой скамье. Мне выдали трофейный пистолет «парабеллум» с двумя обоймами, и я его держал в кармане пиджака.

Сопротивления на этом хуторе не предполагалось. Там обитали средних лет крестьянин с женой, дочь-студентка, приехавшая на каникулы из Каунаса, двое несовершеннолетних детей да еще старуха — мать хозяина. Если не считать самого хозяина, там не было ни одного боеспособного мужчины. Да и сам-то он числился в тихих, никаких за ним грехов антисоветских не водилось. Выселяли-то ведь не за провинность, а потому что попал под общую метелку, был приказ очистить полностью весь уезд.

Подъехали мы с погашенными фарами к хутору. Хотели незаметно, без шума. Но залаяла собака, заметалась на цепи, и наш лейтенантик, молоденький, только из училища, разрядил в нее всю обойму своего пистолета. Нервы сдали. Поднялся шум. Взвыла в доме старуха. Заплакали дети. Шофера с автоматом лейтенант оставил у машины часовым с приказом стрелять по каждому, кто попытается бежать, а мы трое ворвались в дом. Первым лейтенант, за ним — автоматчик, а замыкающим я, в штатском пиджаке и с парабеллумом в вытянутой руке. Смех и грех! Это на старуху-то голосящую да плачущих ребятишек.

Вся семья сбилась в кучу на кухне. Полуодетые. Мы их с постелей подняли. Хозяин и хочет с виду спокойным казаться, но руки дрожат и голос такой — того и гляди зарыдает. У меня к горлу стала подкатывать тошнота. Я по природе мягкий человек, курицу зарезать не могу. Да и лейтенант, совсем мальчишка, нервничает, не знает, как себя вести в такой ситуации.

Зачитал срывающимся голосом приказ о выселении и спрашивает, все ли ясно. Они молчат.

— Может, вам переводчик нужен? — растерялся лейтенант. — Не понимаете по-русски?

Дочка хозяина, студентка, белокурая такая литовочка, крепкая, спортивная, шагнула к лейтенанту, сощурила злые глазки и как плюнет ему в лицо.

— Вот тебе наш ответ, палач, — на правильном русском, хотя и с акцентом, сказала она и вернулась назад к отцу с матерью.

Лейтенант взвился, замахал пистолетом, старуха бросилась ему в ноги, стала целовать сапоги. Я почувствовал, что вот-вот меня вырвет, да как заору на лейтенанта:

— Спрячь пистолет, мальчишка!

И велел хозяину в два часа собрать все необходимое, но не больше шестидесяти килограммов груза на человека, и быть готовым к отправке.

Началась суета, суматоха. Хватают, что под руку попадется, заталкивают в машину, плачут, стонут. Вспоминать тошно.

Хозяин ко мне обращается:

— Разрешите, начальник, свинью заколоть, будет в дороге пропитание. До Сибири ехать не одну неделю.

Я глянул на лейтенанта, он пожал плечами, мол, делай, как хочешь, мое дело — сторона. Из молодых, да ранних. Свалил на меня ответственность. Я разрешил.

К женскому плачу добавился еще поросячий визг. Снова хозяин ко мне. Беда. В доме нет соли. А не просолить мясо — пропадет.

— Где я тебе соли возьму? — рассердился я.

— У соседа на хуторе есть. Пошлю дочку, она вмиг обернется.

— Без конвоя запрещаю ходить, — вмешался лейтенант.

— Ладно, — сказал я. — Со мной пойдет. У меня пистолет есть.

— Под вашу ответственность, — напутствовал меня лейтенант.

И мы вышли. Эта белокурая бестия в кофточке и черной юбке, тесно обжимавшей ей ноги при ходьбе. Икры, сильные, крестьянские, белеют в темноте. Пустой мешок под мышкой, шагает впереди меня по тропинке в кромешной темноте. И молчит. Ни слова. А мне чего разговаривать? Главное, чтоб не убежала. Шагаю сзади и глаз не свожу с ее ног. Юбка-то черная растворяется в темноте, а ноги босые белеют вроде ориентира. Гляжу на эти мелькающие икры, и нехорошие мысли одолевают: мол, повалить бы ее, эту бестию, в росную травку, задрать ее черную юбку, заголить белые ляжки до упора и задуть ей, чтоб лес закачался. Я эту блажь, конечно, из головы гоню. Пристойно ли коммунисту такое даже в мыслях иметь? А выселять мирных людей, лишать их крова, всего и гнать в холодную Сибирь — достойное коммуниста занятие? Невесело, скажу я вам.

Дошли мы до хутора без приключений. Там тоже — пир горой. Идет выселение. Часовой пропустил нас. Сосед насыпал ей полмешка соли, и мы пошли назад. Она несет мешок на руках. Я — сзади.

Вошли в ельник, где совсем темно, вдруг оборачивается ко мне:

— Помоги, — говорит, — мне на плечи мешок взвалить.

Я взял мешок, приподнял и хочу ей на плечи положить. Мешок упал на тропинку. Исчезла девица из-под носа, словно растаяла в кромешной тьме.

— Эй, — кричу, — где ты? Возьми мешок!

Ни слова в ответ. Только хруст хвои под ногами где-то в стороне. Я выхватил свой парабеллум, нажал. Осечка. Выстрела не получилось. Я снова закричал. Страх меня охватил. Упустил! За такое по головке не погладят. Можно даже партийный билет на стол. И еще хуже — в тюрьму самому загреметь.

У лейтенанта чуть истерика не сделалась, когда я вернулся один, волоча на спине дурацкий мешок с солью. Он тут же, солдаты — свидетели, составил рапорт, обвинив меня в сотрудничестве с врагом. Всю эту семейку, но уже без дочки, мы доставили на станцию, погрузили в эшелон. Хозяин хутора в последний момент эдак тепло глянул мне в глаза и шепчет тихо, чтобы лейтенант не расслышал:

— Спасибо, добрый человек, за дочку. Значит, есть и среди вас люди.

Ну и чудило! Он-то, дурень, как и наш идиот лейтенант, тоже решил, что я по доброте душевной девицу отпустил на волю. Так, сам того не желая и не ведая, я в святые попал. Ну, что ходить каждому объяснять, что, мол, надула меня, стерва, белокурая бестия, из-под носа убежала, и разгляди я ее в темноте, и не дай пистолет осечки, ухлопал бы, уложил на месте, как собаку.

Я это потом долго по всем инстанциям объяснял, доказывал и проклинал эту суку, как самого лютого врага своего. Времена-то какие были! Судьба моя на волоске висела. Уцелел чудом. Сам не знаю как. Отделался строгачом с занесением в личное дело, и долго таскал это клеймо, и бабу-литовку в уме матом обкладывал.

Время — лучший лекарь. Сняли с меня выговор. Пошел на повышение. Из памяти эта история выветрилась. Другие события, похлеще этого, ее затмили. И уж никак не думал, что жизнь снова сведет меня с этой чертовой бабой.

Прошло с тех пор не меньше двух десятков лет. Я на Волге работал. Во вторые секретари обкома вышел. Жена, дети. Два личных секретаря, часовой у входа. Положение. Репутация строгого человека. И все, что полагается партийному боссу в глухой провинции.

Однажды входит в мой кабинет секретарь и докладывает с нехорошей ухмылочкой:

— Все утро добивается вас по телефону одна дама. Из

Литвы, говорит, приехала. С вами была лично знакома... в молодости.

Я, хоть и столько лет прошло, сразу догадался, что это она, белокурая бестия. Значит, уцелела, стерва. Не подстрелили ее тогда в облавах, не поймали. И видать, покраснел, потому что мой секретарь, ушлый парень, глаза деликатно отвел в сторону.

Мне бы, конечно, для своей безопасности следовало сказать, что не помню я никого из Литвы, и распорядиться не соединять ее со мной. Зачем давать материал для доноса? А вместо этого я велел секретарю соединить меня по телефону с этой... из Литвы и, как услышал ее голос, окончательно узнал и разволновался, как мальчишка. Оказывается, она у нас здесь в командировке, остановилась в гостинице и, гуляя вечером, опознала меня на портрете, вывешенном на Центральной площади, где стенд с рожами депутатов Верховного Совета, и стала звонить в обком. Очень она хочет меня повидать. Своего спасителя.

Вот те раз! И она туда же! Как сговорились. Все делают из меня святого. Хоть я такой же подонок, ничем не лучше других был. А все же лестно. Даже мысль шевельнулась: может, память мне изменяет, не могут же все ошибаться?

Короче говоря, условились мы повидаться. Где? Меня в городе каждая собака знает. Зачем давать пищу для пересудов. Позвонил жене, что поздно вернусь. Отпустил машину с шофером, захватил из сейфа бутылочку коньяка да конфет шоколадных и пешком к ней в гостиницу пошел.

Увидал я ее и пожалел, что рискнул на такую авантюру. От той белокурой бестии и следа не осталось. Бабе добрых сорок пять. Вместо белых, как лен, волос, серая пакля, взбитая у парикмахера. Какая-то крупная, угловатая, костлявая. Скосил глаз на ноги — ведь я когда-то облизывался, идя сзади, на ее упругие спортивные икры — жилистые ноги с проступающими гроздьями вен.

Делать нечего. Пришел — бежать поздно. Распили мы бутылочку. Она мне про себя рассказывает. Как укрывалась у дальних родственников, как до самой смерти Сталина большей частью в погребе отсиживалась, чуть до чахотки не дошла без солнечного света. А потом, слава Богу, все выправилось. Университет кончила, вышла в люди. Имеет дом. Мужа и детей. А родных — никого. Не вернулись из Сибири. Все умерли там. От холода да от недоедания. И отец, и мать. И оба братика.

Мы оба, опьяневшие от коньяка, взгрустнули по этому поводу. Я даже сказал в утешение что-то банальное, вроде: все это — культ личности, но те времена, мол, прошли безвозвратно и больше не будет подобных нарушений социалистической законности. Партия, мол, стоит на страже интересов трудящихся.

А она, дуреха захмелевшая, засверкала подведенными глазками.

— Верно, — говорит. — Даже в те страшные годы были настоящие коммунисты, которые берегли честь партии. Вы, например. Вы не только меня спасли от гибели. Благодаря вам я поверила, что есть подлинные коммунисты, и я сама сейчас — член партии.

Господи, что за наваждение! Мне ей в глаза стало стыдно смотреть. А она, подвыпив, только и норовит мне в душу заглянуть.

— Помните, — говорит с такой пьяной ухмылочкой, — как вы меня вели на соседний хутор за солью? Я эту ночь как сейчас вижу. Темно было, верно?

— Верно, — соглашаюсь.

— Я иду и ваш взгляд чувствую на себе. Жгет меня ваш взгляд. На ногах своих чую. Понравились вам мои ноги. Верно?

— Верно, — киваю. — Был такой грех.

— И хотели вы тогда мной обладать как женщиной. Чего сейчас скрывать? Было дело?

— Было, — поддакиваю.

— Ну, так хоть с опозданием, — говорит, — но вы свое можете получить. Я — ваша!

Я чуть под стол не полез. А куда денешься? Пьяная баба. Захлестнуло ее чувство благодарности, а того, что она уже не товар, понятия не имеет. Решила одарить меня, своего спасителя, кучей костей и сухожилий. У меня жена на десять лет моложе ее. Глотнул я остаток коньяка. Залез в скрипучую кровать и, чтоб не обидеть женщину, принял благодарность, чуть не воя от тоски.

А потом воровски выбирался из гостиницы, чтоб не опознали служители. Во рту у меня было кисло, и, пошарив в карманах пальто, я нашел там конфету и стал жевать, чтоб хоть чем-нибудь перебить этот неприятный привкус.

Астахов отпил глоток шампанского и поставил хрустальный бокал на столик.

— Мне Шурик Колоссовский много раз на ум приходил, когда я, волею судеб и своего служебного положения, вовлекался в литературные дискуссии, которые у нас любят вести, стараясь не замечать, что толчем воду в ступе и повторяем чужие и банальные мысли. Вы помните, каким чудесным рассказчиком был Колоссовский. Как студенты толпились вокруг него, стоило ему только раскрыть рот. И возможно, помните на нашем курсе одно время толкался грубый, неотесанный малый, то ли из Литвы, то ли из Латвии. Не помню. Одним словом, откуда-то из Прибалтики. Его фамилию я теперь часто встречаю в газетах. Он там у них высоко сидит. Занимается искусством. Руководит. Фамилия его Клюкас. Студентом был серым, тупым. Все больше молчал, его к нам прислали учиться из армейской контрразведки. А там публика известная.

Я был свидетелем их столкновения. Колоссовского и Клюкаса. Колоссовский жалел его и часто таскал с собой, чтоб у парня поуменьшить комплекс неполноценности. И Клюкас чаще других видел успех Шурика, как его слушают, разинув рты, и проникался к нему тупой ненавистью и завистью.

Однажды мы втроем: Шурик, Клюкас и я — вместе шли на занятия, и, когда пришли, Шурика тут же окружили студенты, и он, по обычаю, стал излагать им красочно и живописно об уличном происшествии, случившемся только что. Слушали его зачарованно. И даже я раскрыл рот от удивления, хоть шел вместе с Шуриком и видел то же самое. А Клюкас вдруг налился кровью и как заорет:

— Врешь! Вот теперь-то я знаю цену твоим словам! Ничего этого не было, что ты рассказываешь! Я с тобой вместе шел. Меня не проведешь!

Все умолкли пристыженно. А Шурик не смутился. С улыбкой повернулся к Клюкасу и так по-отечески, жалеючи, пожурил:

— Верно, Клюкас, ты шел со мной рядом. Но ты слеп,

ты видишь голые факты, не чувствуешь цвета и запаха. Давай снова пройдем по фактам, которые я упомянул в своем рассказе, а ты попробуй их опровергнуть.

Шурик, все так же улыбаясь, перечислил факты один за другим, и Клюкас каждый раз неохотно кивал.

— Вот видишь, — обнял его Шурик. — Лжи нет. Вот так бы рассказал о случившемся ты, и у всех свело бы челюсти от тоски. А я попытался увидеть то же самое глазами художника. Этим, дорогой мой, отличается искусство от газетной статьи. Худо, когда слепые кроты занимаются искусством, а Шекспиру надевают шоры на глаза. Мой тебе, Клюкас, совет: не будь злодеем, не касайся своими руками искусства, а то много наделаешь бед.

— Уговорил, — рассмеялся Зуев. — Как раз в искусство он и полез.

— Отвлекаемся, отвлекаемся, — захлопал в ладоши Лунин. — Мы о чем условились болтать? О бабах. Так вот — ни шагу в сторону! Только об этом самом!

— Твой черед, — сказал Астахов.

РАССКАЗ ЛУНИНА

В Москве, в самой ее сердцевине, у Каменного моста через Москву-реку, буквально в нескольких шагах от Кремлевской стены, приютилась малоприметная, старой постройки гостиница, носящая странное татарское название — «Балчуг». Рядом с ультрасовременными отелями из стекла и бетона — «Россия» и «Националь» — этот приземистый, всего в несколько этажей, кирпичный, с узкими подслеповатыми окнами «Балчуг» выглядит эдаким ветхим памятником старорусскому купеческому вкусу.

Во времена царей здесь действительно любили останавливаться и погулять заезжие купцы, пили чай из бездонных самоваров, глушили водку напропалую, заедая кулебякой и солеными грибами.

В наше время старенький «Балчуг», пожалуй, единственный из всех расположенных в центре Москвы отелей, где может остановиться советский гражданин, — все остальное отдано иностранцам. А если там не хватает мест, то и «Балчугом» не брезгуют, суют туда зарубежных туристов, которые поплоше, из стран народной демократии.

В такие дни нашего брата, русского постояльца, не церемонясь, выставляют на улицу.

В тот раз я снял номер в гостинице «Балчуг», хотя имел в Москве собственную и довольно просторную квартиру. Вернее, уже не имел. Моя благоверная супруга отняла ее у меня. Через суд. Заодно забрав и сына, и четверть моего жалованья, пока сыну не исполнится восемнадцать лет.

Да, я приехал в Москву на бракоразводный процесс — занятие малопривлекательное, в особенности для партийного работника в самом начале его карьеры. Разбитая, развалившаяся семья, безразлично по чьей вине, оставляла в моем личном деле дурно пахнущее пятно и в любой момент могла подставить мне подножку в беге по служебной лестнице.

Моя жена, подстрекаемая тещей, в свое время категорически отказалась покинуть Москву, когда меня с повышением перевели в провинцию, и, оставшись одна с сыном, наставляла мне рога в изрядном количестве, а когда я, прослышав об этом, попросил слегка умерить пыл, подала на развод.

Нас развели без проволочек. Потому что я, как теленок, не оспаривал ничего. Я остался с пустыми руками, как до женитьбы, и должен был все начинать сначала. Жене присудили все, что я накопил и приобрел за все годы, и с таким приданым, как трехкомнатная квартира в Москве, в доме первого разряда, она становилась весьма заманчивой невестой.

Когда все, слава Богу, кончилось и моя бывшая жена отказалась от моей фамилии и вернула себе прежнюю, девичью, я, еле живой от усталости, добрался до гостиницы «Балчуг», в свой крохотный номер с толстыми крепостными стенами и узким, как бойница, окном. Проваляв-шись в скрипучей кровати час-другой и чувствуя, что никак не усну, я оделся и направился в буфет, благо, вспомнил, что с утра во рту ни крошки не держал.

Грудастая, в неопрятном халате буфетчица тут же у стойки поджарила мне яичницу на электроплитке, и я понес тарелку к свободному столику. В тесной комнате буфета был еще один свободный стол. Третий, уставленный множеством бутылок, занимала шумная компания: усатый грузин, тянувший на ломаном русском языке бесконечный тост, и два бессмысленно внимавших ему иностранца, по пьяным глазам которых можно было безошибочно определить, что они не понимают ни слова. Это осознал также и порядком хмельной грузин. Он оборвал свой пышный многословный тост, когда я проходил с яичницей мимо него, и с обворожительной детской улыбкой на все тридцать два отличных зуба спросил меня, как может только спросить такое дитя природы, как сын гор:

— Слушай, друг, по-немецки понимаешь?

В закоулках моей черепной коробки сохранился с войны десяток-другой немецких слов, и добродушная, излучающая радость жизни, раскрасневшаяся рожа этого грузина так располагала к себе, что я не совсем уверенно, но все же кивнул.

— Тебя сам Бог послал! — возликовал грузин, потрясая над головой бокалом, полным вина. — Зачем тебе яичница? Выбрось ее! Разве у нас мало закусок? Присоединяйся, дорогой, к нам и, пожалуйста, переведи гостям мой тост.

У меня было настолько пусто и скверно на душе, что я, не колеблясь, принял приглашение этого душки грузина, рассчитывая хоть как-то отвлечься от своих бед, рассеяться немного. Яичницу я действительно оставил на пустом столике и, лишь прихватив оттуда стул, подсел к компании. Грузин, высокий, румяный, с черными красивыми глазами, излучал радушие и гостеприимство. Склонившись ко мне фамильярно, запанибрата, обняв за шею, он зашептал мне в ухо, дыша горячо, как вулкан:

— У меня, понимаешь, большой праздник. Я, понимаешь, защитил диссертацию. С сегодняшнего дня директор крупнейшего на Кавказе заповедника Сандро Мелиава — это я и есть Сандро Мелиава, прошу ни с кем не путать, — не просто директор лучшего в мире заповедника, а кандидат биологических наук. Прошу любить и жаловать! И вот, понимаешь, дорогой... Когда у меня такое потрясающее событие в жизни, как назло, понимаешь, ни одного близкого человека кругом, с кем можно отметить такое выдающееся, понимаешь, событие. Никого во всей Москве не оказалось! Я, как одинокая собака, в такой выдающийся день возвращаюсь в эту, извините за выражение, гостиницу «Балчуг» и вижу в буфете два живых человека едят, как ты, яичницу. Оказалось, что это немцы, наши немецкие друзья из Германской, понимаешь, Демократической Республики, и они такие же одинокие в Москве, как и я. И тогда я принял мудрое решение. Не говоря им ни слова, по-немецки — ни в зуб ногой, я взял их яичницы и выбросил в урну для мусора. Немцы очень удивились: как это понимать? А я им говорю: спокойно, дорогие, сейчас все поймете. Заказал банку черной икры — два килограмма. Видишь, кушают столовыми ложками, без хлеба... На здоровье, дорогие, кушайте, нам не жалко.

Действительно, немцы не ели, а жрали дорогую черную икру. Впрок. Про запас. Как дети, перемазав икрой лица до ушей, бессмысленно и блаженно улыбаясь. Такой пир дома им был бы явно не по карману. И они пользовались случаем бесплатно нажраться до отвала самого дорогого в Европе деликатеса. И выпито ими было уже изрядно. Я насчитал на столе тринадцать бутылок прекрасного грузинского сухого вина «Твиши». Половина бутылок была опорожнена.

— Теперь я буду говорить тост! — провозгласил грузин, подняв недрогнувшей рукой бокал и закатив свои красивые глаза к потолку. — А ты, дорогой, переводи!

— Кто такой был до сегодняшнего дня Сандро Мелиава? Простой, обыкновенный директор заповедника. Уважаемый... даже любимый, но... просто директор. Без научного звания. И в любой момент вышестоящие товарищи могли сказать: дорогой Сандро, мы тебя любим и уважаем, но ты не соответствуешь занимаемому положению. Как ни печально, но тебе придется потесниться, уступить директорское кресло более образованному товарищу. И они были бы правы на все сто процентов! А сейчас?

Грузин с игривой усмешкой посмотрел на обоих немцев, как бы приглашая их высказать свои соображения на этот счет, и оба немца, немолодые, с сединой, через которую просвечивала розовая кожа, глупо застыли с открытыми ртами, из вежливости перестав жевать икру.

Грузин, сверкая очами, сделав рукой с полным до краев бокалом какое-то немыслимое движение в воздухе, вроде мертвой петли, и не пролив ни капли, закруглил тост самым неожиданным финалом:

— Так выпьем за нашу родную советскую власть, которая умеет разбираться в людях и каждому дает научное звание по способностям! Сейчас Сандро Мелиава не стыдно послать и за границу. Во главе делегации. Кандидат наук!

Он пил как лошадь, не пьянея. Немцы уже еле дышали. Они уже не могли больше глотать вино и булькали им, словно полоскали горло. На черную икру они тоже смотреть не могли. Один лишь вид ее вызывал у них опасные спазмы. Тост за тостом. И каждый тост на десять минут, не короче. Ликующим от распирающего счастья голосом он не говорил, а ворковал, токовал, как тетерев, с удовольствием слушая самого себя. Нес какую-то околесицу и, учитывая наличие иностранцев, набор обязательных газетных штампов. За мир во всем мире! За дружбу народов! Остановим коварную руку поджигателей войны! И еще в том же духе.

На пятой фразе, увлекшись, он забывал русский язык и переходил на родной грузинский, звучавший набором диковинных гортанных звуков и для меня, и для немцев, и для буфетчицы, и, насытившись вволю грузинскими словесными упражнениями, внезапно обрывал тост и, вперив в меня дружелюбные глаза, ласково требовал:

— Переводи!

Даже если б я и умел переводить, немцы бы все равно ничего не поняли: они совершенно отключились и пребывали во взвешенном состоянии.

Грузин, однако, не терял разума. В разгар одного из тостов он, увлекшись, предложил:

— Выпьем за здоровье дорогого товарища Сталина!

А дело было после смерти Сталина, когда он был развенчан Хрущевым и труп его с позором выброшен из Мавзолея. Его именем бабушки уже начали пугать внуков. И лишь в Грузии тайно чтили память своего великого и страшного земляка.

Сболтнув такой неосторожный политический тост, Сандро Мелиава тотчас же спохватился, оборвал тост и воззрился на меня трезво и испытующе:

— Это не переводи! Мы с тобой — свои люди, нам понятно. Им — необязательно!

Я покинул буфет последним. Уборщица мыла пол и бесцеремонно поставила стулья кверху ножками на стол перед моим носом. Не было грузина, куда-то исчезли немцы. Должно быть, сильно захмелев, я на какое-то время впал в беспамятство и не заметил, как остался один.

Пошатываясь и отталкиваясь ладонями от стен коридора, я побрел искать свою комнату. Увидев распахнутые настежь двери, я остановился и, хоть это был не мой номер, все же заглянул, привлеченный странными булькающими звуками, доносившимися из ванной. Там я увидел своих собутыльников-немцев. Они плавали в одежде в ванной, карабкаясь друг на дружку и блюя на брудершафт. Они пучили на меня рачьи воспаленные глаза и истекали черной, как деготь, жидкостью: черная икра в сочетании с вином «Твиши» гейзером била наружу.

Я пожелал им по-немецки спокойной ночи и приятных сновидений и снова устремился, качаясь от стены к стене, на поиски своей комнаты. Спал я как убитый всю ночь и проспал бы еще весь день, если бы не телефонный звонок.

Звонила моя жена, ставшая со вчерашнего дня официально бывшей женой. В мое сознание, еще не прояснившееся от хмельной мути, с трудом проникали слова, произносимые в трубку до омерзения знакомым голосом:

— Что с тобой, Лунин? Уже не узнаешь меня?

Моя жена имела обыкновение называть меня не по имени, а по фамилии. Она усвоила эту манеру из какого-то кинофильма. Это ей казалось очень рафинированной формой общения между супругами.

Я ответил, что не рассчитывал больше слышать ее голос, так как баланс наших отношений подведен окончательно.

— Не совсем, — интригующе протянула она. — За тобой должок. Некоторым образом непредвиденный.

Я насторожился, понимая, что такие слова ничего хорошего не предвещают, и эти мародеры, моя бывшая жена и ее мамаша, хотят содрать еще что-нибудь с уже раздетого и разутого трупа.

— Смотри, не грохнись в обморок, Лунин. Я — беременна.

— Поздравляю, — хмыкнул я. — Папашка известен?

— Не смейся, придется плакать. Если я не прерву беременность и рожу ребенка, платить за него будешь ты.

Потому что еще вчера ты числился моим законным мужем, а беременна я на втором месяце.

— Я не касался тебя больше года, сука! Как же ты смеешь?

— Не горячись. Побереги нервы для объяснения в официальном месте, куда тебя пригласят вскоре. И ты поплатишься своим партийным билетом и при этом еще восемнадцать лет будешь платить как миленький. Никому ты не докажешь, что не спал со своей законной супругой. А если докажешь, то тебя выгонят из партии за издевательство над несчастной женщиной.

Я задохнулся от гнева.

— Лунин, ты не умер? Так вот послушай. Я не такое уж чудовище, как тебе кажется, и могу пойти тебе навстречу. Вечером я ложусь на аборт. К известному специалисту. Для этого нужны деньги. Тысяча рублей. И ни копейкой меньше.

— Где я возьму столько денег? — вскричал я. — У меня в кармане лишь на обратный билет.

— Достань из-под земли. Меня это не касается. К вечеру эта сумма должна быть доставлена ко мне. Надеюсь, адрес ты еще не забыл. В противном случае — пеняй на себя. Я и так уж затянула, еще один день — и операция станет смертельной для меня. Выбирай! Или сегодня тысячу рублей на бочку, или ты будешь платить значительно больше целых восемнадцать лет!

И она положила трубку.

Я был в западне. Спасения не было никакого, кроме как откупиться этой тысячей в надежде утолить, наконец, аппетит этих двух хищниц. Но где взять тысячу в городе, в котором я уже не живу больше года, и получаю жалованье за тысячу километров отсюда? Схватить такси и помчаться по полузабытым адресам, испрашивая у бывших своих приятелей в долг хоть сколько-нибудь, чтобы к вечеру, объехав всех, собрать сумму?

В совершенно зачумленном виде я метался по холлу гостиницы, перебирая в уме различные варианты, когда вдруг увидел вчерашнего грузина. Он узнал меня и удивился:

— Послушай, дорогой, тебе нельзя много пить. На тебе нет лица! И в этом я виноват.

Я объяснил ему, почему на мне нет лица, и кратко изложил содержание телефонного разговора.

— Так сколько тебе надо? — спросил грузин. — Всего-навсего тысячу рублей? Я тебе дам.

— То есть как? — ахнул я. — Как я могу у вас взять? Вы даже не знаете ни моего имени, ни кто я и откуда. Как вы можете быть уверены, что я верну вам долг? Завтра мы разъедемся и — поминай, как звали.

— Не горячись, дорогой, — положил мне ладонь на плечо грузин, искрясь своей белозубой улыбкой из-под черных усов. — Ты чуть не наговорил лишнее на себя. Я тебе доверяю. Ты такой красивый, не станешь пачкать репутацию из-за какой-то тысячи рублей. На, бери и пересчитай. Я могу и ошибиться.

Он вынул из внутреннего кармана пиджака и протянул мне тугую пачку. По его настоянию я пересчитал — там была ровно тысяча. Грузины всегда славились своей щедростью, немелочностью, широтой натуры. Ведь не зря гуляет по России анекдот, удивительно точно рисующий грузинский национальный характер.

В гардеробе театра после спектакля зрители получают свои пальто, отдавая швейцару за услуги по полтиннику.

Впереди грузина стоял в очереди еврей. Получив свое пальто, тот протянул десятку и громко, чтоб слышали все, продемонстрировал свою щедрость:

— Сдачи не надо!

Грузин немедленно принял вызов и показал, насколько он щедрее. Поравнявшись со швейцаром, грузин сверкнул очами и небрежным жестом отмахнулся:

— Пальто не надо!

Поступок Сандро Мелиавы, его доверие ко мне растрогали меня до слез:

— Я вам страшно признателен... никогда не забуду... незнакомый человек отдал первому встречному в долг такую сумму...

— Ай-яй-яй, — пожурил меня грузин. — Почему незнакомый человек? Почему первому встречному? Ты — советский человек. И я — советский человек. Мы — не первые встречные... Мы вместе строим светлое будущее...

Он говорил это своим журчащим самодовольным голосом, и черные глаза его лукаво поблескивали.

— Ты — коммунист? — продолжал грузин, играя голосом. — И я — коммунист. А кто такие коммунисты?

Ум, честь и совесть эпохи. Так, значит, мы не чужие. Ты — ум, я — честь, а... — он поискал глазами, кого бы назвать совестью, и я подсказал ему:

— Моя бывшая жена — совесть эпохи. Она тоже — коммунист.

— Ты выиграл, — рассмеялся грузин. — Если твоя жена — совесть эпохи, то хорошая у нас эпоха. А кстати, насчет твоей жены. Я выражаю желание посмотреть на нее. Поедем вместе деньги передавать, а? И расписку с нее не забудь получить. Мало ли что? Социализм — это учет. Так нас учит партия.

Я созвонился с ней и условился о месте встречи. Сандро вызвал такси, и мы поехали. Она ждала меня на площади Восстания у входа в гастроном. И здесь не обошлось без отравленного жала. Она специально, чтобы подразнить меня, вырядилась в шубку, перешитую в мое отсутствие из моей оленьей дохи, которую мне подарили на Севере. На голове красовалась моя пушистая шапка из ондатры. Мне не вернули ничего из моих личных вещей, и сейчас она демонстрировала, какое нашла им применение.

Я представил ей Сандро сослуживцем, а он добавил многозначительно:

— Полковник Мелиава, начальник областного Комитета государственной безопасности.

Это произвело впечатление. С ее лица стерлась вызывающая усмешка, и она без пререканий дала мне расписку в получении одной тысячи рублей на аборт. Деньги она поспешно сунула в сумочку.

— Держите сумочку крепче, — посоветовал Сандро. — В Москве много жуликов. А доктору своему передайте привет. Он, должно быть, большой специалист. Тысяча рублей за аборт! Он, должно быть, не меньше чем лауреат Ленинской премии и Герой Социалистического Труда.

Она испугалась Сандро, и ей не терпелось скорее уйти. Но он бесцеремонно придержал ее за рукав шубки.

— Запомните, уважаемая... чтобы больше ничего не требовать с этого человека... Это называется вымогательством, и нам придется вмешаться. Ясно? А теперь — идите.

Возвращаясь в гостиницу, Сандро комментировал:

— Она, конечно, аферистка. В Москве очень мало честных женщин. И во всем мире их скоро не останется. Я слушаю радио... Голос Америки... Би-Би-Си... у нас в горах хорошо слышно... без глушения. Мне неинтересно слушать их клевету про нашу страну... Про наши безобразия я знаю больше, чем они... Но я внимательно слушаю, что они рассказывают про себя. Это мне интересно и даже поучительно. Возьмем, к примеру, женский вопрос... Они там, на Западе, совсем сошли с ума... Сексуальную революцию придумали. Женщины как с цепи сорвались... И общество поощряет этот разврат. Она, пока замуж выйдет, переспит со всеми мужчинами, кто подвернется, и это у них считается борьбой за равенство. Большая беда их ждет, на Западе. У них скоро не будет семьи. А если развалится семья, за ней полетит к черту и государство, начнется анархия и... бардак.

Очень жаль, что Москва старается от них не отстать. Ты меня прости, но я тебе откровенно скажу: никогда бы я не женился на русской женщине. Она не может быть настоящей женой. У нее в крови — разврат, если я хочу пошалить — пожалуйста, не откажусь от русской. Но строить семью надо у нас, на Кавказе. Это, возможно, последнее место на земле, где женщины не позорят свое звание и твердо знают, для чего родились.

Благодарный за выручку, я провел весь день с Сандро, сопровождал его повсюду, как оруженосец, и к вечеру, раскисшие от обильной ресторанной еды и возлияний, мы сидели в его номере. Он снимал в «Балчуге» лучший и самый дорогой номер со старомодной кожаной мебелью и деревянной купеческой кроватью под бархатным балдахином.

— Хочешь, — спросил меня Сандро, — немножко развлечься? Давай пошалим на прощанье. Завтра мы разъезжаемся.

Он достал записную книжку, полистал ее.

— Кого предпочитаешь? Балерину? Драматическую артистку? Доктора наук? У меня большой ассортимент, — он потряс в воздухе записной книжкой. — Нет в Москве красивой женщины, которая откажется лечь со мной. Потому что у меня деньги! И я не скупой!

Мне не нравилось его бахвальство. Я даже почувствовал себя оскорбленным за русских женщин.

— Ну, дорогой, так кого ты предпочитаешь? — настаивал грузин, и, чтоб отвязаться от него, я буркнул первое, что пришло на ум:

— Балерину.

— Замечательно! — просиял Сандро. — Этого товара у нас полно. Вот смотри... эта... нет... поищем получше... вот, вот... самый раз. Заслуженная артистка... Сейчас позвоним домой... Если не занята в спектакле... ты ее будешь иметь.

Он набрал номер телефона, и я слушал, затаив дыхание, как фамильярно разговаривал он с кем-то, приглашая сейчас же приехать к нам.

Разговаривая по телефону, он умудрялся и мне бросить несколько слов, прижав ладонью микрофон, сладострастно и лукаво вращая большими черными глазами:

— Понимаешь, она уже легла... с мужем... — и снова в трубку:

— Дорогая, мы ждем. Придумай сама, что сказать мужу.

Пока не раздался легкий стук в дверь, я все еще не верил и думал, что Сандро нарочно поддразнивает меня и куражится.

В номер вошла в короткой шубке с распущенными светлыми волосами, на которых, искрясь, таяли снежинки, известная балерина, которую незадолго до этого я видел на сцене Большого театра, и билеты в день ее выступления было невозможно достать. Она, эта балерина, была гордостью советского искусства и часто гастролировала за рубежом. Я знал также ее мужа — не лично, а по газетам, не менее знаменитого, чем она, оперного певца.

У меня захватило дух. Ну, добро бы, молоденькая, только начинающая карьеру танцовщица, которой бы очень пригодились лишние деньги, хотя бы для того, чтобы прилично одеваться. Им же платят гроши. Ей еще простительно. Но эта! Обласканная славой и роскошью.

Балерина распахнула шубку и, как в дурном романе, как в пошлом порнографическом фильме, предстала перед нами абсолютно голой... даже без нижней рубашки и трусиков.

Сандро торжествующе взирал на меня, и я понимал, что вот так появиться, без ничего, в одной шубке, было в его вкусе, и балерина охотно ему угождала.

Я был шокирован. Такое не по мне. И не смог переспать с ней. Хоть она сама меня раздела и, науськиваемая Сандро, тщетно пыталась меня возбудить.

— Эх, подвел ты меня, — сокрушенно вздохнул Сандро. — Специально для тебя такую женщину вызвал. Красавица! На нее во всем мире мужчины облизываются. Таких ты не каждый день будешь иметь.

— Ладно, деточка, — он приподнял за худенькие плечи балерину и повернул ее к себе. — Оставь его. Он поражен твоей красотой и временно стал импотентом. Давай мы ему покажем, как это делается.

И у меня на глазах, на деревянной купеческой кровати под балдахином он овладел ею, и длинные, прекрасные ноги, которыми восхищается весь мир, бесстыдно болтались в воздухе и жалко дергались над волосатым задом грузина.

Потом, вызвав по телефону такси, он накинул ей на худенькие плечи шубку, она, дружески улыбаясь, помахала мне ручкой на прощанье, повисла у него на шее, целуя в губы и лоб, и ушла.

— Ты бледный, — сказал мне сочувственно Сандро. — Нехорошо получается. Я имел женщину, а ты — нет. Выходит, что я не проявил гостеприимства, и ты можешь обо мне подумать черт знает что. Мы вызовем других. Специально для тебя. Я знаю. Тебе понравится. Молоденькие девочки, которые учатся на киноактрис. Будущие кинозвезды. Ты когда-нибудь скажешь, что ты ее имел, и никто тебе не поверит. Сейчас вызову их.

Я попросил Сандро не звонить, сославшись на усталость, и он согласился со мной:

— Да, да. Ты много пережил в эти дни. Тебе не до женщин. Но вот теперь ты понимаешь, что во всей Москве не найдется такой, чтоб устояла, когда пахнет большими деньгами. Эта балерина не бедно живет. От меня она за полчаса получила сумму, которую советский врач или инженер зарабатывает за целый год. Понимаешь разницу. Сталин глубоко ошибался, когда говорил, что при социализме кадры решают все. Неверно. Деньги решают все! Как при капитализме! Только у нас, на Кавказе, этот закон не выдерживает критики. Дай женщине миллион — никогда не посмеет изменить мужу. Ее зарежут. Мы веками воспитывали женщин быть верными женами и можем гордиться результатами.

Когда я уже направился к двери, чтобы добраться, наконец, до своего номера — утром рано я улетал, — Сандро вдруг осенила идея:

— Послушай, дорогой. Я с тобой разговариваю, как с братом. Возьми отпуск и приезжай ко мне в гости. Отдохнешь в горах, забудешь свои беды. А главное... больше не повторишь такой ошибки. Я тебе подберу жену у нас, на Кавказе. У меня даже есть кое-кто на примете. Ты всю жизнь будешь благодарить.

Приехав из Москвы, я, в первую очередь, бросился на поиски денег, чтобы как можно быстрее рассчитаться с моим грузинским благодетелем и постараться забыть все, что он говорил мне, уча уму-разуму.

Деньги я наскреб и отправил на Кавказ телеграфом, присовокупив как можно больше благодарных слов. Ответ пришел незамедлительно: «Деньги получил тчк не стоит благодарности тчк у нас весна тчк невеста ждет тчк Сандро».

Я смеялся, читая телеграмму. Особенно насмешила меня фраза «Невеста ждет». Неужели такой циник, как Сандро, всерьез верит, что меня устроит дикая невеста с гор по его выбору? Мои сослуживцы, которым я показал телеграмму, конечно, утаив мои похождения в Москве, тоже смеялись как веселому анекдоту.

У нас было холодно и слякотно. Я простудился и неделю провалялся с жесточайшим гриппом. Эта болезнь да плюс еще московские переживания изнурили меня окончательно. Начальство, обеспокоенное моим состоянием, предложило взять отпуск и хорошенько отдохнуть. Путевки в приличный санаторий не нашлось. Все было распределено заранее. И тогда в памяти всплыло улыбающееся усатое лицо Сандро и фраза из телеграммы «У нас весна».

Сандро сам приехал за мной в аэропорт на армейском вездеходе, за рулем которого сидел совсем молодой кавказец с черными усиками и с такой же ослепительной улыбкой, который по-собачьи преданно смотрел на своего хозяина. Он так и называл Сандро — хозяин. Имя шофера было Шалико. Он еще донашивал военную гимнастерку и галифе — недавно вернулся домой из армии.

Наш путь в горы трудно описать словами. По извилисто петлявшей дороге мы взбирались вверх среди дивного, райского пейзажа. В горах цвел дикий миндаль, и все кругом пенилось розово-фиолетовым кружевом. Лепестки лежали и на дороге и на выступах красного камня, нависавшего над нами. Запах стоял такой густой и крепкий, что кружилась голова, а сердце замирало при виде шумных водопадов, низвергавшихся с круч, сея тысячи брызг. Солнце пекло как летом, и в пиджаке сидеть было жарко.

— Это все — мое, — широким жестом показывал Сандро на окружавший ландшафт. — Можешь ехать на коне день и ночь и еще один день, и, у кого бы ни спросил: «Скажи, пожалуйста, где я?» — тебе ответят одно и то же: «В хозяйстве Сандро Мелиава». Ни один помещик при царе не имел такого хозяйства, как мой заповедник, и ни один грузинский князь не был так богат, как я. Правильно, Шалико?

— Совершенно правильно, хозяин, — восторженно подтвердил шофер, ловко управляя рулем на серпантине горной дороги.

Меня поражало, что Сандро без всякого юмора называл государственный заповедник своим, не скрывая, кичился богатством, нажитым явно против закона, и вел себя так, словно нет вокруг советской власти с ее крутым карательным аппаратом, которая не гладит по головке за такие дела. Но впереди мне предстояло еще много открытий, и скоро я совсем перестал удивляться.

А между тем Сандро вытащил из кармана заготовленный сюрприз — измятую фотографию совсем молоденькой девочки, лет шестнадцати, и протянул мне с отеческой улыбкой:

— Твоя невеста. Первый сорт. Ты не смотри на фотографию, разве здесь что-нибудь поймешь! В жизни у нее рыжие волосы. Как медь! Как огонь! И черные, как ночь, глаза. Представляешь себе такое сочетание? С ума сойти можно! У нас редко, но попадаются такие экземпляры! За ними идет настоящая охота. Но достанется она тебе! Правильно я говорю, Шалико?

— Чистая правда, хозяин!

— Вот видишь, дорогой. Ему можешь верить. Он тоже имеет кой-какое отношение к этому. Твоя невеста — его сестра! У тебя, Шалико, будет зять — большой человек в Москве и даже, возможно, в будущем — член правительства!

— Очень приятно! — сверкнул зубами шофер. — Для нашей семьи большая честь!

Я понял, что между ними действительно уже все обговорено, и меня, как говорится, без меня женили. Это меня очень позабавило, и я осведомился, смеясь:

— Когда я ее увижу?

— Не спеши! — хлопнул меня по плечу Сандро. — Всему свое время. Отдохни, поправься, наберись сил. А за это время мы все уладим. Есть, понимаешь, кое-какие осложнения. Но ты же сам знаешь, что нет таких крепостей, которые бы большевики не взяли.

И он раскатисто рассмеялся.

— Какие осложнения? — полюбопытствовал я, тоже смеясь. — Невеста упирается? Слишком стар я для нее?

— Невесту никто не спрашивает. Не ее дело, — объяснил Сандро, глядя на меня как на неразумного, способного задать такой вопрос. — Осложнения в другом. Понимаешь, товарищ Лунин, я никого не боюсь. Ни советскую власть, ни милицию, ни ОБХСС, который, как ты знаешь, расшифровывается как отдел борьбы с хищением социалистической собственности. Я их не боюсь, они у меня в кармане. Одного я боюсь. Кавказской кровной вражды. Тут никакими деньгами не откупишься, никакими танками не запугаешь, пока не заплатишь по счету кровью. Правильно я говорю, Шалико?

— Истинная правда, хозяин, — подтвердил шофер уже без улыбки, и лицо его насупилось.

— Но это тебя не касается, — обнял меня Сандро. — Ты, дорогой, отдыхай. Наберись побольше сил, чтобы справиться с такой молоденькой женой. Это — не шутка!

Сандро поместил меня в прилепившемся к скале, удивительном по архитектуре доме, опоясанном верандой. Такие виллы я видел только в заграничных фильмах. Справа и слева уступами падали с высоты тонкие струи воды, сея брызги и переливаясь на солнце всеми цветами радуги. Эти крохотные водопады пробивались сквозь заросли цветущего миндаля и еще каких-то кустов, покрытых алыми и белыми розами, и замирали, немного побурлив в синем озере, раскинувшемся перед самым домом и окаймленном плакучими ивами, склонившими ветви к самой воде.

— Такой дачи нет ни у одного министра, — с гордостью похвастал Сандро. — Все сам построил. Где достал?

Как достал? Не спрашивай. Живи и наслаждайся. Формально — это дом для иностранных гостей, посещающих мой заповедник. Но живут здесь только мои самые лучшие друзья. Как ты, например. А иностранных ученых я поселяю в палатках. Ближе, понимаешь, к природе.

Внутри дом был отделан с отличным вкусом, по европейскому стандарту. Ванны и унитазы в туалетах были шведского производства, паркет из Финляндии. И ковры, ковры. Ручной работы. Удивительные узоры. Таких сейчас ни за какие деньги не купишь.

Высокую гостиную, в два этажа, украшал огромный очаг в стене, в котором можно было зажарить на вертеле целого быка, выполненный под старину, из красной меди, кованой и литой, с грузинской чеканкой по бокам. Этот очаг был несомненной гордостью хозяина, и, похлопывая его ласково по медным бокам, он похвалялся им, как ребенок любимой игрушкой.

— Тут, понимаешь, больше тонны красной меди ушло, а медь в нашей стране, как известно, — очень дефицитный материал стратегического значения. Где достал? Как достал? История умалчивает. Был момент, когда я мог на этом голову потерять.

Приезжает комиссия из Москвы во главе с самим товарищем Байбаковым — начальником Госплана СССР. Ты знаешь, кто такой? Комитет государственного планирования. Он все знает, все контролирует, с ним большая свита и наши начальники с Кавказа целой толпой. Смотрят ему в рот и не дышат.

У меня сердце екнуло: не пройдет он мимо медного очага, обязательно заметит. И правда, потрогал он очаг рукой, посмотрел на свиту нехорошим глазом и говорит:

— Вот куда уходит народное добро!

И обе свиты, и московская, и кавказская, как попугаи затараторили:

— Ай-яй-яй! Вот куда уходит народное добро. Безобразие! Как это возможно? Надо разоблачить расхитителей народного добра и стратегических материалов! К самому строгому ответу!

И все уставились на меня, словно видят в первый раз, и никогда со мной не пили. Я почувствовал, как у меня на шее затягивается петля. И как с того света, еле слышу, что продолжает говорить товарищ Байбаков. А он говорит очень разумные слова:

— Но, с другой стороны, поскольку этот дом для иностранных гостей, вполне допустимо такое расточительство. Пусть иностранцы почувствуют, как широко живет советский народ.

А попугаи тут же подхватили:

— Конечно, пусть почувствуют! Пусть завидуют! — И жмут мне руку. — Правильно построил, товарищ Мелиава. С выдумкой!

У меня потом шея, где стягивалась петля, месяц ныла, и никакой массаж не помогал.

Мелиава создал мне воистину царские условия. Я жил один во всем этом доме, он всегда как-то неназойливо присутствовал, чтоб выполнить любое мое желание. Какие-то пожилые кавказские женщины, с ног до головы в черном, приносили на медных подносах еду, какую в московском ресторане «Арагви» не получишь, будь даже братом директора и кумом шеф-повара, ставили на стол и молча исчезали. Другие женщины в черном убирали комнаты, стирали мое белье. Все это делалось молча, с угодливыми улыбками рабынь, я полагаю, они по-русски разговаривать не умели.

Каждое утро спускался сверху по тропе одноглазый, заросший щетиной человек в мягких кавказских чувяках и бараньей шапке шерстью наружу, ведя на поводу оседланного гнедого коня. Конь предназначался мне для верховой прогулки. Иногда со мной вместе отправлялся Сандро на буланом коне с седлом, расшитым кавказскими узорами. Кони были чистых кровей, ахалтекинцы, тонконогие, поджарые, с гладкой лоснящейся шерсткой.

Сандро по ведомым лишь ему тропинкам уводил меня далеко в горы, показывая свои владения и открывая мне бездну доселе неведомых тайн. Об одном не распространялся — о своей жене и детях, хотя я знал, что он жил вместе с ними где-то неподалеку, но ни разу не пригласил меня в гости и их не приводил ко мне. Я же не лез с излишними расспросами и довольствовался той информацией, которую, не скупясь, обрушивал на меня Сандро. По пути нам порой встречались вооруженные люди, абсолютно разбойничьего вида, в бараньих шапках и черных шерстяных кавказских бурках на плечах. Верхом. И без лошадей. Они издали почтительно здоровались с Сандро, называя его хозяином, как и шофер Шалико.

— Мои егеря, — с хитрецой и самодовольной улыбкой косился на меня Сандро. — Звери! Ни один вор от них не уйдет! И честный человек тоже! А мне преданы как собаки. Думаешь, за красивые глаза? Глубоко ошибаешься. Так и быть, открою тебе одну тайну.

По всем этим людям, а ты видел только маленькую часть из них, давно плачет пуля советского правосудия. Они — вне закона. Бежали или из-под следствия, или из тюрьмы. На каждого объявлен всесоюзный розыск. У меня они, как у родной мамы. В мой заповедник чужая нога не ступит. Пуля в глаз, учти, именно в глаз, а не в лоб, обеспечена. Значит, каждый беглец у меня получает новые документы с переменой, конечно, фамилии, работу на меня, конечно, а не на государство и хорошее содержание, не меньше, чем ответственный партийный работник.

У меня еще ни одного человека пальцем не тронули. Почему? Вся милиция вокруг заповедника получает от меня второе жалованье. Поэтому граница — на замке! И если в Москве вздумают меня прощупать, то у них только один выход: без предупреждения сбросить в мой заповедник воздушный десант. И то с минимальными шансами на успех. Каждый парашютист приземлится с зарядом картечи в заднице — мои егеря удивительные снайперы. Бьют только в глаз. За исключением парашютистов, конечно.

За все время один раз у меня взяли человека. И то не по моей вине, а по его. Это была птица крупного полета. Русский, как ты. В Москве держал подпольные фабрики по трикотажу, делал миллионы. Пока не попался. Вернее, попались его коллеги, а он успел сбежать ко мне. В Москве всех их расстреляли, ему вынесли смертный приговор заочно.

Казалось бы, что лучше? Живи у меня и радуйся. Я его жену сюда доставил, чтобы не скучал по семье. Работой не утомлял. Два года он жил тихо. Потом захотелось ему в оперу. Культурные, понимаешь, потребности. Человек из Москвы, не откуда-нибудь. Поехал на одну ночь в Ереван и... не вернулся. Взяли как миленького и расстреляли. Я ему ничем помочь не мог. Так далеко за пределами заповедника моя сила кончалась.

Но это — единственный случай. Остальные легко обходятся без оперы и живут у меня, как у мамы. Кстати, его жена осталась здесь. Ценный работник. Инженер по трикотажу. Что? Непонятно? У меня тут большие отары овец пасутся в горах. Конечно, незаконно. Куда шерсть девать? Не сдавать же государству — там бы очень удивились. Поэтому есть у нас производство. Делаем свитера и женские кофточки. Дефицитный товар. Покупатель отрывает с руками. Даже в Москву отправляем. Неофициально. Там у нас есть свои продавцы. Конечно, главный товар не это. Что прекрасно растет на нашей земле и цветет тогда, когда в Москве морозы? Цветы. В Москве один цветок зимой — рубль. Миллион цветов — миллион рублей, десять миллионов... Сеем мы в долинах еще кое-что, очень дефицитный товар, за него по головке не погладят. И продаем там же, в Москве. За огромные деньги.

Теперь понимаешь кое-что? Вот я читал, что в Америке кинозвезда Элизабет Тэйлор получает за каждый фильм миллион долларов. Но после уплаты налогов у нее остается лишь сто тысяч. Остальное забирают. Безобразие, я тебе скажу. Эксплуатация! А я никаких налогов не плачу. Все идет мне в карман... За исключением некоторых производственных расходов. Например, платить милиции. Знаешь, когда мой товар прибывает в Москву, то его везут из аэропорта под почетным эскортом. Сзади милиционеры на мотоциклах, а впереди высокий чин в звании полковника, чтобы какой-нибудь сумасшедший милиционер не вздумал проверить, что мои люди везут. А люди на улицах думают, какой-нибудь важный гость из-за рубежа едет или космонавт.

У меня голова шла кругом от откровений Сандро. Ведь надо же так попасть партийному работнику с незапятнанной репутацией в самое логово нарушителей советских законов и стать закадычным другом и почетным гостем их главаря, который, к моему величайшему смущению, носит в кармане такой же партийный билет, как и у меня. Мне порой мучительно хотелось бежать отсюда без оглядки. Но я не решался на такой поступок по двум причинам. Не хотелось обижать гостеприимного хозяина, искренне привязавшегося ко мне, и еще потому, что, как бы я ни исхитрялся, меня бы все равно поймали посланные в погоню разбойники-егеря, и тогда уж мне бы головы на плечах не сносить.

Оставался один выход: пользоваться гостеприимством Сандро, пока позволял срок моего отпуска, и затем расстаться полюбовно и забыть, вычеркнуть из памяти все, что я здесь видел и слышал, как только доберусь до дома. О том, чтобы донести властям на Сандро, не могло быть и речи. Ел, пил, пользовался гостеприимством и — стукнул. Так порядочные люди не поступают. А я причислял себя к таковым. Кроме того, у Сандро были достаточно длинные руки, чтоб достать меня из-под земли и рассчитаться за предательство.

Я заметил, хоть и не знал грузинского языка, что Сандро при встречах с егерями обращается с ними не на одном и том же языке.

— А как же? Я — полиглот! — удовлетворенно рассмеялся Сандро, когда я спросил его об этом. — У меня же тут национальный коктейль под названием «Дружба народов». Слушай, Сталин был гениальнейший человек, а я его скромный ученик. Вот у нас тут соседи — Кабардино-Балкарская республика. Почему не отдельно Кабардинская и не отдельно — Балкарская? Надо иметь ум Сталина, чтоб так придумать. Кабардинцы и балкарцы — злейшие враги. Вековечные. Кабардинцы — мусульмане, балкарцы — христиане, православные, как мы с тобой. Кабардинцы живут на равнине и потому побогаче, балкарцы — горный народ и, конечно, беднее. Сталин объединил их в одну республику, и они держат друг друга за глотку так крепко, что даже забывают свою ненависть к русским и советской власти. Гениально, а? То же самое между Арменией и Азербайджаном. Есть такой район, Нагорный Карабах, населенный в большинстве армянами, христианами. Так Сталин, когда определяли границы между республиками Кавказа, включил этот район в состав мусульманского Азербайджана. С тех пор у обоих народов на губах не просыхает бешеная пена.

Я поступаю по-сталински. Если в мои владения заберется вор-балкарец, то его ждет меткая пуля егеря-кабардинца, а если наоборот, то балкарец живым браконьера не выпустит. Кроме них у меня работают мингрелы, как я, и сваны — самое высокогорное племя на Кавказе и самые отчаянные люди. Есть и русские. Имеется даже один еврей.

Этого еврея ко мне в дом вскоре привел Сандро. Искупавшись сдуру в холодном потоке, стекающем из-под ледника, я схватил высокую температуру и отлеживался на тахте, обложенный подушками и перинами, под настенным персидским ковром, увешанным старинными кинжалами с изумительной чеканкой на серебряных рукоятках.

Он был не поддельный, а настоящий врач. Глазник. Имел в свое время довольно высокую репутацию как специалист.

Дальше послушаем Сандро, по уши влюбленного в этого невысокого тщедушного еврея:

— Понимаешь, дорогой, антисемитизм. Мне не надо тебе рассказывать. Сам знаешь, как теперь в России любят еврея. Как собака кошку. Лазарь Исаакович кой-кому глаза намозолил. Обыкновенная зависть. Устроили ему провокацию. Уговорили вылеченного им пациента поднести доктору подарок наличными. И тут же явились с милицией. Взятка. Пойман на месте преступления. Пять лет строгого режима были для доктора самой реальной перспективой. Но, к счастью для него, за год до этого привез к нему с Кавказа больного сына некто Сандро Мелиава, который не забывает людей, выручивших его из беды. А доктор меня выручил из страшной беды: сынок совсем терял зрение, и наши врачи ничего не могли сделать. А в Ленинграде вот этот самый человек спас глаза моему сыну, и он теперь видит, как кошка в темноте. Так, конечно, я пришел к нему на помощь. И вот он живет здесь, на свободе. Правда, документы другие. Был доктор Гуревич, стал просто Шапиро. Грузинская фамилия ему никак не подходит, внешность не позволяет.

— Правду я говорю, Лаза́рь Исаакович? — с обожанием хлопнул его Сандро по узкой спине, так что доктор закачался, чуть не упав.

Но, поправив очки на носу, доктор сказал то же самое, что говорил шофер Шалико:

— Чистая правда, хозяин.

— Редкого ума человек, — нисколько не стесняясь присутствия доктора, нахваливал его Сандро. — Помнишь, мы обмывали в гостинице «Балчуг» кандидатскую диссертацию? Думаешь, я ее написал? Он. Не будучи биологом, сделал такую диссертацию по биологии, что в Москве академики удивлялись и горячо меня поздравляли.

Думаешь, мне одному диссертацию сделал? Плохо нас знаешь. Еще три написал. Для моих вышестоящих руководителей в Тбилиси, и они тоже стали кандидатами наук. Правда, мы снабжали его любым материалом, какой потребует. Из Москвы, из Центральной библиотеки имени Ленина выписывали ему самую редкую научную литературу. Даже больше, чем просил. На всякий случай.

И вот, понимаешь, этот самый доктор-глазник стал у нас тут замечательным хирургом. Такие операции делает, такие швы накладывает — залюбоваться можно. Не в госпитале, а в местных условиях. Иногда под открытым небом. Пациенты у доктора в основном с огнестрельными ранениями, и у них репутация такая, что в государственный госпиталь положить такого равносильно тому, что поставить к стенке и расстрелять. Ведь их милиция ищет уже с готовым приговором.

Совсем недавно такое чудо сотворил — руки целовать надо. Человеку, понимаешь, губу откусили. Бывает. И эта откушенная губа валялась где-то полдня, пока не пришел наш доктор. В его руках губа опять ожила, и он пришил ее куда следует так изумительно, что человек этот может, не стесняясь, целовать девушек.

Так впервые я услышал о моем сопернике, уже пытавшемся украсть мою невесту, медноволосую Манану, сестру Шалико. Правда, неудачно. Кроме Шалико, у нее был еще один брат постарше, по имени Нугзар. И вот Нугзар-то устроил засаду под окном сестры, схватился врукопашную с похитителем и откусил ему нижнюю губу. Это в горах считается величайшим позором — остаться после драки с откушенной губой или носом. Большего позора нельзя придумать, и единственный выход: кровная месть, в которой участвуют все родственники мужского пола сначала с одной стороны, а потом и с другой.

Тут надо подробней остановиться на человеке с откушенной губой, которую так мастерски пришил на место бывший доктор Гуревич, а ныне просто Шапиро. Я этого человека вскоре увидел. Губа, действительно, прижилась, и на покрытом щетиной лице заметить что-нибудь не представлялось возможным. Это был кряжистый, сильный человек с выпуклой грудью и каменной шеей, в традиционной бараньей шапке и с винтовкой за плечами. Новый егерь в команде Сандро. Звали его Джульбер. Он был сван и пришел сюда из-за перевала, уходя от кровной мести.

Дело в том, что Джульбер слыл одним из лучших скалолазов на Большом Кавказском хребте, и редкая группа альпинистов поднималась к вершинам без проводника Джульбера.

Но это было его хобби, а не главное занятие. А что было главным занятием Джульбера — весьма образно объяснил Сандро Мелиава:

— Понимаешь, дорогой, что такое традиция? Тогда послушай. Наш дорогой вождь и учитель товарищ Сталин до революции назывался здесь, на Кавказе, просто Сосо, и вся его революционная деятельность заключалась исключительно в экспроприации банков. То есть, если говорить нашими словами, грабил банки, вскрывал сейфы и, если верить слухам, все деньги отдавал на дело революции. Вот Джульбер продолжает эту традицию, идет по стопам Сосо и в наше советское время совершает налеты на банки. Правда, когда нет альпинистского сезона.

Медноволосая Манана, сестра Шалико, с детства любила лазить по горам и иногда ходила в поход с альпинистами. Вот тогда-то ее и заметил проводник Джульбер, и его каменное сердце обмякло. Он решил взять ее в жены. Шестнадцатилетнюю Манану. А самому ему в то время уже стукнуло семьдесят. Да, да. Семьдесят. И при этом ни одного седого волоса, во рту все зубы до единого свои, глаза зоркие, как у ястреба, и мышцы тверды, как камни. Он из породы кавказских долгожителей. Отец его в последний раз женился, когда ему было девяносто лет, и произвел на свет еще пару детей.

В наш цивилизованный век, когда небо над Кавказом бороздят реактивные самолеты, оставляя бело-пенный след в небесной лазури, в горах все еще держатся древних обычаев. И один из них: чтоб жениться, надо украсть невесту, овладеть ею, лишив невинности где-нибудь в укромной горной хижине, и лишь потом спуститься в деревню к родителям и попросить руки дочери. После этого устраивается свадьба на три дня и три ночи. Гости опорожняют бочки вина, объедаются до полусмерти вкуснейшими кавказскими яствами, танцуют до упаду огневые пляски, обнявшись и объясняясь друг другу в вечной дружбе до гроба.

Но, чтобы жениться на Манане, Джульберу предстояло решить одну нелегкую проблему. У него была жена. Жива и здорова. Народившая ему пятерых уже взрослых детей, и его старший сын был капитаном теплохода на Черном море.

Бросить жену считается в горах неприличным поступком. Лучше всего, когда жена умирает. Вдовцу почет и уважение. Джульбер поступил, как ему казалось, наилучшим образом: зарезал жену. Теперь он был свободен и мог с полным правом претендовать на руку и сердце юной медноволосой Мананы. Помешала досадная мелочь. У жены была большая родня, и родственники поклялись отомстить убийце и стали охотиться за Джульбером. Вот тогда он и появился здесь, в заповеднике, чтобы укрыться от преследователей и быть поближе к своей избраннице. Но слух о действительной причине смерти жены Джульбера прошел через перевалы и достиг ушей братьев Мананы. Дальше вы знаете. Джульбер нарвался на засаду, украсть Манану ему не удалось, и пришлось с позором отступить, оставив на земле свою откушенную губу.

В силу снова вступил древний закон гор: позор Джульбера должен быть отмщен, и непременно кровью обидчика. Даже при том, что доктору удалось приживить откушенную губу. Это не снизило накала страстей.

Тогда вмешался Сандро Мелиава. Джульбер работал у него, и брат Мананы Шалико работал у него. Да еще к тому же Сандро решил выдать Манану замуж за своего русского друга, с которым он познакомился в Москве в гостинице «Балчуг». Нужно было непременно завершить это дело миром.

Сандро переговорил с обеими сторонами и добился согласия братьев Мананы на очень суровое условие Джульбера. Чтобы восстановить мир, он потребовал, чтобы младший брат обидчика, то есть Шалико, публично в церкви был объявлен его сыном со всеми вытекающими последствиями, как то: свое жалованье отдавал отцу, а когда надумает жениться, не смеет избрать невесту без отцовского согласия и благословения.

Как ни высока была цена мира, братья медноволосой Мананы уступили, и я был в церкви вместе с Сандро и другими родственниками с обеих сторон, когда старенький православный поп совершил древний и варварский обряд примирения. Поп иглой, похожей на шило и абсолютно нестерильной, уколол палец сначала Шалико, потом Джульберу, выдавил у обоих по нескольку капель крови и смешал их на камне. Это означало, что отныне Шалико и Джульбер породнились.

Дальше началось уж совсем невероятное: крещение новообретенного сына Джульбера. Рослый и стройный Шалико разделся догола, окунулся в купель и затем, шлепая мокрыми ногами по каменному полу церкви, на глазах у всех нас подошел к Джульберу, предварительно обнажившемуся до пояса, припал губами к соску на его груди и стал, чмокая, сосать. А поп ходил вокруг них в парчовой рясе и раскачивал на цепи дымящееся кадило.

Я смотрел и не верил своим глазам. А Сандро прокомментировал это почти языческое зрелище по-своему:

— Самое интересное, что почти все действующие лица — коммунисты. За исключением попа. Потому что атеизм — одно из главных условий членства в партии — както не совсем совместим с саном священнослужителя.

Таким вот примирением Сандро Мелиава окончательно вывел Джульбера из игры. Он уже не мог претендовать на Манану, потому что брат Мананы стал его сыном и это уже попахивало кровосмесительством.

Сандро торжествовал и немедленно приступил к следующему шагу: похищению Мананы. На сей раз для меня. Не знаю, почему я не заупрямился и поехал верхом с Сандро и Шалико умыкать невесту. Возможно, мне не хотелось огорчать гостеприимного хозяина, увлекшегося, как дитя, предстоящей проделкой. А кроме того — слабость человеческая: мне импонировала эта роль лихого джигита, умыкающего невесту и насилующего ее где-нибудь в горах на абсолютно законном основании. О последствиях я не задумывался. В крайнем случае, действительно женюсь на ней официально и увезу в Россию верную и преданную жену.

Мы скакали ночью в полной темноте, одетые, как и положено в таких случаях: в черные шерстяные бурки на плечах и высокие бараньи шапки на головах. Нашим проводником был Шалико, и это на сто процентов гарантировало успех. Сопротивления никакого не предвиделось.

Пробравшись в дом вслед за Шалико, мы застали Манану спящей в постели, разбудили ее, и я по ритуалу зажал ей рот, чтоб не кричала. Она при этом прокусила мне ладонь. Затем мы ее укутали в покрывало, вынесли из дому, я вскочил на коня, и Сандро с Шалико передали на седло спеленутый кокон. Потом мы скакали назад под звездами. Уже вдвоем. Шалико остался дома. Добрались до швейцарской виллы для иностранных гостей у озера, и Сандро запер меня с ней, и сам деликатно удалился.

Когда я распеленал Манану, я увидел огненно-рыжие волосы и сверкающие гневом черные глаза. Она была воистину восхитительна. Тонкая и гибкая. С прелестным, нежным лицом, обрамленным красной медью волос. Я почувствовал, что непременно влюблюсь в нее и буду очень дорожить ею, отчего меня охватило ликование.

Но ликовал я преждевременно.

— Русский человек, не прикасайся ко мне, — в руках у Мананы сверкнул лезвием кинжал. — Я не люблю тебя. И если ты тронешь меня... Я тебя зарежу.

— А кого ты любишь? — растерянно спросил я.

— Не твое дело. Отпусти меня на волю.

— Иди, — безвольно согласился я.

Она метнулась к дверям, распахнула их и исчезла. Затем я услышал цокот конских копыт по камням. Я выскочил во тьму. Моего коня не было у коновязи. Манана ускакала на нем.

Наступал рассвет. Меркли звезды. Вдали ясней просвечивал снежной вершиной Эльбрус. Подъехал Сандро. Он без слов понял, что случилось. Спешился, вынес из дома цейсовский бинокль и, приложив к глазам, стал шарить по окрестным горам. Потом протянул бинокль мне:

— Узнаешь?

По узкой горной тропе, высоко-высоко, двигались два всадника. Под одним из них я узнал моего коня. Это была Манана, уже укутанная в чью-то бурку. А впереди ехал Джульбер. Без бурки. В высокой бараньей шапке и с ружьем за плечами.

Солнце всходило за хребтом и ложилось розовыми лучами на сахарную голову Эльбруса. Тропа, по которой двигались всадники, утопала в цветущем миндале.

Мне стало грустно и в то же время легко на душе.

— Что ты скажешь? — обернулся я к Сандро.

Он не улыбался и смотрел впереди себя сосредоточенно и угрюмо, как проигравший игрок.

— А может быть, любовь в самом деле существует на свете, — протянул он удивленно.

В парной стоял туман, и коренастая оплывшая фигура Зуева нечетко вырисовывалась на верхней полке. Зуев натянул на голову фетровый колпак, наполненный холодной водой. Это предохраняло лысину от ожога, да и охлаждало не в меру перегретую голову — холодная вода стекала из-под набухших краев колпака по распаренному лицу, и это доставляло Зуеву наслаждение. Он не хлестал себя веником, а ладонями растирал сочащееся влагой тело. Мягкая, почти женская грудь колыхалась под пальцами, и Зуев не без зависти поглядывал на лежавшего рядом с ним на горячих досках верхней полки Астахова, со свистом хлеставшего себя по багровому, еще крепкому телу березовым веником.

Внизу в тумане плыла фигура Лунина. Он принес из гостиной бутылку жигулевского пива, с бульканьем опорожнил ее в ковш и выплеснул на раскаленные камни. Раздалось шипение, клубы пара повалили от камней. В горле запершило от хлебного духа.

Зуев, кряхтя, стал спускаться задом с верхней полки, а Лунин с тазом воды поднялся на его место, крикнув Зуеву вдогонку:

— Кишка тонка!

— Не кишка, а сердце, — пробормотал Зуев, садясь внизу на скамью, где пар был не такой едкий, и переводя дыхание. — Было бы у тебя два инфаркта, ты бы носа в парную не показывал, а я, худо-бедно, парюсь.

— Ну, не дуйся, старик, — кивнул ему сверху Лунин. — Сочтемся инфарктами. Я ведь тоже удостоился.

— Инвалидная команда, — рассмеялся Астахов. — Ни на что не годны. Бабы-то вас не гонят в шею?

— Всяко бывает, — улыбнулся Зуев. — Айда в гостиную — отдохнем. Я вам историю расскажу.

РАССКАЗ ЗУЕВА

Стоило мне ее в первый раз увидеть, как мое сердце екнуло, и я сразу понял, что между нами обязательно что-нибудь произойдет. На сексуальной почве. Непременно. Она вызвала во мне с первого же взгляда отчаянное, безоглядное желание овладеть ею. Мять и терзать при этом. Хлестать по щекам наотмашь. По румяным щекам под выступающими восточными скулами, чтоб из короткого, тонкого, с трепещущими ноздрями носика фонтаном била кровь.

Она вызывала бешеную вспышку похоти. И гнева. Она злила, раздражала одним своим видом сытой, гладкой, самоуверенной самки с прелестной женственной фигурой бывшей балерины, уже сошедшей со сцены и слегка раздавшейся и раздобревшей, но сохранившей классические очертания. И платье в обтяжку, при ходьбе распираемое крепкими бедрами. Сильные икры. Тонкая, нежная шейка. Маленькая, но тугая грудь. И головка восточной красавицы, с густыми иссиня-черными гладкими волосами, стянутыми сзади узлом. Глаза раскосые с чуть припухшими, нависающими подбровьями, как у злой кусачей собаки, черные волосики над верхней губой. И при этом совершенно не восточные, а скорее славянские, зеленые с рыжинкой глаза, как спелый крыжовник. И рот. Да, рот.

Тут стоит остановиться подробней. Ее рот мог любого мужчину с ума свести. При таком восточном облике, где все черты точеные и миниатюрные, у нее был большой, даже вульгарный, с пухлыми губами рот. Губы были не красными, а синеватыми, покрытыми серым налетом, словно пеплом от сжигающего их внутреннего жара. Губы даже запеклись и кое-где дали трещины. В такой рот, даже если палец сунешь, кончишь в два счета.

Властная особа, привыкшая повелевать мужчинами. Независимо от возраста и национальной принадлежности. Она мне напомнила цирковую дрессировщицу, в костюме с блестками, с бичом в руке, который со свистом рассекает воздух, и львы почтительно замирают на задних лапах на своих тумбах. Вместо львов я видел на тумбах мужчин разного калибра, дружно вздрагивающих от посвиста бича и льстиво и преданно заглядывающих в ее зеленые беспощадные глаза.

Она была не казашкой. В Казахстане женщины не блещут красотой. Дочери степных пастухов чаще всего кривоноги, круглолицы, широкоскулы, с узкими, как щели, прорезями глаз. И фигуры какие-то неженственные, угловатые, сухопарые, плоские.

Она была экзотическим, пряным, терпким до одури, волшебным цветком в этом краю неженственных женщин. Она была очень удачным результатом смешанного брака. Татарки и уйгура. Уйгуры — это племя в горах Тянь-Шаня — живут частью на советской территории, в Казахстане, и частью за границей, в Китае. А татары живут в европейской части СССР и больше похожи на славян, чем на азиатов. От смешения этих кровей получилась гремучая смесь. Красавица Зейнаб. Или Зоя, как ее называли по-русски.

Когда я ее встретил, она была женой министра культуры Казахстана — низкорослого, кривоногого казаха с лунообразным, в глубоких морщинах лицом, имевшим, по крайней мере внешне, очень отдаленное отношение к культуре. Сними с него европейский костюм и нахлобучь на темя баранью шапку — и перед тобой стопроцентный чабан, гоняющий по степи овечьи отары.

Нетрудно догадаться, что Зоя была некоронованной королевой в культурных кругах этой большой, размером с пол-Европы, республики. Не министр, а она решала, кого повысить в должности, кого уволить, кто получит роль в новом фильме, кто будет представлен к почетному званию и правительственной награде. По всем вопросам обращались прямо к ней, минуя мужа, и по-восточному обычаю приходили не с пустыми руками. Она, не стесняясь, брала дорогие подарки: каракулевые шубы, заграничную обувь, золотые кольца и браслеты, бриллианты и жемчуга. И себя не обходила. Если в казахском фильме в главной роли предполагалась по сценарию красавица, снималась непременно она, хоть драматическим дарованием не обладала, а юные актрисы, даровитее ее, старились без ролей. Она пробовала петь в опере. Но конфуз был слишком велик, и у нее хватило ума не претендовать на вокальные лавры. В местном балете она официально числилась художественным руководителем и постановщиком. Это была конь-баба в восточном вкусе, и я, переглянувшись с нею, брюхом почуял, что наши дорожки пересекутся и быть грому великому.

Случилось это все в Казахстане, в славном городе Алма-Ата, что по-русски означает «отец яблок», и действительно, чего-чего, а яблок в этом городе — завались, и среди них на весь мир славится краснобокое чудо «апорт», в которое лишь вонзишь зубы, а оно само тает во рту. Эти яблоки можно попробовать только в Алма-Ате. Они такие большие и такие нежные, что никакой транспортировки не переносят и портятся, погибают в пути, лишь для правительственных банкетов в Кремле их доставляют прямо с ветки реактивным самолетом в Москву и из аэропорта на бешеной скорости непосредственно к столу.

Я в Алма-Ате был единственный раз, вот тогда, и город мне очень понравился. Все новое, современное. Старый-то город землетрясением снесло, и выстроили все по последнему слову техники. Огромные деревья вдоль тротуаров, а под ними в бетонных ложах журчит вода — горная, холодная. Это — арыки. Они по всем улицам протекают, и от них прохладно в самую жару. А над деревьями, над домами — снежные вершины Ала-Тау, отрога Тянь-Шаня.

Послали меня в Алма-Ату на совещание республик Средней Азии и Казахстана по проблемам национальных культур как представителя «старшего брата» — великого русского народа.

С азиатами я до того сталкивался мало и, по правде сказать, не умел отличить казаха от киргиза и узбека от туркмена, и спроси меня, какая столица в какой республике, непременно бы наврал. Но человек я прямой, национализмом и шовинизмом не страдаю. Я душой и телом за международный интернационализм в первозданном виде, как его задумали классики марксизма-ленинизма, и всех вывертов и зигзагов нашей национальной политики, клянусь честью, не понимаю.

Ну, вот, скажем, работает у меня помощником один еврей. Израиль Моисеевич. Убей меня, не пойму, почему его надо убрать, и то, что я никак на это не соглашаюсь, квалифицируется кое-кем как притупление политической бдительности. Уж сколько меня донимали: да избавься ты от него, негоже такого держать на высоком посту, не в ногу со временем шагаешь, а я — ни в какую.

Почему? Он, что, плохой работник? Нет. Работает как

вол. Умен, толков. Я за ним — как за каменной стеной. Вот сижу здесь, прохлаждаюсь, а душа спокойна. Мой помощник не подведет, все будет в полном ажуре.

Тогда, может, у него социальное происхождение хромает? Опять же не выходит. Да у него прошлое почище моего. У нас с ним есть совпадение в биографиях. И его и мой деды в царское время на каторгу в Сибирь были сосланы. Мой дед за то, что был конокрадом — чужих лошадей с ярмарок угонял, а его дед — за принадлежность к российской социал-демократической партии, которую он своими-то руками создавал и вынянчивал вместе с Лениным и привел Россию к революции.

А уж отец-то мой, серый мужичок, в гражданскую войну не мог «белых» от «красных» отличить и единственное, что запомнил о революции, как они в своей деревне помещика жгли и добро его растаскивали. Мой-то унес хомут из барской конюшни и этим завершил свое участие в борьбе за народное дело.

Папашка Израиля Моисеевича в гражданскую войну командовал бронепоездом «Смерть мировому капиталу!» и один из первых получил орден боевого Красного Знамени и золотое оружие.

Так почему же я не должен доверять сыну и внуку основателей нашей советской власти? Надоело мне выслушивать советы и даже угрозы ревнителей кадровой чистоты и как-то говорю ему, Израилю Моисеевичу:

— Ты бы хоть имя сменил, что ли? Не в моде оно нынче.

А он так грустно улыбнулся:

— Нынче мой нос не в моде. А его не сменишь. Достался по наследству от отца и деда.

С намеком ответил. Я и заткнулся. Так и держу своим помощником, и, пока меня не сняли, он будет работать.

Или другой пример. Это уж не со мной случилось. А с моим старым дружком Ваней Косых. Парень что надо, сибиряк, в Балтийском флоте всю жизнь прокантовался. Честен, даже слишком. Не по нашим временам. И наивен, как дитя, хоть жизнь прошел несладкую.

Его после флота в Москву взяли. Учился, грыз науку и дотянул благодаря железному трудолюбию до высоких чинов, стал директором Института марксистской эстетики.

Есть такой хитрый институт. Чем занимается, не знаю, но это к нашей истории не имеет прямого отношения.

Правил Ваня институтом и дослужился бы до почетной пенсии, не случись на его беду вакансии в штате на должность психолога. Требовался институту толковый психолог, чтобы не ниже кандидата наук, естественно, член партии. Ваня говорит, есть такой! Как раз незадолго до того случайно встретил в Москве своего закадычного друга по Балтийскому флоту, который в гражданской жизни стал психологом и защитил не только кандидатскую, но и докторскую диссертацию. Только вот не может найти работу. Все ищет.

Ваня притащил его к себе в институт, сияя, как именинник. Велел заполнить анкеты и сам отнес их в отдел кадров. А там глянули в анкеты и развели руками:

— Не можем принять.

— Почему? Кто тут директор — вы или я?

— Директор, — отвечают, — вы, а кадрами ведаем мы. Нельзя засорять кадры.

— Да кто же это мусор? — вскипел Ваня. — Он? Отличный морской офицер. Коммунист. Блестящий ученый. Чего вам еще надо!

— А фамилия?

— Что фамилия?

— Рапопорт его фамилия. И этого достаточно, чтобы мы ему показали от ворот поворот.

Ваня захлебнулся от бешенства. Честный и прямой человек, он им выпалил публично, при свидетелях:

— Если бы к вам завтра пришел наниматься на работу Владимир Ильич Ленин, вы и его бы не взяли. Потому что его дедушка по материнской линии — Израиль Бланк!

Ваню Косых убрали из института, и он долго ходил без работы, пока я его не подобрал и устроил у себя на незаметную должность.

Вот так-то. В нашей национальной политике сам черт ногу сломит, а я попал в самый ее водоворот, в кипящий котел. В Среднюю Азию, где пять республик и десятки национальностей: и кто там кто — чужому не под силу определить. А уж не любят они друг друга похлеще, чем кошка собаку, а все вместе с удовольствием бы зажарили на вертеле «старшего брата» — нас, русских. Я представлял на этой конференции республик Средней Азии и Казахстана великий русский народ, который в теории младшие братья — остальные народы нашей страны — любят и обожают.

Нет, на этой конференции не произошло резни. Целый день с трибуны, бия себя в грудь, и казахи, и киргизы, и таджики, и узбеки, и туркмены пели хвалу дружбе народов, клялись в вечной любви к многонациональному советскому народу, а вечером, изрядно набравшись коньяку, шатались по гостинице отдельными, строго национальными группами и, завалившись ко мне в номер, пьяно настаивали на том, что узбеки — собаки, казахи — воры и поливали помоями все остальные народы, кроме себя, и требовали от меня, чтобы я с ними согласился. Я не был пьян и выгонял их из номера. Кого выгонял? Коммунистов-интернационалистов, чей долг и обязанность — крепить дружбу народов, а на самом деле они — махровые националисты.

В нашей русской делегации был представитель министерства культуры СССР, по фамилии Пулькин. Азиаты его за еврея посчитали и, ввалившись к нему пьяной ватагой, стали изливать душу, как они, мол, русских ненавидят и была бы их воля — всех до одного пустили бы под нож.

Пулькина нетрудно было принять за еврея. Из-за длинного, вислого носа и вечной мировой скорби в очах. Скорбь имела не еврейское происхождение, а, пожалуй, больше бухгалтерское. Он неимоверно страдал при виде массового воровства и растрат вокруг. Бедный Пулькин, хлипкий мужичок и чистокровный русак, до того испугался, что и его прирежут, что у него ночью подскочила температура, и пришлось вызывать врача.

А с утра, протрезвившись, ночные головорезы дружно аплодировали в зале заседаний каждому оратору, непременно завершавшему свою речь здравицей в честь нерушимой дружбы народов первого в мире социалистического государства.

Хозяева этой конференции, казахи — мы ведь собрались в их столице Алма-Ате, — проявляли традиционное гостеприимство: вино лилось рекой, столы ломились от изобилия национальных кушаний, острых, пряных и пахучих. Русская делегация, не привыкшая к такой еде, дружно испортила себе желудки и больше просиживала в туалете, чем на заседаниях.

Туземный министр культуры, у которого была жена-красавица Зейнаб, дал банкет у себя дома для ограниченного круга лиц, состоявшего исключительно из известных представителей местной культурной элиты и только двух инородцев: Пулькина и меня. Лишь позднее я понял, что все это пиршество было затеяно ради невзрачного Пулькина, по настоянию Зейнаб, а меня пригласили лишь потому, что мы с Пулькиным жили в гостинице в соседних номерах и требовался хотя бы еще один русский, чтобы как-нибудь закамуфлировать, прикрыть затею жены министра культуры.

Я должен сказать несколько слов о том, как живут высокие сановники в национальных республиках. Дореволюционные феодалы такого и во сне не видели, а мы у себя в России, занимая не меньшее положение, никогда бы себе подобного не посмели позволить.

Они буквально купаются в богатстве и роскоши, ни за что не платя, ни о чем не тревожась. За исключением одного: как бы не полететь со своего теплого местечка из-за недостаточной льстивости к более высокому начальству. Но уж что-что, а льстить и стоять на задних лапках они умеют превосходно и поэтому прочно сидят в своих феодальных гнездах, прикрывшись красной книжечкой коммуниста. Возьмем для примера министра культуры, мужа Зейнаб. У него огромная, прекрасно обставленная заграничной мебелью квартира — бесплатная, персональный автомобиль с шофером — бесплатно, загородные дачи, одна — в горах, другая — в степи, и обе, как помещичьи усадьбы, с большим штатом обслуживающего персонала — бесплатно. И при этом он еще получает много денег в виде зарплаты и подарки, подарки, подарки от людей, ищущих его благосклонности.

На этом домашнем банкете, где за столами расселось человек тридцать, я увидел размах, в давние времена доступный, пожалуй, эмиру бухарскому. Столы обслуживали не официанты, а красивые, как куколки, юноши в черных костюмах и белоснежных рубашках, элегантные и расторопные — студенты актерского факультета, конечно, бесплатно явившиеся обслужить гостей своего хозяина.

В дальнем конце зала тихо играл оркестр национальных инструментов, и музыканты в парчовых расшитых халатах и островерхих, отороченных мехом шапках кочевников старались вовсю — и тоже бесплатно.

Ящики коньяка, ящики шампанского, горы, буквально горы, оползавшие с больших фарфоровых тарелок, черной и красной икры. Все это ни за какие деньги не купить в магазинах, все давно исчезло из продажи, доставлено сюда со складов, и за это не было заплачено ни копейки. Я уж не говорю о фруктах и плодах, самых невообразимых, произрастающих на казахской земле. Тут уж глаза разбегались.

Студенты-официанты внесли из кухни две целиком зажаренные на вертеле бараньи туши, окутанные облаками пряного пара, щекотавшего ноздри и вызывавшего обильное слюнотечение.

И баранов и фрукты доставили к министерскому столу жители одного из районов степного Казахстана, где лет шестьдесят назад в бедной юрте пастуха родился будущий министр, и этот район, гордящийся своим славным земляком, стал чем-то вроде его личной вотчины, аккуратно платящей оброк.

Мы с Пулькиным удостоились самых почетных мест на этом пиршестве — между хозяином и хозяйкой. И Пулькин, честный и очень дотошный малый, ведавший финансами в Министерстве культуры, шепнул мне на ухо, подозрительно щурясь на все это изобилие:

— Будь это в моей власти, я бы сделал ревизию на месте и упек голубчика на десять лет строгого режима за явное злоупотребление служебным положением и незаконное присвоение казенного добра. Но, увы, руки коротки! Тут у них своя мафия, свои законы, рука руку моет, каждый второй — кум, сват и брат, и все косоглазые — поди разберись.

Пулькин при своем невзрачном виде и внешне неприметной должности был весьма важной персоной, от которой многое зависело в финансировании различных культурных мероприятий. Театры, киностудии, народные ансамбли и фестивали — огромные суммы денег ассигновались на это, и каждый раз размер суммы определял товарищ Пулькин. А уж начальство повыше утверждало, полностью доверяя ему. Вот почему с ним заигрывали, как могли, и угождали, стараясь заручиться его благосклонностью. Несколько предшественников Пулькина, не устоявших перед напором соблазнов, завершили свои дни в Сибири. Пулькин же слыл неподкупным педантом, этаким дотошным буквоедом, для которого главное — чтобы цифры сошлись, и желательно с экономией в пользу государства.

Жена министра Зейнаб все время подливала Пулькину, откровенно спаивая его. А министр занимал разговорами меня, представляя сидящих за столом гостей, лунообразных, скуластых мужчин и женщин, усердно жевавших баранину, громко чавкая и облизывая жирные пальцы.

— А вот это наш знаменитый поэт, можно сказать, казахский Пушкин. А эта женщина — прима-балерина, после моей жены — лучшая танцовщица в республике. Можно сказать, наша казахская Майя Плисецкая. А это...

Я слушал вполуха, зато ел с удовольствием. Казахские манты, вроде наших русских пельменей, но большего размера, плавали в золотистом бульоне. Ломтики румяного, поджаренного на углях шашлыка, чередующиеся с дольками кроваво-красных помидоров и крепкого, забористого репчатого лука, сами просились в рот. Коньяк был армянский, лучшей марки, которую большой любитель крепких напитков Уинстон Черчилль предпочитал всем остальным коньякам. Кобылье молоко, кумыс, матово белело в хрустальных графинах.

Не обошлось и без древних национальных обычаев гостеприимства, от которых белого человека может бросить в холодный пот. Бараний глаз, вынутый пальцами из зажаренной головы, подносится самому дорогому гостю, как выражение наибольшего к нему уважения. Самым дорогим гостем, к моему счастью, сочли беднягу Пулькина, растерявшегося и лишившегося дара речи, узрев сквозь пьяную муть, что ему собственноручно сует в рот жирными, мокрыми пальцами сам хозяин, министр культуры Казахстана.

Пулькин хоть и невзрачный с виду, но стойкости оказался богатырской. Он проглотил скользящую гадость — бараний глаз и не сблевал в широкоскулое лицо гостеприимного хозяина. Меня бы вывернуло наизнанку. Я проникся уважением к Пулькину.

Но у барана — два глаза, и второй, вероятней всего, предназначался мне. Выручил из беды Пулькин. Он поднялся, словно заяц во хмелю, раскачивая в нетвердой руке рюмку и расплескивая коньяк на скатерть, и заявил, что хочет сказать речь. Казахи стали аплодировать ему лоснящимися бараньим жиром ладонями, и громче всех красавица Зейнаб, жена министра.

Пулькин качнулся вперед и изрек:

— Дорогие товарищи узбеки...

Стол онемел, скуластые лица окаменели. Большего оскорбления Пулькин не мог нанести казахам, как назвав их узбеками, коих казахи почитали хуже собак. За это могли убить, растерзать.

Даже красавица Зейнаб изменилась в лице и стала бледной. Я поспешил на выручку бедолаге Пулькину:

— Товарищ Пулькин оговорился. Мы же находимся не в столице Узбекистана.

— Верно, — согласился Пулькин и, исправляя ошибку, повторил обращение к гостям:

— Дорогие товарищи киргизы...

Сдавленный стон прошел над столом, над обглоданными бараньими костями и кровавыми пятнами пролитого на скатерть коньяка.

Назвать казахов киргизами мог только злейший враг казахского народа. Тучи нависали над взъерошенной и потной головой Пулькина.

Умная Зейнаб спасла от расправы московского гостя.

— Товарищ Пулькин чересчур много выпил, — сказала она, поднявшись и обнимая за плечи незадачливого оратора. — И он не может нести ответственности за всякую чушь, которую несет язык, переставший ему подчиняться. Я думаю, товарищу Пулькину самое время прилечь, отдохнуть...

— Нет, нет, — заупрямился Пулькин, которого Зейнаб попыталась оттянуть от стола. — Я скажу речь... Дорогие товарищи...

Тут уж я бросился на помощь Зейнаб, зажал Пулькину ладонью рот, и вдвоем мы поволокли его, брыкающегося, в спальню и уложили на хозяйскую двуспальную кровать под бархатным балдахином. Пулькин, в костюме, сбитом набок галстуке и модных туфлях-мокасинах, тут же уснул праведным сном младенца.

Дальше я тоже упился до чертей, но речей благоразумно не пытался произносить. Помню, мы с хозяином-министром очутились в его кабинете под портретами Ленина и какого-то казаха, и я, хоть убей, не мог угадать, кто это такой. Раскисший от коньяка, я обнимал министра и даже лобызал его широкие скулы и слезливо спрашивал:

— Почему... скажи на милость... азиаты друг друга разорвать готовы... а уж русских... съели бы живьем?. . Почему? Какая ж это дружба народов... извини за выражение... и... и... какой, спаси господи, Интернационал?..

И министр отвечал незаплетающимся языком, ибо был здоров как бык и пил как лошадь и — хоть бы в одном глазу:

— Мы вас, русских, будем ненавидеть еще десять поколений. Вы принесли к нам в степи советскую власть...

— Постой, постой, — перебил я его. — А что тебе плохого советская власть сделала? Кем бы ты был без советской власти? Грязным пастухом и крутил бы баранам хвосты.

— А кто я теперь? — уставил на меня косые щелки министр. — Не пастух? Ваш русский пастух, который крутит казахскому народу, как баранам, хвосты и забивает им мозги глупостями, продиктованными из Москвы.

Тут уж я спьяну не нашелся что ответить. Что ему ответишь, косоглазому? Режет под самый корень.

— Вы, русские, — продолжает, — нам в тридцатые годы принесли колхозы, отобрали у казахов-кочевников весь скот, овец и лошадей и бросили на голодную смерть в степи. Ибо казах хлеба не сеял, а питался исключительно мясом и молоком. Не стало мяса и молока, скот угнали в колхоз, и вся степь покрылась трупами. Казахи целыми семьями умирали с голоду, и некому было хоронить умерших. Юрты стояли пустыми. Орлы-стервятники кружили над степью.

Это был геноцид (даже и такое словечко знал этот казах, все-таки министр культуры). Шесть миллионов мужчин, женщин и детей за один год умерли от голода, и народ наш уменьшился наполовину.

Меня, хмельного, прошибла слеза от этих слов, и у него из глаз-щелок покатились слезы. Я как наяву увидел степь, усеянную трупами. Усохших младенцев на руках у мертвых матерей. И орла-стервятника, описывающего круги над младенцем, норовя ему выклевать глаз. И похож этот орел в профиль на товарища Пулькина.

Проснулся я в гостинице с похмелья с чугунной головой. Под утро казахи завезли меня сюда почти беспамятного от армянского коньяка.

Проснулся я от того, что кто-то грубыми, шершавыми пальцами сдавил мое горло. Я открыл глаза и задохнулся от страха: надо мной близко, так что в нос шибануло несвежим дыханием, склонилась разбойничья широкоскулая маска, застывшая, с нахмуренными щелочками глаз, плоским раздавленным носом и оскаленным в жуткой улыбке ртом с редкими и гнилыми зубами.

Я напугался до смерти и с трудом пришел в себя, когда маска, гортанно смеясь, представилась личным шофером министра культуры, которого товарищ министр послал разбудить меня и доставить в его машину внизу, в которой министр дожидается меня. Мы едем в горы на охоту. Я облегченно перевел дух. Шершавые пальцы на моем горле показались мне бредом моего мутного от алкоголя воображения.

Когда я брился в ванной, а шофер, скаля в улыбке редкие зубы, почтительно дожидался меня в комнате, я увидел в зеркале под своей опухшей, гнусной физиономией... темные следы подкожных кровоподтеков на шее, неумолимо подтвердившие, что меня действительно душили в постели. Но я тут же отогнал эту мысль. Мало ли где я мог удариться шеей, если был до того пьян, что не помню, как меня доставили домой. Припудрив синяки на шее, я спустился с шофером вниз.

У подъезда гостиницы дожидалась черная «Волга» с белыми занавесками на окнах — верный признак принадлежности машины важному руководящему лицу. Мы не любим, чтобы руководимый нами народ мог заглядывать внутрь наших персональных автомобилей и встречаться с нами глазами.

На переднем сиденье, рядом с шоферским местом, сидел министр, аккуратно выбритый, со свежим, отдохнувшим лицом, без какого-нибудь следа вчерашней пьянки. Его узкие глазки пытливо и цепко осмотрели меня, когда я садился на пустое заднее сиденье:

— Ну, и здоровы вы пить, — сказал он, не оборачиваясь ко мне, а глядя на меня в шоферское зеркальце, когда

«Волга» отъехала от гостиницы. — Даже меня перепили. А я редко пьянею. Вчера сорвался...

— Да нет, что вы... — запротестовал я. — Это я упился, свинья свиньей, а вы были свежи, как огурчик.

— Неужели? А вот я даже не помню, о чем мы с вами болтали, удрав от гостей в мой кабинет. А вам память не отказала?

Из зеркальца на меня был устремлен острый, как нож, взгляд косых, прижатых скулами глаз.

— Я абсолютно ничего не помню... — поспешил ответить я. — Последнее, что помнится, это глупая речь Пулькина за столом... Дальше — мрак... Кстати, как он, Пулькин? Я даже не успел заглянуть к нему в номер.

Узкие настороженные глазки в шоферском зеркальце немного оттаяли, видать, удовлетворенные моим ответом, и даже нечто вроде улыбки мелькнуло в них.

— Товарищ Пулькин? Да, не умеет пить товарищ Пулькин. Хоть и прекрасный работник и заслуживает всяческого уважения, но пить — это не его сфера деятельности. Я не стал его тревожить. Пусть поспит у меня дома, отлежится. Подальше от любопытных глаз. А то ведь недолго нарваться на любителя анонимок... Этой публики у нас хватает, и — готов донос в Москву...

Я понял, что это предостережение и мне.

— А где ваша супруга? — как можно любезнее осведомился я, понимая, что мне надлежит быть поосторожней. — Мы за ней заедем?

— Что вы? Зейнаб умрет при виде крови. Охота — не дамское занятие.

Машина выехала из города, и по асфальтовому шоссе с необычно большим числом регулировщиков мы нагнали длинный караван черных «Волг» с белыми занавесками, пристроились к колонне, под рев сирен милицейских машин понеслись на недозволенной скорости в горы, белевшие снежными вершинами далеко впереди.

Я откинулся на мягкое сиденье. Передо мной маячили два затылка, оба плоские, с короткими жесткими волосами, затылки министра и его личного шофера с разбойничьей физиономией. Эти затылки были враждебны мне. В шоферское зеркальце я старался не заглядывать, чтобы не напороться на колючий, холодный взгляд.

Моя память заработала, как часовой механизм на мине замедленного действия. Из туманных закоулков мозга выплывали, принимая все более четкие очертания, обрывки фраз и обстановка домашнего кабинета министра культуры, где он вчера ночью, изрядно перепив, изливал мне душу. Теперь я начинал все явственней понимать, почему он так обеспокоен и старается узнать, застряло ли в моей памяти что-нибудь из сказанного им спьяну... Я за собой часто наблюдал это свойство: восстанавливать по памяти услышанное, хоть сквозь сон, хоть по пьянке, словно разматывая магнитофонную ленту.

Вчерашняя ночная запись стала проворачиваться в моей голове.

— Знаете, за что мы вас, русских, ненавидим? — щурясь на меня из-за клубов табачного дыма, говорил министр. — И даже не за то, что вы голодом уморили половину нашего народа в тридцатые годы. И даже не за то, что в двадцатые годы, когда вы у нас устанавливали советскую власть, красная кавалерия Буденного сжигала кишлаки и аулы и под предлогом охоты на басмачей, которые были партизанами и отстаивали свои горы и степь от русских, рубили любую голову, если у нее были скулы и узкие глаза.

Мы вас ненавидим даже не за это. Мы вам не можем простить, что вы захватили богатейший кусок планеты, размером больше половины Европы и намного богаче ее. У нас есть все. И золото, и медь, и цинк, и свинец. И железная руда лучше шведской, и каменный уголь лучше немецкого. И нефти — подземные моря. Наши степи могут накормить хлебом мир посытней, чем Австралия и Аргентина. Я уж не говорю о мясе — нашем главном богатстве.

Все это вы прибрали к своим рукам. Заселили наши города русскими, ссылаете сюда, как в ссылку, чеченцев и ингушей, немцев Поволжья, украинцев и всех других, от кого хотите избавиться. Так что коренное население — казахи — совсем растворилось в этом Вавилоне. И как в награду за терпение, в компенсацию за грабежи таких, как я, назначили на почетные и сытые посты, сделав из нас марионеток и ширму для вашего колониализма. Казах-министр — это пустой звук, попугай, повторяющий чужие слова, раскормленный азиат, которого балуют персональным автомобилем и дают бесконтрольно обжираться, а правит, руководит за его спиной заместитель, обязательно русский. И он-то является здесь хозяином. Я же нужен лишь для того, чтобы подписать составленные им бумаги.

Теперь мы — никто в своем доме. Мы — декоративное украшение. Поэтому столько лицемерного внимания уделяется национальным ансамблям песни и пляски с парчовыми халатами и меховыми шапками. Поэтому по радио с утра до ночи исполняются казахские песни, которые никто не слушает. Большинство населения ведь чужие, и наша музыка, наши песни вызывают у них лишь ухмылки. Мол, чем бы дитя ни тешилось, лишь бы не плакало.

А костяк нашего народа — не та горсточка, которую вы посадили на водевильный трон министров и академиков, кому вы сунули в руки музыкальные инструменты и деньги и велели играть и плясать под вашу дудку, а те коренные степняки, пастухи, кому эта земля принадлежала веками. Они так и остались темными невежественными кочевниками и крутят хвосты баранам, мясо которых вы поедаете. Вот этого мы вам никогда не простим. И настанет час — потребуем счет.

Ведь не всегда мы были под вашей пятой. Наша история богаче вашей. Про Чингисхана слыхали небось? Перед этим завоевателем трепетала не только ваша Русь, но и вся Европа становилась на колени. А кто был авангардом в его орде? Лихие джигиты-казахи. Нас тогда называли кипчаки. Краса монгольского войска. Наши кони топтали ваши нивы. Вы раболепно платили нам дань. Наши сабли рубили ваши покорные шеи. Наши молодцы угоняли в плен ваших сестер и дочерей, и те, не ломаясь, услаждали их любовью и ласками. По всей России до сих пор в каждом втором славянине проступает наша азиатская кровь, которую мы вам накачали во все щели, когда вы триста лет лежали ниц перед нами.

Вот это выложил мне вчера казах-министр, разгоряченный коньяком и взбешенный речью московского гостя Пулькина, который даже не удосужился запомнить, куда он приехал, и для которого что казах, что киргиз, что туркмен — все на одно лицо, азиаты.

Видать, так его припекло, что не удержался, сорвался с цепи и все выпалил мне. Русскому. Завоевателю. Благо, видел, что я в стельку пьян и ничего не запомню. А сейчас жалел. И боялся меня. А вдруг в моей памяти что-нибудь застряло? Тогда ему грозят большие неприятности.

Я столкнулся в зеркальце с его взглядом. Вернее, он поймал мой и вонзил в меня свои колючие зрачки, силясь угадать мои мысли. В его взгляде я уловил ненависть и... страх. Мне стало не по себе. Захотелось домой. Увидеть свои, русские лица.

Этот казах вчера преподал мне урок национальных взаимоотношений в нашей стране, кичащейся монолитной дружбой народов. Лучше пусть думает, что я ничего не помню, твердо решил я, чтобы не испытывать судьбу. Кто знает, что замышляет эта скуластая, косоглазая голова, охваченная страхом за свое откровение и болтливость?

Он меня боится и подозревает. Поэтому сам заехал за мной в гостиницу и везет на охоту в своей машине, хотя среди участников совещания были лица рангом повыше меня и к ним, а не ко мне должен был в первую очередь проявить внимание казахский министр. Он взял меня под свою опеку и не упустит, пока не убедится, что я безопасен. Я стал насвистывать, изображая полную беспечность, даже пытался рассказать анекдот. В ответ из зеркальца я не увидел улыбки.

Между тем караван черных «Волг» вползал в горы по серпантину шоссе, и азиатская жара сменилась холодом. Мне сделалось зябко, руки покрылись гусиной кожей.

Что такое правительственная охота — для меня было открытием. Я тоже имел охотничье хозяйство, подчиненное непосредственно Москве, и туда изредка наезжали важные особы со своими иностранными гостями и многочисленной охраной. Этим горе-охотникам наши егеря подставляют под пули красавцев оленей, с двух сторон держа их на тонких веревках, зацепленных за рога. Олень стоит, как распятый, как мишень в тире, а егеря прячутся за стволами сосен, выбирая ствол потолще, чтобы в них самих не угодила картечь или пуля незадачливого высокопоставленного стрелка.

И здесь, в казахских горах, хозяева не отличались выдумкой. Круторогих горных козлов — сильных и красивых животных, обычно пребывающих на недоступных скалах, местные егеря загнали в ущелье с совершенно отвесными стенами, упиравшееся в тупик. Козлы оказались в западне, откуда не было выхода, и, сделав несколько бессмысленных отчаянных прыжков и сорвавшись с каменных круч вниз, покорились и стояли кучкой, выставив рогатые головы и нервно подрагивая густой шерстью.

Это был расстрел, экзекуция. И я до сих пор не могу понять, какую радость находят в этом люди, чье положение обязывает их быть более разборчивыми в развлечениях.

Гостей, которых здесь, в горах, переодели в теплые куртки и шапки, вооружили тульскими ружьями с уже загнанными в магазины патронами, расположили наверху по обеим сторонам узкого ущелья, настолько узкого, что мы могли видеть друг друга отчетливо.

Охота должна была начаться по команде. Я сидел на камне у края ущелья, прислонившись спиной к стволу сосны, и грелся на солнце, положив ружье на колени. Я и не собирался стрелять. Думал просто пересидеть этот обязательный водевиль с кровью.

Раздалась громкая команда, и торопливо захлопали выстрелы. Внизу послышалось жалобное блеянье. Я уж было хотел подняться, чтобы уйти, но какая-то сила бросила меня плашмя на камень, и я растянулся, уронив ружье и втянув голову в плечи. Мое ружье, ударяясь о выступы скалы, упало вниз, на дно ущелья, где бились в последних судорогах черные козлы, задрав к небу копыта.

У самой моей головы просвистела пуля. Я опытен в этих делах, четыре года на фронте провел и могу угадать свист предназначенной мне пули. В стволе дерева образовалась рваная дыра, и куски коры запорошили мою спину.

Мог последовать второй выстрел. Благо, звуковое прикрытие продолжалось: некоторые не в меру ретивые стрелки сажали пулю за пулей в свалившихся и испустивших дух козлов. Не поднимая головы, по-пластунски я отполз за ствол сосны и оттуда огляделся. На другой стороне ущелья, как раз против меня, стояли с ружьями в руках министр и его шофер. Они, должно быть, уже отстрелялись и теперь, прикрываясь от солнца ладонями, щурились в мою сторону — искали мой труп. Так думалось мне. Но когда я, чтобы испортить им радость, показался из-за сосны живым и невредимым, они не только не огорчились, а, наоборот, стали громко смеяться:

— Ай-яй-яй, какой охотник! Уронил ружье в ущелье. За такую неудачу мы вам преподнесем самый лучший кусок шашлыка, который сейчас будут жарить.

Я не мог ничего сообразить. Мне ведь ничего не показалось. Да и след от пули на сосне. Но и министр, и его шофер никак не выглядели убийцами.

За шашлыком, у жаркого костра, на котором, потрескивая в жиру, плавились на шампурах куски козлятины, министр сидел со мной, подливал в мой стакан коньяку и был приветлив и внимателен, как с хорошим знакомым, и смотрел в глаза искренне и дружелюбно. Сделав несколько глотков, я отставил стакан. Коньяк не шел. Застревал в глотке. Я был совершенно подавлен и со стороны выглядел нелепо и смешно. Окружающие приписали это неудаче с ружьем и незлобно подтрунивали надо мной. Понемногу мне стало казаться, что после вчерашнего перепоя у меня что-то не в порядке с головой и начинаются галлюцинации.

Я вернулся в гостиницу с мучительным желанием никого не видеть, наглухо запереть двери, зарыться в постель и уснуть. Но стоило мне повернуть ключ в замке, как снаружи, из коридора, раздался стук в дверь и голос Пулькина:

— Я весь день ждал вас. Откройте, пожалуйста. Мне необходимо с вами поговорить.

Пулькин вошел ко мне, подергивая плечами, словно от холода, хотя было очень жарко и в комнате стояла духота. Он напоминал взъерошенного воробья, и лицо его приобрело нездоровый землистый цвет.

— Вам нельзя пить, — посочувствовал я, запирая дверь на замок.

— Мне нельзя пить, — согласился он, тяжело опустившись в кресло, и сухими, костлявыми пальцами стал протирать глаза с такой силой, словно хотел вдавить их под череп. — Со мной случилась беда. Я влип в гадкую историю.

Сердце мое учащенно забилось. Я сразу догадался, что с Пулькиным проделали нечто гнусное в доме министра, где он оставался ночевать.

— Я могу вам доверять? — спросил Пулькин, уставившись на меня опустошенным и отчаянным взглядом. —

Вы мне кажетесь порядочным человеком. Я нуждаюсь в совете и рассчитываю на вас.

— Говорите, — сказал я. — Со мной можете быть откровенны. Мы — друзья по несчастью. Я тоже оказался под ударом.

— Хорошо, вы мне расскажете потом. Сперва я вам изложу, что со мной приключилось. Я буквально схожу с ума.

Вот что Пулькин мне рассказал.

— Вы, должно быть, видели, как меня в одежде уложили на кровать в спальне министра. Я мельком запомнил, что был одет... и балдахин над кроватью. Это была супружеская кровать, и ничего удивительного в том, что меня оттуда перенесли в другую комнату. Я этого не помню, был буквально без памяти. А проснулся раздетым, укрытым чистой простыней, голова покоится на мягкой подушке. Одним словом, я провел ночь в другой комнате на диване.

Проснулся я от того, что чья-то рука шарила под простыней и, добравшись до моего, извините за выражение, члена, стала ласково и нежно поглаживать его. Я открыл глаза и увидел... вы, конечно, догадываетесь... Зейнаб... то есть Зою... жену нашего уважаемого министра. Она стояла, склонившись надо мной, абсолютно нагая... голая... потому что прозрачная, как кисея, розовая накидка ровным счетом ничего не прикрывала. Она была красива какой-то дьявольской, соблазнительной красотой. Волосы, как вороново крыло, черные с синим отливом, распущены по плечам, как грива дикого и прекрасного коня. Эти зеленые и... тоже дикие глаза. Две груди висели надо мной. Я видел ее круглый, как восточная чаша, живот и соблазнительный уголок волос чуть пониже.

Я обомлел и буквально потерял дар речи. Смею доложить вам, я никогда не был дамским угодником и всю жизнь, не считая войны, когда у меня, как и у всех офицеров, случались интимные и быстро проходящие связи с малознакомыми женщинами, я прожил со своей женой и был ей верен. Я неопытен с женщинами, да еще с красивыми, и, откровенно говоря, всегда их побаивался и старался держаться подальше. В такой ситуации я был впервые.

Она, бестия, соблазнительная до невозможности, смотрит мне в глаза и будто привораживает... как удав кролика. А ручкой все поглаживает, и я чувствую, как под ее теплой ладошкой возбудился до предела. Мне ее захотелось мучительно... как будто от этого зависела моя дальнейшая жизнь. Такой вспышки желания я за собой не припомню, пожалуй, со студенческой скамьи.

Не соображая, что я делаю, я протянул к ней, как за милостыней, руки, и на мои ладони легли обе ее груди. От наслаждения у меня волосы зашевелились на голове. Буквально. Клянусь честью. Вот такое, понимаете, дьявольское наваждение. И тогда она раскрыла свои прелестные губки, а они у нее, сознайтесь, какое-то чудо природы, венец творения... Пышут жаром, словно обугливаются на ваших глазах.

— Товарищ Пулькин, — говорит она, и голос ее чуть с акцентом прозвучал, как степной колокольчик... Вы видите, как я о ней говорю?. . Словно поэтом стал... до сих пор не могу выйти из-под ее чар. — Товарищ Пулькин, вы мой друг?

Ну, что вы на это ответите?

— Конечно! — не своим голосом воскликнул я.

— Я так и знала, — удовлетворенно улыбнулась она и, клянусь честью, даже облизнулась, как кошка на сметану. — Я вам нравлюсь?

Что за вопрос?

— Конечно! — повторил я, как попугай.

— Тогда я — ваша! Можете мной обладать, — и, развязав что-то у прелестной шейки, она вышла из своей прозрачной накидки, которая, соскользнув с плеч, розовой пеной легла у ее ног. — Мы с вами одни в доме. Нам никто не помешает.

Я был на грани обморока.

— Только услуга за услугу... — она облизнула свои губки и снова показалась мне кошкой с зелеными глазами. Это сходство усиливалось тем, что у нее на верхней губке очаровательные усики.

— Чем я могу быть полезен? — пролепетал я.

— А вот чем. В Москве на киностудии «Мосфильм» скоро начнут снимать фильм с женской ролью, о которой я мечтала всю жизнь. Фильм будет ставить режиссер... — и она назвала имя одного из самых известных наших режиссеров, прогремевшее на весь мир. — Только он может вывести меня из провинциальной глуши на мировую арену. Это мой последний шанс. Но для Москвы я — ноль, никто... Лишь вы... если захотите... можете...

— Голубушка! — взмолился я. — Да что я могу? Я не директор студии и не в художественном совете! Я в этом, честно говоря, мало понимаю... Мое дело... финансы.

— Вот, вот, — сказала она. — Именно финансы. Поэтому вы можете все. От вас зависят бюджеты картин и целых студий! Они в ваших руках! Неужели вы этого не понимаете? И если вы лично попросите о такой безделице, как назначение на роль актрисы, директор студии да и режиссер будут счастливы хоть чем-то завоевать ваше расположение. Вы меня поняли?

— Но я подобного... никогда не позволял себе... это... неэтично... по крайней мере...

— А обладать чужой женой... этично?

Это был веский аргумент, и я был сражен. При этом она, чтобы не дать мне остыть, склонила свой ротик к моему члену, и так уж до предела воспаленному, и взяла губками головку... Клянусь честью! Не верите? Я о подобном слыхал от моих сослуживцев и... считал это... высшей формой разврата. И вот сам этого удостоился... Знаете ли, должен признать, небесное блаженство... ни с чем не сравнимое.

— Я напишу письмо на студию... я буду настаивать, чтобы вам дали эту роль...

Я обещал ей, как в бреду, не отдавая себе отчета в том, что делаю.

— Не нужно писать, — сказала она, выпустив из губок головку. — Письмо готово, его нужно лишь подписать.

— Но я не могу подписать письмо... в таком состоянии... Я его даже прочесть не смогу.

— В таком случае я тоже не смогу, — распрямилась она, красивая, как восточная богиня, и сурово сдвинула соболиные бровки. — Прощайте, неблагодарный.

— Не уходите... Я согласен!

— Я не ухожу, глупенький, — улыбнулась она. — Я лишь принесу письмо.

И, знаете, такого не бывало в моей жизни. Я подписал письмо, не читая. Дрожащей от возбуждения рукой. Она тут же спрятала письмо. И легла ко мне.

А дальше... дальше... я опростоволосился... Стоило мне лишь лечь на нее, как я мгновенно сгорел... осквернив ее божественное тело и даже не достигнув цели...

Она убежала в ванную, потом вернулась... одетой и тоном милой хозяйки, словно между нами ничего не произошло, пригласила завтракать. Вот и все... Затем по телефону вызвала машину и избавилась от меня окончательно. А письмо, подписанное мною, содержание которого я не удосужился прочесть, у нее. И скоро пойдет в Москву.

Он умолк и остался сидеть в кресле, сжав сплетенные руки между колен и глядя в пол.

— Какая страшная баба! — сказал я.

— Вы можете мне помочь? — поднял он глаза, и в них стояли слезы. — Советом... Я сам себе противен...

— Я подумаю, — пообещал я. — А вам нужно отдохнуть. Вы на себя не похожи. Подите к себе и... постарайтесь уснуть.

До вечера я не выходил из своей комнаты, сказавшись больным, и поесть мне приносили из ресторана два молодых официанта-казаха, чем-то очень похожие на тех мальчиков-студентов, что обслуживали нас в доме у министра. Я не притронулся к еде и спустил все содержимое тарелок и даже чай в унитаз туалета, а сам довольствовался бутылкой кефира, перехваченной в буфете на моем этаже.

Дважды звонил министр и осведомлялся о моем здоровье, и я просил его не беспокоиться, сказав, что это лишь расстройство желудка от непривычно жирной и острой местной пищи. Министр посмеялся над нестойкостью русских желудков и обещал прислать казахское народное средство, проверенное веками кочевой жизни, — настой из степных трав, который как рукой снимет недомогание через час после приема первой дозы. Он также передал привет от жены, которая очень огорчена моим недомоганием.

Лекарство привез шофер министра. Он вошел ко мне, мягко, по-кошачьи ступая в сапогах ручной работы, облегавших ноги, как чулки, и, ощерясь редкими и гнилыми зубами, тоже посетовал на мое недомогание и поставил на стол бутылку из темного стекла с куском кукурузного початка вместо пробки, воткнутым в горлышко.

— Хлебните стакан перед сном, — сказал он, уходя. — Немножко горчит, но запивать не надо. Будете спать как убитый.

И при этом хитро прищурил глаза.

Я запер за ним дверь, тотчас же опорожнил всю бутылку в унитаз и спустил воду. Бутылку швырнул в мусорный ящик и тщательно с мылом помыл руки горячей водой. Полотенце, которым я вытер руки, тоже выбросил в мусор.

Всю ночь я ворочался с боку на бок, засыпал тревожно на час-другой и снова просыпался, преследуемый мыслью, что я что-то должен предпринять. А что конкретно? К утру в моей голове созрел план. Коварный и жестокий. Какой-то не русский, восточный по своей злой мстительности.

Мой звонок застал Пулькина в постели, и я, не раскрывая ему плана, сказал, что если он хочет благополучно выскочить из западни, в которую попал, то должен, не задавая лишних вопросов, отныне подчиниться моей воле и выполнять беспрекословно все, что я велю.

Пулькин, не раздумывая, согласился, назвав меня авансом «спасителем» и «голубчиком». Я охладил его пыл, сказав, что цыплят по осени считают, но тем не менее на девяносто процентов уверен в успехе. Поэтому слушайте мою команду и выполняйте ее по армейскому принципу, благо, оба мы — бывшие офицеры. Приказ командира — закон для подчиненного.

— Товарищ Пулькин, конференция кончается завтра, а мы с вами улетим сегодня в Москву.

— Но позвольте... — возразил он, — ведь есть порядок...

— Молчать, — оборвал я его. — Действуйте. Все оформление нашего отъезда и объяснение причин возьмете на себя. Можете сослаться на мое нездоровье. Билеты на вечерний рейс Алма-Ата — Москва должны быть у меня после обеда. Все! Приступайте!

Утреннее заседание совещания начиналось в девять часов. Следовательно, министр выедет из дома в половине девятого, и в этот ранний час Зейнаб еще можно будет застать дома. Я сбегал в буфет на этаже и наспех позавтракал бутылкой кефира, отпивая из горлышка, так как даже в буфете не доверял стаканам. За стойкой пялилась на меня щелками глаз дочь степей в белом халате буфетчицы и, должно быть, удивлялась некультурности высокого гостя из Москвы.

Без четверти девять я набрал домашний номер телефона министра культуры. Трубку, как я и полагал, сняла Зейнаб. Приятным и даже дружественным голосом она осведомилась о моем здоровье, и я поблагодарил ее, сказав, что чувствую себя, как новорожденный, после казахского народного снадобья, которое мне любезно прислал ее супруг. Зейнаб ничем не выдала своего удивления, а, наоборот, еще дружественней и даже кокетливо поздравила меня с выздоровлением.

Я для себя отметил, что она совершенно не в курсе моих отношений с ее мужем, даже ей он не доверил своих опасений после ночных откровений со мной. Они действовали порознь. Как два матерых хищника, доверяющих только себе. И возможно, во всей авантюре с Пулькиным министр не был замешан и, конечно, не мог даже предполагать, какой ценой жена выбила из него рекомендательное письмо на киностудию «Мосфильм».

Я спросил Зейнаб, есть ли в доме кто-нибудь еще, кроме нее.

— Никого. А что такое? — насторожилась она.

— Да, видите ли, мне бы хотелось с вами поговорить с глазу на глаз. Надеюсь, наш телефонный разговор никто не подслушивает?

— Я надеюсь, — согласилась она, и в ее голосе промелькнули тревожные нотки. — О чем вы хотите со мной говорить?

— Скоро узнаете, Зоя, — назвал я ее русским именем, каким она представилась мне, когда я приехал в их дом позавчера. — Дело касается вашего благополучия. Семейного. Над вами нависла страшная опасность, и я совершенно случайно об этом узнал.

— Что случилось? Говорите! — на другом конце провода улетучилось кокетство, уступив место неразмышляющему страху. — Я надеюсь, вы мой друг? Вы меня предупредите?

— Зоя, я не хочу по телефону сообщать подробности, заботясь исключительно о вашей безопасности.

— Это что, связано с товарищем Пулькиным? — злая ирония прозвучала в ее голосе. — Он вам наболтал?

— Нет, дорогая Зоя, тучи, сгущающиеся над вашей головой, никакого отношения к товарищу Пулькину не имеют. Все значительно сложнее. Могу лишь сказать, что кое-какие люди здесь, в Алма-Ате, собрали против вас неопровержимые улики и попросили меня передать их письменное заявление в Москву. Я ознакомился с этим документом и могу вам определенно сказать, что, если он предстанет пред светлые очи начальства в Москве, ни вам, ни вашему супругу не уйти от серьезной ответственности. — В том, что у нее рыльце в пуху и она замешана во множестве деяний, наказуемых уголовным кодексом, я не сомневался и на этом построил свой план атаки.

— Это письмо... у вас? — после затянувшейся паузы спросила она.

— Да. И поэтому я вам позвонил. Я ваш друг, Зоя. И мне бы хотелось уберечь вас от беды.

— Вы хотите, чтобы я к вам подъехала?

— Как вам угодно. Я всегда буду рад видеть такую очаровательную женщину.

В ее голосе снова зазвучали кокетливые, уверенные нотки:

— Послушайте, дорогой, я и не подозревала, что вы такой джентльмен. Подобные мужчины нынче не часто встречаются. Я к вам еду. Ждите, дорогой.

— Только, Зоя, не пользуйтесь автомобилем мужа, а возьмите такси. И еще одна просьба...

Я нарочно умолк, испытывая ее.

— Что? — нотки тревоги снова пробились в ее голосе.

— Захватите, Зоечка, письмо, которое вам Пулькин подписал. Я его ликвидирую. Так сказать, услуга за услугу.

— Хорошо. Я еду.

Она вошла ко мне в номер без стука — я оставил дверь приоткрытой, — одетая в строгий костюм, без лишней косметики и украшений. Волосы были гладко зачесаны и стянуты тяжелым узлом на затылке. Без единого слова она вынула из сумочки вчетверо сложенный лист бумаги, протянула мне и села в то же кресло, в котором вчера исповедовался мне Пулькин.

Я развернул лист и пробежал глазами. Хитрая бестия!

Как все заранее было заготовлено! Рекомендательное письмо Пулькина было отпечатано на машинке, и просьба была изложена в сдержанной и в то же время не допускающей отказа форме. Внизу был указан точный титул Пулькина и оставлено место для подписи, которое бедняга заполнил нетвердой рукой.

У нее на глазах я медленно разорвал письмо на множество мелких клочков, которые сложил ворохом в стеклянную пепельницу и поджег спичкой. В пепельнице заплясал маленький костер.

— А теперь я жду ответного шага, — деловито сказала Зоя, испытующе и тревожно глядя на меня. — Это письмо у вас?

— У меня.

Я вынул из ящика письменного стола большой казенный конверт и с улыбкой помахал им в воздухе.

— Надеюсь, его постигнет та же участь? — она скосила свои зеленые кошачьи глаза на догоравшие в пепельнице клочки бумаги.

— Возможно. Это зависит от вас.

— Чего еще вам нужно?

— Того же, что вы предложили Пулькину. Вашего божественного тела.

— Ах, так? — Зоя заломила бровки над зелеными раскосыми глазами и встала с кресла, стройная, с крепкими бедрами, плотно стянутыми юбкой. — А в другой, менее оскорбительной форме это нельзя было предложить?

— Нет, Зоя. Я ведь вам не предлагаю себя в любовники. Я моложе Пулькина и покрепче его. Я получу с вас то, что он по слабости не смог взять. Только и всего. Если вы не возражаете, то прошу занять удобную позицию.

— Какую? — от ненависти ко мне ее глаза настолько сузились, что утонули под припухлостями век, а ноздри тонкого носика затрепетали, как у породистой лошади.

— Так как мы не будем играть в любовь, то лучше всего вам не раздеваться, а только снять штанишки, задрать сзади юбку повыше и ладонями упереться в кресло.

Ноздри ее затрепетали еще сильнее. Она до боли прикусила нижнюю пухлую губу. Грудь высоко вздымалась и опадала.

— Жакет вы мне позволите снять?

— Зачем? Это лишнее. Сделайте, как я просил.

Зоя бросила на стол свою лакированную сумочку, нагнулась, обеими руками ухватилась за край юбки и подняла ее до поясницы вместе с черной шелковой комбинацией. Рывком руки стряхнула с бедер полупрозрачные, с кружевной строчкой по краю трусики и, когда они легли на пол, переступила через них черными открытыми лодочками на тонких высоких каблучках.

— Прошу занять позицию, — жестом пригласил я ее.

С поднятой над бедрами юбкой она подошла к креслу сбоку, положила обе руки на поручень и, согнувшись, развернула передо мной гитарной формы мраморный зад.

Я рассматривал этот прелестный зад с медлительностью гурмана, и она, не выдержав, скосила назад свой зеленый и узкий глаз.

— Долго еще ждать?

— У меня не стоит, — сказал я.

— Вы еще хуже Пулькина, — злорадно усмехнулась она, пребывая в той же позе.

— Вот-вот, я и хочу, чтобы вы, как и у Пулькина, взяли в рот и довели до нужной кондиции. Вы в этом деле мастерица, не правда ли?

Бог ты мой, как она меня ненавидела! Ее глаза сверкали такой лютой ненавистью, что, когда она, опустившись на колени и расстегнув ширинку моих брюк, извлекла оттуда член и взяла его в рот, я не на шутку струхнул, как бы не откусила напрочь.

Но жена министра была слишком практичной, и разум возобладал над чувствами. Она умело, мастерски облизала, понянчила губами, языком и небом мой член, пока он не окреп и не вырос в размере, и тогда, выпустив его из губ, снова стала раком, и я лег на ее зад и продвинул возбужденный и влажный член между ее ягодиц глубоко-глубоко, от чего она издала стонущий звук, а затем, ухватившись рукой за тяжелый узел волос на ее затылке, больно потянул на себя и стал гонять свой член, как поршень, взад и вперед, проникая в самое ее нутро.

Когда я разрядился наконец, она, повернув ко мне голову, деловито спросила:

— Все?

И, прихватив с полу трусики, побежала в ванную.

Я застегнул брюки и уселся в кресло, слегка оглушенный, но с чувством большого удовлетворения. Это был и секс высочайшего класса, и в то же время глумление, откровенная месть, наказание плотоядной и расчетливой хищницы, которая этого вполне заслуживала.

Она вернулась из ванной снова причесанная, костюмчик без единой складки красиво облегал это тело, которым я только что обладал, и протянула руку:

— Письмо.

Я отдал ей конверт и, сдерживая улыбку, наблюдал, как она торопливыми движениями пальцев разорвала его верх и извлекла лист бумаги. Абсолютно чистый лист бумаги.

Она подняла на меня недоумевающие глаза. И тогда я захохотал. Громко. С наслаждением. Упиваясь ее растерянностью и беззащитностью передо мной.

— Подлец! Какая низость!

Из глаз ее брызнули горькие слезы обиды.

— Долг платежом красен, Зоя. За подлость рассчитываются подлостью. Я тебя проучил. Думаю, урок пойдет впрок.

— А... как насчет опасности... которая нависла над моей семьей? — она смотрела на меня остекленевшим взглядом и сразу стала жалкой и даже некрасивой. — Это... тоже неправда?

— Все неправда, — успокоил я ее. — Я тебя разыграл. А теперь езжай домой. И впредь будь осторожней и... порядочней. Если сможешь.

— Я бы вас убила, — простонала она, сжимая кулачки и тряся ими перед моим лицом.

— Все! — Я открыл ей двери. — Марш отсюда!

Я стал укладывать вещи в чемодан.

Не прошло и получаса, как раздался телефонный звонок. Очевидно, Пулькин, подумал я, доложит о билетах. Но вместо Пулькина в трубке послышался истерический голос Зои:

— Послушай, негодяй! Ты ловко все сделал! Но теперь тебе не отвертеться!

— Что такое? — не понял я. — Вы о чем?

— Не понимаешь, сволочь? Еще прикидываешься? Так слушай! Ты меня нарочно выманил из дому. И ты действительно знал, что над моим домом нависла опасность. Потому что сам все спланировал.

— Что за чушь? — пытался понять я.

— Пока я была у тебя, подонок, в мой дом пробрались воры и очистили его. Две каракулевые шубы, серую и черную, норковое манто, бобровую шубу мужа... И все драгоценности... кольца... колье... браслеты... серьги... Это — все, что я имела. Все до копейки! Ты, ты... это сделал! И можешь не отпираться... Милиция выяснит... Я сейчас же звоню туда.

Я сидел как оглушенный. Какая-то мистика. Невероятное до жути совпадение. Я хоть и в шутку, но действительно предрек, что над ее домом нависла опасность. В самом деле получается так, что выманил ее из дому, продержал у себя ровно столько времени, сколько понадобилось ворам, чтобы сделать свое дело. Если Зоя все это изложит милицейскому следователю, мне будет очень трудно, почти невозможно доказать свое алиби. А кроме всего, тогда непременно всплывет моя неприглядная авантюра, когда я шантажом вынудил женщину против ее воли отдаться мне.

Я влип по самые уши и не видел никакого спасения. Долго просидел я в кресле, пытаясь хоть что-нибудь сообразить. Ага! Зоя слишком расчетлива, чтобы даже при таком нервном расстройстве подорвать мину под собственными ногами. Ну, хорошо, меня она с кашей съест, упечет в тюрьму, в Сибирь, на каторгу. Но и сама-то не сможет выйти целехонькой, рассказав всю правду. Муж-министр оставит ее. Да и сам он после такого скандала не удержится в министерском кресле.

Я бросился к телефону и торопливо набрал Зоин номер. Она не сразу сняла трубку. Голос ее был неузнаваем. Слабый, еле слышный. Будто из нее выпили все жизненные соки.

Мое предположение оказалось верным.

— Я не тебя пощадила, — сказала она, — а себя и своего мужа. Сейчас прибудет милиция с собаками и будет искать воров. Может быть, и найдут. Уезжай отсюда. Чтоб я тебя больше не видела.

И положила трубку.

Тут уж я заметался. Скорей! Скорей бежать отсюда. Забыть, как ночной кошмар. К счастью, скоро явился Пулькин с билетами. Я велел ему быстро собраться и, схватив чемодан, бросился к лифту.

У подъезда ждала черная «Волга» с белыми занавесками на окнах. Личный шофер министра, улыбаясь и открывая редкие гнилые зубы, церемонно расшаркался передо мной и распахнул дверцы автомобиля.

— Нет! — закричал я. — Не хочу! Уезжайте! Я поеду на такси!

К величайшему недоумению шофера и подоспевшего Пулькина, я категорически отказался от услуг министерского шофера и успокоился лишь тогда, когда черная «Волга» отъехала, обдав нас с Пулькиным едким облаком выхлопных газов.

В аэропорт мы приехали на такси. Пулькин молчал и ни о чем не расспрашивал. Он был полностью погружен в собственные переживания: я уже сообщил ему, что рекомендательное письмо отнято у Зейнаб и ликвидировано.

Я все время тревожно оглядывался, словно ожидая погони, и являл полнейший контраст умиленно-счастливому Пулькину.

Наконец мы сели в самолет. Взревели реактивные двигатели, и мимо с убыстряющейся скоростью понеслись постройки аэропорта, серебристые фюзеляжи самолетов на соседних бетонных дорожках. Мы взмыли в небо. Тогда я перевел дух и уже без страха огляделся вокруг.

— Все приходит на память Шурик Колоссовский, — сказал Лунин, ложась на диван и запахивая полы халата. — Действительно, как эмблема нашей молодости. Роюсь в прошлом и все на него натыкаюсь.

Помню, ехали мы с ним в электричке за город. Шурик донашивал военную форму, и в тот раз все боевые награды висели на кителе. Народ глазеет на него. Герой! И красавец! У женщин слюнки текут.

Шурик мне кивает:

— Пойдем в другой вагон. Я — слепой, ты — мой провожатый. Снимай шапку, будет полна денег.

Мы пошли в следующий вагон. Я держу в руке шапку, а другой веду Шурика. Он, дьявол, мастерски закатил глаза, одни белки остались, и своим баритоном так жалостно рвет душу, что весь вагон, и мужики и бабы, залились слезами, хоть к нищим слепцам тут привыкли с войны.

Он лежит, не дышит
И как будто спит,
Золотые кудри
Ветер шевелит, —

пел Шурик.

Деньги посыпались в мою шапку дождем. И ни одного медяка. Все бумажками. Рубль. Даже пять рублей. Шурик потряс пассажиров. Такого красивого слепца они отроду не видали.

Мы прошли до конца вагона, и шапка была полна доверху. Шурик нащупал добычу, удовлетворенно улыбнулся и рассовал по карманам. Потом обернулся к глотающему слезы вагону и, вернув свои глаза в нормальное состояние, глянул на пассажиров синими зрачками. Вагон ахнул и загудел. Я подумал, что нас непременно станут бить.

Но Шурик своим громовым голосом пригвоздил пассажиров к местам:

— Вы! — рявкнул он. — Жалостливые! Милостыней отделались от инвалида, защитника отечества. А никто из вас не возмутился, почему человек, проливший кровь за вас, должен просить подаяние? Даже мысль такая не родилась в вашем курином мозгу. Потому что вы веками как были, так и остались рабами. И нравственность ваша подлая, рабская.

Должен признаться, что от таких речей пахло Сибирью. Но поезд подошел к станции, двери раскрылись, и я вытащил Шурика на платформу. Никто в вагоне не успел опомниться, как двери захлопнулись и поезд помчался дальше.

Я, чего греха таить, еле отклеил свои штаны от задницы. А Шурик стоит и этак грустно улыбается:

— Каждый народ имеет правительство, какое он заслуживает. Не помню, какой умный человек это сказал, но сказал он точно. Словно вырос в России. Пойдем, Саша, пиво пить. Денег мы с тобой собрали достаточно.

— Да уж точно, не уцелеть бы Шурику, не повесься он сам, — вздохнул Зуев.

— А мы-то как сохранились? — Лунин обвел приятелей испытующим взглядом. — Подличали? Душу продавали?

— Кто как, — пожал плечами Астахов.

Хочешь сказать, что ты прошел чистеньким? — спросил Зуев, ехидно щурясь.

— За нашу сохранность, — задумчиво сказал Астахов, — мы если и не платили откровенной подлостью, то все равно отдавали часть своей души. Подторговывали ею. А это тот вид торговли, при которой не богатеешь, а беднеешь, оскудеваешь. Надуваешь сам себя. Хотите послушать? Не устали?

— Валяй, — принял удобную позу Зуев.

РАССКАЗ АСТАХОВА

В этой истории, последствия которой заметно отразились на жизни каждого, кто оказался в ней замешан, был классический треугольник — двое мужчин и она. Для начала я вам представлю мужчин. Ваш покорный слуга и Вольф Гольдберг — талантливый молодой врач, еврей, как вы можете судить по имени, но с обликом типичного немца. Этот немецкий облик во многом определил его судьбу.

Мы были с ним приятелями, и это началось после того, как он меня выходил из почти безнадежного состояния. И еще сближало нас сходство жизненных путей. Оба воевали, а потом были инструментами нашей экспансионистской политики, он — в Германии, а я — в Литве, и оба стали жертвами этой политики, попав на одном из поворотов под ее тяжелые, не знающие сантиментов колеса.

Вольф был, действительно, вылитый немец. Даже, я бы сказал, баварец. Полный, чуть одутловатый, с постоянным румянцем на пухлых щеках, который бывает от чрезмерного потребления пива, светловолосый, с серыми пуговками глаз. И немецким языком владел в таком совершенстве, что по-русски разговаривал медленно, слово за словом, будто каждое переводя в уме. А владел он немецким, как родным, потому что долго был советским тайным агентом в Германии. В середине войны его отозвали из морской пехоты, где он немало хлебнул в боях на Северном Кавказе, привезли в Москву, в Военный институт иностранных языков, на немецкое отделение, где он прошел ускоренный курс обучения и, проявив недюжинные способности, за год блистательно овладел языком, и после короткой подготовки в специальном лагере был заброшен в Германию, уже издыхавшую в последних конвульсиях. Война близилась к концу. Союзники с двух сторон сжимали пресс, и нацистский режим вот-вот должен был лопнуть.

Сталин, по Ялтинскому договору отторговавший под свой контроль большую часть Германии, предпринимал заранее шаги, чтобы круто повернуть симпатии дисциплинированного немецкого населения от фашизма к коммунизму. Вольфу Гольдбергу и его коллегам в этой операции была отведена роль ускорителей химической реакции в процессе промывки мозгов. По легенде и состряпанным в Москве документам он был немецким коммунистом, чудом уцелевшим в лагере уничтожения. Из таких людей советские оккупационные власти в Германии формировали первые органы немецкого самоуправления, которые потом и взяли власть в свои руки, приведя страну под контроль коммунистов. Среди первых функционеров было множество липовых немцев, таких, как Вольф Гольдберг, и они свое дело сделали, заложив фундамент нынешнего верного союзника Советского Союза — Германской Демократической Республики.

Этими липовыми немцами — костяком новой власти управлял из Берлина штаб, называвшийся в ту пору группой полковника Тюльпанова. Все инструкции Вольф Гольдберг получал оттуда.

Он пришел в толпе беженцев в город Дрезден, разрушенный до основания американскими бомбежками, здесь обосновался и как немец-коммунист был взят на учет советской военной комендатурой, не ведавшей — так глубока была конспирация — подлинной биографии этого «немца». Вольф стал строить новую Германию. Драл глотку на митингах, вербовал бывших нацистов, готовых ради спасения шкуры служить любому дьяволу, проникал все глубже в немецкие круги, где в нем видели своего человека, берущего реванш за свои прежние страдания и нынче быстро делающего карьеру при новом режиме. Он мог помочь, мог отстоять человека перед властями, и его дружбой дорожили, ее домогались самые различные люди, и круг его связей ширился и рос.

Группа полковника Тюльпанова была удовлетворена успешной деятельностью Вольфа Гольдберга и предложила ему для полного камуфляжа совершить еще один шаг — жениться на немке. Жениться легально, официально, зажить своим домом, и чтоб жена ни в коем случае не могла усомниться в подлинности брака. Он же должен понимать, что для советского старшего лейтенанта Вольфа Гольдберга этот брак фиктивный и по завершении задания будет аннулирован без всяких юридических последствий для него. Так сказать, для пользы дела спи с этой немочкой, сколько тебе заблагорассудится, пусть она строит радужные планы семейной жизни, а будет приказ — и ты испаришься, даже не сказав ей традиционного «прости, дорогая». Все хлопоты по улаживанию этого дела возьмет на себя всемогущая группа полковника Тюльпанова.

Чтобы добиться наибольшего эффекта, ему было велено жениться на немке из кругов, враждебных новой власти, и таким образом проникнуть в эти круги и постараться подчинить их, заставить служить новому режиму. Ему указали и невесту. Молодую и весьма привлекательную особу из старинного саксонского рода, вдову эсэсовского офицера, казненного в России за совершенные там преступления в период фашистской оккупации.

Эрна — так звали молодую вдову — была в нелегком положении. Тень покойного мужа, как клеймо, преследовала ее, а ее аристократическая родословная была не лучшей рекомендацией в новой Германии, объявленной коммунистами отечеством рабочих и крестьян.

Быстро идущий в гору коммунист Вольф Гольдберг, пострадавший за свои убеждения при Гитлере, был для Эрны подарком судьбы, счастливым лотерейным билетом, по которому она снова выходила в сливки общества, и из бездны, куда ее швырнуло поражение Германии в войне, снова возвращалась в ряды власть имущих. К тому же этот коммунист был симпатичным малым, хорошо воспитан и в постели оказался прекрасным самцом, намного превосходившим ее прежнего мужа, отчего Эрна с чистой совестью могла признать, что никто другой, а только он, краснощекий Вольф, пробудил в ней настоящую женщину.

У них была свадьба со множеством гостей. Брак был зарегистрирован честь по чести в городском магистрате. Но это не все. Эрна убедилась, что он действительно ее любит и готов ради нее даже поставить под удар свою карьеру. Чтобы доставить ей радость, он согласился на очень рискованный шаг — они тайно обвенчались в сельской кирхе, и об этом знали лишь они двое и старый священник. И... вся группа полковника Тюльпанова, санкционировавшая этот тонкий трюк своего агента.

Супруги Эрна и Вольф Гольдберги счастливо зажили в отличной квартире, конфискованной у бывшего нациста, обставились дорогой мебелью и стали заметной и уважаемой парой в быстро складывавшемся истэблишменте.

Она полюбила его страстно, вложив в свое чувство и женский, и материнский инстинкты. Он стал для нее и мужем, и ребенком. Она захлебывалась от страсти по ночам, чуть не молилась на него, а днем баловала его, как сына.

И он растаял. После жутких лет в морской пехоте, голодной жизни в военной Москве, лишений и опасностей, пережитых после ночного прыжка с парашютом в чужую и таинственную Германию, он впервые зажил как человек, впервые был согрет такой заботой и лаской. И, пожалуй, впервые после множества пустых и довольно грязных связей стал объектом горячей и искренней любви.

Он не заметил, как тоже влюбился. Он уже не мог спокойно уезжать по делам на несколько дней из Дрездена. Он стал скучать и рвался домой. Нелепо. Но квартира в Дрездене, уютное гнездышко, где его ждет Эрна, стала домом для этого бродяги, который прежде мог довольствоваться ночлегом под любым кустом и не очень страдал от отсутствия комфорта. Его очерствевшая душа отогрелась и оттаяла. Он познал любовь и почувствовал себя счастливым.

Одно омрачало счастье этой четы. Эрна страстно хотела иметь ребенка — плод их любви, но такой вариант не входил в сценарий, разработанный группой полковника Тюльпанова, и Вольфу, тоже ощутившему тягу к отцовству, приходилось идти на всяческие уловки, чтобы избежать появления дитяти, и тяжело страдать при виде слез в глазах Эрны.

Ни его шефы в Берлине, ни он сам не предполагали, что этот, в сущности, фиктивный брак, всего лишь нужное мероприятие в многосторонней деятельности агента полковника Тюльпанова, превратится в пылкую, горячую любовь, которая не так уж часто посещает бывалых людей. Наблюдая счастливую супружескую пару, в Берлине отдавали должное актерскому мастерству своего человека и в документах, посылаемых в Москву, отмечали его высокие профессиональные качества. Он был дважды удостоен правительственных наград, разумеется, без оповещения об этом в прессе, и ордена хранились в сейфе Центрального управления в Москве.

Когда советская оккупационная зона по воле Сталина была объявлена суверенным государством и, невзирая на протесты союзников в войне с Гитлером, превратилась в Германскую Демократическую Республику, группа полковника Тюльпанова была расформирована.

Вольфа Гольдберга, уважаемого гражданина Дрездена, важную персону в городском партийном аппарате, вызвали в Берлин и там, поблагодарив за успешную службу, объявили, что его миссия закончена и через два часа самолетом он отбывает.

— А как же Эрна?

— Какая Эрна? Ах, эта... так называемая жена? Ей мы сообщим, что вы погибли в автомобильной катастрофе, и пришлем ей подходящий труп в цинковом гробу, чтобы безутешная вдова могла в слезах утопить свое горе.

Вольф был раздавлен. Когда он попытался спорить, просить, доказывать, с ним перешли на официальный тон, холодно объяснили, что он дал подписку, нарушение которой влечет за собой тяжкие последствия, и, наконец, обязан подчиниться приказу как офицер Советской Армии, завершивший свою миссию за границей и возвращающийся на родину.

Эрну он даже не сможет повидать в последний раз. У него ничего не оказалось при себе, что могло бы хоть напомнить о ней, кроме крохотной фотокарточки для удостоверения личности, непонятно как затерявшейся в кармане его пиджака.

С этим он отбыл в Москву. Там ему торжественно, но в закрытой обстановке вручили ордена, уплатили большую сумму в советской валюте, скопившуюся за годы безупречной службы за рубежом, и демобилизовали.

Первое время он чуть не свихнулся от тоски по Эрне, и спасло его беспробудное пьянство, в котором он искал забвения. Он спал со случайными женщинами и, пьяный, целуя их, называл каждую Эрной, пугая своих московских наложниц пылкими речами на немецком языке.

Потом образумился, взял себя в руки. Сказался живучий еврейский характер. От пьянства переметнулся в другую крайность — в науку. Как ураган, ворвался в университет, стал штурмом брать медицину. Человек удивительно способный, он за год сдал два курса и с самыми лучшими аттестациями получил диплом врача и направление в Вильнюс, в самое привилегированное лечебное заведение — спецполиклинику Центрального Комитета партии, где пациенты — партийная элита и члены семей и где в одной из палат он столкнулся с полутрупом, спасти и оживить который отказались другие врачи, считая, что в данном случае медицина бессильна. Он из упрямства с ними не согласился и совершил чудо — поставил на ноги покойника, которым был ваш покорный слуга.

Таким образом пересеклись наши жизненные пути, и я полагаю, что обстоятельства, приведшие меня на больничную койку, а затем и в спасительные руки доктора Гольдберга, тоже представляют некоторый интерес.

Я уже говорил, что Вольф Гольдберг был хорошим инструментом, а потом и жертвой нашей имперской политики. С ним это случилось в Германии, так сказать, за границей, а со мной дома — в родном отечестве, в недавно присоединенной к Советскому Союзу Литве, вернее, поглощенной, и в короткий срок приведенной сталинскими методами в божеский вид — то есть к общему знаменателю — нормальная советская республика в дружной семье братских народов СССР.

И тут инструментами сталинской политики были такие ребята, как я, и многие из нас за это поплатились. В том числе и я. Я еще счастливо отделался, как видите, сижу с вами и болтаю. А другие зарыты в литовской земле. С пулей в затылке, ножом между ребер или топором в черепе.

Литовцы — упрямейший народ. Сколько их? Горстка по сравнению с такой махиной, как Россия. Но дрались как черти. Пока совсем не обескровели. Их было легче убить, чем согнуть, поставить на колени.

Должен сразу оговориться, что я не имел прямого отношения к карательным экспедициям, облавам и засадам. Это функция соответствующих органов. А я занимался партийной работой: подбирал и готовил кадры из местных людей, готовых служить советской власти, создавал колхозы. Тоже, доложу вам, веселенькое занятие. С запахом крови.

У меня сохранились два снимка, сделанные газетным репортером, который сопровождал меня в поездке по деревням. Я эти снимки храню для памяти о тех временах, но прячу от детей. Не хочу отвечать на их наивные вопросы, а еще больше — не желаю врать им.

Эти два снимка очень характерны для той поры. Нам надо было показать в газете, как литовские крестьяне, объединенные в колхоз, впервые сеют на общем поле. И такой снимок появился. Восемь зачуханных мужичков с плетеными лукошками, подвешенными через плечо, размашистыми движениями рук разбрасывают семена на черном вспаханном поле. Все восемь вытянулись в ряд и одновременно взмахнули правой рукой.

Получился впечатляющий снимок. Наглядный пример советской колхозной политики, раскрепощенный коллективный труд вчерашних мелких собственников и батраков. На лицах у всех восьмерых счастливые улыбки, удачно исполненные после дюжины репетиций под моим руководством.

Но тот же репортер сделал другой снимок, который в газете, естественно, не появился, а был мне подарен на память. Репортер чуть-чуть сдвинул камеру, и в кадр прямо за спинами улыбающихся сеяльщиков попали восемь угрюмых фигур с автоматами наперевес. Охрана. От «лесных братьев», чтобы не помешали фотографировать. А кроме того, дула автоматов удерживали новообращенных колхозников от соблазна улизнуть с поля.

Вот таким был этот край в пору событий, приведших меня в руки доктора Гольдберга. А тут наступают выборы в Верховный Совет, и нам спускают директиву: обеспечить максимальное участие литовского населения в этом мероприятии. Попробуй обеспечь! Литовцы — народ ушлый. Советскую власть вкусили лишь недавно, а до того жили в буржуазной республике, и что такое выборы — знали хорошо, по крайней мере, то, что выборы предполагают выбор, а выбор можно сделать, когда предложено, из чего выбирать. На советских выборах надо было выбирать одного депутата из одного кандидата. Литовцы посчитали участие в такой комедии унизительным для своего достоинства и в день выборов исчезали из своих домов до глубокой ночи, чтобы их никакие агитаторы не могли разыскать.

Мне с еще одним таким же бедолагой, как я, поручили одну волость — раскиданные в лесу хутора, дали две переносные урны для голосования и пачки бюллетеней точно по количеству избирателей в этой местности. Даже пару бюллетеней лишних, на случай порчи или потери.

Сунулись мы с ним на хутора как коробейники, — урны висят на животах, ремнями надеты на шеи. Куда ни придем, на дверях — замок. Полдня таскались с хутора на хутор — пачки бюллетеней остались нетронутыми. Тогда мой напарник — он был из местных и опытней меня — говорит:

— Ты — свидетель, мы сделали все, что в наших силах. Они саботируют выборы и думают, что этим нас огорчат. Дудки, голубчики! Проголосуете как миленькие, и завтра в газетах будет результат 99 и 98 сотых процента участия в выборах. Сто процентов — это уж чересчур, а так — достоверно.

Он взял пачку бюллетеней и один за другим просунул листки в щель своей урны. То же самое повторил я с другой пачкой. Даже перестарался — сунул лишние бюллетени, выданные на случай порчи отдельных экземпляров. И двинули искать телефон, чтобы рапортовать в центр: у нас, мол, выборы успешно завершены до срока. Начальство нас поблагодарило и сообщило, что мы не самые первые, из других местностей еще раньше пришли подобные рапорты. Меня даже смех разобрал: не мы одни такие умники.

Потом мы с ним обедали в сельской закусочной, крепко выпили и уж совсем пьяные обнаружили, что мы окружены крестьянами. Теми, кого мы тщетно искали весь день и за кого сами проголосовали. Короче говоря, моего напарника убили, меня же стукнули по спине тупым предметом, как потом определила медицинская экспертиза, и бросили бездыханным на полу, полагая, что я тоже мертв. Но жизнь во мне теплилась — сердце досталось по наследству крепчайшее. Доставили мое тело в Вильнюс, покопались в нем врачи, развели руками: не жилец. И тогда, на мое счастье, вернулся из командировки доктор Гольдберг, осмотрел меня и не согласился со своими коллегами.

Через месяц меня выписали из госпиталя вполне здоровым, но очень бледным и худым. В остаточном диагнозе написали: острое расстройство центральной нервной системы. Проявлялось это расстройство в том, что я, взрослый мужчина, демобилизованный офицер, прошедший войну, беспричинно плакал, даже не стесняясь присутствия посторонних, и очень быстро уставал от любых движений.

Работать я не мог. Мне был нужен длительный отдых, абсолютный покой, и руководство постановило направить меня в санаторий. Не одного, а в сопровождении врача, который будет жить со мной в одной комнате и опекать. Две дорогие путевки были куплены за казенный счет: мне и доктору Гольдбергу, с которым мы за это время очень сблизились и подружились. Он был на несколько лет старше меня, больше повидал в жизни, слыл хорошим рассказчиком, и я полностью признавал его превосходство, не умаляя своего самолюбия, и добровольно довольствовался положением младшего и опекаемого. А если к этому присовокупить переполнявшее меня чувство благодарности спасенного к своему спасителю, то картина наших с ним взаимоотношений будет предельно ясна: я был даже немножечко влюблен в него и был счастлив, что он удостоил меня своей дружбой.

Отправились в Палангу — прелестный литовский курорт на Балтийском побережье. Соленое прохладное море с вечно пенным прибоем на мелководье, бесконечная полоса мягкого сыпучего пляжа, переходящего в высокие песчаные дюны, а за ним стеной — вековой сосновый лес, тенистый, с упругим мшистым ковром и зарослями кисло-сладкой малины.

Это был на удивление тихий, спокойный оазис в бурлящей кровавой пеной непокорной Литве. Здесь не было ни ночных выстрелов, ни засад на дорогах, ни облав. У береговой кромки проходила государственная граница СССР, и вся местность контролировалась войсками МВД: «лесные братья» сюда и носа не показывали, паспортная система и пограничный режим отпугивали их глубже в Литву. Поэтому здесь стояла непривычная тишина, и те, кто сюда попадали, хмелели и шалели от свалившейся на них благодати и жадно урывали у жизни быстротечные радости.

Любовь, распутство, ненасытная похоть властвовали здесь, в этом заповеднике, огражденном штыками советских солдат от грубой и жестокой прозы обыденной жизни. Пир во время чумы.

Должен оговориться, что одним из главных в длинном перечне запретов, к которым я надолго был приговорен врачами, был абсолютный запрет на половую жизнь, обязательное воздержание до той поры, пока лечащие меня эскулапы не смилостивятся и не снимут этот запрет. Одной из обязанностей доктора Гольдберга, посланного со мной на курорт за казенный счет, был неусыпный контроль за моей нравственностью. Сексуальное наслаждение, минутная радость могут стоить мне жизни, привести к параличу сердца, — объявил мне мой друг и добавил, что не станет ходить за мной по пятам, как за ребенком, а рассчитывает на мой трезвый разум.

— Вы не похожи на самоубийцу, — улыбался мне румяными щечками доктор Гольдберг. — У вас высокая коммунистическая сознательность. Вам представляется возможность со стороны наблюдать всю эту гадость, которая творится под каждым кустом, и надолго приобрести устойчивый иммунитет.

И, должно быть, чтобы излишне не утруждать меня, доктор Гольдберг на собственном примере самоотверженно демонстрировал образцы порока, затопившего курорт. Это был удивительный покоритель дамских сердец. Хладнокровный, спокойный, циничный. С располагающей внешностью хорошо воспитанного интеллигентного человека. Ореол доктора особенно привлекал к нему женщин. Доктор женщинами воспринимается не совсем как мужчина, в нем они меньше всего предполагают угрозу своему целомудрию. С ним, не задумываясь, остаются наедине, забредают, беспечно болтая, далеко в лес. И вот, когда доверие завоевано и ему глядят в рот, он выпускает клыки самца-хищника, и ошеломленной жертве даже не приходит в голову мысль о сопротивлении. Его безошибочная мужская хватка была отработана годами конспиративной деятельности в Германии.

Мы занимали с доктором чистенькую комнатку с двумя железными кроватями, разделенными ночным столиком со старомодным зеркалом — трельяжем. Дверь выходила на галерею, опоясывающую жилой корпус санатория.

После завтрака в большой столовой санатория доктор

Гольдберг отправлялся со мной на пляж, и, если море не было слишком холодным, мы плавали с полчасика, а потом нежились в дюнах на теплом песке. На этом доктор Гольдберг считал свои обязательства по отношению ко мне исчерпанными и покидал меня.

Я оставался один в окружении женщин, большей частью молодых и вполне привлекательных. Они загорали, обнажаясь до предела, охотно флиртовали с мужчинами, которых на пляже было значительно меньше, чем женщин, и бросали в мою сторону вопросительные и недоуменные взгляды.

Мое поведение казалось загадочным. Молодой, крепкого сложения мужчина, не урод, а, наоборот, весьма привлекательный лежит в одиночестве на байковом одеяле, под широкополой соломенной шляпой, курит и читает, а если поднимет глаза от книги, то взгляд его равнодушно скользит по бронзовым женским телам, усеявшим золотистый песок в ленивой истоме и самых заманчивых позах.

Я разжег любопытство, и самые смелые стали по утрам располагаться возле моего излюбленного места, первыми заговаривали со мной, рассматривали на моих лопатках свежий розовый шрам, а мои вежливые, но односложные ответы и то, что я не проявлял никакого интереса к женщинам, как они ни пытались его вызвать, только подливало масла в огонь. Я был загадочен, окружен тайной и тем привлекал к себе еще большее внимание. Они не мешали мне, не были слишком назойливы, и у нас установились ровные приятельские отношения. Уже через неделю в дюнах сложилась постоянная группа из женщин и меня.

Доктор Гольдберг появлялся и исчезал. И каждый раз с ним уходила новая женщина, с которой на следующий день он лишь учтиво здоровался и больше не замечал. Мой лейб-медик бил рекорды: каждый день спал с двумя женщинами. С одной — до обеда, с другой — после. На следующий день выбирал очередную пару. Совершалось это им в нашей комнатке, когда я загорал на пляже, или же в лесу, куда доктор уносил для подстилки снятые с кровати одеяло и подушку.

Число соблазненных и брошенных доктором аккуратно росло с каждым днем, о нем уже шептались на пляже, в парке и в ресторане «Юра» — большом дощатом павильоне под вековыми соснами, с джаз-оркестром, танцевальной площадкой посреди столиков, вежливыми и расторопными официантами, вкусной и недорогой пищей. Как это бывает в местах, где на ограниченном пространстве собирается много народа, праздного, сытого и с охотничьей страстью гоняющегося за приключениями, фигура доктора-сердцееда оказалась в центре внимания. И моя тоже. Потому что я являл ему полный контраст своим каменным равнодушием к прекрасному полу.

Женщины начали охоту за мной. В море подплывали под меня и внезапно выныривали, хватаясь руками и прижимаясь скользкими телами. На аллеях в парке подсаживались на скамью, где я в одиночестве курил, заводили разговоры, как бы случайно клали ладонь на мое колено, делали комплименты моей нравственной чистоте, особенно заметной на фоне повального курортного разврата.

Я оставался непроницаемым. И не только потому, что надо мной довлели строжайшие предписания доктора Гольдберга. После того, что я пережил, побывав буквально на том свете, женщины перестали меня интересовать, и я не испытывал никаких чувств к ним. Доктор Гольдберг объяснил мое состояние разумной самозащитной реакцией организма, который порой бывает мудрее нас самих. А сам продолжал свою опустошительную деятельность, кружа как лев вокруг стада газелей и дважды в день вырывая оттуда по одной жертве, словно он хотел утолить гложущий его голод и никак не мог. Я бы даже не назвал это развратом. Опустошенный собственной драмой, разыгравшейся в Германии, он теперь отводил душу и глушил свое горе, нещадно растаптывая чужие чувства, а свои отношения с женщинами подчеркнуто сводя лишь к голому сексу.

Болен был он, а не я, и я предвидел подсознательно, что эти его бесчувственные прыжки с одного женского тела на другое, как рывки от бутылки к бутылке впавшего в состояние запоя алкоголика, должны разразиться взрывом.

А тем временем одна из моих пляжных собеседниц предприняла неожиданный маневр и застала меня врасплох. Это была миловидная молодая литовка, но не больше, — жена быстро сделавшего карьеру туземного коммуниста, отдыхавшая в санатории одна и довольно сносно болтавшая по-русски. Звали ее Марите. В море, подплыв ко мне, она сказала, что обнаружила в лесу, недалеко от пляжа, малинник, никем не тронутый. Там полно сладких зрелых ягод. Она никому об этом не сказала. Я — первый. И если я согласен, то мы можем быстренько сбегать наесться малины.

Не чуя подвоха, я согласился и поплыл за ней вдоль берега, отдаляясь все дальше и дальше от галдящего пляжа и дюн, где осталась наша одежда.

Мы плыли долго и вышли на песок в безлюдном месте, пересекли дюны и углубились в лес. День был жаркий, и мы, не вытираясь, быстро обсохли на солнце. В лесу под соснами мягко пружинил мох, кружевная тень перемежалась с яркими солнечными пятнами. На кустах рдела сочная малина, и мы стали рвать горстями и с наслаждением заталкивать в рот ягоды, перемазав губы и подбородки красным, как кровь, соком. Насытившись, мы прилегли на полянке отдохнуть, и Марите стала гладить ладонью мои ноги, живот, затем просунула пальцы под резинку трусов. Я не шевелился. Меня разморило от сытости и тепла, мне было даже лень остановить ее. А она свое дело знала и очень быстро умелыми, точными движениями пальцев и ладони возбудила меня.

Она отдалась мне дважды на этой полянке. И ничего со мной не случилось. Сердце даже не дало перебоев. Не лопнуло. Напротив, я испытал наслаждение, как это бывало прежде, до того, как я попал в госпиталь.

Моему надсмотрщику доктору Гольдбергу я не рассказал о своем постыдном грехопадении, но про себя решил, что повторять прогулки за малиной с Марите не стану, — надо выполнять предписания врача.

Как и мы с доктором, Марите делила санаторную комнату с соседкой — совсем юным созданием, лет семнадцати, не больше. Звали ее Ниной. Приехала из Ленинграда. Была студенткой. На Нине стоит подробней остановиться, потому что в последующих событиях именно она стала центральной фигурой.

Как ее описать? Назвать красавицей? Это будет неточно, хотя она была восхитительно хороша. Но это была прелесть не женщины, а подростка, оформляющегося в девушку, без ярких кричащих красок, на одних полутонах, как влажный от росы бутон цветка, только приоткрывающий лепестки навстречу солнечным лучам и по еле уловимым признакам обещающий распуститься ошеломительно яркой и сочной розой.

В ее красоте, в тоненькой фигурке уже был магнит, приковывавший взгляды мужчин, но взгляды эти были не похотливыми, а удивленно-восхищенными. В ней не было ни грамма вульгарности. Она светилась целомудрием, не показным, а естественным, как и ее движения, мягкие, пластичные, манера разговаривать без кокетства и скованности. Такими в кино изображают юных красоток-монашек, и я, когда в первый раз увидел ее с белым цветком в пышных волнистых волосах и модной в ту пору юбке колоколом, подумал, что ей еще больше было бы к лицу темное и строгое одеяние послушницы.

Мужчины — нагловатые, развязные курортные кобели, обалдевшие от постоянной охоты за новыми дамами, почему-то и не пытались ухаживать за ней, а лишь издали любовались, словно делая передышку, хватая глоток кислорода в удушливой атмосфере отпускного разгула.

Женщины, по обыкновению не терпящие чужой привлекательности, делали Нине исключение и любовались ею без зависти и без иронично прищуренных глаз. Так смотрят на дочь, намного превзошедшую красотой мать. А дамы постарше, которым ничего другого не оставалось, как посплетничать на скамеечках в аллеях парка, обласкивали ее взглядами, когда она проходила, шурша юбкой, открыто улыбаясь всем вокруг, и всласть упивались рассуждениями о том, что не весь женский пол так низко опустился, еще сохранились редкие экземпляры непорочной чистоты и нравственности, как в их молодые годы.

У меня Нина тоже не вызывала иных чувств, кроме желания долго не отводить от нее взгляда, словно увидел в музее вазу удивительной работы. Со своей соседкой по комнате Марите она приходила по утрам на пляж и стелила коврик в дюнах недалеко от меня, не участвовала в общем разговоре, а лишь умно слушала и наблюдала, улыбаясь глазами как раз тогда, когда и я улыбался, или, чуть заметно закатывая их, когда и я не знал, куда девать свои от неловкости за кого-то, сморозившего глупость. У нас установился молчаливый контакт двух единомышленников. И я, грешным делом, подумал, что, будь она старше на несколько лет, я бы плюнул на все предостережения врачей и полез бы из кожи вон, чтобы добиться ее благосклонности, и в не очень густой цепи моих мужских побед это был бы бриллиант первой величины.

Повторяю, такие греховные мысли даже если и приходили мне в голову, то тут же мгновенно испарялись из-за своей абсолютной абсурдности и нереальности. При самом смелом воображении я никак не мог представить себе это хрупкое воздушное создание, сотканное, казалось, из грез, а не из плоти, отдающимся мужчине, уступающим его грубым домоганиям, стонущим под его потным, горячим телом. Мне казалось, что, если бы это и случилось, она бы, как растоптанный цветок, завяла и умерла, не поднявшись с ложа.

Мои отношения с Ниной принимали все более дружеский характер, нам было легко и свободно друг с другом. Меня, все еще слабого, немножко потустороннего после случившегося, пьянила и приятно возбуждала ее недосягаемая близость, ее же, как мне казалось, привлекало откровенное безразличие к женщинам, и поэтому она себя чувствовала в щекочущей безопасности со мной, даже когда мы оставались одни, почти обнаженные, на горячем песке, закрытые от посторонних глаз золотыми гребнями дюн.

Нину знали все мужчины на пляже, но не смели к ней приблизиться и любовались издали, не скрывая зависти ко мне. Один только человек нарушил добровольно принятое всеми табу — мой лейб-медик Вольф Гольдберг.

Уволакивая ежедневно по две новые жертвы на заклание и никак не насыщаясь женской уступчивостью и быстрыми, не запоминающимися ласками, доктор остановил свой воспаленный чувственным голодом взор на Нине. Вперился в нее и замер. Окаменел. Сразу растерял весь набор хорошо отработанных приемов по овладению женским сердцем и превратился в обалдевшего упитанного мальчика с раскрытым ртом и удивленными пуговками глаз, сраженного наповал первой стрелой Амура. Он трогательно немел, завидев Нину, и из острослова и светского балагура превращался в косноязычного провинциала, когда пытался заговорить с ней.

Бабник и опытный соблазнитель, бивший почти всегда без промаха и овладевавший женщиной с холодной рассудочностью и сноровкой мясника-хирурга, потрошащего безвольное тело, он влюбился с ходу и всерьез и, как громом пораженный, превратился в беззащитное, растерянное существо.

Мне он доверительно сообщил, смущаясь и краснея, что, если Нина даст согласие, он хоть сейчас, в этот же день готов зарегистрировать с ней брак.

— Послушай, — сказал он, глядя на меня с тоской во взоре, — ты же у нас евнух, тебе слабый пол противопоказан. И Нина для тебя — нуль. Правда?

Я неопределенно пожал плечами, но потом все-таки кивнул.

— Так вот, намекни, да потоньше, чтоб не вспугнуть... о моих намерениях. Сам я не решаюсь с ней заговорить. А потом мне скажешь.

Я не стал намекать Нине, а просто принялся нахваливать ей моего друга и покровителя, когда мы снова остались вдвоем в дюнах и лежали рядышком на горячем песке, каждый положив свою голову на сгиб локтя, но так, чтобы одним глазом видеть друг друга.

Нина, обычно слушавшая меня с интересом, на сей раз была невнимательна и даже закрывала глаза, словно дремала. Я обиделся и сказал ей об этом.

— Ну, не обижайтесь, — трогательно вытянув губки, сказала она и дружески мне улыбнулась. — Неинтересно слушать о вашем друге. У вас он вызывает восторг, а у меня — отвращение. Потому что я — женщина и никак не могу заставить себя умиляться при виде розовощекого упитанного поросенка, готового вот-вот захрюкать.

Я прикусил язык и понял, что дальнейшие разговоры бесполезны. Если доктор желает объясниться в любви, то для этого не пользуются посредниками, и пусть делает это сам, как умеет. Я сказал ему об этом, сославшись на то, что из меня сват никудышный, могу еще ненароком испортить все дело.

— Ладно, — засопел доктор, надувшись, и его серые глазки-пуговки утонули в розовых щечках. — У тебя нет чувства локтя. Я б с тобой в разведку не пошел.

Как затравленный, нахохлившись, набычившись, ходил он большими кругами вокруг тех мест, где обнаруживал Нину, не смея приблизиться и заговорить. Однажды он осмелел и подошел ближе. Возможно, потому, что увидел меня рядом с ней. Нина сидела на скамье в парковой аллее, и целая ватага молодых парней, как мотыльки на огонь, окружили скамью и наперебой болтали, выкобениваясь друг перед другом с одной лишь очевидной целью — обратить на себя хоть сколько-нибудь внимания этой чудо-девочки. Я в разговоре участия не принимал. Сидел рядом с Ниной на скамье на правах доверенного лица. Переглядываясь с ней мельком, мы оба забавлялись, наблюдая трогательные, наивные потуги юных петушков.

Доктор неслышно подошел сзади к скамье и облокотился на спинку между мной и Ниной. Он был так взволнован и так напряжен, что густо сопел, заливаясь краской до ушей.

Нина передернула плечиками и демонстративно отвернулась. Я взглянул на доктора и мне стало жаль его. У него было лицо обиженного ребенка, вот-вот готового заплакать.

— Нина, — сказал я, стараясь спасти положение. — Это — мой друг. Талантливейший доктор. По крайней мере, все сулят ему блестящую карьеру. Я бы хотел, чтобы вы подружились с ним, как со мной.

— Дружите с вашим доктором на здоровьем, — сказала Нина, вставая, — а меня увольте. Я не могу больше оставаться здесь, потому что ваш друг сопит как паровоз.

И пошла по аллее, шурша модной в те годы юбкой колоколом. Петушки, сгрудившиеся у скамьи, проводили ее глазами, а потом глянули на онемевшего доктора. И дружно заржали.

Мой друг был уничтожен публично. И кем? Предметом своей всепожирающей страсти, богиней, на которую он, циник и безжалостный дамский потрошитель, молился благоговейно, с чистейшими намерениями. Для такой натуры, самолюбивой и жестокой, удар, бездумно нанесенный Ниной, был слишком сильным и разрушительным, чтобы не вызвать самых неожиданных действий со стороны сокрушенного доктора. Мы остались одни на скамье. Я сидел, а он стоял позади в той же позе, облокотившись на спинку скамьи.

Юные петушки, все еще смеясь, удалялись в глубину аллеи, порой оглядываясь на нас и смеясь еще громче.

Я нутром ощущал, что назревают события, планы которых сейчас рождаются в воспаленном мозгу доктора. Он жаждал реванша, и это чувство убило в нем и рассудочность и даже страсть к Нине. Правда, страсть не совсем была убита, а лишь болезненно корчилась, словно пораженная едкой кислотой, наполняя его жгучей жаждой мщения.

Аллея опустела. Вдали, за парком, зажглись огни в корпусах санатория, в ресторане «Юра» заиграл оркестр.

Доктор даже не сопел за моим ухом и, казалось, не дышал. Я сидел, не оборачиваясь, и тоже молчал.

— Так, — наконец произнес он. — С нами так не обращаются. Мы этого до сих пор не позволяли. И не допустим впредь. Ты со мной согласен?

Я кивнул.

— Следовательно, этой сучке не остаться безнаказанной.

Я напрягся, ожидая, какую казнь он уготовил предмету своей любви.

— Как ты понимаешь, я безоружен перед ней, — горячо дышал мне в ухо доктор, произнося каждое слово отдельно, с паузами, словно переводил с немецкого на русский. — У меня рука не поднимется на нее. Но не ответить на такой вызов я не могу. Это будет против моей натуры. Это будет слишком разрушительно для меня. Короче говоря, если она не будет унижена и оскорблена, я должен уехать отсюда. Мне здесь больше делать нечего. А ты оставайся до конца.

Я возразил ему, сказав, что его послали со мной, за это уплачены деньги, и, вообще, будет нечестным поступком бросить больного без медицинского наблюдения, да еще закадычного друга, каким он меня до сих пор считал.

— А бросать меня в беде можно?

— Я не бросаю тебя. Я переживаю за тебя.

— Переживания оставь дамам. Меня сбили с ног. Понял? И оружием непривычным для меня, неожиданным. Я оказался беззащитным. А ты был рядом и видел, как я извиваюсь от унижения. И позорно молчал.

— Что я мог сделать?

— Мог... Да ладно, забудем твой предательский нейтралитет. У тебя еще осталась возможность реабилитироваться, доказать мне, что ты подлинный друг и чувство локтя в тебе еще не испарилось окончательно. Ты отомстишь за меня. Потому что я этого сделать не могу. Я безоружен.

— Как я отомщу?

— Ты должен ее оскорбить. Да так, чтобы она света белого не взвидела. И при этом поняла, за что понесла наказание. Пусть убирается отсюда на все четыре стороны. А мы с тобой останемся. И все будет как прежде. Ничто между нами не будет стоять.

Я был очень привязан к моему другу и был готов драться до крови вместе с ним против любого количества мужчин, посягнувших на него. Но мужчин — а не женщин. И даже не женщин. А этого, еще не совсем оформившегося в женщину, хрупкого и беззащитного существа.

— Это будет аморально, — сказал я. — Оскорбить женщину, которая мне не дала для этого абсолютно никакого повода.

— А раздавленный друг, опозоренный публично, — недостаточный повод? Потом, учти, подлинная дружба выше любой морали.

Доктор был старше и опытней меня. Я находился под его влиянием и признавал его авторитет. Но последнее заявление относительно морали и дружбы не совсем меня убедило. Я мучительно соображал, как бы убедительней возразить ему, но он не дал мне заговорить.

— Короче! — отрубил он. — Теперь не время рассусоливать! Ты стоишь над телом поверженного друга. Ты готов защитить его? Молчишь? Колеблешься? Тогда — прощай!

— Нет, нет, — закричал я, вскочив со скамьи и догоняя его. — Я сделаю все, как ты хочешь... но... научи как?..

Доктор вернулся ко мне, смерил меня недоверчивым взглядом исподлобья и молча обнял. Мы стояли одни в темной аллее, и случайно вышедшая с боковой дорожки женщина немало удивилась при виде двух обнимающихся мужчин и поспешила назад, приняв нас за пьяных.

В моей голове носились обрывки мыслей, подленьких, утешающих и оправдывающих.

«Ведь в самом деле... что мне Нина?.. Никто... Я к ней не испытываю ровным счетом ничего... А доктор? Мой друг... и, можно сказать, спаситель моей жизни... Нина оскорбила моего лучшего друга... Неужели промолчу?..

Тем более, он не в состоянии за себя постоять... потому что все еще влюблен... Нет, действительно, настоящая мужская дружба превыше всего на свете... Всего ли?..»

Доктор не дал мне времени покопаться в моей душе и, взяв под руку, повел в конец аллеи, где уже вовсю гремел джаз на открытой площадке ресторана.

— Значит, операция абсолютно простая... — горячо дышал он мне в ухо. — Ты войдешь к ней в комнату... она ведь теперь одна... соседка по комнате сегодня уехала... Возможно, ты застанешь ее готовящейся ко сну... полуодетой. Тем лучше и чувствительней. И скажешь ей все гадости, какие только наскребешь в своем воображении. А тебе за словом в карман лезть не приходится. Ты — солдат. Найдешь что сказать. Такая неженка, как она, сучка, от твоих слов заикаться начнет... И утречком завтра пораньше сбежит, собрав манатки, с первым автобусом.

Мы с доктором подошли к ресторану, где на площадке колыхалось под джаз месиво голов и плеч, пробились к стойке буфета, и доктор заказал пива и водки. Водку он налил в бокал с пивом и поднес мне.

— Пей. Для храбрости.

— Но мне запрещен алкоголь... — пытался отбиться я.

— Ничего. С одного бокала не умрешь. Да ты уже и так идешь на поправку... под моим чутким руководством.

Я мог легко уличить его в лицемерии, в отсутствии врачебной этики и в нарушении клятвы Гиппократа. А ведь мой друг очень серьезно относился к своей профессии, и такой проступок мог быть оправдан лишь крайним душевным потрясением, испытанным на скамейке в парке.

Отхлебнув из пенного бокала, я поперхнулся и стал кашлять. Он вырвал у меня бокал и с жадностью, не переводя дыхания, опустошил его до дна. Это была сильная доза «ерша». Такая смесь пива и водки вызывала быстрое и сильное опьянение, и пользовались этим способом обычно те, у кого недоставало денег на нормальную выпивку: студенты и солдаты.

Доктор не опьянел, хотя и хотел этого. Слишком сильным было возбуждение. Взглянув на меня абсолютно трезвыми глазами, он распорядился:

— Пойдем! Ты поднимешься, а я покараулю внизу. На

случай, если от твоих слов она захочет выброситься из окна. Окажу первую помощь.

Он рассмеялся нервным напряженным смешком. Выпитый «ерш» вернул его щекам привычный румянец.

— Не дрейфишь? Тогда — с Богом!

Мы вошли во двор центрального корпуса, замкнутый двумя жилыми флигелями. Я отыскал глазами на втором этаже освещенные окна ее комнаты. Доктор остался под окнами, а я, еще не сообразив, что все-таки скажу обидного и унизительного Нине, затопал по деревянной лестнице на второй этаж.

У двери комнаты остановился, перевел дух и постучал.

— Войдите, — сразу же, без паузы, послышался в ответ голос Нины.

Я открыл дверь и, переступив порог, несмело остановился. Это была комната на двоих, и сразу бросалось в глаза, что обитают в ней женщины: и по свежести занавесок на окнах, и по скатерти на столе, и букетику увядающих цветов в горлышке графина. Одна кровать выглядела сиротливо — обнаженный матрас и подушка без наволочки. Белье с нее было снято, а новое не постелено. Это была кровать соседки Нины — литовки Марите, соблазнившей меня в малиннике и сегодня уехавшей, даже не попрощавшись со мной.

Нина была одна в комнате. Она поднялась мне навстречу со стула в длинном халате и с распущенными по плечам пушистыми волосами. На ногах ее были комнатные туфли. Она явно укладывалась спать, и мой приход помешал ей.

Взгляд ее, устремленный на меня, был беспокойным. Ее, видать, сразу насторожило недоброе выражение моего лица.

— Нина, — произнес я ломким, не своим голосом и тут же подумал о том, что я не имею никакого морального права оскорблять ее, не сделавшую мне зла, а, наоборот, так дружественно ко мне расположенную и, несомненно, доверявшую мне. Но я уже не мог подчинить разуму свой голос и медленно, с хулиганской расстановкой цедя отдельные слова сквозь зубы, обрушил в ее заметно бледневшее лицо:

— Ваша соседка по комнате сегодня уехала. Знаете ли вы о том, что она была моей любовницей и отдавалась мне в лесу всякий раз, когда мне это вздумается?

— Знаю, — тихо, почти шепотом сказала Нина, не отводя от меня взгляда и бледнея еще больше, от чего стали заметней трогательные мелкие веснушки на ее щеках. — Она секретов не хранила.

— Так вот, — набрав полную грудь воздуха, как плевок, как пощечину, выдохнул я. — Не желаете ли вы заменить мне ее и на том же месте в лесу раздвинуть передо мной свои прелестные ножки?

Сказав эту длинную, гнусную фанфаронскую фразу, я замер, ожидая если не гневных и оскорбительных криков, то по крайней мере тихого падения на пол в глубоком обмороке.

Я не дождался ни того, ни другого. Нина продолжала стоять передо мной, рукой придерживая на груди ворот халата, и с обезоруживающей улыбкой произнесла ровным, без волнения голосом:

— Я согласна.

Меня как громом поразило. Я ожидал чего угодно, но не такого ответа. Постояв с минуту как истукан и бессмысленно ворочая глазами, я круто повернулся и, ни слова не говоря, выбежал из комнаты.

— Какой характер! Какая сила! Какой ум! Какое владение собой! — восхищался я, сбегая вниз по деревянным ступеням. — Отбрила как бритвой. Проучила как младенца. Вот и оскорбил! Сам еле ноги унес! Да с каким достоинством это было сделано! Ай, молодец! Королева!

Во дворе я, как слепой, налетел на доктора, и он обхватил меня руками, словно обнимая, нетерпеливо спросил:

— Ну, как? Там слишком тихо.

— В истерике валяется, — выдохнул я и чуть не захохотал ему в лицо.

— Спасибо, друг, — сказал доктор. — Я эту услугу не забуду. Она нелегко тебе далась, тем дороже мне то, что ты сделал. Я перед тобой в долгу. Для начала идем в ресторан. Надо вспрыснуть это дело. Заказывай, что хочешь. Я плачу!

Утром я еле растормошил доктора после крепкого загула в ресторане. Мы опаздывали на завтрак, и я потратил немало усилий, пока он, наконец, оторвал голову от подушки.

Он проснулся в отличнейшем настроении, снова такой, каким был до Нининого удара. Радость реванша притупила, рассосала боль потери. Он ожил и смотрел на меня дружелюбно серыми пуговками глаз.

Мы помчались завтракать в своих полосатых пижамах и тапочках, как каторжники в заграничных фильмах. Это было то незабвенное по своей простоте нравов послевоенное время, когда на курортах мужчины разгуливали в пижамах под руку с дамами, накинувшими на голое тело длинный, до земли ситцевый халат. Мы и в столовой сидели в пижамах и халатах, и в таком же виде, с одеялом на руке для подстилки, не смущаясь, шествовали через весь город на пляж.

В столовой мы сидели с доктором за одним столом. Он ел с аппетитом выздоровевшего человека и все время водил головой по сторонам. Я тоже бросал тревожные взгляды. Мы оба пытались найти Нину в этом огромном зале, где одновременно ели человек триста, и полюбопытствовать, как она выглядит после вчерашнего. Нины в зале не было.

— Натощак укатила, — сделал вывод доктор и удовлетворенно потрепал меня по щеке как младенца. — Хвалю! Чистая работа! Я — в неоплатном долгу.

В отличие от доктора я-то знал, что Нина никуда не уехала, а, должно быть, проспала завтрак. Бежать отсюда было впору мне. После вчерашнего конфуза. При одной мысли о том, что Нина в любой момент может войти в столовую и мы столкнемся глазами, мне становилось не по себе, и я торопливо дожевывал завтрак, чтобы как можно быстрее убраться отсюда.

Меня удивляло поведение доктора. Позавчера это был застенчиво-влюбленный, трогательно-косноязычный от волнения юноша, вчера я увидел беспощадного мстителя, неумолимого в своем порыве уничтожить, раздавить обидчика, а сегодня передо мной сидел удовлетворенный содеянным и снова безмятежно наслаждающийся отдыхом человек. Я диву давался: неужели все чувства в нем столь поверхностны и быстротечны? Да и вся его любовь к Нине была лишь вспышкой уязвленного самолюбия.

Дальнейшие события показали, что психолог я был никудышный. Позавтракав раньше доктора, я, сославшись на неотложные дела, постарался быстрее исчезнуть из столовой, пока сюда не пришла Нина.

Столовую покидал пестрый поток пижам и халатов, и в этом потоке меня вынесло наружу, на веранду. Ободренный удачей, я сбежал по ступеням и внизу столкнулся с Ниной.

Она стояла лицом ко мне, опершись локтями на перила лестницы, в своем пляжном халатике и со сложенным одеялом на плече. Глаз ее я не увидел, они были скрыты за темными стеклами солнечных очков.

— Доброе утро, — растерянно проблеял я и хотел было проскользнуть мимо, но она протянула руку и властно положила ладонь мне на плечо.

— Я жду вас, — сказала она с улыбкой. — Мы вчера условились? Не так ли?

Я покрылся испариной. Это очаровательное, нежное существо неожиданно оказалось крепким и опасным орешком, на котором мне предстояло сломать зубы. Она решила поиграть мной, хорошенько проучить за вчерашнюю нелепую наглость. У меня было два выхода: или извиниться и рассказать ей, как на духу, о влюбленном докторе, об унижении, которому она его подвергла, о товарищеском чувстве локтя или же, окончательно утвердив за собой репутацию хама, послать ее к чертовой матери публично, чтобы она в дальнейшем убегала от меня за версту.

Ни того, ни другого я не сделал. И хоть превосходно понимал, что она решила меня крепко разыграть и всласть поиздеваться, тем не менее принял предложенную ею игру и как можно более беспечно сказал:

— Что ж, пошли.

На виду у обтекающих нас по лестнице пижам и халатов, вызывая их немалое удивление, она с улыбкой взяла меня под руку, и мы зашагали по дорожке в парк: я напряженный, как струна, готовый в любой момент, как заяц, дать стрекача, а она спокойная, улыбающаяся, словно вот так, интимно, под руку, она ходит со мною всю жизнь.

Спиной я чуял, что халаты и пижамы во множестве сгрудились на веранде, пожирая нас глазами и предвкушая сладостный и всесторонний обмен мнениями. На повороте в аллею я все же обернулся, и первый, кого увидел, был доктор. Толстый и круглый, нелепый в своей полосатой пижаме, он семенил вслед за нами с выпученными от удивления глазами. Нина тоже обернулась и кокетливо помахала доктору ручкой. Я подумал, что его хватит инфаркт. Он, действительно, остановился с растерянным и жалким видом и потер ладонью грудь, в том месте, где сердце. Бросить Нину и бежать к нему назад, чтоб объяснить, что все это, мол, игра, затеянная этой плутоватой и не такой уж наивной девчонкой, игра, которую я принял и доведу до такого конца, при котором ей, уж будьте уверены, не поздоровится, я не решился, ибо действительно с азартом включился в предложенную Ниной игру и был начеку, чтоб не подставить себя под удар. А с доктором мы объяснимся потом, когда я хорошенько ее проучу.

В глубине парка, на поляне, перед закопченными стенами сгоревшего в войну дворца графа Тышкевича, стояла на черном постаменте массивная, отлитая из чугуна статуя Христа, молитвенно сложившего ладони у груди.

До этого места Нина не проронила ни слова, хотя сохраняла вид беспечный и шаловливый. Но, подойдя к черной статуе, посерьезнела, лицо ее стало очаровательно грустным, и, выпустив мою руку, она грациозно опустилась на колени и так же, как чугунный Христос, сложила ладони у груди.

Я напряженно следил за нею, ожидая, какой еще номер выкинет она, прежде чем выставит меня на посмешище. У меня и сомнения не было, что где-то рядом, в кустах хоронятся ее подружки, которых она позвала полюбоваться, как она проучит наглеца. Мои глаза шарили по кустам.

— Дева Мария, — с чувством произнесла Нина, устремив глаза вверх, в чугунное лицо Христа, — ты зачала без греха, помоги мне согрешить без зачатия.

Мне показалось это жутко циничным, оскорбительным даже из уст неверующей, какой, несомненно, была Нина. И еще более вызывающим, потому что произнесла это заклинание невинная девчонка, которой все наши санаторные дамы любовались, как редким экземпляром девичьей чистоты и наивности.

Она поднялась с колен, снова взяла меня за руку.

— Теперь я готова.

Мы углубились в лес. Нина привела меня в то место, где разрослась малина, и я сразу вспомнил, что именно здесь меня соблазнила ее соседка по комнате. Значит, Марите ей даже описала и место моего грехопадения, и Нина сознательно привела меня сюда. Это было, вне всякого сомнения, частью задуманного ею плана мести. Кругом были заросли малины, и там могли удобно укрыться приглашенные ею зрители.

«Ладно, — решил я, то и дело оглядываясь по сторонам. — Пусть считает, что я попался на крючок. Я — опытный воробей, меня на мякине не проведешь. В последний момент мы эту игру нарушим и посрамим ее жестоко за одну лишь мысль разыграть меня».

Так я подбадривал себя, вздрагивая всякий раз, заслышав треск в кустах, а Нина тем временем постелила на мягком мху санаторное серое одеяло, расстегнула ситцевый халатик и стряхнула его с плеч, оставшись в крохотном лифчике и в такого же цвета трусиках с тремя кнопками на боку. Испытующе глядя мне в глаза, она пальцами нащупала верхнюю кнопку и с легким треском оторвала ее. Еще два раза треснули кнопки, и трусики, распахнувшись на бедре, съехали вниз на одеяло. Затем она одним рывком сорвала лифчик.

С минуту Нина стояла нагая, удивительно напоминая точеную статуэтку, с двумя белыми полосками — там, где трусики и лифчик уберегли кожу от загара. Я ошеломленно уставился на нее, начиная соображать, что это совсем не игра.

Нина сняла с глаз солнечные очки и улыбнулась мне грустно и трогательно:

— Ну, иди же, глупый. Чего ждешь?

— Нина! — ахнул я. — Ты отдаешь себе отчет в том, что делаешь?

— Я люблю тебя, — прошептала она. — Разве этого мало? С первого дня, как увидела тебя...

Я возвращался из лесу, распираемый ликованием. Такой девчонки у меня еще не было! Мне не верилось, что я только что обладал ею, и не я, а она объяснилась мне в любви. Голова моя кружилась от радости и гордости. Нина шла, обняв меня за талию и положив кудрявую голову мне на плечо.

Встречные пижамы и халаты каменели, завидев нас. Ни у кого не было сомнения, что их Ниночка, их божество, образец чистоты и непорочности, отдалась мужчине и не хочет скрывать, а, наоборот, открыто демонстрирует это.

Разинутые рты и перекошенные лица обитателей санатория нисколько не занимали меня, так я был поглощен своим счастьем. Погруженный в сладкие переживания, я забыл даже о докторе. И зря. Вместе с другими видел наше с Ниной шествие в обнимку по аллеям санаторного парка мой доктор. И глазам своим не верил.

Проводив Нину, я с глупейшей счастливой улыбкой от уха до уха, насвистывая, поплелся домой, потому что порядком устал и намеревался прилечь отдохнуть.

В нашей узкой крохотной комнатке меня ждал мрачный, как туча, доктор. Он сидел на своей кровати, набычившись и сверля меня исподлобья своими серыми пуговицами, светившимися недобрым огоньком.

Я сел на свою кровать, и наши колени стукнулись. Он с брезгливостью отодвинул свои. И тогда я улыбнулся ему беспомощной улыбкой: повинную голову, мол, меч не сечет.

— Предатель! — выдохнул он, и мне показалось, что его скрутил приступ удушья. Лицо покраснело, налилось кровью. Он дышал тяжело и часто.

— Так получилось, — пожал я плечами. — Честное слово, я не хотел.

— Ты что, хочешь убедить меня, что ты с нею переспал?

— Так получилось... Она сама захотела и повела меня... в лес.

— Врешь, скотина! — он вскочил и заметался в тесном квадрате между дверью и кроватями. — Так я тебе и поверил! Нос не дорос! Она тебя на версту до себя не допустит!

— Правильно, — охотно согласился я, надеясь, что он успокоится. — Конечно, она чиста, как слеза. У нее в помыслах такого не было.

Доктор замер и недоверчиво уставился на меня.

— Тогда почему она так обнимала тебя, когда вы возвращались из леса? Я не мальчик, такое бывает только после интимной близости. Говори правду, негодяй!

— Виноват, — согласился я. — Так получилось. Да, она отдалась мне.

— Не верю! — закричал истерически, как баба, доктор, зажав уши кулаками и топая ногами. — Она не могла позволить этого! Она не такая. Я не мог ошибиться.

— Конечно, — снова подхватил я. — Я пошутил. Ну, глупая, дрянная шутка.

— Шутка ли? — зарычал доктор. — Не верю тебе! Господи, я с ума сойду. Мое сердце вот-вот разлетится в куски!

— Уж не знаю, что тебе отвечать, — устало сказал я. — Говоришь да — не веришь, говоришь нет — тоже не веришь. Какой вариант тебя больше устраивает?

— Меня устраивает единственный вариант — лечь и умереть, — он плюхнулся на свою кровать и зарылся лицом в подушку. Я сидел, не смея шевельнуться и даже затаив дыхание. Вдруг он вскочил и сел, на сей раз не отдернув своих колен от моих.

— Слушай, подонок. У тебя остается последний шанс сохранить меня в числе своих друзей. Если не согласишься, я не переживу эту ночь. А если и не подохну, то утром меня здесь уже не будет. И никогда, слышишь, никогда ты меня не увидишь.

— Говори, — внутренне сжался я, предчувствуя что-то очень нехорошее.

— Ты можешь меня спасти. И все будет забыто. Мы останемся друзьями, какими были до сих пор. Понимаешь, я не излечился, отправив тебя вчера к ней наверх оскорбить ее. Хорош, гусь! Тебя только и посылай... Но, ладно. Я по-прежнему люблю ее. Даже еще больше. Это безнадежная любовь, которая не сулит мне ничего, кроме унижений и абсолютного саморазрушения. Ты можешь помочь мне выйти из беды, избавиться от этого чувства, которое меня доконает. Клин вышибают клином. Есть такое варварское средство. Я забуду ее, вычеркну из памяти, она станет мне совершенно безразлична — при одном условии... Если она отдастся тебе в моем присутствии.

Тут уж я вскочил и в гневе сжал кулаки.

— Садись! Не играй в благородство. Мы оба одним миром мазаны, и на нашей совести достаточно грехов. Не знаю, у кого больше. Мы проделаем все так, что она об этом даже не догадается. Будем знать только ты да я. Я укроюсь под кроватью, а ты проведешь ее, и пусть я буду свидетелем, как моя любовь, предмет моей страсти, отдается другому. И я излечусь... Мое чувство к ней испепелится. И все будет прекрасно. Вы после этого любите друг друга, как хотите. Ваше дело. А я буду жить, как жил. Без треволнений и надрыва, а спокойно, размеренно, как рекомендует наша медицина олухам, мечтающим о долголетии.

— Нет! — замотал я головой. — Хватит! Ты уж раз меня спровоцировал во имя нашей дружбы пойти оскорбить человека ни за что ни про что. И я это сделал... Хоть неожиданно все обернулось совершенно иным образом... и теперь она — моя любовница, самая прекрасная женщина, подобной которой я еще в жизни не обладал. На что ты меня толкаешь... пользуясь тем, что ты старше и я тебе доверяю, как... брату?

— Садись. Остынь, — он надавил ладонями на мои плечи. — Тебе действительно отчаянно повезло. Таких женщин, возможно, одну и встретишь за всю жизнь. А может быть, и не встретишь вовсе. Тебе подвалила удача. Тебе улыбнулась фортуна. А мне фортуна показала свой зад... и в самом неприглядном виде. Так будь же великодушен! Не топчи упавшего! Помоги ему подняться! Я прошу тебя... Последний раз прошу... Больше никогда не попрошу... Мне это нужно, как... кислород умирающему от удушья.

Мне было искренне жаль его. На лице его было написано такое неподдельное страдание, что я не выдержал и тихо, не своим голосом спросил:

— Как это сделать?

— Очень просто, — взволнованно заговорил он, ободренный моим вопросом. — Я — под кроватью, а вы с ней на... Я буду нем как могила. Ты же знаешь меня. Я — разведчик. Не в таких переплетах бывал. Могила.

— А если выдашь себя? Что тогда?

— Тогда? — задумался доктор и вдруг ринулся к шкафу, распахнул и стал рыться в одежде. — Тогда ты сожжешь мой партийный билет! Я тебе его дам, и, если что — жги его!

Он протянул мне обернутую в переплет книжечку члена Коммунистической партии, и я сунул ее в карман.

— Вот на какую жертву я иду! Понял? — склонился он надо мной, и лицо его пылало. — Ты и сам знаешь, чем мне грозит потеря партбилета. Без этой книжки мне — конец. Вся карьера и вся жизнь полетит кувырком. И я иду на это! Потому что иначе мне все равно не жить!

Конечно, то, что я уступил, это гнусно по отношению к Нине, откровенное предательство человека, только что доставившего мне такую радость, — лихорадочно думал я, направляясь к женскому корпусу и мучительно подыскивая оправдательные аргументы. А что, ей? Она же останется в полном неведении... А вот друга я, возможно, действительно спасу или от инфаркта, или от умопомешательства... Кто знает, возможно, мой поступок... если рассмотреть его под определенным углом... даже окажется благородным...

Когда я покидал нашу комнату, доктор уже лежал под моей кроватью, ногами к изголовью, опустив край одеяла до самого пола. Я просунул туда его подушку, чтоб ему не мозолить затылок на досках. Никто не мог предугадать, сколько ему предстояло пролежать там.

Нина встретила меня радостной, сияющей улыбкой и повисла на моей шее, болтая в воздухе ногами и роняя на пол тапочки.

— Чуяло мое сердце, ты быстро соскучишься и вернешься. Я уж тут соскучилась по тебе... ты представить себе не можешь.

Моя совесть заныла при виде ее наивной доверчивости. Она ничуть не удивилась, что я позвал ее к нам в мужской корпус, хотя она была одна в своей комнате и нам бы здесь никто не помешал.

Нина бурно и откровенно ликовала, что я так быстро соскучился по ней, и не обратила внимания на то, что весь обратный путь я прошел угрюмый и замкнутый, лишь изредка рассеянно и односложно отвечая ей.

Я отпер нашу комнату и прошел первым, бегло оглядевшись и убедившись, что все осталось, как и было, и ничто не может вызвать подозрений. Затем впустил ее.

— Спорим, это твоя кровать, — звонким, как колокольчик, голосом угадала Нина и села на мою кровать, под которой, я мог себе представить, замер, затаив дыхание, доктор.

— А как ты угадала? — просто так, чтоб хоть что-то сказать, спросил я.

— Твой толстый друг любит комфорт. Я несколько раз замечала его в лесу с подушкой под мышкой.

Мне захотелось сделать приятное моему бедному другу, томившемуся под кроватью, на которой беспечно сидела Нина.

— Знаешь, почему на его кровати подушки нет? Он

сейчас тоже в лесу. И не один, а с дамой. Доктор пользуется у женщин огромным успехом.

— И ты ему веришь? — со смехом воскликнула Нина. — Да это типичная мужская похвальба... Господи, он же абсолютно не мужчина. Тюфяк, полный жира.

— Замолчи! — не своим голосом закричал я, ужаснувшись, что доктор, характер которого я уже немного знал, не выдержит такого глумления и, выскочив из-под кровати, задушит ее.

— Почему? — все еще смеясь, втянула голову в плечи Нина. — Во-первых, это правда... а во-вторых, нас никто не слышит... Мы тут одни. Ты дверь-то запер?

Я действительно впопыхах забыл запереть дверь и сделал это сейчас. Нина сбросила халат, затем разделась догола и вытянулась на моей кровати, заложив руки под затылок. Она была удивительно хороша. Какая-то неуловимая грация и женственность сквозили в каждой линии ее тела, а лицо было такое чистое и непорочное, ангельское, как определили наши санаторные дамы. Пресыщенный недавней близостью с ней, подавленный тем, что под кроватью лежит свидетель, я тем не менее легко возбудился от одного лишь взгляда на Нину.

У меня к тому времени был весьма небогатый опыт в делах любовных, и тем не менее я сразу угадал в Нине необыкновенное совершенство не только во внешнем облике. Отдаваясь, она не делала никаких движений, а замирала, закрыв глаза. Зато внутри ее творилось что-то невероятное. Мой член, протиснувшись с трудом в ее эластичное и влажное, как теплая губка, нутро, обхватывался, обжимался мышцами, которые начинали играть, танцевать, вышибая у меня искры из глаз.

Сама же Нина лишь глубоко дышала, то и дело напрягаясь всем телом, когда доходила до оргазма, и снова расслабляясь, чтоб через минуту замереть опять. Пожиравший ее пламень выражался в глубоких темных кругах под глазами, возникавших с первого мгновения близости и все более густевших по мере продолжения. Нина вставала с глубокими провалами вокруг глаз, и это, несомненно, привлекло внимание всех встречных, когда мы с ней утром возвращались из леса.

Теперь она лежала, как в обмороке, подо мной, безвольно раскинув руки и ноги, и тени густели под ее закрытыми глазами. Тело же то напрягалось в сладкой истоме, то расслаблялось, и я был бы на вершине блаженства, если б не постоянная мысль о докторе, сверлившая мозг.

Мне показалось, что запахло дымом, и я, ритмично двигаясь на распластанном теле Нины, повернул голову назад и чуть не ошалел от ужаса. Из-под кровати, у наших ног, ползли струйки сигаретного дыма. Доктор закурил. Нарушив уговор. И теперь поплатится своим партийным билетом, который я сожгу, не дрогнув. Такие поступки должны быть наказаны.

А пока я одной ногой стал помахивать в воздухе, силясь разогнать дым. Какое счастье, что Нина, отдаваясь, почти теряла сознание и ничего не заметила. Дым рассеялся и больше не появлялся из-под кровати. Доктор, констатировал я, накурился и погасил сигарету. Дорого тебе, мой друг, обойдутся эти несколько затяжек. Считай, что у тебя нет партийного билета и ты уже в этой жизни полный нуль. Меня сейчас ничем не смягчить и не разжалобить. Приговор окончательный и обжалованию не подлежит.

Каким-то чудом я смог довести до должного финала мою роль мужчины и сразу же заторопился, ссылаясь на неотложные дела. Нина послушно оделась и вышла со мной. Я запер дверь снаружи, чтоб доктор никуда не мог улизнуть, и пошел ее проводить.

Она была безмятежно счастлива, не ведая, в какую гнусную игру я ее вовлек, и шла, прижавшись ко мне и доверчиво положив головку с глубокими темными провалами вокруг глаз на мое предательское плечо.

Вернувшись и отперев дверь, я застал все в том же состоянии, в каком покинул. Доктор все еще был под кроватью. Я приподнял край одеяла:

— Вылезай, собака! А то ты пропустишь исторический момент сожжения твоего партийного билета.

Он вылез с серым лицом, сел на свою кровать, и на разжатой ладони я увидел сигаретный пепел, который он, по своей немецкой аккуратности, стряхивал за отсутствием пепельницы в свою руку. Глаза его были безжизненные, угасшие. Он выглядел человеком, перенесшим жесточайшее потрясение, и был жалок и беззащитен.

У меня в тумбочке хранились таблетки валидола на

случай сердечной слабости, и теперь они понадобились не мне, а доктору. Я молча протянул их ему, и он равнодушно положил себе под язык одну.

— Скажи мне, — спросил я, когда увидел, что он понемногу приходит в себя и уже в состоянии ответить. — Почему ты закурил? Неужели не мог подождать, пока я ее уведу? Объясни, прежде чем я сделаю следующий шаг.

Доктор уставился на меня пустым, равнодушным взглядом, и я понял, что ему все безразлично и он не собирается оправдываться.

— Я попал в положение, — медленно, словно разговаривая сам с собой, заговорил он, — которого злейшему врагу своему не пожелаю. Очевидно, я проживу сто лет, если уцелел и не подох сейчас. Ты можешь сжечь мой партбилет и будешь прав. Я нарушил уговор. Не знаю, лучшим ли образом поступил бы ты, поменяйся мы местами. Нина, отдаваясь тебе, впала в беспамятство. Какой темперамент! Какое сокровище! Ты, негодник, выиграл в лотерее по трамвайному билету. Однако я не о том... Видишь щель между стеной и кроватью? Вот туда провалилась рука Нины, и ладонь ее легла на мое колено. Возможно, она приняла колено за угол чемодана или вообще не соображала в этот момент, но все время, пока она изнемогала от наслаждения под тобой, ее рука судорожно сжимала мое колено и ее дрожь передавалась мне, и я, как сейсмограф, регистрировал своей кровью и соком своих нервов каждый подъем и спад. Теперь ты понимаешь, что я пережил. Как я закурил, я даже и не помню. Возможно, это была лучшая разрядка моей пытки, потому что иначе я бы взревел в голос.

Я вернул ему партийный билет. Он даже не поблагодарил и равнодушно сунул в нагрудный карман.

Вот и все. Дальше все пошло ровно, без потрясений. Доктор, как и предсказывал, вышиб из себя таким варварским способом страсть к Нине. Стал таким, каким был прежде. Снова увлекся охотой за дамами, и весьма успешно. К моей радости, у него с Ниной установились нормальные приятельские отношения. Он снова стал привлекательным, многоопытным собеседником, и Нина болтала с ним охотно и увлеченно. Большую часть времени мы теперь проводили втроем, и доктор иногда, чутьем угадывая наше желание, запросто говорил нам, как дядюшка:

— А теперь, детки, вам нужно отдохнуть от меня. Идите и предавайтесь любви. Я подожду. Вы ведь вернетесь?

Две недели, оставшиеся до конца срока нашего пребывания в санатории, пролетели как один день. Мы с Ниной не расставались, ходили, держась за руки, как дети, и пользовались каждой возможностью, чтоб улизнуть от доктора и предаться любви. А все ночи я проводил в ее комнате, куда, по счастью, никого не поселили после отъезда Марите, и мы с Ниной спали, не разжимая объятий, на двух сдвинутых железных кроватях.

Мы были неутомимы. Оба осунулись, похудели, и глаза у Нины были все время глубоко запавшими, делая ее еще красивей и обворожительней. Обитатели санатория смирились с ее грехопадением и теперь уж и на меня смотрели с теплотой, любуясь нами обоими.

А день отъезда приближался неумолимо, и санаторная администрация вручила нам железнодорожные билеты. Мы ни разу не заговорили о женитьбе, но в мои ближайшие планы, как само собой разумеющееся, входила поездка в Ленинград, чтоб познакомиться с Нининой мамой и там уже все решить наилучшим образом.

Отца Нина ни разу не помянула в разговорах со мной, и, когда я высказал предположение, что он погиб на войне, Нина покачала головой и, опустив глаза, произнесла:

— Его нет в живых. Он был известным инженером в Ленинграде, и в 1938 году его взяли... Как врага народа. И расстреляли. А нас с мамой сослали в Казахстан. Мы вернулись в Ленинград после войны, но, как семье врага народа, нам запрещено жить в городе, и мы снимаем комнату за чертой, на станции Сиверской.

Сердце мое упало. Это был неожиданный и страшный удар. Жениться на дочери врага народа коммунисту, делающему карьеру в партии, было безумием, самоубийством. Это было при жизни Сталина. До его смерти оставалось еще несколько лет.

Я ничего не ответил ей, но от нее не ускользнуло мое состояние, и она сочувственно спросила:

— Твои родители тоже репрессированы?

— Нет, — ответил я. — Живы и здоровы.

И перевел разговор на другую тему, постарался уйти от оглушающей новости.

Потом был отъезд. Мы с Ниной выползли из постели за полчаса до отхода автобуса, который должен был доставить нас на железнодорожную станцию. Там мы с доктором посадили ее в ленинградский поезд, и доктор впервые удостоился ее поцелуя. Она бросилась ему на шею, горячо расцеловала в обе щеки, а потом в лоб. Доктор стоял как пингвин, с румяными щечками и бессмысленно и глупо улыбался.

Я же чуть не плакал. На людях целоваться и проявлять нежность я не умею и поэтому лишь чмокнул ее в губы и пожал руку. Она держалась молодцом, и лишь беспокойный взгляд, который она бросала на меня порой, выдавал ее волнение.

Поезд ушел. Нина нам махала из окна. Мы — ей в ответ, пока последний вагон не скрылся за поворотом.

По румяным щекам доктора текли слезы. Он их не вытирал и, как ребенок, оправдываясь, бормотал:

— Старею, черт возьми... раскисаю... Сантимент, понимаешь, одолевает... А это уж излишняя роскошь.

Через час к платформе подали наш поезд, и мы отбыли домой, оставив позади бесконечную полосу пляжа, дюны с пучками жесткого камыша и неумолкаемый гул прибоя на балтийском соленом мелководье. Медицинская комиссия констатировала мое полное выздоровление и разрешила вернуться на работу.

От Нины я вскоре получил письмо, потом второе, третье. Я все откладывал ответ. Мой партийный босс, старый, умудренный жизнью человек, член партии с тех незапамятных времен, когда жив был Ленин, и непонятно как уцелевший в годы сталинских чисток человек, к которому я испытывал доверие, категорически запретил мне отвечать на Нинины письма, если я дорожу своим будущим. Я откровенно рассказал ему все. Как священнику на исповеди, зная, что он не понесет дальше и не продаст меня. Его приговор был кратким: о женитьбе на дочери врага народа не может быть и речи. И никакой переписки. Забыть, вычеркнуть из памяти. Потому что я достаточно взрослый, чтобы знать, что письма перлюстрируют и там, где надо, содержание и адресат моей почты будут известны. А затем недолго ждать организационных выводов, которые будут не в мою пользу.

С доктором я не видался со дня возвращения. Как-то он позвонил мне и назначил встречу в кафе. Оказывается, он тоже обменялся с Ниной адресами и получил от нее тревожное письмо, умоляющее немедленно сообщить, что со мной и где я, ибо она не получила ответа на все свои письма. Я кратко изложил доктору содержание беседы с моим партийным боссом. Он только понимающе и сочувственно кивал головой.

Через неделю он снова позвонил и снова пригласил меня в кафе. Он успел съездить в Ленинград и побывал у Нининой мамы, а также видался с Ниной.

— Она беременна от тебя, — сказал доктор, не глядя мне в глаза. — Еще там накануне отъезда у нее были подозрения, и она спрашивала совета у меня, как у врача. Я тебе говорить не стал, она просила об этом. Надеялась, что это случайность и все обойдется. Но дома, в Ленинграде, по прошествии полутора месяцев никаких сомнений не оставалось. Ее мама врач и позаботится о том, чтобы аборт был сделан квалифицированно, без опасности для здоровья Нины.

А в конце ужина доктор, отводя глаза и сконфуженно посапывая коротким носиком, сообщил мне следующее. Он предложил Нине выйти за него замуж и записать будущего ребенка на свое имя. Нина была растрогана благородством доктора и все же вежливо отказала, мотивируя тем, что она к нему испытывает только дружеские чувства. А для брака этого недостаточно.

Прямо из кафе я помчался на почтамт и, словно в угаре, послал телеграмму следующего содержания: «Не делай аборта, сохрани ребенка. Немедленно выезжаю. Твой муж».

Назавтра я опомнился, поостыл и... не поехал в Ленинград. Нина мне больше не написала. А через какое-то время я узнал от доктора, ему написала мать Нины, что она вышла замуж за выпускника Ленинградского военно-морского училища В. И. Сорокина и после его аттестации лейтенантом уехала с ним в портовый город на Севере, где он служит штурманом на подводной лодке.

Эту новость я воспринял без особой горечи. Время — лучший лекарь, и мое чувство к Нине понемногу гасло. Остались какая-то сладкая грусть и горделивое мужское удовлетворение от того, что мне удалось обладать этим божественным созданием. Скребло на душе от другого. И доктор, предложивший Нине руку и сердце, и этот неизвестный мне морячок Сорокин В. И. , ставший ее мужем, оба были коммунистами, и оба не побоялись рискнуть карьерой. А я струсил.

Вскоре после Нового года в местной газете появился в черной рамке некролог, извещавший о преждевременной смерти талантливого доктора Вольфа Гольдберга.

Холостой доктор жил с отцом и матерью, прелестными стариками, уважаемыми в городе врачами. Они делали трогательные попытки женить сына. Знакомили его с дочерьми своих сослуживцев, устраивали званые вечера и — все бесполезно. Мой друг был рассеян и невнимателен к кандидаткам в жены, подобранным родителями, и, если среди девиц попадались хорошенькие, он не отказывал себе в удовольствии переспать с ними, заранее предупредив, чтобы на большее не рассчитывали.

Новый год он встречал дома. С мамой и папой. И их сослуживцами. Среди гостей была довольно юная особа, приглашенная все еще не потерявшими надежды родителями на предмет представления сыну.

Я знаю, как все произошло, со слов его матери.

Ровно в полночь, выслушав по радио новогоднее поздравление из Москвы, гости встали из-за стола с бокалами шампанского, и доктор, оглядев всех серьезными и печальными глазами, повторил вслух последние слова казенного радиоприветствия: «Вперед, к сияющим вершинам коммунизма» — и от себя добавил:

— Вы давайте валяйте к этим самым вершинам. А я, признаться, устал и выхожу из игры.

Он покинул новогодний стол, быстрым шагом прошел в свою комнату, и очень скоро оттуда прозвучал выстрел. Родители и не подозревали, что в чемодане у сына хранится привезенный из Германии парабеллум. Стрелял он умело. Не зря был в морской пехоте и разведчиком. Аккуратная дырочка в виске и выходное отверстие на макушке. Так что он совершенно не был обезображен и лежал в гробу такой же, каким я его знал, только без румянца на пепельных щеках.

Я хоронил его. Шел между стариками, совсем убитыми горем, и поддерживал их под руки, чтоб не рухнули, не отдали Богу душу по дороге на кладбище. Мне казалось, что я веду моих собственных родителей и мы хороним меня. И поэтому плакал взахлеб, навзрыд, но шедший впереди духовой оркестр заглушал все звуки рвущей душу мелодией похоронного марша и на меня никто не обращал внимания.

Потом умер Сталин, и все в стране стало меняться. Меня перевели на новое место службы. Я сменил еще несколько городов, быстро и успешно строя карьеру.

Однажды в командировке в портовом городе на Севере я вспомнил, что именно сюда уехала когда-то Нина со своим мужем, и, полистав телефонную книгу, нашел фамилию В. И. Сорокина и номер домашнего телефона. Я позвонил, и трубку сняла она. Этому невозможно поверить, но она узнала меня по голосу с первого слова. И тут же предложила встретиться, сказав, что муж находится в дальнем плавании и ей не составит никакого труда прийти на свидание.

Я узнал ее сразу. Она нисколько не изменилась. Хотя была в норковой шубке и в меховой шапочке. На юге еще была золотая осень, а здесь стояла зима, и скверик, где мы встретились, был завален сугробами снега. Нина сидела на скамье у обросшего ледяными наростами бездействующего фонтана, и я, счистив перчаткой снег, сел рядом с ней. Глаза ее сияли, когда она смотрела на меня, и была она настолько прелестной, что я почувствовал горечь огромной и невосполнимой потери и с грустью слушал ее рассказ. Сорокин, ее муж, замечательный человек и до сих пор любит ее без ума. Он уже капитан первого ранга и командует атомной подводной лодкой. Она окончила медицинский и работает врачом-психиатром. Мама жива, в Ленинграде. А папу реабилитировали посмертно, и теперь в институте, где он преподавал до ареста, установлена мемориальная доска из мрамора с его барельефом. У нее сын. Вот он там с детьми лепит снежную бабу.

— Миша, Мишенька! — позвала она, и к нам подкатил в белых валенках и в меховой шубке раскрасневшийся мальчуган лет десяти. — Поздоровайся с дядей.

Мальчик зубами снял варежку и протянул мне горячую влажную ладошку. Что-то в его лице кольнуло меня, приковало мое внимание.

— Иди, Мишенька, играй, — торопливо спровадила

мальчика Нина и посмотрела на меня долгим и печальным взглядом. — Что, узнал? Твоя копия.

— Значит, ты...

— Да, я не сделала аборт, и, когда родился Миша, мой муж знал, что это не его сын.

— Постой, это так неожиданно... — задохнулся я. — У меня есть сын?

— У тебя нет сына, — мягко возразила Нина. — Миша — сын капитана первого ранга Сорокина, и он носит его фамилию. Это его единственный сын. Больше я рожать не захотела.

— Нина, — захрипел я, хватая ее за руки. — Уйди от этого капитана! Мы поженимся, и я усыновлю своего собственного сына! Я ведь еще холост. И согласен хоть сейчас...

— Нет, — улыбнулась Нина горькой улыбкой. — Поздно, дорогой. Я тебя любила и, может быть, до сих пор люблю. Но мой муж такой прекрасный человек, и я ему настолько многим обязана, что никогда, ни под каким предлогом не оставлю его. Вот так, милый. Расскажи лучше о себе, как поживает наш общий друг доктор?

Я рассказал ей о смерти доктора, и Нина неожиданно для меня так опечалилась, что слезы заструились по ее щекам, и она закрыла лицо руками. А потом, успокоившись, предложила:

— Доктор — свидетель нашей любви и моего, хоть короткого, но счастья. Он — часть нашей судьбы. Я бы хотела навестить его могилу. У меня теперь свободная от дежурств неделя и, если ты можешь выкроить время, давай слетаем туда.

Мы прилетели втроем, Нина, я и Миша, с которым я подружился в самолете, и он не слезал с моих колен. Остановились в гостинице, в двух отдельных номерах, и на такси отправились на кладбище.

Было непривычно тепло после Севера. Серебристые нити паутины плавали в воздухе, и над кладбищем тянуло едким дымком. Служители в синих халатах сносили со свежих могил увядшие венки из еловых лап и цветов и жгли их в больших взъерошенных кучах. Этот острый запах дыма и потрескивающие костры из венков навевали горькую печаль, и хотелось беспричинно заплакать. Мы шли по усыпанной гравием дорожке к могиле доктора, и служитель привел нас к трем одинаковым из красного гранита надгробиям. Доктор покоился уже не один. Слева и справа от него лежали отец и мать, скончавшиеся вскоре после его похорон. Скамеечки у этих могил не было. Семья Гольдбергов кончилась. Некому прийти на кладбище. Мы с Ниной присели на скамейку у соседней могилы, обнялись и заплакали, не стесняясь своих слез. Миша удивленно уставился на нас. У доктора была семья. Мы. Я, Нина и маленький Миша. Разъединенные и, возможно, последний раз встретившиеся люди.

Над черным роялем на оклеенной обоями стене висела в аляповато позолоченной раме копия картины Васнецова «Три богатыря». На неестественно могучих конях восседали неестественно могучие былинные богатыри Илья Муромец и Добрыня Никитич, в шлемах и кольчугах, с мечами и щитами. Только третий богатырь, юный Алеша Попович, был не так могуч, а похож на нормального человека. Это сходство ему придавали маленькие фатоватые усики. У его сотоварищей были бороды лопатой.

Астахов, Лунин и Зуев стояли посреди гостиной голые и переминались босыми ногами на ковре. Лунин и Зуев давно потеряли форму, были рыхлыми, со складками жира на боках и животах. А ноги оставались худыми и тонкими и только подчеркивали преклонный возраст. Один Астахов еще выглядел орлом. Выше обоих и подтянутый. Только складки на шее и синие вены на ногах выдавали, что он сверстник своих приятелей.

Астахов стоял посредине, положив руки на плечи Зуеву и Лунину, и Зуев не удержался, чтобы не съязвить:

— Тоже три богатыря. Да труба пониже и дым пожиже.

— Измельчал народ, — согласился Лунин, вглядываясь в богатырей на картине. — Нет уж таких русских. В основном вроде нас с вами. Мелочь человеческая.

— А ты чего хотел? — спросил Астахов. — Чтоб наш современник имел богатырский вид? Я еще удивляюсь, что наш народ совсем не выродился. Не опустился снова на четвереньки и не покрылся шерстью. Да посудите, ребята, сами. Вот уж больше полувека с нашего народа регулярно снимают сливки и выливают прочь. Прошлое столетие. Россия крепостная на костях крестьян-рабов накопила немного интеллектуального жира и удивила мир.

Золотой век русского искусства. В музыке — Чайковский, Глинка, Мусоргский. В литературе — Пушкин, Лермонтов, Достоевский и Толстой, Чехов.

В революцию мы сами сняли с себя сливки, уничтожили старую интеллигенцию, а потом вырастили свою, рабоче-крестьянскую, и Сталин в тридцать восьмом году пустил ее под нож.

Вторая мировая война унесла у нас двадцать миллионов жизней. Самых ярких. А в коллективизацию сгноили в Сибири цвет русского крестьянства. Так какой же еще народ перенес бы столько кровопусканий и не захирел окончательно? А мы еще держимся. Спутники в космос запускаем. Ракеты на весь мир нацелили. Нет нам равного народа на земле. И хоть вид у нашего поколения далеко не богатырский, я горжусь, что принадлежу к этому народу.

— Оду пропел, — криво усмехнулся Зуев, а Лунин добавил: — Я тоже не стыжусь, что я русский, да как-то не нахожу чем кичиться.

— Могу объяснить, — заупрямился Астахов.

— Да брось ты, — примирительно сказал Зуев. — Послушай-ка лучше анекдот. Зачем спорить? Народная мудрость все на свои места ставит.

Значит, встретились, как часто водится в наших анекдотах, трое: англичанин, француз и русский. И заспорили, у кого женщины изящней и воздушней. Англичанин говорит:

— У нас встречаются такие тонкие и миниатюрные женщины, что, сложи ее, в портфеле уместится.

А француз бьет своим козырем:

— Наши женщины в Париже такие изящные и воздушные, что, случись сильный ветер, их может сдуть с площади имени Шарля де Голля и занести на самую макушку Эйфелевой башни.

А русский набычился, ворочает мозгами, чем бы их козыри побить, да и говорит:

— А у нас такие женщины... вот, скажем, ухожу я утром на работу, хлопну жену на прощанье по жопе, возвращаюсь вечером, а жопа все колышется.

Англичанин да француз в полном конфузе:

— О чем ты, Иван? Мы же толкуем о том, у кого самая изящная женщина.

Русский поглядел на них с превосходством:

— А я к тому, что у нас в СССР самый короткий рабочий день.

— Советский патриот, — захохотал Астахов.

Рассмеялись все трое. А Лунин покачал головой:

— Вот так-то. В огороде — бузина, а в Киеве — дядька. Наш-то Иван, о чем бы ни зашла речь, все в одну точку бьет: мы хоть такие сякие, лаптем щи хлебаем, а все же лучше всех. Это у нас с давних времен повелось. Недостаток ума хвастовством покрываем. Помните, до второй мировой войны как мы трубили на весь мир: наша авиация летает дальше всех, быстрее всех и выше всех! А стукнули немцы, и что-то я в небе наших самолетов никак разыскать не мог. Немцы их на аэродромах пожгли, а те, которые успели взлететь, как цыплят посшибали.

— Все это верно, — согласился Астахов, усаживаясь в кресло и раскуривая трубку. — Но выиграли войну мы. Вся Европа на колени пала, а наш русский мужичок, такой-эдакий, своими ножками до Берлина дотопал и водрузил знамя Победы над рейхстагом.

Искры из раскуриваемой трубки попали на грудь, в седые волосы, и он стал усердно дуть и рукой стряхнул их.

— Бог тебя наказывает за казенные формулировочки, которыми ты пользуешься в разговоре даже с друзьями, — усмехнулся Лунин, усаживаясь голым задом на ковер у ног Астахова.

— А что, я не прав? Дело-то ведь не в формулировке, а в факте, положенном в основу.

— И факт-то хилый. Зависит, с какой стороны на него посмотреть, — сказал Лунин. — Вот ты говоришь, наш русский солдат до Берлина дотопал своими ножками. Неправда! И сам это знаешь, на фронте был. Не своими ножками мы до Берлина дотопали, а на американских «студебеккерах» да «виллисах» доехали. И не одень нашу армию Америка, мы бы без порток да в лаптях ходили. И не ходили бы, а подохли с голоду. Вспомни, чем кормились: «рузвельтовыми яйцами» — сухим яичным порошком и свиной тушенкой из Чикаго.

— Не спорю, — сдался Астахов. — В войну было так. Но тогда как объяснить такой факт? Уже после войны, когда мы остались разоренными дотла, потеряли лучшую часть мужского населения — главную производящую силу, а Америка к нам повернулась спиной и объявила холодную войну, как же так получилось, что мы сами, без чьей-либо помощи, довели Россию до уровня самой сильной державы, первыми запустили спутники в космос и заставили весь мир трепетать перед нами? В том числе и Америку. А?

— Очень просто, — угрюмо ответил Лунин. — Мы тут все свои. Доносы строчить друг на друга не станем. Отвечу, что думаю. На рабском труде, мой друг. На принуждении. На том, что Россия животы подтянула, недоедала, недопивала и ходила в обносках. Вот и обогнали всех, кто жил, как люди, в производстве оружия. Таким же путем, на рабах, и Древний Рим владел миром. Да мы знаем, чем это кончилось.

— У-у, ребятки, — замахал руками Зуев. — А вдруг тут в стенах микрофоны упрятаны? А вы такое несете. Мы же о бабах собрались поговорить. Душу порадовать. Все! Я запрещаю отклоняться от темы! И для зачина расскажу вам анекдот про наших русских баб.

Значит, так. Все люди рано или поздно помирают. И женщины тоже. И наши русские бабы в том числе.

Вот прибывает на тот свет свеженькая партия покойниц из России. Вернее, из СССР. Дело-то в наше время происходит. И предстали они пред испытующими очами Господа, который выстроил их в три ряда нагишом и задает вопросы на предмет определения: кого — в рай, кого — в ад.

— Кто из вас согрешил до замужества — три шага вперед!

Все русские бабы дружно протопали три шага. Лишь одна осталась на месте.

Господь задает второй вопрос:

— Кто грешил после замужества — три шага вперед!

Все русские бабы, не раздумывая, еще три шага протопали. Лишь та, единственная, не стронулась с места.

— Добро, — поразмыслив, сказал Господь. — Всех — в ад! И эту глухую блядь тоже!

Лунин рассмеялся громче всех:

— Ну, Зуев, даешь! Неисчерпаем! Ты мне кое-что напомнил. Чтоб больше не спорить, дайте-ка я вам расскажу историю.

РАССКАЗ ЛУНИНА

Я, пожалуй, нарушу установившийся у нас порядок и поведаю вам историю, в которой я не был ни участником, ни свидетелем. И знаю ее со слов своего приятеля, которого назовем, скажем, Анатолием. Он эту историю излагал не только мне одному, а довольно большому кругу наших общих знакомых и всякий раз завершал ее одним и тем же вопросом:

— Случайно ли, что в рассказанных событиях все люди оказались, как на подбор, безвольными, трусливыми существами, безо всякого понятия о мужской чести, или это правдивая до жути картина нравов нашего общества, которое, как известно, — самое передовое и прогрессивное и воспитало и взлелеяло неведомый доселе тип нового человека?

Этот вопрос занимает и меня, но в отличие от Анатолия я его не ставлю перед каждым встречным и поперечным, а то ведь недолго лишиться партийного билета и всех благ, причитающихся обладателю оного.

Вот, что рассказал Анатолий, и я вам расскажу все, что запомнил, не привирая и не утаивая.

Произошло это в одном городе, где по решению свыше собрали кустовое совещание работников отделов пропаганды и агитации, а также работников культурно-просветительных учреждений. Из нескольких областей съехались, что называется, лучшие люди — краса и гордость Коммунистической партии, пример и образец для всего остального трудящегося населения. Тут были и секретари райкомов, и заведующие лекторскими группами, и сами лекторы тоже, преподаватели марксизма-ленинизма, школьные учителя, директора клубов, журналисты из всех местных газет. Одним словом, партийно-культурная элита, самый идейный, самый просвещенный слой партии.

Я это подчеркиваю сознательно, потому что это очень важно для оценки последовавших за тем событий. И если бы участниками этих событий были простые люди, так называемый советский обыватель, я бы и не стал занимать ваше время. Но тут, как на подбор, собрались партийные сливки, опора партии и государства, ее морально-политический стержень. Ведь именно эти люди воспитывают все население, вколачивают в головы советского народа основы высокой коммунистической морали, и уж, несомненно, они сами, по идее, должны быть кристально чистыми носителями этой морали.

Совещание проходило в городском театре, а поселили делегатов в центральной гостинице, еще оставшейся с дореволюционных времен и потому отличавшейся аляповатой, рассчитанной на купеческий вкус архитектурой, с традиционным чучелом бурого медведя, застывшего на задних лапах возле пыльной пальмы в кадке на истертом ковре вестибюля. У массивных дубовых дверей с медными львиными головами на ручках стоял толстый швейцар с роскошной бородой лопатой и в ливрейной униформе с серебряным шитьем наподобие цирковой или адмиральской. Швейцар был стар и алкогольно краснонос, видать, тоже сохранился как музейный экземпляр еще с царских времен. Хотя, пожалуй, вру. Ему, в таком случае, должно было бы за сто лет перевалить. А он — кровь с молоком, румянец во всю щеку и пудовые кулаки. Значит, нашей, советской формации вышибала. Но льстив и подобострастен перед начальством и грозен и неприступен для простого люда, как в лучшие старорежимные времена. Лакейская традиция не претерпела изменений с переменой социального строя.

Как и положено в таких случаях, участников совещания кормили в гостиничном ресторане, выделив туда лучшие продукты и сняв сливки со всего городского снабжения. Город остался, как и водится в подобной ситуации, без мяса и масла. А сверх того, из неприкосновенного запаса подкинули икры и французского коньяка. Конечно, простому люду в эти дни доступ в ресторан был наглухо закрыт, как и закрылись на полдня двери в универмаге. В эти полдня там могли покупать только участники совещания, и на прилавки выбросили весь дефицитный товар: заграничные кофточки и обувь, которые местным щеголихам могли лишь присниться в самом радужном сне.

Все чин чином, как это делается по всей необъятной Руси с той поры, как солнышко марксизма-ленинизма засияло русским людям, указав им светлый путь в будущее.

Но это все присказка, сказка впереди.

Мой друг Анатолий прибыл на это совещание из Москвы в качестве столичного гостя и наблюдателя и там повстречал своего приятеля, с которым давно не видался, Егорова — инспектора Центральной лекторской группы, которого прислали для ценных руководящих указаний тамошним пропагандистам и лекторам.

А был этот Егоров шальным парнем. Выпивоха, бабник и драчун, но держали его за серебряный язык. С трибуны заливался соловьем. Таким обладал даром словесного внушения, что мог любого, даже самого ярого антикоммуниста, сделать сторонником советской власти. Так, по крайней мере, считал Анатолий.

Этот Егоров в свое время прославился. Ему предстояло читать лекцию для партийного актива о моральном облике советского человека, а накануне он нализался в ресторане, стал приставать к женщинам, за что был побит основательно. Назавтра вышел он на трибуну — весь зал ахнул. Хоть и старательно припудрил физиономию, но даже в заднем ряду публика могла различить багровый синяк под глазом, вздутую губу и рваную царапину через всю щеку до носа.

Лекция о моральном облике советского человека была коронным номером Егорова, читал он ее сотни раз и начинал всегда с цитаты из Антона Павловича Чехова. Вот и в этот раз Егоров, не уловив подвоха, взял старт с чеховской цитаты:

— В человеке все должно быть красиво, — проникновенно начал он. — И лицо, и одежда, и мысли...

Дальше продолжать ему не пришлось. Зал, лицезревший покарябанную физиономию лектора, грохнул. Хохот сотрясал стены. Публику никак не удавалось успокоить. И лектора пришлось увести, а дело его передать на рассмотрение идеологической комиссии. Егоров отделался легким наказанием. Ему все сходило с рук.

Вот такого приятеля встретил Анатолий. Они глотнули изрядную долю французского коньяка после первого дня совещания, затем добавили «Столичной» водочки, раздавили пару бутылочек пильзенского пива — этого всего по случаю совещания в ресторане было навалом, — и душа Егорова взалкала действий. Ему захотелось дамского общества. А туземные дамы шарахались от Егорова, когда он пытался приставать к ним на улице. В провинциальном городе такое знакомство считается непристойным.

Наступила ночь. Анатолий и Егоров не нашли себе

подруг, и им предстояло одиноко и тоскливо ворочаться в скрипучих постелях до утра, потому что гомосексуалистами они не были. Отнюдь!

— Пойдем, хоть швейцару бороду пощипаем, — предложил Егоров, который сидел как на шпильках, и ему страсть как хотелось покуролесить.

— Не годится, — отмахнулся Анатолий, который был человеком осторожным и отличался кротким нравом, хотя и был не прочь пошалить, но тихо и без огласки.

— Ручаюсь головой, — сказал Егоров с печалью в голосе, — что во всей этой гостинице только мы с тобой проведем ночку, как монахи, а вот делегаты конференции, вся эта шушера провинциальная, борцы за мораль, сейчас в своих комнатах трахают баб.

— Ну уж и трахают... — осторожно возразил Толя.

— Не веришь? — поднял на него воспаленные глаза Егоров, и Толя увидел в них озорные, не предвещающие ничего хорошего огоньки.

— Слушай, Толя, — воспламенился Егоров. — Мы сейчас отколем трюк — закачаешься. Такого в этой дыре еще не видали. Мы с тобой — комиссия по проверке морали. Неважно, что такой комиссии не существует в помине. Сунем в нос красные московские удостоверения — эти вахлаки онемеют от страха и все примут за чистую монету. Важно только напустить на себя строгий вид, как и подобает высокому начальству, в пререкания не вступать, обрывать на полуслове, быть неумолимыми. Они у меня наложат полные штаны. Пойдем, Толя!

— Погорим! — стал упираться осторожный Толя. — Быстро раскусят, что мы самозванцы.

— Кто раскусит? — взвился Егоров. — Эти трусливые, жалкие душонки, готовые любому начальству, даже и мнимому, вылизать жопу, причмокивая, лишь бы сохранить свое хоть маленькое, но руководящее положение. Я тебе покажу, как они у меня запоют, пойманные с поличным на самом страшном партийном грехе — совокуплении с посторонней женщиной. Эти жрецы морали, эти так называемые партийные пуритане, похотливо потеют сейчас в своих постелях на чужих, малознакомых бабах, которых завлекли, посулив чего-нибудь, то есть используя свое служебное положение. Это же позор, Толя! Этому надо положить конец! А кто здесь подлинные жрецы партийной морали? Мы с тобой, Толя! Пойдем вниз и заарканим швейцара. Он-то небось знает, что где творится. Не один рублик в ладошку сунули, чтоб сделал вид, будто ничего не видит. А в советскую гостиницу, Толя, приводить женщину в поздний час категорически запрещается. Значит, у него, у швейцара, рыло в пуху. Он у нас на крючке и, чтоб не лишиться такой доходной должности, выполнит все, что мы ему прикажем. Твоя задача, Толя, при сем присутствовать и иметь строгий, целомудренный вид. Командую парадом я.

И они сыпанули по лестнице вниз, в вестибюль, где у пустой конторки с крючками для ключей дремала баба-дежурная, а адмирал-швейцар сидел в кресле возле медвежьего чучела, распустив бороду по обшитой серебром груди.

На последнем марше лестницы Анатолий и Егоров умерили шаг и пошли вниз степенной начальственной походкой, с суровыми, замкнутыми лицами.

Результат был вернейший!

Баба-дежурная очнулась от дремоты и засуетилась в своей конторке, изображая начальству деловую активность. Швейцар вскочил с кресла, вытянул руки по швам и, как солдат, преданно гаркнул:

— Здравия желаем!

И взял под козырек своей фуражки с высокой тульей, увитой серебряным шитьем.

— Та-ак, — протянул Егоров, устремив на швейцара взгляд, ничего доброго ему не суливший.

Красный румянец на щеках швейцара стал быстро испаряться, уступая место бледности.

— Значит, несешь службу? — медленно выговаривая каждое слово, протянул Егоров.

— Стараемся... — жалобно улыбнулся швейцар, явно предчувствуя недоброе.

— Хорошо стараешься. Скоро мы увидим, как ты стараешься. Дежурная! — повелительно повернулся он к бабе за конторкой. — Будьте любезны уйти из вестибюля на минуточку. Нам необходимо побеседовать с этим гражданином без лишних свидетелей, так сказать, тет-а-тет.

Дежурная исчезла, как будто ее смыло. Егоров использовал точно рассчитанный психологический эффект:

вечный страх подчиненного, у которого всегда отыщется грех за душой, перед начальством, да еще чужим, а значит, и неподкупным.

Швейцар прирос к месту и без звука шевелил губами.

Егоров вынул свое удостоверение в ярко-красном переплете, не раскрывая, показал его швейцару и спрятал в карман.

— Мы, — кивнул он на Анатолия, — комиссия по проверке партийной морали. Ясно?

— Ясно, — проблеял швейцар.

— В этой гостинице подозревается явное нарушение норм советской морали. Постояльцы в большом числе привели к себе на ночь женщин и теперь занимаются совокуплением, порочащим моральный облик советского человека. Так, что ли?

— Вам виднее, — пролепетал швейцар.

— Нам многое виднее. И то, что ты, пребывая на служебном посту, брал взятки, позволяя постояльцам провести дам в свой номер, что является грубейшим нарушением норм советского общежития.

Швейцар даже не возразил, потрясенный проницательностью начальства, и поник с обреченным видом.

— Но ты еще можешь заслужить снисхождение... и даже сохранить свое место на службе, если честно и беспрекословно окажешь нам содействие в выполнении поставленной перед нами задачи.

Швейцар вскинул голову, выставив вперед бороду, и глаза его ожили.

— Только прикажите. Все сделаю! Для блага партии и нашего советского государства.

— Зачем так высокопарно? — поморщился Егоров. Он наслаждался разыгрываемой комедией. — Все очень просто. Ты укажешь нам, в каких комнатах теперь творятся шуры-муры, ведь не забыл, у кого взятки брал, вежливо постучишь и потребуешь открыть двери, а дальше уж наше дело. Твоя обязанность стоять в коридоре, ждать, когда мы выйдем, и вести нас к следующей комнате. Задание ясно?

— Так точно! — радостно гаркнул холуй в адмиральской форме, уже было потерявший и снова обретший свою весьма доходную должность. — Пояснений не требуется.

— Тогда марш вперед, — махнул рукой Егоров. — Приступим.

Швейцар услужливо запрыгал вверх по лестнице, невзирая на свой избыточный вес. Они стали подниматься следом.

Запыхавшийся швейцар прошел несколько шагов по коридору.

— Вернись, — велел Егоров. — Стучи в первую дверь.

Швейцар замялся, Егоров точно угадал. Жилец из этой комнаты сунул ему взятку. Глубоко вздохнув, швейцар робко постучал косточками пальцев.

— Кто там? — после долгой паузы отозвался недовольный мужской голос.

— Откройте, — хрипло сказал швейцар. — Комиссия.

— Какая комиссия? Кто дал право тревожить покой советского человека? — тон за дверью был самоуверенный, видать, обладатель его привык командовать.

— А вот какая комиссия — вы узнаете, когда мы взломаем дверь, — стальным голосом вмешался Егоров, — если не откроете сами, добровольно. Женщина пусть не одевается, а останется в постели в таком виде, в каком она сейчас пребывает.

Егоров действовал безошибочно.

За дверью наступила испуганная тишина, затем раздался приглушенный шепот двух голосов, босые ноги зашлепали по полу, со скрипом повернулся ключ в замке, дверь приоткрылась, и в узкой прорези показалась часть одутловатого мужского лица, увенчанного лысиной с редкими волосиками.

— Не стесняйтесь, открывайте, — плечом распахнул дверь Егоров. — Стесняться надо было раньше.

Егоров, а вслед за ним Анатолий и швейцар прошли в комнату, тускло освещенную настольной лампой. На стульях валялась мужская и женская одежда вперемежку, у задней спинки кровати стояли, отливая блеском, черные лакированные дамские туфли на высоких каблуках. В кровати под смятыми простынями бугрился силуэт человеческого тела, укрытого с головой.

Егоров велел швейцару выйти и стоять за дверью, пока не позовут, а затем, покосившись на дамские туфли, спросил хозяина комнаты, переминавшегося в своей фланелевой пижаме босыми ногами на холодном пластиковом полу:

— Ваша обувь?

Одутловатый хмыкнул, давая понять, что он оценил его чувство юмора.

— Все ясно, — Егоров сдвинул с кресла на пол охапку одежды и сел.

— Попрошу предъявить документы.

— А вы, собственно, кто такие?. . — неуверенно спросила пижама.

— Комиссия по проверке морали участников совещания. Вам нужны документы?

— Нет, нет... Я просто... полюбопытствовал... не знал, грешным делом... что такая комиссия существует... а я в партии двадцать пять лет.

— Круглая дата, — согласился Егоров. — Вот на ней и завершится ваше пребывание в партии. Документы!

Одутловатый метнулся к шкафу, порылся в его темной глубине и протянул Егорову удостоверение в вишневом переплете.

— Заведующий отделом пропаганды и агитации районного комитета партии, — прочитал нараспев Егоров, с особенным наслаждением произнося фамилию и имя-отчество обладателя удостоверения. — Разлагаемся. Развратничаем. Народу говорим одно, а сами что вытворяем? Она кто? — кивнул Егоров на бугор под простыней. — С улицы?

— Нет, нет, — запротестовал одутловатый. — Наша... Делегат совещания... живет этажом выше.

Под простыней раздалось сдерживаемое всхлипывание.

— Коммунистам слезы не к лицу, — укоризненно сказал Егоров. — Умели гадости делать — умейте держать ответ. Попрошу партийные билеты.

— Ни за что! — встрепенулась пижама и стала в петушиную позу. — Только своему непосредственному руководителю, секретарю райкома партии я верну его. Больше никому!

— Не мельтеши, — поморщился Егоров. — Сядь! Устав знаешь. Не нужен мне твой партийный билет. Сдашь его кому следует, когда выметут из партии, как мусор, как сорную траву, чтоб освежить, очистить атмосферу в наших рядах. Мне нужен номер партийного билета. А вы, — Егоров устало кивнул Анатолию, — запишите. Заодно велите швейцару принести их паспорта. Ее — тоже.

Одутловатый упавшим голосом пробормотал номер своего партийного билета и спрятал его дрожащими руками куда-то в недра шкафа. Анатолий для видимости черкнул что-то в своей записной книжке. Швейцар принес снизу два паспорта, передал их Анатолию и аккуратно закрыл за собой дверь, снова заняв свой пост в коридоре. Анатолий с каменным лицом протянул паспорта Егорову. Тот небрежно раскрыл один, перевел взгляд с одутловатого на фотографию в паспорте, раскрыл второй.

— Опустите простыню, — строго велел он. — Я хочу сверить лицо с паспортной фотографией. Не стесняйтесь. Стесняться надо было раньше, когда штаны снимала.

Простыня поползла с подушки, открыв кудрявую, в искусственных завитках голову довольно молодой женщины со смятым, без косметики лицом и припухшими губами. В ухе поблескивала золотая сережка. Она щурилась на свет, и вид у нее был загнанного, запуганного зверька.

— Ну, что ж, — вздохнул Егоров. — Все соответствует. Номер вашего партийного билета?

— Он... у меня в комнате... отвернитесь, я оденусь... и принесу...

— Не надо одеваться, лежите, как лежали. Как говорят юристы, на месте содеянного преступления. А в вашу комнату мы сходим потом. Какую должность занимаете?

— Директор Дома культуры... — залепетала она, — занимаем первое место в области... за достижения...

— Знаем ваши достижения, — оборвал Егоров. — Вам не Домом культуры заведовать, а публичным домом. Но, к счастью, таких в нашей стране нет. А есть отдельные личности, позорящие высокое звание советского человека, да еще к тому же члена славной Коммунистической партии.

Егоров вошел во вкус. Он получал истинное удовольствие, поучая этих испуганных и жалких людей.

— Судя по отметкам в паспортах, — продолжал он, — вы оба семейные люди. Вы имеете жену, а вы — мужа. И они, бедняги, вам доверяют, даже не подозревают, чем вы тут в гостинице занимаетесь. Я думаю, им будет весьма интересно узнать об этом.

— Господи! — запричитала в постели женщина. — Не губите! Пощадите! Ведь есть же у вас сердце?

— У меня есть сердце. Коммуниста. Я исполняю свой партийный долг.

— Дорогой товарищ, — вдруг перебил плаксивым голосом одутловатый. — Простите нас. Это случилось впервые... не знаю как... Я больше не буду... Даю честное партийное слово... Не верите? Могу на колени встать.

Он тяжело, с одышкой опустился на колени и пополз к Егорову, протягивая в мольбе руки.

— Встать! — брезгливо сказал Егоров. — Коммунисты не стоят на коленях. Мразь!

— Хорошо, хорошо... абсолютно согласен, — затараторил одутловатый, поднимаясь на ноги. — Но чем я могу заслужить прощение? Скажите, я сделаю.

— Все сделаешь? — прищурился на него Егоров.

— Все, что прикажете, — поспешно согласился одутловатый, уловив в вопросе нить надежды. — Все, все... Только прикажите.

— И ты? — глянул на женщину в кровати Егоров.

— И я... и я.

— Хорошо... — протянул Егоров. — Может быть, для первого раза мы и проявим к вам снисхождение... Не знаю... Посмотрим. Это зависит от вашего поведения.

— Какого? — в один голос встрепенулись они оба, а он еще добавил заискивающе: — Говорите, мы готовы.

— Готовы ли? Посмотрим. Ну, ладно. Умели грешить, умейте каяться. Покажите нам, продемонстрируйте, как вы тут совокуплялись, нарушая свой семейный долг и позоря звание коммуниста. Может быть, вы это делаете так хорошо, с таким мастерством... что это достойно подражания?

Одутловатый сначала онемел, а потом, приняв за шутку, хихикнул:

— Что вы, дорогой товарищ... какое уж тут мастерство... Обыкновенно... В нашем возрасте, как известно... не до жиру, быть бы живу...

— Что ж, в таком случае прощайте, — поднялся с кресла Егоров. — Нашу беседу мы продолжим в другом месте. Вас вызовут.

— Нет, нет, — замахал руками одутловатый. — Не уходите. Дайте хоть подумать.

— А вы не шутите? — спросила из кровати женщина, уже без страха, даже с некоторым кокетством во взоре. — Вы действительно хотите, чтоб мы вам продемонстрировали... это самое?

— Я два раза не люблю повторять, — сказал Егоров без тени улыбки и снова сел.

— О' кей, — вызывающе улыбнулась она Егорову и Анатолию, одним рывком сбросила на пол простыню, открыв белое, довольно стройное тело, слегка начавшее полнеть, и встала на ноги, прикрыв обе груди скрещенными руками.

— Но как это я... смогу?. . — запротестовал одутловатый. — Я — не животное.

— Вы коммунист, — оборвал его Егоров. — Пока. А как известно, для коммуниста нет преград, нет крепостей, которые большевики бы не взяли... Ну, голубчик, приступайте.

Одутловатый конфузливо стал шарить в ширинке пижамных штанов.

— Сбросьте пижаму, — велел Егоров. — В натуральном виде, как мать родила.

— А как... нам лучше? — спросила она Егорова, ухмыляясь греховно и с вызовом. — Лежа, на спине... или вы предпочитаете наоборот?

— Я полагаю, лучше раком... — рассудительно сказал Егоров. — Оно наглядней.

Анатолий стоял как пригвожденный к месту, не смея шелохнуться. Ему все это казалось нереальным. Он ожидал, что вот-вот все рассмеются, как после скверной шутки, Егоров извинится перед ними, а они его великодушно простят, и все разойдутся, стараясь больше не встречаться, чтоб не смотреть друг другу в глаза.

Он никак не мог свыкнуться с мыслью, что два взрослых, семейных человека, у которых, несомненно, имеются дети, как затравленные кролики, потеряв всякое чувство человеческого достоинства, ради того, чтобы не нарушить свой устоявшийся и, видать, не так легко доставшийся образ жизни мелких районных чиновников, согласны унизиться до последней степени.

Неужели они не взбунтуются? Неужели не пошлют все к черту и не набьют морду Егорову и ему, Анатолию, тоже хорошенько не покарябают физиономию?

Одутловатый покорно снял пижаму, обнажив волосатую, с сединой грудь и вислый, в жировых складках живот. Такие же редкие волосики, как и на лысине, проросли у него и на лопатках, и на пояснице. Только на лобке под складкой живота густо курчавилась рыжинка, и под ней совершенно исчезла даже видимость принадлежности к мужскому полу. Кроме волос там ничего не наблюдалось.

«От страха ушло внутрь», — подумал Анатолий.

Дама, тряхнув кудряшками, повернулась к ним спиной, нагнулась, уперлась ладонями в край кровати, выставила широкий, белый, в ямочках зад и, расставив бедра, уже не такие тугие, а с ложбинками в дряблой коже, открыла им мохнатый пучок неожиданно темных волос и влажно-розовую вертикальную щель посредине.

— Ну, идите же, — как конь, повернула она голову из-за плеча, и одутловатый, колыхаясь творожным животом и затравленно озираясь на Егорова и Анатолия, прошлепал по серому пластику.

Он неуверенно прижал брюхо к ее заду, руками и грудью навалился ей на спину и сделал несколько ерзающих движений молочными ягодицами.

— Не получается, товарищи, — не отлипая от ее зада, обернулся он к своим палачам и, чуть не плача, сообщил:

— Не стоит...

Дама распрямилась, оттолкнув одутловатого.

— Я не виновата, это он... Но можно попробовать по-другому.

— Как по-другому? — заинтересовался Егоров.

— Я возьму... в рот, — потупилась она.

— Минет, что ли? — вскинул брови Егоров. — У французов это так называется.

— Да, — кивнула она, — с вашего разрешения...

Егоров помедлил с ответом, словно взвешивая, стоит ли позволять такую вольность, явно не нашего, а западного происхождения:

— Ладно. Валяйте.

Она с готовностью опустилась на колени, обеими ладонями обхватила ягодицы своего незадачливого напарника и уткнулась лицом под нижнюю складку его живота. Светлые кудряшки на затылке дергались по мере того, как голова глубже зарывалась между безвольно расставленными волосатыми бедрами.

Одутловатый закатил свои поросячьи глазки и морщил розовый носик, посапывая.

— Отставить, — брезгливо скривился Егоров. — Стошнить может. Хреноватый мужик тебе, баба, достался. Одевайся.

Она вскочила с колен, вытерла ладонью губы и заглянула интимно и доверительно Егорову в глаза:

— Я могу считать, что вы меня простили?

— Это уж решать будем мы. В любом случае, основная вина на нем лежит. Соблазнил, а ничего сделать не может. Ты — жертва.

— Правильно, — горячо закивала она, торопливо натягивая на голый зад юбку. — Кобель слабосильный. Лишь раздразнил. Твоим хером только сковороды мазать. И за такую радость мне ставить под удар свою карьеру и личную жизнь?

Она уже была в свитере, а бюстгальтер и трусики, не надев, смяла в кулаке и наотмашь хлестнула одутловатого по носу.

— Без рукоприкладства, — остановил ее Егоров. — Он свое наказание получит. А ты давай валяй отсюда. Вот он тебя проводит.

— Пойдемте товарищ, — переложив бюстгальтер и трусики в другую руку, с готовностью схватила она Анатолия за локоть.

Они вышли в тускло освещенный коридор, обогнули застывшего тумбой швейцара, быстрым шагом отмахали три марша лестницы, вошли в ее маленький номер. Она включила свет, заперла дверь, швырнула на кровать смятые трусики и бюстгальтер и спросила Анатолия:

— Я вам нравлюсь... как женщина?

Анатолий что-то забормотал в ответ, а она не стала слушать.

— Давайте я вам отсосу. Идет? На память об этой ночи...

Она легко подтолкнула его к кровати, он сел, потеряв равновесие, завалился на спину, ткнувшись затылком в стену. Ее быстрые пальцы забегали по брюкам, расстегивая «молнию», она склонила лицо, зарылась носом, и Анатолий почувствовал, как теплые губы обхватили быстро возбудившийся член, и она задвигала липким язычком, отчего блаженство растеклось по всему телу.

Уже провожая его из комнаты, она доверительно заглянула в глаза и, облизывая языком губы, спросила:

— Значит, все в ажуре? Я могу быть спокойна?

— Более-менее, — он ободряюще хлопнул ее по заду и вышел в сонный пустой коридор.

Внизу он увидел швейцара у другой двери и понял, что Егоров чинит расправу над новой парой. Анатолий вошел без стука в маленький номер со следами раздавленных клопов на старых пожухлых обоях и единственным окном, выходившим во двор. Егоров сидел, развалившись, в кресле возле круглого столика под плюшевой скатертью, на котором темнела бутылка чуть-чуть отпитого портвейна, два стакана со следами вина на донышках и раскрытая пачка дешевого печенья. Крошки от печенья были раскиданы по скатерти. Вино, стаканы и печенье имели виноватый вид вещественных доказательств совершенного преступления, а сами преступники сидели рядышком на краешке кровати, полуодетые и по возрасту да и по виду никак не похожие на развратников.

Ему было за пятьдесят. Ей не меньше. Оба невзрачные, жалкие, и, видать, нагота двух пожилых и некрасивых людей покоробила эстетическое чувство Егорова, и он позволил им накинуть на себя кое-что из одежды.

Они сидели на краю кровати, как два воробушка, и обреченно и безо всякой воли к протесту смотрели Егорову в рот. А тот, чуть ли не зевая от скуки, читал им мораль и сам тяготился своей ролью, настолько этот случай был неинтересным.

— Итак, — подвел он итог, когда Анатолий вернулся, — вы, старые пакостники, понесете ответственность по всей строгости партийных норм. Ты, бабушка, собирай свои манатки и катись отсюда...

— А я? — вскинул головку на цыплячьей шее ее любовник.

— Ты? — смерил его скучающим взглядом Егоров, прикидывая, чем бы его еще припугнуть. — Ты тут останешься. Комната твоя, куда тебе идти? Спи до утра, если сможешь уснуть...

Его взгляд остановился на бутылке портвейна. Хмель от прежде выпитого уже улетучился из головы, захотелось добавить, и Егоров сказал деловито:

— Вино и закуску мы конфискуем...

— Пожалуйста, пожалуйста, — метнулся от кровати к столику полуодетый человек и дрожащими руками схватил портвейн и пачку печенья, просыпав несколько кусочков на пол. — Стаканы тоже возьмете?

— На хрен нам твои стаканы? — рассердился Егоров, забирая у него портвейн и печенье. — Это мы пришьем к делу, как вещественные доказательства.

В коридоре Егоров, не стесняясь швейцара, запрокинув голову, отхлебнул из горла несколько долгих глотков портвейна и отдал печенье и бутылку швейцару:

— Держи, борода. Но не смей пить. Это — улики. Понял? А теперь веди к следующим голубкам.

По коридору прошел запоздалый жилец, недоуменно покосился на них, и швейцар, придерживавший рукой у груди бутылку портвейна и пачку печенья, помедлил перед дверью и постучал лишь тогда, когда фигура исчезла за поворотом коридора.

В этой комнате «контролеров» ожидал сюрприз, который мог бы привести к скандалу и самым плачевным последствиям для них. В этой комнате обитал не кто иной, как прокурор. Тоже делегат конференции. И при этом сравнительно молодой и рослый, здоровый мужик. Способный набить морды и Егорову, и Анатолию и вышвырнуть их, как шкодливых котят, в коридор. А утром возбудить против них уголовное дело по всей строгости закона, который уж кому-кому, а прокурору известен до последней запятой.

Белобрысый прокурор открыл дверь без спешки и успел натянуть на себя синие форменные галифе, а босые ноги сунуть в шлепанцы. Его ночная подруга, особа тоже молодая и крайне аппетитная, сидела на кровати в розовой рубашке с кружевами по краю, поджав колени к подбородку, и колени ее были круглыми, вкусными, а с красивого и нагловатого лица еще не сошли следы возбуждения от любовных утех, так неуместно прерванных этим вторжением.

Прокурора не убедили слова Егорова о том, что они — партийные контролеры и по указанию свыше проводят проверку облика делегатов, размещенных в гостинице. Он потребовал предъявить документы. Егоров и Анатолий без большой охоты показали ему удостоверения. Они сразу поникли и даже побледнели, но прокурор, к счастью, этого не заметил. То, что они оба из Москвы, неожиданно произвело впечатление на прокурора и заметно сбило с него спесь. И тогда Егоров, быстро совладав с собой и припомнив весь арсенал демагогических словечек и лозунгов, коршуном налетел на прокурора, не давая ему опомниться под потоком самых страшных обвинений, изреченных безапелляционным тоном и голосом, полным негодующего металла.

Бравый прокурор на глазах растерял остатки мужества и позорно капитулировал. Воспользовавшись паузой в гневной филиппике Егорова, он смиренно вставил:

— Товарищи, да мы же все мужчины... Попытайтесь понять... С каждым бывает...

— Не с каждым! — отсек Егоров. — А с нарушителями норм партийной морали.

— Ну, хорошо... согласен... каюсь... Бес попутал... А повинную голову меч не сечет... У меня семья, детишки... Десять лет в партии... ни одного взыскания... Безупречная репутация...

— Безупречная, — сказал Егоров. — А она кто? Тоже делегат совещания?

— Да. Из местных. Живет не в гостинице. Заглянула на огонек. Она — подруга моей жены. Вместе институт кончали...

— Так, подруга, — протянул Егоров, плотоядно оглядывая аппетитную фигурку в ночной рубашке, молча сидевшую в углу кровати, положив подбородок на колени. — Документы с собой?

— А зачем мне их таскать? — криво усмехнулась она. — Дома документы.

— И муж дома? — спросил Егоров. — Спит небось, второй сон видит.

— Это вас не касается.

— Ой ли? — улыбнулся ей Егоров. — Ну, вот что, матушка, одевайся, да побыстрей. Пойдешь с нами.

— Никуда не пойду.

— Нет, нет, тебе надо пойти, — вмешался прокурор. — Не надо сердить товарищей. Они при исполнении служебных обязанностей.

— Подонок! — сплюнула женщина, поднявшись на ноги на упругом матрасе. — Жалкий трус! Не может защитить женщину, с которой спит. Все равно этим своей шкуры не спасешь.

Она стала одеваться у них на глазах, демонстративно не отворачиваясь, и, когда натягивала трусики на крепкие стройные бедра, вызывающе задрала рубашку.

Прокурор услужливо протянул ей юбку. Она вырвала ее из его руки и презрительно прищурилась:

— Не лакействуй, не поможет.

Одевшись, она через плечо бросила Егорову:

— Я готова.

И направилась к двери.

Егоров и Анатолий пошли за ней. Прокурор остался посреди комнаты с подтяжками на голых мускулистых плечах, в синих галифе и шлепанцах:

— Значит, дело миром кончилось? Я вас так понял? Дальнейшего хода не будет?

Она в дверях резко обернулась, гневно сверкнула греховными глазами:

— Замолчи, мерзавец! А то меня стошнит!

В коридоре она не без презрения осмотрела Егорова с ног до головы:

— Куда поведете?

— Следуйте за нами, — дрогнувшим от возбуждения голосом сказал Егоров.

Они втроем пришли в комнату, которую занимал Егоров. Она швырнула свою сумку на кровать, оглядела комнату и спросила:

— Вдвоем будете? Или только ты?

— Это мы решим полюбовно, — запер дверь на ключ Егоров. — Такую бабенку уступить другому — это себя не уважать.

— А он выйдет? Или будет присутствовать при сем?

— А уж это как вашей душеньке будет угодно.

— Мне безразлично. Я вас всех презираю. Выпить не найдется?

— Как не найдется? — Егоров поспешно стал отпирать дверь. — Это мы мигом.

Он отнял у швейцара портвейн и печенье, и пока он отсутствовал, женщина стала лениво раздеваться, делая вид, что не замечает Анатолия. Вещи свои она аккуратно складывала на спинку стула и, дойдя до нижней рубашки с кружевной оторочкой, помедлила, раздумывая, и тоже сняла через голову, представ перед Анатолием во всей обнаженной красе.

Когда вернулся Егоров, неся в охапке портвейн и печенье, она произнесла, ни к кому из них конкретно не обращаясь:

— Во всей этой истории мне мужа своего жаль. Уж больно худо ему будет, если прослышит. Ради него я вам в морды не плюнула.

— Да мы не понимаем, что ли? — от возбуждения теряя привычный начальственный тон, сказал Егоров, разливая нетвердой рукой вино по стаканам. — Мы — джентльмены.

— Подонки вы все, — сказала она, принимая стакан и не прикрывая своей наготы.

Анатолию стало как-то не по себе, словно он присутствовал при публичной казни. Торопливо опрокинув в рот кислый портвейн, он вышел в коридор. За его спиной скрипнул поворачиваемый в замке ключ.

Почти до рассвета куражились в гостинице на всех ее этажах Егоров и Анатолий в сопровождении швейцара. Разбудили десятки людей, поднимали женщин из постели, издевались как могли над испуганными, растерянными людьми и ни разу не встретили сопротивления. Люди безропотно сносили унижения, канючили, вымаливая снисхождение, и все, как на подбор, даже не подумали защитить своих дам.

Егоров и Анатолий угомонились лишь под утро, совсем выбившись из сил и засыпая на ходу.

Они проспали утреннее заседание межобластного совещания работников идеологического фронта и еле успели ко второй половине, где, согласно повестке дня, должен был выступать с докладом Егоров.

Он поднялся на трибуну, импозантный, холеный столичный гость, привычным взглядом опытного докладчика оглядел переполненный зал городского театра с большой хрустальной люстрой, висевшей на высоком лепном потолке, а на него, затаив от страха дыхание, смотрели жертвы его ночных похождений: прокурор в синих галифе и форменном пиджаке, директор Дома культуры, с которой позабавился Анатолий, подруга жены прокурора, стройным крепким телом которой насладился сам Егоров, одутловатый заведующий отделом пропаганды и агитации райкома партии и еще много-много других трусливых и жалких людишек, чьих лиц Анатолий и не запомнил.

Егоров отпил минеральной воды из стакана, профессионально-гулко откашлялся, поправил узел галстука на шее и сочным лекторским баритоном одарил зал:

— Антон Павлович Чехов, великий русский писатель, человек необыкновенной тонкости и культуры, в письме к своему брату сказал слова, которые по сей день звучат для нас, советских людей, ценным заветом: «В человеке все должно быть прекрасно — и лицо, и одежда, и мысли... »

Анатолий потом клялся своими тремя детьми, которых он обожал больше всего на свете, что именно так начал свой доклад его друг Егоров.

А теперь давайте рассудим.

Все, что рассказал мне Анатолий, кажется таким фантастичным, что, не знай я рассказчика много лет и не доверяй я ему, как себе самому, не поверил бы ни одному слову. Да если честно признать, при всем моем уважении к Анатолию весьма и весьма усомнился я в достоверности этой истории. То, что Егоров, проказник и прощелыга, мог додуматься до такой тотальной ночной проверки всех комнат гостиницы, допускаю. И что швейцар-взяточник был у них наводчиком, верю. И что кое-кто из партийных чинуш районного масштаба, пойманный с поличным с бабой в постели, наложил со страху полные штаны и во всей красе показал свою подлую душонку, тоже могу представить.

Но чтобы все, все мужчины, и не простые забитые людишки, а знающие цену власти и привыкшие командовать, чтобы такие мужчины, коих подняли ночью со своих любовниц два авантюриста, не воспротивились и униженно капитулировали, да еще в придачу отдали своих еще теплых после любовных ласк подруг на глумление и позор — такому я поверить категорически не мог и посчитал, что Анатолий, ради красного словца, перехватил, дал лишку и наболтал, чего не было и быть не могло.

Ибо если прав Анатолий и не соврал ничего, то все наше социалистическое общество — грязный свинарник, а новый тип человека, который мы так любовно выращивали со времен залпа «Авроры», — ничтожество и слизняк, какого еще человечество не знало.

Спорить с Анатолием я не стал, а в душе зачеркнул эту историю, как непристойный и неумный вымысел. И забыл об этом напрочь. Пока жизнь не ткнула меня носом в нечто подобное. И не где-нибудь на периферии, а в самой столице, где собран, как говорится, цвет нации.

Не помню, какое дело привело меня в Москву, но вернее всего, служебная командировка. Потому что поместили меня в одном из первых московских небоскребов — гостинице «Украина», что высится своими тридцатью этажами в гибкой излучине Москвы-реки, напротив моста, ведущего на Кутузовский проспект. Эта гостиница — не из обычных. Простой люд туда и сунуться не может. В ней живут важные заграничные гости, а из наших, советских, только те, кто ходит в высоких чинах или чем-то очень прославился. Все тридцать этажей, тысяча комнат, как соты, набиты отборной, исключительной публикой.

Я в те годы еще не был столь важной персоной, как сейчас, но уже взял старт и удачно отмахал первые ступени по известной лестнице, ведущей к власти. Я был очень озабочен созданием своей карьеры, знал почти все ходы и выходы в закоулках партийной машины, и перспектива передо мной открывалась самая прекрасная.

И вообще жизнь улыбалась мне необычайно. В Москве у меня была невеста Леночка — красавица и умница, блестяще заканчивавшая учебу в университете, дочь прославленного героя войны, влиятельнейшего человека, благоволившего ко мне и очень довольного выбором своей любимицы. Да и сам я был парень хоть куда. Здоров как бык, недурен собой и уже довольно прочно стоял на ногах. Как мне помнится, эту командировку в Москву я и выбил потому, что очень соскучился по Леночке.

Каждый вечер то я пропадал у Леночки в правительственном доме, то она — у меня. Отношения, не в пример нынешним, у нас были самые чистые, платонические. Если позволяли себе что, то самое большее — поцелуй в губы. Оба мы изнемогали от любви, но ждали, когда Лена получит диплом, и тогда — свадьба и рай.

Гостиница «Украина» гудела как улей, и шесть скоростных вместительных лифтов мчали вверх и вниз потоки людей. На самом верху был ночной ресторан, открытый до утра. Он был единственным такого рода в Москве. И внизу два нормальных огромных ресторана. Хрустальные люстры, бронза, мрамор. Три джаз-оркестра. На дамах дорогие меха, мужчины одеты у лучших портных. Сливки общества. Вот куда я затесался.

В те времена, должен напомнить, во всей стране свирепо проводилась кампания борьбы с хулиганством и безнравственностью, как с позорными пережитками прошлого, пятнавшими светлый лик нового, социалистического общества. В помощь милиции тогда-то и были созданы добровольные народные дружины, куда подбирали молодцов один к одному, по известному трафарету. Это были юные прыщавые пареньки, коим доставляло немалое наслаждение проявлять власть над людьми, арестовывать, хватать и даже бить нещадно при попытке сопротивляться — и все это под прикрытием закона и с благословения начальства. Страшноватые юнцы. К таким, не дай Бог, в руки попасть.

И вот в целях борьбы с безнравственностью эти-то дружинники решили устроить облаву в гостинице «Украина», прочесать весь этот муравейник и выудить, выловить всех носителей разврата, то есть проституток, каковые водились и водятся в Москве в немалых количествах, хотя официально считается, что с этим пороком у нас давно покончено, ибо ликвидирована буржуазная среда, питавшая его. Тем не менее охоту на проституток устраивали довольно часто и хватали немалый улов.

А вот как определить, кто проститутка, а кто нет? Ведь на лбу не написано и в удостоверении личности такая профессия не значится. Поэтому поступали просто. Без всяких уловок. По-топорному. Как часто у нас делается и в других сферах. Хватали всех представительниц слабого пола, а если попадались честные, порядочные женщины, то им предстояло доказать это, и тогда их освобождали после цепи унизительных допросов, ссылаясь на известную поговорку: «Лес рубят — щепки летят». Злая поговорка. Чудовищная. Оперируя ею, Сталин лишил жизни миллионы невинных людей, зачислив их в разряд щепок, которым положено лететь во все стороны, когда рубят лес.

Гостиницу «Украина», несомненно, посещали девицы легкого поведения, и некоторые постояльцы гостиницы охотно пользовались продажной любовью. Все это делалось шито-крыто, втихаря, чтоб никто не знал, и до поры до времени это сходило с рук.

Но вот власти отдали команду дружинникам прочесать гостиницу. Подогнали к парадному подъезду колонну крытых автофургонов, без окон, для того чтобы доставить весь улов в отделения милиции для расследования и допросов. Сотни юнцов в нарукавных повязках хлынули в огромный мраморный вестибюль и, разбившись на группы, оцепили выходы из всех шести скоростных лифтов. В этой гостинице нет лестниц, только лифты. И выходы из этих лифтов, плотно оцепленные дружинниками, превратились в западню для женщин. Для всех женщин подряд, кто имел несчастье очутиться в гостинице именно в этот вечер, когда проводилась облава на проституток.

Кабина лифта, в которой теснилось десятка полтора людей, бесшумно и плавно спускалась вниз, распахивались автоматические двери, спрессованные люди вываливались в вестибюль, и цепкие руки дружинников, пропуская мужчин, хватали женщин и тащили их в сторону, передавая своим дожидавшимся товарищам, которые тем же способом, насильно, заламывая руки, волоча упирающихся по мраморному полу, загоняли их в крытые фургоны.

Шесть лифтов работали беспрерывно, доставляя вниз очередную поживу. Женщин силой отрывали от мужчин, хватали их за все места, лапали, волокли на глазах у их растерявшихся партнеров: то ли любовников, то ли просто товарищей или даже сослуживцев, к коим заскочили повидаться по делу их коллеги женского пола.

Женский крик и плач оглашали огромный мраморный вестибюль среди лепных стен, под многопудовыми хрустальными люстрами. Я находился в этом вестибюле и все видел своими глазами, и от ужаса и отвращения все мое тело покрылось гусиной кожей.

Сотни мужчин, молодых и пожилых, безропотно отдавали своих женщин на расправу и унижения, и ни один не попытался вступиться, отстоять ту, с которой он только что лежал в постели или, что чаще всего было ближе к правде, лишь по-приятельски болтал в своем номере. Мужчины, все как один, струсили, умыли руки, лишь бы не попасть в милицию, не фигурировать в деле, что может привести к неприятностям по службе. Ради того, чтобы избежать небольшого житейского неудобства, эти мужчины, а среди них было много военных, офицеров, совершали откровенное позорное предательство.

Господи, думал я, да что же это творится? В старину, до советской власти, русские люди, дворяне, коим действительно было что терять в случае смерти, шли на дуэль из-за одного косого взгляда, брошенного на их женщину, и погибали, отдавали свою жизнь, отстаивая честь дорогого им существа. Так погибли лучшие поэты России — Пушкин и Лермонтов. Погибли, не задумываясь, без тени страха и мелочных расчетов.

А эти? Кому и терять-то было нечего, ибо не имели они ни имений, ни миллионных капиталов, как те, что в старину шли под пулю, отстаивая свою честь. Они не имели ничего, кроме своих жалких зарплат, казенных тесных квартир и партийного билета, обеспечивающего уровень жизни получше, чем у среднего обывателя, а тот был уж совсем нищенский. У них не было понятия о чести. Они все до единого оказались вполне сформировавшимися негодяями и шкурниками и постарались трусливо испариться, лишь бы не быть взятыми на заметку прыщавым юнцом.

Во всей этой бесчисленной толпе прохвостов один лишь оказался нормальным мужчиной. Не наш. Иностранец. Черный из Африки. Он вышел с белой русопятой девчонкой под руку из лифта и, когда руки дружинников потянулись к ней, он прикрыл ее своей спиной и, что-то гневно лопоча на непонятном языке, стал драться, круша своими кулаками прыщавые скулы и мокрые носы.

Он отбил свою даму, не отдал ее и, снова взяв под руку, бережно повел к выходу, высоко неся черную курчавую голову над стадом белых трусливых баранов. Дружинники отхлынули от него. Хотя я могу поклясться, что русская девчонка, которую он проводил из гостиницы, была, несомненно, по всем признакам девицей легкого поведения, обыкновенной проституткой, за деньги или заграничные тряпки уступавшей свое тело. Но этот негр с ней спал, и это было для него достаточным основанием защищать ее, как самую благородную даму.

Уехали переполненные фургоны от парадного подъезда гостиницы, утихли крики в вестибюле, мужчины рассеялись по щелям, растворились, исчезли. А я стоял под хрустальной люстрой, и мне хотелось плакать как ребенку. И не только потому, что я был свидетелем такой чудовищной картины падения нравов. Я оплакивал себя.

Я вас знакомил с моей супругой, и вас теперь не удивляет, что ее зовут не Леной. А? Вы, кажется, догадались.

Леночка в тот вечер была у меня в гостинице, ее вырвали у меня потные, липкие руки дружинников и почти бесчувственную от ужаса и омерзения поволокли по полу к фургонам.

А я? Я одеревенел и стоял как столб. В голове сверлила одна лишь жалкая мыслишка: если я устрою скандал, подерусь, отобью Лену, меня вместе с ней увезут в милицию, составят протокол, который пошлют по месту службы, заставят долго доказывать, что наши с ней отношения чисты и мы не развратничали в моем номере. А как это докажешь? И на мою репутацию ляжет несмываемое пятно в личном деле, как каинова печать, будет вечно следовать за мной милицейский протокол, в котором я буду охарактеризован не с самой лучшей стороны. Моя карьера начнет рушиться.

А кому, скажите мне, люди, нужна карьера, когда растоптаны совесть и честь. Сейчас на склоне лет я это понимаю и рассказываю вам как на духу, чтобы очистить душу от тяжести, висящей на ней. Очищу ли я ее? Вряд ли. Но хоть поговорить начистоту с друзьями, покаяться, ведь это тоже что-то.

Леночку я больше не видал. Она не захотела меня знать. Порвала со мной окончательно и бесповоротно. И была права. А я долго не мог утешиться. Потом женился на другой. Наплодил детей. И вот живу. Не умираю.

Зуев вышел из комнаты «Горное солнце» голый, в синих очках, защищавших глаза от действия ультрафиолетовых лучей. Астахов, возлежавший на диване после парилки, тоже ничем не укрытый, еще розовый от взаимодействия веника и пара, иронично оглядел короткое, в жирных складках тело Зуева:

— Загорел, брат, на горном солнце. Как с Черноморского побережья Кавказа.

— Действительно? — стал поворачиваться боками перед стенным зеркалом Зуев, изучая розовые пятна, проступившие в разных местах, — как бы ожог не схватить.

— Что ты там так долго делал?

— Думал.

— О чем, если не секрет?

— Лежал я, братцы, под горячим солнышком, вкушал достижения цивилизации и думал о том, что в мире нас, русских, не только не понимают, но нарочно напускают побольше туману, когда речь заходит о нас. Словно им там, на Западе, доставляет особое удовольствие мысль о том, что есть, мол, такая страна Россия, не похожая на них, загадочная, как сфинкс. И народ там загадочный... Загадочная славянская душа. Придумано это все от снобизма. Мы, мол, нормальные, а они, мол, с придурью. Читают Достоевского, ахают и охают. Какая тьма душевная! Какая бездна! Аж страшно заглянуть в эту душу. А пробовали вы заглянуть в эту душу? Ох, и удивились бы. Пусто там, как и у вас на душе. Разница лишь в том, что у них от души виски отдает, а у нас водкой разит.

Никакой Достоевский так не раскрыл русскую душу, как обычный советский анекдот. Моментальный портрет. Душа крупным планом.

Вот вам пример. Из серии анекдотов о Василии Ивановиче Чапаеве и его верном ординарце Петьке.

Поймали красные белого офицера и допрашивают. Петька является к Василию Ивановичу с докладом:

— Молчит, гад. Не можем язык развязать.

— Шомполами пробовали? — спрашивает Чапаев.

— Пробовали. И иголки под ногти загоняли, и зубы все выбили.

— Правильно сделали.

— Молчит, гад. Остается последнее средство испробовать.

— Какое?

— Дать ему с вечера вволю напиться водки, а утром попросит опохмелиться — не дать.

— Ни в коем случае! — возмутился Чапаев. — Мы, чай, не звери...

Лунин, не слыхавший прежде этого анекдота, расхохотался, стоя в дверях парной и прикрывая низ живота мокрым веником. К его побагровевшему телу прилипли распаренные березовые листики.

— Вот уж действительно загадочная душа, — смеялся он. — Этакая смесь детской непосредственности и закоренелого алкоголизма. Где тут квасок у нас? Душа жаждет.

Он прошелся по ковру к холодильнику, извлек оттуда запотевший эмалированный кувшин и стал пить прямо из горла, запрокинув голову.

— Эй, и мне оставь, — попросил Зуев.

В прихожей зазвенел звонок, и Зуев подбежал к дверям, к переговорному устройству. Астахов запахнул на коленях халат, а Лунин, поставив кувшин на пол, поспешно схватил со спинки стула купальное полотенце и обернул им живот и бедра.

Зуев нажал на кнопку и спросил в решетчатую мембрану:

— Кто это?

— Я, — послышался искаженный треском электрических разрядов игривый женский голос. — Дуня. Официантка. Горяченького вам поесть принесла.

— Дуня? — взыграл Зуев и, обернувшись к товарищам, подмигнул. — А как вас по батюшке, Дуня?

— Да чего это я вам по телефону должна говорить? Откройте, скажу.

— Нет, уж вы нам, Дуня, по телефону скажите, — затанцевал у двери голый Зуев, посвечивая розовым после «горного солнца» задом. — Тогда и пустим.

— Да Ивановна я, — протрещал голос в рупоре. — Вот уж неугомонные. Ровно дети.

— Милости просим, Авдотья Ивановна, — Зуев нажал на кнопку сигнала, открывающего входную дверь.

Из прихожей слышно было, как официантка захлопнула за собой дверь и веником стала обметать снег с ног.

Астахов вскочил с дивана и суетливо стал натягивать на себя под халатом трусики. Лунин тоже, сбросив мохнатую простыню, накинул на плечи купальный халат и, запахнув, стянул узлом пояс. Один Зуев оставался нагишом и посмеивался над своими товарищами.

— Джентльмены. Напрасный труд.

— Но все же дама, — возразил Астахов.

— Эта дама, если мои сведения точны, привыкла видеть мужчин в голом виде. Здесь отдыхал до нас мой коллега Женя Афанасьев. А ему я доверяю...

В чем доверяет Зуев своему коллеге Жене Афанасьеву, так и не удалось узнать Астахову и Лунину. Потому что Дуня вошла в гостиную.

— Здравствуйте, соколики!

Сказано это было с доброй, приветливой улыбкой. От всего облика Дуни — простой русской бабы с морозным румянцем во всю щеку, с нагловатым и в то же время потупленным взглядом серых глаз, с веселыми морщинками от улыбки на выступающих по-татарски скулах — повеяло домашним уютом, кислым хлебом и парным молоком, запахом детства в деревенской избе, где появились на свет когда-то все три приятеля — и Зуев, и Астахов, и Лунин. Да к тому еще Дунин слегка скоморошиий наряд, почитавшийся здесь униформой для обслуги — бисером шитый кокошник на голове, душегрейка с меховой оторочкой и черные валенки-чесанки, облегающие крепкие ноги, с выпирающими над отворотами валенок икрами, настраивал на бездумный, невсамделишный, праздничный лад, когда хочется дурачиться, позабыв о годах и служебном положении.

— Здравствуй, матушка!

— Здравствуй, голубушка!

— Ах, ты, кормилица наша!

В тон ей загалдели они хором.

В обеих руках у Дуни были алюминиевые судки, издававшие вкусный запах.

— Сейчас покормим вас, — словно причитая, напевно тянула Дуня, ставя ношу на стол. — Небось изголодались, бедненькие. Все принесла вам, как любите. Специально у ваших супруг дозналась, кому что по душе... Вот голубцы со сметаной, вот борщ украинский, а вот котлеты пожарские.

— Ах, Авдотья Ивановна, — развел руками, будто пытаясь ее обнять, голый Зуев. — Матушка ты наша, заступница. Товарищ Тимошкина.

— Ох, и фамилию мою узнали, — как бы застыдившись, прикрыла рот рукой Дуня.

— А как не знать? Вся Россия слухом полнится. От Балтийского моря до самых до окраин... Везде наш брат, партийный работник, славит Авдотью Ивановну.

— Ой, тоже скажете, — совсем засмущалась Дуня.

— Вам привет, велел кланяться мой друг товарищ Афанасьев.

— Женя, что ли? Не забыл, значит. Ох, и шелапутный товарищ Афанасьев. Ровно дитя малое, любит куролесить.

— Очень лестно он о вас отзывался, — подмигивал приятелям Зуев.

— Спасибо на добром слове, — отвечала Дуня, расставляя посуду на столе. — А условие мое сказывал?

— А как же? Все припасено. Вчера наменял, — Зуев побежал к гардеробу, стал рыться в карманах своей шубы.

Астахов и Лунин, один на диване, другой в кресле, наслаждались разыгрываемой перед ними сценой, в которой Зуев комиковал и притворялся, а Дуня вела роль всерьез и искренне. Чем это все могло завершиться, оба не догадывались, и это еще больше разжигало любопытство и улучшало настроение.

Зуев принес на ладони три серебряных рубля и показал сначала зрителям, потом Дуне.

— Вот они, без обмана. Три юбилейные монеты с Лениным.

Дуня взяла монеты, осмотрела каждую и сунула в карман душегрейки.

— Значит, всех троих обслужить?

— А как же? — сказал Зуев. — Мы — неразлучные друзья.

— Ну, тогда кушайте на здоровье, а я пойду приготовлюсь. Как покушаете, кликните.

И ушла в прихожую.

Астахов и Лунин уставились на Зуева.

— Да, да, — сказал он, довольный произведенным эффектом. — Это и есть мой сюрприз. Она тут всех отдыхающих мужского пола обслуживает, ставит на полное половое довольствие. Женька Афанасьев не врал. Все среднее звено партийного аппарата пропустила эта девица. Работает безотказно, как часовой механизм. Только раз дала маху, забеременела и имеет ребенка, неизвестно от кого. Коллегиальное дитя. Любой из наших коллег имеет все основания считать именно себя отцом.

— Нет, нет, — замахал руками Астахов. — Я в этом не участвую.

— Хочешь прослыть чистоплюем? — прищурился на него Зуев. — Только не перед нами, Сережа. Мы друг другу цену знаем.

— Нет, уволь, — отмахивался Астахов. — Не тот возраст да и...

— Не то положение? — съязвил Зуев. — У всех у нас одно положение, одной веревочкой повязаны. Выходит, Сережа, я напрасно потратился. За тебя уже уплачен серебряный рубль с изображением Ленина. Другой валюты наша дама не принимает. Только юбилейный рубль.

— Она что, недоделанная? — озабоченно спросил Лунин.

— Имеется маленько, — кивнул Зуев. — Не все дома. Но это не помеха плотским утехам. А, наоборот, даже приятней. Женя Афанасьев — большой дока и никудышный товар не станет хвалить. Одним словом, давайте обедать, а то мы бабу там застудим в прихожей, дожидаючись. Я иду первый. Живой пример всегда заразителен.

Наскоро поглотив обед, Астахов и Лунин, взволнованные как мальчишки, собирающиеся напроказить, пересели на диван со стаканами компота в руках и заняли позицию зрителей.

Голый Зуев, колыхая рыхлым задом и жировыми складками на боках, вышел на середину ковра, вытер рот салфеткой и хлопнул в ладоши:

— Дуня! Пожалуйте!

— Иду-у-у! — игриво откликнулась Дуня из глубины прихожей и выбежала в гостиную, как на цирковую арену. Она была абсолютно голой, лишь на ногах чернели мягкие валенки-чесанки с отворотами на икрах, а на голове посверкивал бисером кокошник — непременный атрибут старинного русского костюма. Это еще больше придавало всему происходящему сходство с цирком. Жирный, коротконогий и лысый Зуев выглядел клоуном, раздевшимся догола.

— Сейчас самое время ввалиться нашим женам, — хмыкнул Астахов.

— А мы не впустим, — мило улыбнулась Дуня. — У нас — механизация. Не войдешь без звонка. Да и не придут они. Сидят на собрании. У нас сегодня там такое делается: морально-бытовое разложение обсуждают.

— Это кто с кем у вас разложился? — спросил Лунин.

— Ерофей. Кучер. На тройке гоняет. Видный мужик. С подавальщицей спутался. С Клавой. А сам женатый. Трое детей.

— Нехорошо, — с напускной серьезностью сказал Астахов. — Небось коммунист?

— У нас все — коммунисты, — ответила Дуня. — Беспартийных тут не держат. Нет политического доверия. А в партии как? Очень строго насчет семьи. Нельзя разрушать.

— Точно, — кивнул Зуев. — Как же вы так, Авдотья Ивановна, не доглядели за вашим кучером Ерофеем и Клавой?

— Да вот, заладили одно: любовь, мол, у них, — объяснила Дуня. — Не могут друг без дружки.

— Ну, а если партия прикажет? — сохраняя серьезный тон, спросил Астахов. — Должны подчиниться?

Дуня кивнула.

— А не подчинятся, их обоих сегодня выгонят из партии и с работы. А где они еще такую работу найдут? Так что не беспокойтесь, ваши жены там до конца просидят. Ведь интересно послушать про чужую жизнь. Нам тут никто не помешает... пока там идет собрание.

— В таком случае, Авдотья Ивановна, приступим, — потер ладони Зуев, делая круги по ковру вокруг Дуни. — Может, желаете перед началом глотнуть чего-нибудь горячительного? Чего изволите? Коньяку или шампанского?

— Нам бы водочки, — потупилась Дуня. — Не откажемся.

Пока Зуев нетвердой рукой доставал из холодильника и наливал в стакан водку, Лунин и Астахов, подавляя смущение, рассматривали Дуню, ставшую в изгиб рояля, облокотившись на деку, как концертная певица, собирающаяся запеть. У нее была крепко сбитая фигура с выпуклым животом рожавшей женщины, широкими бедрами и круглыми деревенскими коленями. Груди налитые, чуть вислые, с большими коричневыми сосками. В паху и под мышками курчавились жесткие на вид черные волосы. С лица не сходила глупая и добрая улыбка.

И при том, что и Астахов и Лунин в своей жизни повидали достаточно женщин и красивей и стройней, от Дуни на них повеяло такой притягательной бабьей силой и бездумной ласковостью, что они почти одновременно ощутили возбуждение.

— Царевна-несмеяна, — шепнул Астахов Лунину, а тот в ответ:

— Василиса Прекрасная.

Дуня взяла у Зуева стакан, отставив мизинец, и звонко сказала:

— Со знакомством!

Опорожнив одним глотком стакан, она поставила его на рояль и кокетливо спросила:

— А вас-то как величают, не знаю. А полагается знать.

— Ну, раз полагается, то начнем с меня. Виктор Иваныч, — Зуев церемонно пожал Дуне руку. — А этот, с красивой шевелюрой, — Сергей Николаич. И Александр Дмитрич — тот, что с усами.

— Очень приятно, — улыбнулась каждому Дуня и добавила: — Можете поздравить меня, товарищи. Меня приняли в кандидаты партии. Райком утвердил.

Это было так неожиданно сказано, с такой наивной простотой, абсолютно не вяжущейся со всей обстановкой и голыми телами, что мужчины какой-то миг сидели окаменев, с раскрытыми ртами и потом вместе разразились хохотом.

— Так это же крупнейшее событие в жизни нашей партии! — завопил, задыхаясь от смеха и выплясывая нагишом на ковре, Зуев. — Теперь мы действительно непобедимы!

— Ох, и маяли меня, маяли, — пожаловалась, ища сочувствия, Дуня. — Все вопросы да вопросы... и такие каверзные...

— Ты хоть не ударила в грязь лицом? — все еще смеясь, осведомился Лунин. — Отвечала-то как следует?

— Да так... ни шатко, ни валко... Кое-что ответила... кое-что запамятовала... Да ведь я так считаю... на все вопросы дать верный ответ может один человек...

— Кто? — со слезящимися от смеха глазами выдохнул Астахов.

— Чай, только Карл Маркс.

Ее слова потонули в хохоте. Лунин, постанывая, только и повторял:

— Ну, Дуня, всю теорию превзошла... Тебя сейчас на мякине не проведешь.

— Да меня и раньше-то не очень-то объедешь, — совершенно серьезно отвечала Дуня, — а теперь-то уж конечно...

— Ладно! — хлопнул в ладоши Зуев с багровым от смеха лицом. — Кончай базар! Как говорится, ближе к телу! Приступим, Авдотья Ивановна. Только уж сегодня, матушка, должна показать класс! В честь такого события.

— А на нас никогда не жаловались, — с достоинством ответила Дуня, скрестив руки перед собой и приподняв обе груди. — Я же проходила моральный кодекс строителя коммунизма... Когда Программу партии учила. А там что сказано? Честность и правдивость... Так? Высокое сознание общественного долга... Коллективизм и товарищеская взаимопомощь... А главное, что мне понравилось, — золотые слова: каждый за всех, все за одного!

— Браво! — зааплодировал Зуев. — Все! Доклад окончен. Следующий номер нашей программы...

— Учтите, — перебила Зуева Дуня. — Я ложиться не люблю. У меня низкое расположение... уж больно высоко надо ноги задирать.

— Как предпочитаешь? — насторожился Зуев.

— А раком... — просто сказала Дуня. — Я на рояль обопрусь, а вы сзади пристраивайтесь.

И действительно, стоило Дуне нагнуться в изгибе рояля, между ее расставленных бедер раскрылась розовая волосатая щель, и Зуев, прижавшись к ее ягодицам, легко воткнул туда свой член и повел в сторону посоловевшим от наслаждения взором. Но тут же взгляд его прояснился, наткнувшись на экран беззвучно включенного телевизора. Там бегали по зеленому полю футболисты.

— Саша! — крикнул он Лунину. — Включи звук! «Спартак» — «Динамо». Чуть не прозевали!

— Вы... одно из двух, — откуда-то снизу пробормотала Дуня. — Или футбол глядите, или...

— Я, пожалуй, потом, — отлип от ее зада Зуев и прошлепал к телевизору. — Ребятушки, я — пас, непредвиденные обстоятельства... Кто пойдет? Ты, Сережа?

Астахов смущенно поморщился:

— Я бы не отказался... но... не люблю в этом деле... при публике... Если уединиться...

Дуня разогнулась.

— А мы пройдем в «Горное солнце». Там нам никто не помеха.

— Пожалуй, — поднялся Астахов, на голову выше Дуни, и та, заботливо сняв с него халат и сложив на стул, уважительно взяла за руку и повела в комнату «Горное солнце».

— Совестливый, — напевным голосом нахваливала Дуня Астахова. — Хоть мужик, а не охальник.

— Потому как коммунист, — в тон ей ответил Астахов, сдерживая улыбку.

Зуев приник к телевизору — его больше ничто не интересовало.

Лунин с дивана смотрел в голые спины Астахова и Дуни и комментировал:

— Подобралась пара — гусь да гагара. Боевой, испытанный авангард советского народа.

Зуев добрал свое, когда в футбольном матче наступил перерыв после первого тайма. Выключив звук, но не убрав изображения с экрана, чтобы не пропустить начала второго тайма, он поставил вернувшуюся из «Горного солнца» Дуню в изгиб рояля и вполне уложился во времени до того, как на футбольном поле прозвучал свисток судьи, возвестивший о начале второй половины игры.

Лунин не последовал примеру своих товарищей, отказался.

— Брезгуешь? — удивленно и обиженно спросила неутомимая Дуня.

— Да нет... Бог с тобой, — краснея, стал оправдываться Лунин. — Не могу... и все. Нет у меня желания... А без желания, сама понимаешь... ничего не получится.

— Это уж точно... — согласилась Дуня. — Баба всегда может, да не всегда хочет, а мужик всегда хочет, да не всегда может. Я понимаю... Так что, тебе твой рубль вернуть?

— Нет, нет, — замахал руками Лунин, — оставь себе... А вот хочешь доставить мне приятное, пойдем в парную, и ты меня похлещешь веничком. По-бабьи, ласково. А то эти мужланы, дай им дорваться, семь шкур спустят.

— Это мы с удовольствием, — согласилась Дуня. — Вот только валенки сниму. Я и сама люблю париться.

Лунин прихватил две бутылки пива и пошел вслед за Дуней в парную.

Через полчаса, одевшись в прихожей, Дуня вернулась в гостиную за посудой, мягко переваливаясь в своих черных валенках.

— Заболталась я с вами... а дел у меня невпроворот... В пятом тереме надо покормить товарища из Грузии. Занемог, заказал обед домой...

— А юбилейный рубль с Лениным заготовил? — съязвил Зуев.

— Ну, за грузином не пропадет, — убежденно сказала Дуня. — Ему и в долг поверить можно. Очень пунктуальный народ.

— Еще бы, — не унимался Зуев. — Вот запузырит он тебе под самую селезенку, гляди не захлебнись.

— Как-нибудь перебьемся... — рассмеялась Дуня. — От этого еще никто не помер. Занятный они народ — грузины... Тут их однажды четверо было... Я им обеды сюда принесла... Так такое учудили... Карусель называется...

— Как? Как? — заинтересовался Астахов. — Что-то новенькое...

— Ты нам, Дуня, поподробней освети, — попросил Зуев. — А то грузины, вишь, до чего дошли, а мы, русские, отстаем. Передовой опыт надо двигать в массы.

— Уж и не знаю, как вам растолковать, — Дуня задумалась и ладонью подперла подбородок. — Ну, были мы все пятеро, конечно, нагишом. Тут никакой одежды не полагается. Наоборот, мешать будет... Я, значит, вот тут посредине нагнулась, а один, который с усиками... вставил мне в рот... Другой же зашел сзади и задвинул оттуда. Значит, двое уже пристроены и им — хорошо. Остаются еще два. У меня больше дырок нет, не засунешь. Значит, что они окаянные придумали, чтоб никому обидно не было? Другие два стали у меня по бокам, я вытянула руки, взяла в ладоши у каждого его яйца и давай мять. Вот так и получилась карусель. Народ они, грузины, горячий, не могут тихо, а все больше криком исходят от удовольствия. Так и галдят вчетвером. Одна я — немая, рот занят. Да и следить надо, чтоб никого не обидеть, все хорошо сделать. А потом, значит, те двое, что спереди и сзади, кончили благополучно и освободили место для своих товарищей, которым я яйца мяла и очень даже разогрела. Вот те свои разогретые мне воткнули спереди и сзади, а те, что уже удовлетворенные, стали по бокам, и я им стала яйца мять. Карусель называется. Ох, и горячий народ. Каждый по три раза меня поимел, вот так вот меняясь местами. Уж до чего я не хлипкая, а прямо в пот вогнали.

Зуев, Астахов и Лунин слушали Дуню, не перебивая, а когда она ушла, унеся пустые судки, долго сидели молча.

— Надо полагать, грузины были помоложе нас, — вздохнул Лунин.

— Это несомненно, — угрюмо произнес Астахов, — нам с ними не тягаться.

— Что вы приуныли? — вскочил Зуев. — Мужички! Каждый возраст имеет свою прелесть. И потом не зря в народе говорят: старый конь борозды не портит. Были когда-то и мы рысаками. А ну, выше нос! И хвост — пистолетом. Есть еще порох в пороховницах. Старая гвардия умирает, но не сдается. Хотите послушать анекдот, как один малый телевизор чинил?

Приходит Иван с работы, жена кинулась к плите котлеты жарить. А он, пока ужин готов будет, включил телевизор. Там — помехи, плохо видно.

— Схожу, — говорит жене, — на крышу, посмотрю, что с антенной.

Живут же они на седьмом этаже, а дом, скажем, в двенадцать этажей. И вот, пролетая мимо своего седьмого этажа, кричит он в окно жене, занятой у плиты:

— На меня не жарь!

РАССКАЗ ЗУЕВА

Нет, друзья, что ни говорите, а как неисповедимы пути господни, так и непостижима логика поведения женщины. Я имею в виду нормальную женщину, без всяческих вывихов и патологий. Так сказать, среднестатистический экземпляр. Из тех, что мы видим в метро и автобусе, спим с ними как с женами или как с любовницами. Одним словом, встречаем на каждом шагу, толкаемся каждый день локтями, а постичь их логику нам не дано, и никакого просветления в будущем не намечается. Как любил выражаться один лектор из нашего отдела пропаганды и агитации — за примером далеко ходить не надо.

Мы уже условились, что как бы фантастична и невероятна история ни была, клясться и божиться в ее правдивости в нашем кругу не приходится. Каждое слово принимается на веру, потому что все мы тертые калачи и нас уже ничем не удивишь.

Ехал я в поезде с женой и сынишкой из Сочи в Москву. После отдыха, скучного, как зубная боль. В профсоюзном санатории для семейных. Бабы — выдры. Ханжи, каких свет не видал. Жопы ниже колен, в поросячьих глазках — дубовая непорочность. Не вам мне рассказывать — сами знаете, какой контингент подбирается на подобных тюленьих лежбищах для семей партийно-профсоюзного актива. Мужья — не намного лучше. Жрут водку украдкой и под жарким солнцем с восхода до заката стучат в домино.

В нашем купе ехала еще одна семья, такого же состава, как наша: муж, жена и малолетний отпрыск. Поделили мы купе согласно купленным билетам: нам левые полки — верхняя и нижняя, им — правые. И на ночь разместились таким образом. Женщины, естественно, легли на нижних полках, пристроив себе в ногах валетом ребятишек, а мы, мужчины, забрались на верхотуру и при синем свете ночника пускали в приоткрытую фрамугу окна дым последних, выкуренных на ночь, сигарет. А потом уснули под стук колес, почесывая под казенными простынями обожженную на южном солнце шелушащуюся кожу на плечах.

Когда едешь вместе двое суток, зажатый в тесном и душном купе, невольно вступаешь в контакт, даже если судьба свела тебя не с одушевленным существом, а с несгораемым шкафом. Еще днем, едва мы расположились в купе после толкотни на Сочинском вокзале и поезд благополучно отбыл подальше от пальм и моря в сухую кубанскую степь, я завел разведывательные, прощупывающие разговоры с нашими соседями и с тоской убедился, что он — типичный партийный дуб, из только начинающих карьеру и потому малоразговорчив, осторожен, на все имеет правильные, проверенные ответы и общаться с ним, что биться головой об стенку — эффект одинаков. Она же представляла несомненный интерес. Внешний.

Под халатиком, который она накинула на себя, переодевшись в вагонном туалете, угадывалась крепкая и женственная фигура, с довольно крупной и стоячей грудью и с заманчивым изгибом поясницы, переходящей в чуть отставленный и упругий зад. Из-под халата выглядывали сильные икры золотисто-загорелых ног. И в физиономии ничего отталкивающего. Одним словом, вполне употребимый бабец. От такой ни один мужчина не откажется.

Но зато выражение лица... Батюшки-светы... Сама непорочность. Губы строго поджаты, ресницы приспущены, в глаза не глядит. Будто тильки-тильки из гимназии и секретов зачатия не ведает, хоть и ребенка на свет произвела. Монашка, да и только. Такая строгая классная дама, что даже боязно при ней рот раскрыть, как бы скабрезным словом не осквернить ее невинные ушки.

Я, каюсь, не удержался и запустил в воздух для зондажа легонький анекдотец. В нем и соли-то не было, еле-еле прощупывался намек на сексуальность. Вы бы поглядели, как она вспыхнула до кончиков ушей, каким испепеляющим, негодующим взглядом пронзила меня, что я умолк на полуслове, прикусив язык.

Даже мою жену пронял этот взгляд оскорбленной невинности. Как нашалившего мальчишку, взяла она меня за руку и вывела из купе в коридор и там прочла нотацию о том, какой я вульгарный тип и почему такие гадости я смею произносить при женщине. Хотя до этого моя жена с удовольствием слушала и в моем и в чужом исполнении самые препохабные анекдоты и смеялась до слез, как и любой нормальный человек с в меру развитым чувством юмора. Но пуританизм и строгость нашей соседки по купе и ее сделали старой девой.

Я умолк и онемел. За весь день обменялся с женой и сынишкой только самыми необходимыми фразами, а с наступлением темноты залез наверх, разделся под простыней и затих как кролик. Даже мой сын присмирел и не шалил в присутствии нашей соседки. А жена моя, уж на что востра на язык и озорная, недорого возьмет матом припустить, прикусила язычок, и каждое слово, сказанное в присутствии той, как сквозь марлечку процеживает, чтоб, упаси Бог, ненароком не покоробить благовоспитанного слуха нашей соседки.

Супруг ее, видать, вымуштрованный за годы совместной жизни, слова лишнего не скажет, по-собачьи ей в глаза глядит, а все остальное время газету «Правда» читает, как школьник-малолетка шевеля при этом губами.

Уснуло купе. Стучат колеса под полом. Похрапывает рядом со мной муж нашей строгой соседки. Детишки внизу посапывают во сне. Женщин не слышно. И моя и она, видать, тоже уснули. Вагон к ночи остыл, и прохладный ветерок шевелит занавеской на окне. Уснул и я. Голый, как мать родила, под казенной льняной простыней с черными мастичными штампами министерства путей сообщения.

Просыпаюсь оттого, что чья-то рука шарит под простыней по моему телу. Не просыпаясь окончательно, а все еще пребывая во сне, чувствую эту руку, горячую женскую ладонь, ласково и возбуждающе пробегающую, чуть касаясь, по моему животу, потом по бедру. Тонкие пальчики коснулись сонного члена, приподняли его, отклеили от бедер и нежно сдавили в ладошке. Он, естественно, набух, возбудился и заполнил ладонь так, что пальцы вокруг него еле сомкнулись.

«Кто это? — подумал я в сладкой истоме, стараясь не просыпаться, чтоб не вспугнуть, не отогнать обладательницу этой ласковой нежной ручки. — Неужели моя жена? К чему бы это ей таким делом в купе заниматься при чужих людях? Да еще при такой строгой даме, как наша соседка? Она и наедине-то не очень склонна к рукоблудию. Застенчива и примитивна в постели. А тут каждое касание ладошки и пальчиков — верх сексуального мастерства».

Я легонько приоткрыл один глаз и при нереальном синем свете ночника увидел рядом с моим распростертым под простыней телом совершенно реальные очертания головы нашей соседки с распущенными на ночь длинными волосами. Это ее ручка сдавливала мой член, а глаза, возбужденно мерцая, следили за моим лицом, словно гипнотизируя меня, заклиная не просыпаться.

В моей голове все перемешалось. Кто мог предположить, что такая неприступная женщина, такой «синий чулок» вдруг проявит эдакую авантюрную прыть опытнейшей развратницы? Я возбудился до предела, мне так захотелось ее, что я позабыл о том, что в метре от нас бормочет во сне ее муж, а внизу спит и в любой момент может проснуться моя жена — баба ревнивая и способная закатить в ухо без предупреждения.

Я выпростал руку из-под простыни и сжал ее локоть. Она не вздрогнула, не шевельнулась, не выпустила мой член из ладони, а только крепче сжала его. Палец левой руки она поднесла к своим губам, призывая меня к молчанию, и головой кивнула на дверь, приглашая следовать за ней. Затем она вытащила правую руку из-под простыни, запахнула халатик и молча взялась за ручку двери, без единого скрипа сдвинула ее и вышла из купе в слабо освещенный пустой коридор вагона. Дверь осталась раскрытой и после того, как ее фигура исчезла из проема, призывая меня к действию, если я считал себя мужчиной.

Как акробат, пружиня на согнутых локтях и одной рукой упершись у самого носа ее мирно похрапывающего супруга, я беззвучно опустил свое голое тело на пол, сдернул простыню и завернулся в нее, как покойник в саван, словно бы извиняясь, поглядел в затылок непроснувшейся жены и выскользнул на цыпочках в коридор, задвинув без единого шороха за собой до отказа дверь купе.

Ее фигурка в халатике маячила в самом конце полуосвещенного коридора. Там, где был туалет. Я приблизился к ней, пытаясь поймать ее взгляд и угадать, что она затеяла. Она отвела глаза и, решительно распахнув узкую дверцу туалета, посторонилась, пропуская меня вперед.

Мне ничего не оставалось делать, как подчиниться, и, все еще укутанный в простыню, я, как привидение, скользнул мимо нее в узкий тесный квадратик туалета, где половину площади занимал белый унитаз с поднятой к сливному бачку черной пластмассовой крышкой.

Она протиснулась вслед за мной, захлопнула двери, деловито повернула рукоятку на «занято», касаясь при этом моей спины своими упругими ягодицами. Я подчинился ее деловитости и тоже проявил активность. Опустил черную крышку на унитаз, превратив его в подобие сиденья, стряхнул со своих плеч простыню и, оставшись голым, сел, как на табурет, на крышку унитаза, раздвинув колени и устремив вверх возбужденный, «дымящийся» член. При матовом свете потолочного плафона она стояла, сбросив на нечистый мозаичный пол туалета свой халатик, легший темным холмиком на мою простыню, вся бронзовая от загара, с крепкими бедрами и стоячими, налитыми, как у девушки, грудями. И груди, и треугольник кожи на лобке были молочно-белыми — все это укрыли от южного солнца бюстгальтер и трусики-плавки.

Она как завороженная смотрела мне между ног, где торчал возбужденный член, и не шевелилась. Не зная, чего еще можно от нее ожидать, я решил проявить инициативу. Время-то работало против нас: в любой момент какой-нибудь сонный пассажир с переполненным мочевым пузырем начнет ломиться в запертую дверь туалета и не уйдет, пока мы не выйдем... вдвоем. Хотел бы я представить выражение глаз бедолаги при виде наших фигур: женской — в халатике и мужской — в белой простыне, покидающих тесный туалет, который мы занимали вдвоем непонятно для какой надобности. Да и наши половины могли проснуться в купе и удивиться нашему одновременному отсутствию.

— Прошу, — с нервной усмешкой пригласил я ее и жестом показал, что лучшая поза для нее — сесть верхом на мои бедра лицом ко мне и попытаться при этом не промахнуться, чтоб все вошло, куда надо.

— Пошляк! — с откровенным презрением сказала она. — Вам только одного и надо. Все вы одинаковы.

И, брезгливо сморщив носик, села ко мне на колени и, как гайка на винт, плотно навинтилась на мой член. И так страстно взвыла, запрыгала на мне, что я, испугавшись не на шутку, что ее темпераментный вой слышен во всем вагоне и даже за его стенами, ничего лучшего не смог придумать, как нажать ногой на педаль, надеясь, что шум падающей в унитаз воды заглушит остальные звуки.

Что еще к этому добавить? Мы вернулись в купе незамеченными, и оба молча легли каждый на свое место. Ее твердокаменный супруг по-прежнему храпел на расстоянии протянутой руки от меня. Внизу тревожно, но не просыпаясь, что-то бормотала во сне моя жена, ногами прикрывая сына от возможного падения с полки. И я уснул, беззвучно хихикая. Как она провела остаток ночи, не знаю. Да и не интересовался.

Назавтра она снова приняла свой обычный неприступный вид, словно затянулась в мундир. Моя жена разговаривала с ней «через тряпочку», сама становясь кроткой в ее присутствии. А ее муж безотрывно читал свежий номер «Правды», купленный в Ростове, где мы простояли полчаса, и робко поглядывал на жену.

Я же весь день провел в коридоре, глядя в окно на пробегающий пейзаж и показывая язык всему свету. Предстояла еще одна ночь в дороге, и я с нетерпением ожидал наступления сумерек.

— Искать логику в женском поведении равносильно тому, что пытаться найти иголку в стоге сена. Бессмысленное и пустое занятие, — сказал Астахов.

— Вот я вам сейчас задам задачку... по психологии женской... да по логике дамского поведения... а вы, опытные мужички, профессора по этой части, пытайтесь разгадать, найти удовлетворительное объяснение уже непостижимым выкрутасам бабьей психики, — пообещал Зуев.

— В твоей истории с вагонной спутницей, — сказал Лунин, — при всей пикантности ситуации и таком неожиданном эффектном финале, я все же ничего загадочного не нахожу. Ради Бога, не подумай, что я хочу умалить твои достоинства как рассказчика, — Боже упаси, — слушать тебя было для меня наслаждением. Но возьмем голые факты, так сказать, обнаженную канву этой... я повторяю, прелестнейшей истории и совершим простейший анализ... Что же мы обнаруживаем? Сексуальную и похотливую самочку, вынужденную по различным причинам и, в первую очередь, из-за среды... ханжеской и демонстративно высокоморальной... подавлять в себе кипящую лаву под личиной ультраскромности. Отсюда ее подчеркнутое поведение классной дамы, суровой монашки. Строгая оболочка, в которую, как в корсет, затянут и сдавлен бушующий пламень неутоленного секса, тонка и хрупка, как ломкая корочка земной коры на расплавленной магме. И вот она встретила тебя, и глаз жеребячий, которым ты ее обозрел, и легкая твоя скабрезность, пущенная, как пробный шар, разнесли эту корку и вызвали к жизни подлинную натуру этой сочной и алчной бабищи. Какая смелость проявлена... Даже удаль. Никакой оглядки на возможные последствия. Вулкан похоти повел ее, как сомнамбулу... и я бы восхитился ею, зааплодировал... если бы она до конца молчала, рта не раскрывала.

Но она произнесла несколько слов в туалете и двумя мазками обнажила главное качество своей натуры. Пошлая, банальная мещанка. Смешно и жалко хорохорится, прежде чем сесть на член, которого она жаждет больше всего. Но без этих ее слов не было бы законченного портрета. И я тебе, как рассказчику, признателен, что ты не пощадил ее и нарисовал эту особу такой, какова она есть на самом деле, убрав загадочный флер, в каком она рисовалась поначалу.

РАССКАЗ ЗУЕВА

Не в моих правилах спать с женами моих приятелей. Да будь она самая раскрасавица и пусть делает мне самые откровенные намеки, я себе скорее член отрублю, нежели позволю нарушить традицию. Да как же иначе и быть-то может? Я с человеком встречаюсь, по службе ли, или в приятельской компании, мы друг другу в глаза глядим по-дружески, с доверием, я, наконец, к нему в дом хожу, вместе выпиваем — а потом, глядь, зазевался он, я его половину под себя сгреб, ноги заломил и деру, как сидорову козу. Для этого надо уж совсем совести лишиться, облик человеческий потерять.

Я, братцы, сами знаете, не монах и, помани меня стоящая баба, ринусь сломя голову и даже поставлю на карту репутацию и карьеру. Да и вы не лучше. Много заповедей нарушаем, берем грех на душу. Но кое-что и чтим неукоснительно. Например, не возжелай жены друга своего.

Однажды я нарушил эту заповедь и горько поплатился. Видать, есть кто-то на небе, следит за нами, грешными, даже за такими безбожниками, как мы, коммунисты. И уж если мы очень наглеем, опускает карающую десницу, врезает как следует, а мы потом долго зад чешем и недоумеваем: откуда, мол, такое наказание.

Сразу предупреждаю: не друг он мне был, муж Клавдии Ивановны, а сослуживец, и я его порядком не любил, потому как занимал он положение довольно высокое, и я ходил под его началом. Это, конечно, смягчает мою вину, но не совсем. Заповедь-то следует читать таким образом: не возжелай жены друга своего и сослуживца также.

Клавдия Ивановна была баба в соку. Лет под тридцать. Формы — гитара. Рот — красный, жадный. Гладкая, сильная, как скаковой конь. Зад тяжеловат, и несет его слегка на отлете. Глянешь, слюнки текут. У моей-то жопа плоская, поэтому любой выпирающий зад я воспринимаю как чудо природы.

Многие на нее облизывались. И я в том числе. Очень уж мне хотелось до нее добраться. Тем более что отмечал я ее заинтересованный взгляд. Для опытного мужчины этого вполне достаточно и слов никаких не требуется. Нужно позаботиться об укромном уютном гнездышке, где секретность обеспечена стопроцентная, и об удобном для дамы времени.

Гостиницы отпадают. Паспортный режим, контроль. Уж лучше самому на себя написать донос. На дачу к приятелю? Клавдия Ивановна — баба осторожная, дорожит репутацией, не хочет ставить под удар свою семейную жизнь, потому лишних свидетелей как огня боится.

Я выбрал самый нахальный вариант. Пригласил ее к себе домой. Благо, моя супружница с чадами отбыла на юг, и я один обитал в пустой, неубранной квартире. И у Клавдии Ивановны подвернулся удобный момент: муж в заграничной командировке, отлучиться из дому не составляет труда.

Условились по телефону. Я дал ей мой адрес, подробно растолковал, как до меня добраться. Она в трубку томно вздыхает, доводя кровь в моих жилах до кипения:

— Милый, в восемь я буду у тебя... И, возможно... если ты не оплошаешь... и оправдаешь... мои надежды... останусь у тебя до утра.

Я застонал от сладострастного предчувствия и, ей-Богу, от полноты чувств лизнул телефонную трубку.

Как я дождался восьми вечера, один Бог знает. Убрал квартиру, хоть никогда прежде этим делом не занимался, цветов накупил, набил холодильник всякими вкусными вещами и, совсем как юнец, поглядывал каждые пять минут на часы, нетерпеливо торопил время.

Пришла моя искусительница! Опоздав лишь на десять минут. И эти десять минут показались мне годом. Обезумел. Понимаете, эта баба из той породы, что может мертвого возбудить. На нее глянешь — и в тебе просыпается зверь, сексуальный маньяк. Хочется зарычать, вцепиться зубами в ее мягкий загривок и потащить, урча, в постель, и чтоб распущенные русые волосы ее подметали пол, пока ты волочешь ее слабеющее тело до ложа любви.

Я взбрыкивал, как стреноженный конь, пока она в передней снимала шляпку и резиновые ботики, и ринулся на нее, как тигр, но она отстранила меня мягким, хоть и довольно решительным движением сильной, с вкуснейшими ямочками у локтя, руки.

— Постой, милый. Не набрасывайся на меня, как деревенский мужик. Мы с тобой — интеллигентные люди. Не торопи события — впереди ночь.

Давление во мне, как в перегретом котле, поднялось до критической отметки. Я изнемогал. Я желал ее, как прыщавый юнец, содрогающийся накануне первого грехопадения.

Она меня томила не нарочно. Ей, видите ли, даме из партийных верхов, хотелось продемонстрировать мне правила хорошего тона, как ей казалось, необходимые при подобном деле. Она насмотрелась заграничных фильмов на закрытых просмотрах, и ей хотелось «сладкой жизни» на самый модный манер. Она меня извела до звона в голове.

Вначале мы пили, и она не позволяла даже касаться ее. Лишь чувственно и многообещающе улыбалась мне своим алым и пухлым порочным ртом. Я грыз зубами края рюмки.

Она беспечно и кокетливо, как ей казалось, очень посветски болтала со мной, совершенно бестактно расспрашивая о моей семейной жизни, о жене, с нездоровым интересом разглядывала ее портреты на стенах и в альбоме и хвалила ее, укоряя меня в неверности такой прелестной женщине. Я натерпелся по горло и все это глотал с угодливой, по-собачьи преданной улыбкой. Так я ее желал. До боли в суставах. До колокольного звона между ногами.

Баба была не из великих умниц. Мозги заурядной и похотливой мещанки. Но разве мы за ум и добродетель любим женщин? Скорей всего, наоборот. Нам нужны сочное, гибкое тело и похотливый, томный взгляд. Такими сокровищами обладают чаще всего дуры.

И мы, мужчины не последнего класса, гордость нации, ее сливки, стоим перед такой развратной сучкой на задних лапах, блеем, как бараны, и ждем до помутнения в глазах, когда она соблаговолит распахнуть перед нами свои жирные ляжки.

Клавдия Ивановна, играя со мной, как кошка с мышкой, не забывала то и дело спрашивать одно и то же:

— Но вы уверены, что я здесь в абсолютной безопасности? Никто войти сюда не может? Вы, надеюсь, не забыли, какое положение занимает мой супруг?

И я в сотый раз клялся ей, что все предусмотрено. Я гарантирую, что ее честное, непорочное имя не будет запятнано, что я — рыцарь и честь дамы для меня превыше всего.

Где-то уже ближе к полуночи она велела поставить заграничную пластинку и под джазовый вой стала танцевать, сладострастно извиваясь, как сытый удав, и меня, отяжеленного брюшком, немолодого дурака, заставляла семенить ногами, топтаться на одном месте в качестве ее партнера по танцу.

Танцевала она, действительно, здорово. Я давно заметил, что дуры отлично танцуют. Все дарование, а каждому человеку хоть какое-то дарование отпущено, у таких таится не в черепной коробке, а в мышцах, в звериной гибкости и чувстве ритма.

Клавдия Ивановна закатила мне стриптиз. Настоящий. Не хуже, чем в каком-нибудь Париже. Заграничные фильмы дали свои плоды. Жена моего непосредственного начальства оказалась способной ученицей.

Она плясала под негритянские ритмы, русоволосая, пышная, плотоядная, и небрежно, очень ловким и сексуальным движением всякий раз сбрасывала с себя кое-что из одежды, понемногу все больше и больше обнажаясь.

Я был на грани умопомешательства и больше всего опасался, как бы со мной, как с мальчишкой, не случилась поллюция. Прямо в штанишки. Как это бывает у созревающих подростков, обреченных на долгое воздержание.

Она сняла все, даже бюстгальтер, и, белея мясистыми формами, оттененными черными, едва не лопающимися трусиками, сказала, что примет душ и чтоб я к тому времени уже лежал в постели, дожидаясь ее, голый, как мать родила.

Я разделся, срывая пуговицы, и плюхнулся в свою семейную двуспальную кровать, у изголовья которой висели в овальных рамах глупые портреты жены и мой, собственной персоной, — портреты времен свадьбы, с подкрашенными губами и непременным уголком белого платочка в нагрудном кармане пиджака. Из душа доносилось журчание воды и клекочущий голос Клавдии Ивановны, напевавшей от избытка чувств старинный романс.

Я был на пределе. Я содрогался от вожделения, и, хоть был в кровати пока еще один, кровать мелко подрагивала подо мной и скрипела.

И вот тогда-то и наступила развязка. Как гром, как сто сирен воздушной тревоги, загремел звонок у входной двери. Был первый час ночи, и если кто-нибудь ломился ко мне в эту пору, ничего хорошего от этого позднего визита ожидать не приходилось.

Ко мне приехала теща. Мать моей жены. Из Киева. Оповестив о своем приезде телеграммой, которую я, как водится в таких случаях, не получил. Приехала Надежда Кузьминична, злая, как фурия, потому что я ее не встречал на вокзале. Эта баба меня всегда недолюбливала и, в отличие от своей дочери, моей жены, постоянно подозревала в мужских проказах и супружеской неверности, о чем намекала моей жене, не стесняясь моим присутствием.

Надо же, чтоб именно ее принесла нелегкая ко мне за полночь, когда у меня в ванной раздетая любовница, и живу я на седьмом этаже, откуда не выпрыгнешь и не спустишь даму по водосточной трубе.

Западня. Волчья яма. Никакого спасения нет. Оставалось только одно: с достоинством принять гибель. Как подобает бывшему фронтовику и... коммунисту. Сейчас это вызывает смех, а тогда я покрылся гусиной кожей.

Все! Моя жена такого не простит. Теща разнесет по всем инстанциям. Прощай семья, партийный билет, карьера. В один миг обрушивалось все, что я создавал годами. Я превращался в ничто, в нуль.

До сих пор не могу вспомнить, как, каким образом меня осенила гениальная идея. Это произошло помимо моей воли, и все мои поступки, удивительно разумные и точные, управлялись не мною, а моим ангелом-хранителем.

Я оделся с молниеносной быстротой, загнал онемевшую от страха Клавдию Ивановну из ванной в спальню, даже не глянув на нее, голенькую и мокрую, и заставил ее лечь в кровать, укрыться одеялом и ждать очередных указаний. Затем собрал в гостиной раскиданные по всему ковру предметы дамского туалета, которые так обольстительно снимала с себя в затянувшемся стриптизе Клавдия Ивановна, и все это передал в спальню. Я действовал быстро, без суеты, как в войну, когда попадал в безвыходное положение и, казалось, кроме гибели, мне ничего не уготовано. Даже успел галстук завязать и пригладить щеткой волосы и, совсем натурально зевая (зевота меня одолела на нервной почве), отпер дверь и выгрузил тещу с чемоданами из кабины лифта.

— Я тебя разбудила? — с подозрением оглядела меня теща.

— Н-не совсем... — сказал я. — Вы — не первая гостья нынче у меня... До вас приехали из Новосибирска мой приятель с женой...

— Они у тебя остановились?

— Н-не совсем... Жена его здесь... в нашей спальне... А он не захотел меня стеснять и отправился в гостиницу «Украина», где ему обещали номер... Но пока... там нет свободных номеров... Он звонил мне.

— А где он сейчас... твой приятель? — прищурилась на меня теща, пытаясь уличить во лжи.

— В гостинице «Украина». Сидит в фойе и ждет, когда освободится номер.

— И долго он там может прождать?

— Ну, это... зависит... от разных обстоятельств... может... до утра...

— И он твой близкий приятель?

— Фронтовой товарищ, — не сморгнул я.

— Врешь ты все! Не товарищ ты ему, — стоя над чемоданами, не сняв пальто, дала волю своей давней неприязни ко мне теща. — А равнодушная свинья. И черствый эгоист. Кто же отпускает товарища, да еще фронтового, ночью в гостиницу, когда у самого пустует огромная квартира в центре Москвы?

Не знаю, как бы я выпутался из собственной лжи, если б на помощь мне не пришла Клавдия Ивановна. Она все слышала из спальни, ухватила нить моего вранья, быстренько оделась, взбила волосы и вышла к нам, излучая извиняющуюся скромную улыбку. Кошачий инстинкт, а не ум диктовал ей слова и поступки, и она в пять минут очаровала Надежду Кузьминичну, не оставив ни грана сомнения, что она действительно жена моего фронтового товарища из Новосибирска, первый раз в Москве, а муж, такой скромный, такой застенчивый, так боится быть кому-нибудь в тягость, что категорически отказался ночевать здесь и умчался искать места в гостинице, оставив ее подождать часок-другой на попечении друга.

Надежда Кузьминична клюнула. Ей очень понравилась Клавдия Ивановна. Она тут же захлопотала: приготовила чай, достала киевские гостинцы — торт, конфеты, варенье.

В третьем часу ночи мы хлебали чай втроем и я непривычно потел. Потом теща спохватилась:

— А что ж ваш муж все не звонит? Он что, всю ночь там в кресле будет мучиться, ожидая номера? Так не годится. Бедная Клавдия Ивановна совсем изведется. Нет, мы сейчас позвоним в «Украину» и потребуем вашего мужа сюда. А утром, если не хочет с нами здесь оставаться, пусть займется гостиницей.

Теща безапелляционно уставилась на меня, и мне ничего не оставалось, как подчиниться. Выходя из-за стола, я успел заметить, как стала бледнеть Клавдия Ивановна. Я поплелся в свой кабинет, где был второй телефон.

Что мне оставалось делать? Нужно было раздобыть Клавдии Ивановне мужа, хоть самого захудалого, но живого, способного передвигаться и предстать пред светлы очи моей подозрительной тещи.

Был у меня приятель. В Совете Министров работал. Холостой. Разведенный. Жена его бросила и сбежала на остров Сахалин с проезжим офицером. Представляете, каким надо быть занудой, чтоб на такое толкнуть женщину-москвичку? Тип, скажем откровенно, не из приятных. В нашем мужском кругу его Шакалом прозвали. За то, что питается падалью. Я имею в виду его амурные дела. Очень охочий до слабого пола, он не пользовался абсолютно никаким успехом у женщин, страдал от этого ужасно и пробавлялся тем, что приятели ему подкидывали. Спал с совершенно неразборчивыми бабами, которые спьяну не очень-то соображали, с кем делили ложе.

Вот такому-то субъекту я и позвонил в третьем часу ночи, разбудил в одинокой постели, постарался вразумительно объяснить ситуацию и попросил немедленно ехать ко мне в качестве мужа Клавдии Ивановны. В противном случае — я погиб.

Шакал согласился не раздумывая, но только поставил меня в известность, что знаком с подлинным мужем Клавдии Ивановны, даже игрывал с ним в санатории в преферанс, и сама Клавдия Ивановна, несомненно, помнит его.

— Тем лучше, — сказал я. — Старайся быть с ней деликатным. Изображай любящего супруга. Провинциального малого из Новосибирска.

Шакал примчался на такси. Клавдия Ивановна его, действительно, узнала, но справилась с собой и весьма правдоподобно изобразила соскучившуюся капризную жену. Шакал тоже что-то блеял. Моя теща была удовлетворена. И принялась командовать, устраивать всех на ночлег.

Моих «новосибирских» гостей она уложила в спальне, сама устроилась в кабинете, а меня поместила на диване в гостиной. Как раз у двери в спальню. Очень тонкой двери. Не скрывавшей ни одного звука, доносившегося с моей супружеской кровати.

Шакал, очутившись наедине с женщиной, об обладании которой он и мечтать не мог, проявил все качества подлого зверя, чье имя носил по достоинству. Зловещим шепотом он запугал Клавдию Ивановну, что выведет все на чистую воду, если она не уступит его домогательствам. И она уступила, прикинув, к каким тяжким последствиям для ее семейной жизни приведет отказ.

Бог мой, что творилось всю ночь в спальне! После долгого воздержания Шакал был неутомим и буквально не слезал со своей жертвы. А она? Эта сука быстро переборола брезгливость, вошла во вкус и стала издавать такие страстные вопли, что не только я в гостиной, но и теща в кабинете чуть не дошла до оргазма. Я не сомкнул глаз всю ночь и утром принял сердечные капли, чтоб хоть как-то прийти в норму.

Без сомнения, я был реабилитирован в глазах тещи. Но какой ценой? Клянусь честью, я был на грани инфаркта.

Утром «новосибирские супруги» вышли из спальни с синими кругами под глазами, и оба, как нашкодившие кошки, старались не смотреть в мою сторону. Теща их завтраком накормила и откровенно любовалась этой парочкой воркующих голубков. Потом они распрощались с нами и отбыли в «гостиницу». А я остался с тещей. И с большим запасом сердечных капель.

Я потом встречал Клавдию Ивановну. В театре. На официальных приемах со своим сановным мужем, не скрывавшим удовлетворения при виде облизывающихся на его жену мужчин. Как-то я столкнулся с ней нос к носу. Она сделала вид, что едва со мной знакома, и в ее кошачьих порочных глазах я уловил откровенную насмешку.

Шакал долго избегал меня. Но я уж позаботился и нашел путь, как извлечь его на свет божий и расквитаться. Я его тоже довел до сердечного приступа и, если вы не устали, могу поведать, как была осуществлена месть.

Заманить Шакала в западню можно было только бабой. На такую приманку он, постоянно сексуально озабоченный, непременно клюнет. И эту приманку мы ему подкинули. Приманку отравленную. Потому что бабой, которую ему подсунули, был я.

Был у меня в ту пору друг один, известный журналист. Назовем его Иванов. Потому что подлинное имя его знакомо, пожалуй, каждому грамотному человеку в России. Несмотря на свою славу, был он шаловлив и проказлив, как школьник, и его проделки, особенно на сексуальной почве, достойны отдельного рассказа.

Он тоже знал Шакала и, как любой уважающий себя мужчина и сердцеед, относился к нему с нескрываемым пренебрежением. Его увлекла идея проучить Шакала.

Как раз в ту пору квартира Иванова пустовала (жена была в отъезде), и мы там вдвоем, коротая вечерок за рюмкой, одни, без баб, думали, как бы порезвиться, а заодно дать урок Шакалу. Слегка навеселе, Иванов, осененный идеей, а на выдумки он был мастак, поволок меня в спальню, распахнул дверцы шкафа и стал рыться в грудах нижнего белья своей жены. Мне он велел раздеться догола.

Еще не зная задуманного им плана, я все же безропотно покорился. Иванов извлек из шкафа дамские фланелевые трусики цыплячье-желтого цвета. Жена его была дамой объемной, и я поэтому смог натянуть трусы на свой зад без особого труда.

Поверх трусов он закрепил на моей талии дамский пояс с болтающимися резинками, к которым крепятся чулки. На груди, стянув меня, как обручем, закрепил бюстгальтер, засунув в обе чашечки по теннисному мячу. На голову мою он повязал цветастую косынку, и, глянув в зеркало, я увидел довольно пышную, с жировыми складками бабищу и даже был неприятно поражен, с какой легкостью я лишился всех мужских признаков.

Иванов был в восторге. Он вертел меня из стороны в сторону, любовался, как скульптор своим произведением.

— Гениально! Сколько бабьей прелести! Ты — заманчив! Тебя хочется иметь! Не только голодный Шакал, но самый пресыщенный мужчина с первого взгляда не угадает подделку и клюнет, обязательно клюнет.

Иванов позвонил Шакалу и, изобразив голосом пьяного, понес следующее:

— Слушай, друг... Выручи... У меня в доме сейчас полнейший бардак. Бабы перепились до смерти. Сколько их? Две штуки. А я один. Никак не управлюсь. А они требуют. Бегают нагишом. Будь другом, выручи! Дуй на всех парусах!

Шакал примчался со скоростью метеора.

Я уже лежал на тахте в кабинете Иванова, где были приспущены шторы и мерцала слабым светом настольная лампа, на абажур которой было небрежно брошено женское платье. Я лежал лицом к стене, укрытый простыней, из-под которой торчал мой довольно обширный зад в фланелевых дамских штанишках и поясе с заманчиво болтающимися резинками. Мои волосатые ноги предусмотрительно были скрыты простыней.

Сам хозяин тоже разделся, но лишь наполовину. Сбросив штаны, оставшись в рубашке и галстуке, он взъерошил на голове волосы и принял вид абсолютно пьяного человека, ошалевшего от водки и баб.

Он распахнул перед Шакалом двери и повис у него на шее:

— Спаситель! Голубчик! Век не забуду. Раздевайся и приступай к делу! Вон она твоя... в кабинете лежит... Еле утихомирили... дрыхнет.

Шакал, видать, заглянул в кабинет и восхищенно взвизгнул:

— Хорошенькая!

Так он среагировал на мой отставленный из-под простыни зад в дамских штанишках.

— Раздевайся и действуй! — распорядился Иванов. — Желаю удачи!

Шакал в прихожей стал поспешно сбрасывать с себя одежонку, потом зашлепал босыми ногами ко мне. Я весь напрягся, чтоб не заржать, не выдать себя. Но Шакал не дошел до тахты и зашлепал назад.

— Как ее звать? — зловещим шепотом спросил он у Иванова.

Этому джентльмену обязательно нужно было знать имя, прежде чем овладеть бесчувственным трупом.

— Нина, — выдавил из себя Иванов, и по его голосу я представил, каких усилий ему стоит сдержать рвущийся из горла хохот.

Голый худющий Шакал снова направился ко мне. Я заерзал на тахте, обольстительно шевеля задом, исторгнув из недр Шакальего существа похотливый стон.

Дело в том, что мы с Ивановым набросали план искушения Шакала. Его следовало допустить до моего тела со спины, дать обнять меня сзади и, пока он не разглядел меня, направить его алчную руку под резинку трусиков, ко мне в промежность, откуда он нетерпеливыми пальчиками извлечет здоровый мужской член. Что приведет его к столбняку, и уж наша с Ивановым задача — вызволить мой член из его конвульсивно сжавшихся пальцев.

— Деточка, подвинься, — страстно зашептал Шакал, укладываясь за моей спиной и просовывая руку под мой бок. Другую руку ухватил я своей и направил под резинку моих трусов. Как подопытный кролик, Шакал с математической точностью выполнил запрограммированные нами ходы. Горячими потными пальцами он заскреб по низу моего живота, поплутал в волосах на лобке и замер, наткнувшись на непонятный мясистый отросток в женской промежности. Затем нервно схватил его, сжал пальцами, и тут я не выдержал и, расхохотавшись, столкнул его на пол.

Иванов включил верхний свет и, бессильно привалившись к стенке, не смеялся, а рыдал. Я же, вскочив на тахту, плясал на ней, кружась, и резинки дамского пояса разлетались в разные стороны.

Шакал лежал на полу, как в параличе, с выпученными глазами, и я впервые в жизни видел, как кровь отливает от поверхности человеческого тела. Шакал побелел весь! И лицо, и плечи, и живот, и ноги до кончиков ногтей. И издавал нечленораздельные всхлипывающие звуки.

Иванову стоило немалых усилий привести его в нормальное состояние, вернуть ему божеский вид. Шакал глотал валерьяновые капли, какие-то пилюли.

Потом, уже одетый, сидел, сгорбившись, в кресле и смотрел на нас пришибленным собачьим взглядом.

— Одного прошу, — хрипло шептал он. — Никому ни слова об этой истории. А то мне от стыда придется из Москвы бежать.

Мы дружно пообещали.

Ни мне, ни Иванову не улыбалась перспектива стать героями этой истории, смакуемой во всех салонах Москвы. Все мы трое были заметными фигурами и рисковали погореть за морально-бытовое разложение, если слушок дойдет до ушей нашего пуританского руководства.

Я держу слово до сих пор. Даже вам не назвал настоящих имен участников этой прелестной, не правда ли, проделки.

Зуев хрустнул яблоком и, помахивая в воздухе огрызком, объяснил:

— Я почему анекдоты люблю? Не потому, что такой уж примитив — дальше короткого анекдота, мол, памяти не хватает.

Нет, братцы, глубоко заблуждаетесь. В современном анекдоте и только в нем сосредоточена вся мудрость нашего народа. Свободно выраженная, без цензуры.

Думаете, со временем, когда историки захотят разобраться в нашей жизни, они литературу социалистического реализма будут перечитывать? Ни в коем случае. Анекдоты будут искать и по ним восстанавливать подлинную живую картину нашей эпохи, с плотью и кровью и горчайшим юмором.

Я современной литературы в руки не беру. Зачем время терять? Та же партийная инструкция... Только разбавлена пейзажами и диалогами. Больше ничего! А вот анекдот — сама жизнь... в густой концентрации... в филигранной обработке... и с точностью снайперского выстрела.

— Одним махом всю литературу уничтожил, — покачал головой Астахов. — Что, разве у нас совсем нет хороших писателей?

— Назови, — проглотил разжеванное яблоко Зуев. — Шолохов? Так он алкоголик и плагиатор. «Тихий Дон» украл у казачьего офицера и выдал за свое.

— Ну, это еще не доказано, — усомнился Астахов.

— Меня в сон клонит от больших романов, — сознался Лунин. — Тянут, тянут, а все можно было короче и лучше выразить. Вы меня можете богохульником посчитать, но я, честно признаюсь, не могу до конца романы нашего национального гения Льва Толстого дочитать. Не потому, что я туп. Нашему современному мозгу не нужно долго разжевывать, мы схватываем на лету.

— Правильно, — проглотил остаток яблока Зуев. — Чехов когда жил? А самый современный писатель. Я его выше всех остальных ставлю. И наших, и иностранных. Уж за одно то, что у нас был такой писатель, как Чехов, мы можем гордиться, что мы — русские. А старика Толстого он за пояс заткнул одним коротким рассказом. «Дама с собачкой». Та же «Анна Каренина». Но в двадцать раз короче и точнее. Читаешь, и волосы шевелятся от восторга.

— Ну, положим, у тебя не шевелятся, — кивнул Астахов на обширную лысину Зуева.

— А тебе лишь бы уколоть. Столько лет прошло, а замашки не изменились.

— Ладно, братцы. Хватит спорить, — вмешался Лунин. — Я вам историю расскажу. Конечно, не «Дама с собачкой» и не «Анна Каренина». А какая — вам судить.

РАССКАЗ ЛУНИНА

Вас никогда не путали с кем-то другим, не принимали за другого?

Со мной это — обычное дело, и я давно перестал удивляться. Однажды на улице я столкнулся со своим двойником, как две капли воды похожим на меня человеком, которого я видел впервые. И он меня тоже. Представляете, идем навстречу друг другу и с каждым шагом все больше шалеем от удивления: словно каждый идет навстречу зеркалу и приближается к своему отображению. Даже костюмы были на нас одного цвета, синие в полоску. Остановились, познакомились, даже выпили по этому случаю. Больше не сталкивались.

А что касается женщин, тут меня принимали за другого сколько угодно, и, клянусь честью, две женщины, никогда не знавшие друг друга и жившие в разных городах, в минуты любовных утех, войдя в раж, ласково называли меня одним и тем же именем: Костя. Хотя меня зовут совсем иначе и я представлялся им своим подлинным именем.

Я даже подумал, что, возможно, у них обеих мужей зовут Костями. Но имя мужа одной из них я знал. Его звали Сашей. Как и меня. Я никогда не был ему представлен и никогда не видел его, но имя запомнил. Жена его, Лидочка, моя тогдашняя любовница, имела обыкновение звонить ему и проявлять о нем трогательную заботу именно тогда, когда, абсолютно обнаженная, свесив большие, как дыни, груди, усаживалась на мой член, а я лежал при этом на спине и курил. Она, чуть нагнувшись, снимала трубку с аппарата, стоявшего на постели, набирала номер и начинала прелюбопытнейший разговор с мужем, поерзывая задом и все глубже и плотнее навинчиваясь на мой бедный член:

— Саша? Сашенька, это — я, Лида. Ты давно с работы? Недавно? А я, понимаешь, звоню тебе из телефона-автомата. Я — в универмаге, Саша. Тут японские кофточки выбросили. Прелесть! Очередь небольшая — через час буду дома. Ты, Сашенька, меня не дожидайся, а перекуси, милый. В холодильнике стоит печенка жареная... Обязательно подогрей. Ни в коем случае не ешь печенку холодной. И кефиру выпей. Ну, целую, милый. До скорого!

Она бросала трубку, и выражение ее лица на глазах менялось с умиленно-заботливого до свирепо-похотливого. Она начинала прыгать и визжать на моем члене, осатанело требуя:

— Глубже! Еще! Еще! До самой печенки!

Я в такие минуты ее остро ненавидел, так как подумывал о женитьбе и холодел при мысли, что и моя жена может проявить заботу обо мне по телефону.

Так что имя Лидиного мужа я знал, и это никак не помогло мне понять, почему и Лидочка и совсем другая женщина в другом городе называли меня в любовном пылу Костей. А однажды женщина приняла меня за другого и даже в постели не догадалась о подлоге.

Ехали мы куда-то поездом с моим сослуживцем Вадимом Локтевым. На узловой станции, где предстояла пересадка, узнали, что нужный нам поезд отменен и следующий пойдет лишь утром. Нам предстояло провести ночь в незнакомом городишке, и, оставив вещи в камере хранения, мы отправились искать гостиницу.

Вечер был субботний. Народ гуляет на улицах. На площади люди танцуют под аккордеон: трутся с десяток пар, а остальные толпятся кольцом, лузгают семечки и сплетничают. Милая провинция. Простота нравов. Мы с Вадимом подошли, постояли, обозревая местных красавиц. Вдруг Вадим меня толкает в бок и глазами показывает:

— Видишь тех двух бабенок? На нас все поглядывают, шепчутся и даже пальцем показывают.

Я посмотрел туда и действительно увидел парочку смазливых бабенок лет под тридцать: крепких, курносых, с румянцем во всю щеку, из тех, что в народе называют — кровь с молоком. На головах по-сельски повязаны платочки, а одеты модно, в костюмчики джерси, заграничная обувь на плотных икрастых ногах.

Завидев, что я смотрю на них, они прыснули со смеху, а та, что поменьше ростом, вдруг направилась к нам и с места в карьер спрашивает меня:

— Вас не Игорем зовут?

Я был в дурашливом настроении и с ходу вступил в игру:

— А ты как догадалась?

Хоть меня, конечно, не зовут и никогда не звали Игорем.

Она клюнула на мою приманку и радостно позвала подругу:

— Тамара, а что я говорила? Это — он, Игорь. Я не ошиблась.

Тамара подошла, волнуясь, не зная, куда глаза девать от смущения.

— Здравствуй, Игорь, — протянула она мне руку и, когда я пожал ее, вспыхнула и просияла. — Верно, Игорь! Господи, гора с горой не встречается, а человек с человеком... Ты меня сразу узнал?

— Н-не сразу... — протянул я, быстро соображая, каковы были отношения Тамары и Игоря, который настолько похож на меня, что она не замечает подлога. — А теперь точно узнал. Здравствуй, Тамара.

Я еще раз тряхнул ее руку.

— А Лену не помнишь? — кивнула она на подругу. —

Она на втором этаже работала... горничной. Ну, вы, морячки, народ такой... память короткая. Давно из Германии?

Мы переглянулись с Вадимом, а он с трудом сдерживает хохот, видя, как я все глубже увязаю, и ожидая с минуты на минуту моего позорного разоблачения. Я же решил продолжать игру и продержаться в навязанной мне роли Игоря как можно дольше. Нам предстояло томиться всю ночь в чужом, незнакомом городишке, и эта случайная авантюра могла хоть как-то скрасить вынужденную скуку. Кроме того, по мнению знающих меня, во мне пропал актерский талант, и я всегда, когда представлялась возможность, с удовольствием участвовал в розыгрышах и делал это весьма талантливо и правдоподобно. Умело поставленными наводящими вопросами я получил кое-какую информацию о моем двойнике и стал уверенно ориентироваться в обстановке.

Игорь, несомненно, был военным моряком, офицером и служил на военно-морской базе в советских оккупационных войсках в Германии. Обе девицы, Тамара и Лена, работали в тамошней гостинице для военных вольнонаемной обслугой, были в приятельских отношениях с Игорем, который там часто останавливался, много пил, сорил деньгами, был забиякой и драчуном и иногда проводил ночи в военной комендатуре. Игорь, по всей видимости, не преминул переспать с одной из девиц, а может быть, с обеими, но одна из них, а именно Тамара, питала к нему чувства, не исчезнувшие бесследно, что можно было определить по ее сияющим глазам.

Таким образом, мне предстояла заманчивая и чертовски трудная в исполнении задача — подтвердить свою подлинность, возможно, в весьма интимной проверке.

Вадима Локтева я представил девицам своим сослуживцем, что соответствовало истине, а дальше пошла легенда экспромтом. Мы, мол, с Вадимом служим на одном корабле, уже не в Германии, а в России, и сейчас находимся в командировке и посему пребываем в штатском платье.

Девицы тоже оставили службу в Германии, их отправили на родину, и вот они теперь живут в этом городишке скучной, неинтересной жизнью и, как сказку, вспоминают свое пребывание за границей, где им платили хорошо, в рублях и местной валюте, и всего было полно, и ни в чем они не испытывали нужды.

— Что же мы тут стоим? — вдруг спохватилась Тамара. — Надо отметить эту встречу. Пошли к нам.

И мы тронулись гурьбой. Тамара и Лена возбужденно хохотали и, не умолкая, болтали. Вадим, чтобы не вызвать подозрений, распевал вполголоса морские песни. А я заскочил в подвернувшийся по пути магазин и прихватил выпивки и закуски.

Пока все шло удачно. Я не засыпался ни на одном из вопросов. Отвечал неопределенно и уклончиво, мне доставляло удовольствие напряженное состояние, словно я шагал по минному полю, играя в прятки с опасностью.

Они занимали комнату в чьей-то квартире, но ход к ним был отдельный, и соседи нас не стесняли. Тамара и Лена быстро состряпали ужин и были в отличнейшем настроении: мы им напомнили их лучшие годы в Германии. Выпив и закусив, мы стали распевать песни. Преимущественно морские, чтобы оставаться в образе морских офицеров. Девицы знали пропасть таких песен — служба в гостинице для моряков наложила отпечаток на их репертуар.

Распевали мы долго, за полночь, и у меня было достаточно времени, чтобы сориентироваться в обстановке и предусмотреть дальнейшие безошибочные шаги.

Комната была большая, и в ней, кроме стола и шкафа, стояли две широкие деревянные кровати, загроможденные немецкими перинами. Кровати были двуспальными и стояли впритык одна к другой под углом.

Понемногу все яснее вырисовывалась ситуация. Игорь был, несомненно, любовником Тамары, а не Лены. Тамара села не рядом с Вадимом, а со мной и, охмелев и осмелев, положила мне руку на плечо и порой, нашептывая на ухо, целовала в шею горячими губами. Лена вела себя с Вадимом сдержанней, как и положено при первом знакомстве.

Потом мы стали раздеваться, и Тамара аккуратно сложила на спинке стула мои вещи, а Лена Вадимовы. Сомнений больше не было — роли четко распределились.

Залезая под перину, я внутренне холодел при мысли, что уж когда она мне отдастся, обязательно всплывет хоть какое-нибудь различие между мной и тем бешеным морячком, с которым не одну ночь провела Тамара, и тогда откроется обман, и, учитывая крепкое телосложение Тамары, мне могут накостылять по шее.

Но нет. Чудеса продолжались. Тамара не почувствовала разницы, когда мой член не без робости вошел в нее, и заметалась подо мной, подкидывая меня, как мяч, и со стенаниями причитая:

— Господи, Боже мой!.. Сколько лет прошло и хоть бы капельку изменился... Все такой же... горячий... сладкий... мой... Игорек!

Ее причитания вызвали кудахтанье с соседней кровати. Это Вадим сдерживал рвущийся из него хохот. Между тем на той кровати тоже не теряли времени зря. Потом все затихло. Перины валялись на полу. Мы лежали обессиленные и чрезвычайно довольные. Меня и Вадима распирало тайное ликование. Наши же дамы, насытившись, нежились рядом.

Вадим был моложе меня, менее сдержан, и его часто заносило. Вот и сейчас, стоило нам отлучиться из комнаты в поисках туалета, как он не преминул предложить мне шепотом:

— Давай поменяемся. Вернемся, ты ложись к моей, а я — к твоей.

Хмель еще гулял в моей голове, да и я был парень заводной. Сказано — сделано. Вернулись в темноте, босыми ногами нащупывая путь, и я плюхнулся в кровать к Лене, а Вадим — к Тамаре.

Лена не удивилась, учуяв, что это я, а не Вадим, взгромоздился на нее, и, охотно раздвинув ноги, заскрипела подо мной металлической сеткой кровати.

Рядом, на расстоянии вытянутой руки, моталась голова Вадима. Тамара сталкивала его с себя, что-то гневно шепча. Я не учел силы ее чувства к Игорю. Она его, по всей видимости, действительно любила и была ошеломлена моей ветреностью и изменой. Решительно столкнув с себя Вадима, разгневанная любовница морячка слезла с кровати, включила свет и, хоть я зарылся лицом в волосы Лены, силой повернула меня к себе и пристально и зло стала всматриваться в мою смущенную физиономию.

— Гад ты такой! — вырвалось у нее. — Ты же не Игорь. Ты — дерьмо. Игорь такого себе не позволит! Как я могла? Да и рожа не та! Вставай! Одевайся! И чтоб духу вашего здесь не было!

Дело принимало крутой оборот. Обе бабенки, нагие, в чем мать родила, бесстыдно расхаживали по комнате и поносили нас на чем свет стоит, а мы, сконфуженные, торопливо облачались в свои одежды, чтобы как можно быстрее унести отсюда ноги.

Но это оказалось не таким уж легким делом. Лена, колыхая немного дряблым задом, подошла к дверям, заперла их изнутри и вынула ключ.

— Вот что, голубчики, — сказала она. — Мы обе ошиблись и потому легли с вами в постель даром, за любовь. Ну, а теперь, когда все ясно, и ты не Игорь, то получилось, что вы переспали с двумя бабами и рассчитываете, что это вам положено за красивые глаза. Дудки, миленькие! Мы — бляди. Мы так не даем, а только за деньги. После Германии нам другой дороги нет. Что, мы станем тут вкалывать на фабрике за гроши? Даже на чулки не заработаем. А раздвинешь ноги — и два дня ешь и пей. Так что денежки на стол... за полученное удовольствие. По червонцу с брата. Нет. С Вадима червонец, а с тебя — два. Ты же нас обеих имел.

Мы уплатили, не споря. И, не прощаясь, заспешили к двери, отпертой Леной после того, как мы выложили на стол деньги. Уже в дверях я услышал окрик Тамары:

— Постой.

Я обернулся. Она приблизилась ко мне с глазами, полными слез, положила мне ладони на плечи, и я весь сжался, подозревая, что она еще плюнет мне в лицо на прощанье.

Тамара долго и горько смотрела мне в лицо, словно на дорогого покойника перед тем, как заколотят крышку гроба, и тихо, шепотом пожаловалась:

— До чего же похож, собака.

Закрыв глаза, она поцеловала меня в губы и с силой оттолкнула, словно избавляясь от наваждения.

Мы уж не стали искать гостиницу и остаток ночи провели с Вадимом на станции в зале ожидания. Там было душно. Неприхотливые пассажиры примостились на деревянных лавках, сунув под голову чемодан или вещевой мешок. На полу, поближе к изголовью, чтобы не украли, стояли яловые и кирзовые сапоги, а на них сохли пропотевшие портянки, распространяя тяжкий дух, который, смешавшись с табачным дымом и тем специфическим запахом карболки, каким тянуло из отхожих мест, создавал удушающую атмосферу, где мог спать, отчаянно храпя при этом, только русский мужичок.

Вадим и я, хоть и принадлежали по крови к этому племени, спать не могли. Мы уже были иными, избалованными цивилизацией. Нам подавай комфорт, который доступен очень немногим, в число которых входим и мы. Иначе не уснем.

Так и маялись, сидя на свободном краю скамьи, коротали ночь в душеспасительных разговорах под густой храп и сонное индюшачье бормотанье деревенской бабы, распластавшейся на остальной части скамьи.

Мой сослуживец откровенно и искренне возмущался тем, что в Советском Союзе существует почти неприкрытая проституция, что блистательно продемонстрировали нам Тамара и Лена. Локтев, повторяю, был моложе меня и на партийной работе совсем недавно. До этого он довольно основательно протирал штаны в комсомоле на самых разных должностях, имел дело с молодежью и был нафарширован комсомольской демагогией, как карп на праздничном столе у верующего еврея. Бабник и дебошир, он был настолько искренне лицемерен, что сыпал словечками о партийном долге, высокой морали, облике советского человека, даже рассчитываясь наличными с девицами легкого поведения, до которых был охоч без удержу.

— Нет, ты мне ничего не докажешь, — бурлил в углу скамьи Вадим Локтев, — у нас в СССР не может быть проституции, потому что ее питательная среда — классовое неравноправие народа — была ликвидирована Октябрьской революцией. Зачем женщине идти на панель, если у нас нет безработицы и она всегда может найти достойное место и уважение в здоровом трудовом коллективе. А кроме того, аморальное поведение строго карается законом. Как, например, гомосексуализм и лесбиянство. За это, если доказан состав преступления, голубчик или голубица отправляются в места, не столь отдаленные, сроком на пять лет. И не меньше.

Я припирал Локтева к стене фактами.

В Москве, в самом ее центре, в ста шагах от Кремля,

находится биржа проституток. У гранитного портала гостиницы «Москва». Там, где в окнах выставлены огромные стенды фотохроники ТАСС, всегда можно увидеть девичьи и женские фигурки, замершие у окон и с неутомимым любопытством рассматривающие портреты знатных доярок и советских космонавтов. Это — проститутки. Они не фланируют по панели — их бы в два счета замела милиция, а приникли к фотовитринам. Этого им никто запретить не может. Наоборот, девицы повышают свой уровень.

На деле же они глазеют на фотографии до тех пор, пока рядом не возникает мужская фигура. Легкое перешептывание, со взорами, прикованными к фотографиям, и, сговорившись о цене, они отходят вместе и направляются к ожидающему у тротуара автомобилю, если у клиента таковой имеется, или же под руку шествуют к стоянке такси. Шоферы этих девиц знают и работают с ними в доле. Парочка уютно устраивается на заднем сиденье, а такси совершает так называемый круг почета, не спеша катит по Садовому кольцу, и на это уходит ровно столько времени, сколько нужно опустившейся на колени за шоферским сиденьем девице, чтобы отстрочить элементарный минет. За червонец. Половина девице, половина шоферу. Клиента высаживают, где он пожелает, а машина возвращается к своей стоянке возле Красной площади, и девица снова замирает у стенда «Фотохроника ТАСС», в который раз любуясь все теми же мозолистыми руками колхозной доярки и неровными зубами первой в мире женщины-космонавта.

— Все это верно, — неохотно сдавался Локтев, который, на моей памяти, сам пользовался, бывая в Москве, услугами девиц у стендов «Фотохроника ТАСС». — В Москве — особое дело. Там полно иностранцев. Они привыкли к проституткам, и наше правительство сознательно пошло на такую уступку из гуманных соображений, чтобы капиталисты чувствовали себя у нас как дома. А кроме того, проститутки могут сослужить хорошую службу нашим органам государственной безопасности, выведав в постели кое-какие секреты.

— Но здесь, в этом захолустье, — возмущался Локтев, — где до сих пор предпочитают портянки носкам и вместо туалетной бумаги пользуются смятой в кулаке газетой, откуда тут берутся проститутки? Такие, как Тамара и Лена?

— Тамара и Лена, — возразил я, — хоть и родом отсюда, но свое сексуальное образование получили в Германии, в советских оккупационных войсках. Как ты понимаешь, я — не Игорь, морячок, зазноба Тамары, но и я служил в Германии и знаю эти гостиницы, куда приехали работать горничными Лена и Тамара. Возможно, по комсомольскому призыву. Как истинные патриотки, желая принести только пользу своей социалистической родине. Они, несомненно, прошли перед отъездом за границу спецпроверку, и их «личные дела» в полном порядке.

А стали они там формально горничными, по сути же — проститутками. С благословения начальства и Политического управления, предпочитающих, чтобы холостые офицеры справляли сексуальную нужду не с немками, которые могут оказаться и агентами иностранных разведок, а со своими, русскими девицами. И если при этом приходится платить за любовь подарками или наличными, что по советской этике считается позором и злом, то в данном конкретном случае делается исключение, которое даже можно оправдать житейски: у офицеров высокое жалованье, а у девиц — низкое, не беда, если и поделятся. В любом случае, нет утечки валюты, деньги переходят из одного советского кармана в другой.

Вадим еще пытался возражать, говорил о революции, о социалистической нравственности, новом человеке, о всем том, что мы уже полвека бормочем миру, сами в то давно не веруя, и тогда я выбил у него последние козыри, напомнив ему нашу совместную командировку в один прелестный приморский город, к причалам которого швартуются торговые корабли со всего мира.

Одна деталь в этой истории весьма примечательна. Накануне поездки в нашем городе, где мы с Вадимом усердно трудились на ниве коммунистического воспитания масс, появились заграничные мужские пальто. Отличные пальто, доселе невиданные в нашем городе. Из толстого ратина, в рубчик. Сшиты по последней моде. С погонами и шалевым воротником. Наденешь пальто — и все русское испаряется из твоего облика. Выглядишь иностранцем, этакой заморской птицей. Конечно, при условии, если не разеваешь пасть и остаешься нем.

Эти пальто, как вы догадываетесь, появились не в открытой продаже для трудящегося населения, а в нашем закрытом распределителе, куда доступ открыт лишь «слугам народа» — партийно-советскому активу. Вскоре на улицах нашего города можно было без особого затруднения определить, кто из мужчин принадлежит к избранным, то есть к начальству: все они, как на подбор, щеголяли в ратиновых пальто с шалевыми воротниками стального и бежевого цвета. В наличии имелись только эти два цвета.

Мы с Вадимом тоже удостоились обновок — я купил стальное пальто, а Вадим — бежевое. Заодно там же, в закрытом распределителе, разжились шикарными, в клеточку, кашне. И когда обрядились в обновы и глянули в зеркало, то имели вид иностранных матросов, сошедших с корабля в порт порезвиться. Ведь только матросы-дружки, с их понятием о вкусе, могут одеться в одинаковые, как униформа, пальто и кашне и парой выйти фланировать по бульварам.

Точно так, того не ведая, поступили мы по прибытии в приморский город. Стояла осень. Теплая и влажная. Опавшие листья прели на поблекшей траве в многочисленных парках города, и морской свежий ветерок перекатывал их по асфальтовым дорожкам.

Этот город славился своей набережной, озаренной множеством фонарей, откуда видны были десятки кораблей с флагами разных стран и где вечерами гуляли жители города и гости, наслаждаясь свежим воздухом и прекрасным видом.

Разместившись в гостинице, мы с Вадимом в одинаковых пальто бежевого и стального цвета, каких в этом городе еще никто не носил, и, повязав бантом кашне, выплыли на набережную и включились в поток фланирующей публики.

Эффект, который мы произвели на представительниц слабого пола этого приморского города, ошеломил нас самих. Нас «безошибочно» приняли за моряков с иностранного судна, вышедших развлечься в советском порту. Как мухи на мед, как железные опилки к магниту, ринулись к нам охотницы до иностранной валюты, заграничных чулок и парфюмерии. Ринулись парами и в одиночку, блондинки и брюнетки, крашеные и натуральные, на какой-то чудовищной смеси иностранных слов предлагая свои, совершенно определенные услуги.

Вадим Локтев разинул рот от изумления при виде такой массовой и откровенной проституции в советском порту, на глазах у иностранцев и поэтому не смог произнести ни слова и тем самым не выдал девицам того, что он русский. Я же молчал нарочно, дразня девиц еще больше и усиливая у них желание зацепить нас.

И я и Вадим служили в армии в Германии и с грехом пополам владели немецким языком. Я шепнул ему, что мы сыграем роль немецких матросов и посмотрим, что из этого получится. Вадим, парень заводной, охотно поддержал игру, поставив непременное условие, что, выявив таким образом большинство проституток, мы обратимся к соответствующим властям и поможем им очистить город от такого позорного явления.

Мы двигались в довольно густой толпе гуляющей публики, изредка перекидываясь немецкими фразами из армейского лексикона, вроде: «Руки вверх!», «Следуйте за мной!», «Так точно!» и «Гитлер капут!», и, как мотыльки на огонь, выпархивали к нам девицы, пристраивались впереди нас, какое-то время мы следовали вплотную за ними, и затем они заговаривали с нами.

Как избалованные и опытные покупатели, мы цинично разглядывали их, а Вадим старался запомнить, и потом молча, жестами отказывались от их услуг. Стоило им исчезнуть, как тут же возникали новые, и игра повторялась.

Так мы прочесали всю набережную, и Вадим засек несколько десятков девочек, чья древнейшая профессия не вызывала сомнений. Вадиму это казалось крушением привычного мира. Советский народ представал в совершенно искаженном свете перед иностранцами, и этому нужно было немедленно положить конец. Он умолил меня пойти вместе с ним сейчас же к местному начальству и предложить простой и вернейший способ очистки города от позорного элемента — девиц легкого поведения, предлагающих услуги иностранцам. Мы, мол, вдвоем снова пройдем по набережной, как бы прогуливаясь, а детективы в штатском пусть следуют за нами и хватают каждую девицу, которая заговорит с нами. А в стороне пусть дожидается большой милицейский фургон: мы его полностью загрузим «уловом».

Велико было изумление Вадима, когда дежурный

офицер в приморском отделении милиции, вежливо выслушав его горячую речь и в деталях разработанный проект, поблагодарил и беспомощно развел руками, сказав, что всех этих проституток милиция знает наизусть, а взять их не может.

— Почему? — ахнул Вадим.

— Потому что у нас, в советской стране, нет проституции. Ясно? Такова официальная точка зрения. А раз ее нет, как же с ней бороться! Нонсенс! Конечно, можно было взять их под другим предлогом: тунеядство, бродяжничество. Но и тут мы — пас. Они все работают, некоторые даже состоят в комсомоле. А вечерами, когда они вправе распорядиться своим временем, как вздумается, выходят на панель и торгуют своим телом за пару заграничных чулок или губную помаду. Милиция бессильна, когда закон лицемерит.

— Что-то не в порядке в нашем отечестве, — бормотал сбитый с толку Вадим Локтев, когда мы покинули милицию и снова вышли на набережную.

Он был искренне раздосадован и уж ни на кого не смотрел, а пытался своими неокрепшими мозгами связать жесточайшую реальность с подмалеванным фасадом нашей действительности, который он же своими руками окрашивал в радужные тона.

— Слушай, давай сами наведем порядок, — не мог успокоиться он. — Пусть нас, как иностранцев, поведут к себе домой. А когда разденутся и лягут в постельки, мы вынем из штанов ремешки и выпорем по-отечески, приговаривая: мол, не позорьте советскую власть, суки. Наши, мол, космонавты вызывают у всего мира зависть и восторг, а вы топчете в грязь престиж первого в мире социалистического государства.

Делать нам было нечего, мальчишеская горячность Вадима меня смешила, и я не стал его отговаривать, полагая, что неплохо развлекусь.

Мы остановили свой выбор на одинокой проститутке, заметно выделявшейся среди остальных. Она была, в отличие от них, некрасива и бедно и неопрятно одета. Неопределенного возраста — между двадцатью и тридцатью. Белесые, свалявшиеся, нечесаные волосы, никаких следов помады на невыразительном лице. На костлявых плечах длинная, явно чужая кофта. Туфли на сбитых и скошенных каблуках.

Это еще больше возмутило Вадима Локтева. Что, мол, подумают о советской молодежи иностранные матросы, переспав с этим огородным пугалом. Вадим уже забыл о нравственности. Его теперь беспокоило, чтобы советские проститутки имели подобающий вид и в постели не уступали пальму первенства своим заграничным товаркам. У Вадима мозги были туго нафаршированы.

Покачиваясь на сбитых каблуках, девица прошла несколько шагов впереди нас и, резко обернувшись, выдавила профессиональную улыбку, озарив Вадима черным провалом на месте отсутствующего переднего зуба.

— Иностранцы? — спросила она по-русски и, ухмыльнувшись, добавила: — Иностранцы-засранцы.

Вадим и я сразу же вошли в роль и, выразив на своих сытых, откормленных лицах абсолютное непонимание русского, дружным дуэтом переспросили по-немецки:

— Вас?

— Хер тебе в глаз, — в рифму отпарировала славяночка, показав свое полное презрение к загранице и вызвав у меня молчаливый восторг. Она мне сразу понравилась. Вот он — результат нашей ура-патриотической пропаганды! Проститутка — великодержавный шовинист!

— Ладно, хватит трепаться, — по-русски продолжала она, нисколько не заботясь, понимаем ли мы ее. — Меня зовут Валя.

И для большей вескости она ткнула себя пальцем в плоскую грудь:

— Валя! Ясно? А неясно, тоже невелика беда.

— Валя, Валя, — хором повторили мы, кивая головами и глупо улыбаясь, как это обычно делают в советских фильмах актеры, играющие иностранцев.

— За мной! — кивнула нам Валя. — Пойдем ко мне. Деньги есть? Мани! — произнесла она первое слово по-английски.

— О, мани! — взвизгнули мы и загалдели, как гуси, хлопая себя по карманам. — Мани, мани, мани...

Вполне удовлетворившись беседой с нами, Валя повела нас в сторону от набережной, как раз в том направлении, куда показывал вытянутой рукой с гранитного постамента бронзовый Ленин. А он указывал на величественные многоэтажные здания, полукругом окаймлявшие бухту. Мы прошли эти здания, свернули во двор, и Валя зацокала сбитыми каблуками по ступеням, ведшим вниз, в подвал.

— Боже мой! — пришел в ужас Вадим. — Куда они водят иностранцев? Что они подумают о нашей стране?

Вадиму предстояло удивляться на каждом шагу. Перед ним открывалась жизнь, о которой не пишут в газетах.

Под величественными, облицованными мраморной плиткой зданиями, создававшими с моря выразительный облик приморского города, был второй город — подземный. Подвальные трущобы бесконечно тянулись мрачными сырыми коридорами, на стенах которых, как ребра, выступали ржавые трубы канализации. Во все стороны уходили такие же мрачные переулки со множеством дощатых дверей, откуда воняло детскими пеленками и кислыми щами. Здесь ютились сотни семей. Нам то и дело попадались табуреты с гудящими примусами, на которых варилось что-то в кастрюлях, и белье, сохнущее на веревках.

Валя хорошо ориентировалась в этом лабиринте, и мы еле поспевали за ней, сворачивая то влево, то вправо.

— Засекай маршрут, — шептал Вадим. — Назад-то нам без провожатого придется выбираться. Знаешь, что я думаю? Если она до конца так и не разберется, кто мы такие, то, считай, мы с тобой сдали экзамены на разведчиков. Играем свою роль точно, не придерешься.

Вместо двери в жилище, куда нас привела Валя, была грязная ситцевая занавеска. А внутри было такое убожество, что у нас захватило дух. Под облупленным, с ржавыми пятнами потолком на длинном шнуре висела голая, без абажура электрическая лампочка и тускло освещала четыре крашенные известкой стены, без единого окна, дырявый дощатый пол и на нем один табурет, один колченогий стол, покрытый газетой, и узкую железную кровать с каким-то тряпьем на ней. Это была вызывающая бедность.

Валя сбросила на кровать кофту. Под кофтой была лишь комбинация со шлейками.

— Так, — деловито сказала она. — Мани! Деньги на бочку!

Для вящей ясности она огрызком карандаша вывела на листе газеты, которой был накрыт стол, цифру 100.

Вадим выхватил у нее огрызок и, размашисто перечеркнув 100, вывел 3.

Валя в гневе оттолкнула его локтем и сбавила до 75. Вадим, которому эта игра нравилась, перечеркнул 75 и поставил 5. Так они черкали и выводили цифры, пока не сошлись на 25.

Денег ей Вадим не дал, жестами пояснив, что сначала мы должны убедиться в качестве обслуживания.

— Ладно, — устало согласилась Валя, расстегивая юбку. — Выключите свет.

Вадим повернул выключатель на стене, лампочка погасла, и стало темно. Вадим на ощупь пробрался к табурету, намереваясь сесть, но промахнулся и грохнулся задом об пол. От неожиданности и боли он взвыл в темноте, изматерившись по-русски, и Валя, мгновенно сообразив, что мы не те, за кого себя выдаем, включила свет и закричала:

— Вон отсюда! Легавые! Я сейчас на помощь позову!

Мы бежали без оглядки, чудом ориентируясь в поворотах, натыкаясь на ржавые трубы, спотыкаясь о табуреты и зарываясь головами в сохнущее белье.

Выбравшись на свет божий, на свежий воздух, очутившись перед мраморными фасадами величественных зданий, мы долго приходили в себя, и Вадим огорченно признался, что разведчик и конспиратор из него никудышный и единственную пользу, какую он извлек из нашей авантюры, это то, что узнал, в каких трущобах обитают советские люди.

Всю эту историю я напомнил моему сослуживцу, пока мы коротали ночь на вокзале, ожидая нашего поезда, и Вадим не стал спорить и согласился, что не все у нас гладко и надо еще много сил приложить в борьбе за идеал.

Как он приложил свои силы — я убедился в следующий вечер в городе, куда мы наконец добрались, и я лег отсыпаться в гостиничном номере. Поспал я не больше часа и был разбужен пьяным голосом Вадима за дверью:

— Эй, кончай ночевать! Заходи ко мне! Покажу сюрприз!

В комнате у Вадима сидели в ряд на диване, застенчиво положив на колени руки, три девчонки, все моложе двадцати, и несмело улыбнулись мне, когда я вошел, на ходу одеваясь.

— Три сестры! — отрекомендовал их Вадим, раскачиваясь на ногах посреди комнаты. — Похлеще, чем у Чехова! И все три — проститутки. Наши советские проститутки! Я их в ресторане подцепил. Две — мне, одна — тебе. Выбирай любую, я угощаю.

Вадим был пьян как свинья.

— Глаза разбежались? Не знаешь, какую взять? Я тебе выберу, знай мою доброту. Бери самую младшую. Эй, ты, детка, иди к дяде. Он тебе покажет, что русский мужик не хуже иностранца.

Я туго соображал, не очухавшись со сна. Девчонка, курносая и сероглазая, в короткой, выше круглых коленок юбке, прошла за мной в мою комнату и стала раздеваться. Когда она сложила свою одежонку на диван и повернулась ко мне, застенчиво закрыв ладонями маленькие грудки, я изумился, увидев на ее лобке вместо волос золотистый пушок.

— Сколько тебе лет? — обеспокоенно спросил я.

— А сколько дадите? — неуклюже-кокетливо спросила она.

— Шестнадцать?

— Меньше.

— Что? — поднялся я со стула. — Тебе всего пятнадцать лет?

— Меньше, — повторила она. — Мне — четырнадцать.

— Одевайся! — закричал я, и она послушно стала натягивать на себя одежду. — Давно ты этим занимаешься?

— Больше года.

Я застонал.

— И эти... действительно, твои сестры?

— Да. Нас маманя посылает... если ничего не принесем... может прибить. Вы мне уплатите, даже если брезгуете... а то прибьет маманя.

Я поспешно отсчитал ей несколько рублей и сказал, чтобы она сейчас же уходила домой, а завтра утром я жду ее здесь. У меня в городе все начальство — приятели, и я ее устрою куда-нибудь... учиться и работать. И она будет жить с другими детьми. Будет одета и обута. И, как кошмар, забудет все это.

Когда я ей это горячо и торопливо объяснял, я сам себе напоминал Вадима Локтева — борца за социалистическую нравственность.

Девочка с заблестевшими от радости глазами стала благодарить меня и сказала, что утречком непременно придет сюда и будет ждать меня в вестибюле.

— Мы позавтракаем вместе и пойдем, — проводил я ее к дверям. — Завтра ты начнешь новую жизнь.

Оставшись один в комнате, я долго взволнованно ходил из угла в угол, как Вадим, возмущаясь масштабами проституции и умиляясь своей порядочности и гражданственной ответственности.

Я разволновался до того, что окончательно расхотел спать и почувствовал голод. Умывшись и причесавшись, я спустился в ресторан, чтоб перехватить в буфете стакан чаю с бутербродом.

Ресторан был полон. На эстраде играл джаз. Над столиками плавали клубы табачного дыма. Я остановился на пороге и обмер.

Моя девочка с золотым детским пушком на лобке, которую я только что отправил домой, взяв слово, что завтра она с моей помощью начнет новую, чистую жизнь, сидела за столиком с пьяным офицером и тянула водку из рюмки, а он облапил ее и шарил ладонью пониже спины. Увидев меня, она вздрогнула, поставила рюмку и, отвернувшись, демонстративно обхватила офицера за шею и стала целовать его.

Мне захотелось закричать, выгнать всех из ресторана, нашлепать девчонку по заду и запереть ее до утра, пока не откроются все учреждения, куда я поведу ее. Но вместо этого я, не став пить чай, покинул ресторан и поднялся к себе.

Проходя мимо комнаты Локтева, я услышал голоса ее двух старших сестер и гогочущий басок Вадима, который все никак не мог смириться с тем, что у нас в советской стране процветает такой жуткий пережиток буржуазного прошлого — проституция.

— Выключи телевизор! — рассердился Астахов. — В кои веки встретились, столько хочется рассказать да послушать, а ты воткнулся в телевизор, словно там бабы юбки задирают. Чего ты там не видал? Футбол давно кончился.

Зуев покорно выключил телевизор и с виноватым видом подсел к Лунину на диван.

— А ты чего куксишься? — спросил он. — Аль перегрелся в баньке?

— Чего-то тошно на душе, — мотнул головой Лунин. — Раскис.

— Пить бы тебе поменьше, — сказал Астахов. — Злоупотребляешь, парень. Не те уж года.

— Что? Пора итоги подводить? — скосился на Астахова Зуев.

— А почему бы нет? — задумчиво спросил Лунин. — Сколько нам еще осталось коптить небо? От силы десять лет. Скоро ответ держать.

— Перед кем? — вскинул голову Зуев. — Я не верю ни в Бога, ни в черта. Перед народом? Сказки для детей школьного возраста. Народ безмолвствует, как верно заметил в «Борисе Годунове» наш классик Пушкин. И вообще нет такого понятия, как народ. Есть безликие единицы. Шевелятся, дергаются. Вроде микробов под микроскопом. И миром правит принцип один: кто кого сгреб, тот того и уеб.

— Ты — циник, — лениво отмахнулся Астахов.

— А ты кто? — ехидно уставился на него Зуев. — Праведник? Одним мы с тобой миром мазаны. Сидим по горло во лжи да дерьме и молим Бога, чтобы ветра не было, иначе в рот попадет.

— Ты действительно его считаешь циником, а себя нет? — спросил Лунин.

— Я, по крайней мере, не плюю в колодец, из которого пью.

— Значит, если бы тебе представилась возможность начать жизнь сначала, ты бы повторил свой путь?

— С некоторыми коррективами.

— Ты и есть циник, — сказал Зуев.

— А ты? Кающийся грешник? Грешишь и каешься? Каешься и грешишь?

— Потому что спастись некуда. Да и поздно. Мы, ребятки, оседлали тигра, а падение с него смерти подобно. Так и придется трястись до могилы.

— Вот и вся правда, — согласился Астахов. — Мы верхом на тигре, и, пока не свалимся, — весь мир ложится к нашим ногам. Хорош коммунизм или плох — вопрос теперь уже не в этом. Коммунизм обречен на успех и завоюет весь мир. Потому что остальной части мира приходит естественный конец из-за дряхлости и либерального ожирения. Мы будем править миром. И я несказанно рад, что окажусь не в стане побежденных, а в лагере тех, кто диктует свою волю. Называйте это как угодно, но я сделал свой выбор давно, тогда же, когда и вы, и червь сомнения давно уже меня не точит.

— Завидую тебе, — вздохнул Лунин.

— Он прав, Саша, — обнял Лунина Зуев. — Не томи себя сомнениями. Мы все трое, при всех потерях, все же вытянули счастливый лотерейный билет. Мы — на верху пирамиды. И горе тем, кто, истекая желчью, копошится у ее основания. Жизнь человеку дается один раз, и мы урвали у нее максимум того, что возможно в наших российских условиях. Живи, пока живется. Радуйся каждому мигу, который еще в твоем распоряжении. Откинем копыта — ничего не останется. Ни почета, ни лавров, ни совести. Пустота. Так впитай в себя как можно больше радости на пороге этой пустоты. Пока ты еще способен что-нибудь ощущать. Положительные эмоции, Саша! Любой ценой!

— Как по-твоему? — не поднимая головы, спросил Лунин. — Будь жив Шурик Колоссовский, он бы разделял твою философию?

— Потому-то его и нет в живых. Природа производит селекцию. Она, мать, безжалостна. А если она замешкается, тогда включается щит и меч революции — наши славные органы безопасности — и ликвидируют тех, кто не может приноровиться к шагу истории. Сохраняются лишь такие экземпляры, как мы.

— Что ты хотел этим сказать? — насторожился Астахов. — Не считаешь ли ты нас отпетыми негодяями?

— А ты как полагаешь? — исподлобья взглянул на него Лунин.

— Знаете, куда нас такой разговор заведет? — после паузы примирительно сказал Астахов. — Лучше не будем.

— Давай не будем, — согласился Лунин.

— Ах, братцы мои, — покачал головой Зуев, — не нужно мудрить. Берите жизнь такой, какая она есть, и старайтесь отщипывать от нее самые лакомые кусочки.

— Вся философия нашего мира, на которой протерли штаны тысячи словоблудов, сводится к простейшей формуле, которая нашла точное отражение в одном...

— Анекдоте, — с улыбкой подсказал Астахов.

— Совершенно верно. Послушайте, и пусть его мудрость послужит вам путеводной звездой в минуты тягостных раздумий.

Жил на свете бедный еврей. И было у него богатства — всего-навсего два петуха. Один — белый, другой — черный. Жили они у него долго и привыкли друг к другу. А еврей, соответственно, привык к ним. Одним словом, одна семья. Но когда уж совсем в доме ничего есть не осталось, решил еврей зарезать одного петуха. Да стал в тупик. Которого? Зарежешь черного — белый скучать будет. Зарежешь белого — черный будет плакать от тоски. Что делать?

Пошел еврей к раввину — мудрейшему человеку в местечке и изложил ему суть проблемы. Задумался раввин, пожевал бороду и говорит:

— Труднейшую ты мне задал задачку. Сам я ее решить не в состоянии. Поищу в Талмуде, где вся наша мудрость сконцентрирована. Возможно, найду прецедент. Приходи через три дня за ответом.

Через три дня приходит к раввину бедный еврей и застает его совсем измученным: дни и ночи рылся раввин в Талмуде.

— Ну, что? — спрашивает еврей. — Какого петуха мне зарезать?

— Режь черного, — устало сказал раввин.

— Но ведь белый будет плакать.

— Хер с ним, — сказал раввин, — пусть плачет.

Астахов выдавил кривую ухмылку, а Лунин лишь горестно покачал головой.

— Дайте, ребята, выпить, — сказал он. — Там еще водка осталась?

— Ни-ни, — замахал перед ним рукой Астахов. — Тебе, Саша, больше пить не следует. Мы, кажется, все перебрали. Сделаем передышку.

— Ну, пивка хотя бы, — попросил Лунин.

— Пива можно, — решил Зуев и прошел нагишом к холодильнику. — Учти, Саша, пьешь последнюю. На, вот, выпей. И я горло промочу. Вертится у меня на кончике языка одна история. Грех будет — не рассказать ее вам. Располагайтесь уютно. К черту философию. Возвращаемся к нашим бабам. Только они, голубушки, достойны внимания. У них между ног заложен философский камень, и оттуда мы извлекаем смысл жизни.

РАССКАЗ ЗУЕВА

Примерно в ту же пору, что и в Литве, разворачивалась кровавая баня на Западной Украине. Проводилась ликвидация бандеровцев, а кто бандеровец, кто лояльный — поди угадай. Днем усач крестьянин мирно шагает за пароконным плугом в своей домотканой свитке и кожаных самодельных постолах, а ночью лежит в засаде с немецким автоматом «Шмайсер» и советскими гранатами-лимонками и — горе тебе, если в этот час ты попадешь ему на мушку. Вечером кареглазые дивчины с монистами на шее водят хороводы за околицей, а ночью, как заправские солдаты, нападают на милицейские участки и закладывают мины на извилистых горных дорогах.

Не знаю, как сейчас, с той поры я в эти края не наведывался, но тогда там, в Галиции и Карпатах, а не в Киеве была настоящая Украина, с сочным певучим языком — русский язык терпеть не могли, и, если заговаривал по-русски, ответа не жди, — с задушевными песнями, с белозубыми улыбками дивчин, с черными горящими глазами парней, со своей одеждой, многоцветной и яркой, как окружающий ландшафт, воистину национальной, изготовленной дома на ручных ткацких станках по узорам и моделям, переходившим от бабки к дочери, от дочки к внучке.

Чужого узнавали сразу — по одежде и по языку. Замыкались, к себе не подпускали. А если кто проявлял настойчивость, то его поутру находили у дороги с перерезанным горлом или с кровавой дыркой в затылке.

Поэтому без охраны в деревню не суйся и уноси ноги подобру-поздорову, пока солнце не закатилось за горы, а то вместе с охраной напорешься за поворотом дороги на засаду, и шансы выскочить живым из рук этих белозубых дивчин и кареглазых парней практически сводились к нулю. Поэтому и днем и ночью советские солдаты, в медалях и орденах вернувшиеся из поверженной Германии, патрулировали на дорогах в «виллисах» и бронемашинах, забрасывали противотанковыми гранатами выслеженные укрытия-бункера, изматывались до изнеможения в погонях за быстроногими и неуловимыми бандеровскими бандами и бесславно и нелепо, уцелев все четыре года войны с немцами, находили свою могилу в карпатской полонине.

Львов — удивительный город. Архитектурный музей в обрамлении парков и садов. Улицы, дома — необычайной прелести и уюта. Русский и украинский стили переплелись с польским и немецким и создали неповторимый букет, удивительную гармонию линий и красок, и если бы о зодчестве можно было так сказать, то я назвал бы его пахучим, ароматным.

Я получил назначение во Львов, в обком партии, и из голодной, обшарпанной Москвы попал в рай. Рынки ломятся от избытка вкуснейшей снеди, проперченной, с чесночком и укропом. Глянешь — слюнки текут. И дешево до невероятия. Сюда еще колхозы не пришли, бандеровцы своим сопротивлением отодвинули от крестьян этот счастливый миг, и потому дары черноземных равнин и горных долин затопляли город. Здесь ничего не стоило вкусно наесться и сладко напиться, а потом захлебнуться кровью под ножом того же крестьянина, если рискнешь покинуть город.

Мне дали ордер на квартиру, о которой я не мог мечтать в самом фантастическом сне. Я вселился в квартиру из шести комнат, где прежде обитал польский адвокат, высланный вместе с семьей в Сибирь. Адвокат или ничего не взял с собой, или ему не позволили. Остались дорогая ореховая мебель, фарфоровая посуда и серебряные ложки, постели с пуховыми перинами и даже семейные альбомы в бордовых бархатных футлярах. Я был холост и поэтому мог здесь играть в прятки сам с собой, бегая по паркетным дубовым полам и отражаясь в многочисленных зеркалах, вправленных в резные золоченые рамы. Кроны каштанов пропускали только редкие солнечные блики к широким венецианским окнам с прозрачным тюлем и тяжелыми шторами. В этом доме в таких конфискованных квартирах жила на всех трех этажах такая же публика, как и я, приезжая и чужая этому городу, работники обкома партии и Министерства государственной безопасности, и поэтому у подъезда с колоннами постоянно дежурил вооруженный автоматом милиционер, а в каждой семье хранилось личное оружие.

Мы жили как в осажденной крепости, и каждая вылазка за город выглядела как военная операция на враждебной, полной опасностей территории. В сферу моей деятельности как раз входила эта территория, а не город, поэтому мне предстояло вкусить всю прелесть знакомства с сельской Украиной.

В первую командировку меня снаряжали, как парашютиста перед прыжком в тыл к противнику. Выдали в спецотделе пистолет «ТТ» с двумя обоймами, неофициально рекомендовали прихватить, на всякий случай, финский нож, снабдили всевозможными сведениями об ожидающих меня опасностях, строжайшим образом предупредили не вступать в контакты с незнакомыми людьми, избегать, как самой опасной ловушки, знакомства с женщинами. У бандеровцев была коварная тактика — с помощью туземных красавиц заманивать в укромные места и затем убивать не слишком разборчивых представителей советской власти. Мне приводили в пример случаи, рассказывали ужасающие подробности гибели прекрасных коммунистов, не устоявших перед чарами обольстительных убийц.

— Они выслеживают таких, ненароком знакомятся, втираются в доверие, приглашают выпить и...

Одним словом, никаких знакомств с женщинами, ночевать только в районном центре, в охраняемой гостинице, а еще лучше в самом райкоме партии. С наступлением темноты не появляться на улице, отсиживаться под надежным укрытием.

А предстояло мне всего-навсего два часа езды поездом, провести день, от силы два, в сельском райкоме партии, собрать нужные сведения и тем же поездом возвратиться. Правда, если подвернется оказия, я надеялся махнуть оттуда на попутной машине, хоть на полдня, в горное село, куда поездом добраться нельзя. В этом селе секретарем райкома партии был мой фронтовой товарищ Андрей Костенко, киевлянин, попавший по партийной разнарядке в эту дыру и трубивший там уже третий год. Узнав, что и я попал в эти края, он оборвал телефон, приглашая заехать, погостить. Совсем недавно Андрей сообщил мне, что женился, и потребовал, чтобы я, если дорожу фронтовой дружбой, приехал познакомиться с его женой и крепко выпить по этому случаю.

Я прикинул, что, если управлюсь с делами пораньше и мне подвернется охраняемый транспорт, я заеду к Андрею. Если же нет, то вернусь во Львов и объясню все по телефону.

Мне рекомендовали одеться попроще, под сельского учителя, и не заговаривать с пассажирами, чтобы не привлекать внимания моим великорусским говорком. Следуя этому указанию, я облачился в нагольный гуцульский полушубок, шапку из овчины, сапоги. Вместо портфеля взял маленький кожаный чемодан, валявшийся в кабинете прежнего владельца квартиры. Нож сунул за голенище сапога, пистолет — во внутренний карман полушубка, смешался с толпой на вокзале и, предъявив билет проводнику, усатому и мрачному украинцу, какими я рисовал себе бандеровцев, вошел в вагон и занял место у окна. Второе сиденье у прохода оставалось свободным, а так как вагон был наполовину пуст, то я с некоторым облегчением решил, что поеду один, без соседей, а следовательно, и без необходимости вступать в путевые разговоры.

Была зима. И довольно холодная для этих мест, где вызревает виноград. Наглухо закрытые окна вагона подернулись узорами морозного инея. Пассажиры, понемногу заполнявшие вагон, были большей частью сельскими жителями. Тулупы, полушубки, бараньи шапки. Одна лишь украинская речь и ни слова по-русски. Кислый запах плохо выделанной овчины, перемешанный с острой чесночной вонью и щиплющим в горле едким дымом махорки-самосада.

Вот в таком окружении и в такой атмосфере мне предстояло протомиться два часа, пока этот поезд местной линии дотащится до Карпатских предгорий и выплюнет меня в ночь, на незнакомую станцию, к неизвестным людям. Я решил подремать, чтобы совсем не привлекать к себе внимания. Поднял меховой воротник выше ушей, надвинул шапку на глаза, прислонился плечом и ухом к стене и услышал:

— Это место не занято?

Я приоткрыл один глаз и из-под овчинной бахромы моей

шапки неясно различил женский силуэт у соседнего со мной сиденья. Вопрос относился явно ко мне, и я встрепенулся, отстранился от стены, чтобы принять позу поприличней.

— Конечно, свободно. Располагайтесь.

Я ее еще не разглядел, мне мешала овчинная шапка, сдвинутая на лоб, но, когда я стряхнул шапку назад, моему взору предстало видение. Я и до того видел красивых женщин. Актрис в кино и театре. Да и в большой Москве можно встретить на улицах множество очаровательных красоток, одетых хоть победней и похуже, чем в Париже, но компенсирующих этот недостаток свежестью и естеством своей женственности.

Такой, как эта, я не встречал. Она вся до краев была переполнена заманчивой до одури волшебной прелестью, от которой мужчины лишаются ума, теряют волю, становятся послушными, как ягнята, и с восторгом покоряются каждой прихоти повелительницы. Румяные с мороза щеки лучились двумя вкуснейшими ямочками, резные ноздри вздернутого носика трепетали, словно пульсируя. Глаза большущие и черные, какими бывают в этих краях крупные черешни. А волосы, в неожиданном контрасте с ее южной смуглостью, были белые и мягкие. Белые, с легкой желтизной, цвета местного сливочного масла. Или льна. Желтые, с серебристым отливом.

В ушах покачивались маленькие сережки черненого серебра с крохотными каплями рубина посередке. И эти алые, как кровь, капельки рубина прелестно гармонировали с ее влажно-черными глазами и вызывающе ярко рдели на фоне желто-серебристых, ниспадавших на плечи волос.

На ней была овчинная душегрейка в талию, темно-желтая, расшитая узорами на груди и на спине и окаймленная снизу и по краям рукавов полоской серого вывернутого меха. На плечах, небрежно сброшенный с головы, лежал мягкий шерстяной платок с редкими нераспустившимися бутонами красных роз по светлому полю — польское изделие домашней выделки, излюбленное не только местными паненками, но и украинскими дивчинами Львова.

Она была очень молода, чуть старше двадцати. И стройна. Не худа и тонка, а слегка раздалась ранней полнотой и от этого была еще привлекательней и желанней.

Она была украинкой. И не только по говору, но и по

всему своему виду, каждому жесту и движению, полному мягкой, хищной грации, как и певучая украинская речь, медово-ласковая и жгуче-холодная в одно и то же время.

Нетрудно представить мое состояние застоявшегося молодого жеребца, отнюдь не избалованного женским вниманием в этом городе, где я жил под охраной и под вечным страхом нарваться на пулю или нож, при виде этого чуда украинской природы. У меня был преглупый вид, и я непристойно уставился на нее, вызвав удовлетворенную и понимающую улыбку уверенной в себе женщины, привыкшей к такому ошеломляющему действию своей красоты.

— Вы — русский? — спросила она, сев рядом и повернув ко мне свое румяное, с ямочками, улыбающееся лицо. — И видать, из Москвы?

Она перешла на русский язык, который в ее устах звучал непривычно, смягченный сильным украинским акцентом.

Я не ответил, потому что вспомнил все инструкции и напутственные предупреждения сослуживцев об очаровательных соблазнительницах, подсылаемых бандеровцами к таким персонам, как я. Действительно, почему она села ко мне, когда в вагоне оставалось столько свободных мест? Почему она заговорила первой, хотя это считается проявлением самого дурного тона в неписаных правилах местной добродетели? И наконец, кто дал ей сведения обо мне?

Я похолодел и замкнулся. В голове запрыгали трусливые мысли о том, что мне нужно побыстрее отвязаться от нее, перейти в другой вагон или совсем покинуть поезд на следующей станции. Поезд уже шел, подрагивая на стыках рельс. За слюдяными от мороза окнами расплывались, уползая назад, неясные пятна огней.

— У вас в Москве все такие... невежливые? — продолжала улыбаться она, откровенно рассматривая меня, безо всякого стеснения и с видом гурмана-удава, со знанием дела прицENивающегося к кролику, перед тем как его заглотать.

— О-о, я понимаю, секрет? — звонко рассмеялась она, раскрыв за вишневыми тугими губами два ряда влажно поблескивающих ровных и белых зубов. — У вас задание... вы едете инкогнито... кругом подстерегает опасность... и вы собранны, как комок железных мышц... как тигр, готовый к прыжку...

Не знаю почему, но я не устоял перед этим потоком дружеской иронии и улыбнулся ей. Удовлетворенная этим, она прекратила атаку.

— Все! Больше — ни звука! Куда вы едете — ваше дело, куда я — мое. Но это не мешает нам провести несколько часов в приятной беседе?

Она была опытна. Опытней, чем полагалось по ее годам. Все так же, не переставая улыбаться и демонстрировать вкусные ямочки, она стала беспечно болтать, порой загадочно умолкая и вперяя свой взор в мои глупые глаза, и эта пауза была полна волнующего кровь обещания. Убей меня, если я могу хоть слово вспомнить из того, что она болтала. Потому что я лихорадочно размышлял о том, что с самого начала моей поездки я попал на крючок, и теперь меня будут осторожно, чтобы не вспугнуть, тащить в условленное место, где поджидает засада. Мне было лестно, что я легко разгадал маневр, и не так страшно, потому что инициатива оставалась в моих руках, и я в любой момент мог прервать игру и, проявив некоторую находчивость, арестовать эту сирену и сдать ее железнодорожной охране.

Хоть кровь во мне закипала от близости этой чувственной породистой самки с льняной гривой и зовущими на грех черешнями-глазами, я был уверен в себе и знал, что в нужный момент буду холоден и решителен. В этом я не сомневался. И когда она спросила, долго ли мне ехать и где я схожу, я не посчитал нужным скрыть название станции, куда я направлялся, и, даже немного торжествуя над ее неудачей, пояснил, что через час мы расстанемся, как мне ни жаль.

— И мне жаль, — уже без улыбки вздохнула она и даже отвела лицо, до того повернутое ко мне. — Мне ехать на полчаса дальше. Сойду на станции, переночую у знакомых и утром выйду голосовать на шоссе. Я живу в горах, туда поезд не идет.

Она снова повернула лицо ко мне. Без улыбки, даже с грустью в черной глубине больших глаз.

— Какая тоска коротать долгую зимнюю ночь в чужом месте... и совсем одной.

Я кивнул, соглашаясь с ней, что, мол, действительно, ничего веселого в таком времяпрепровождении нет.

— Слушайте, — перешла она на шепот и положила свою сухую теплую ладонь на мою руку. — Не сходите на вашей станции. Что вы там ночью будете делать? Все равно спать. Так поедемте со мной... А утром есть обратный поезд, полчаса до вашей станции, и вы успеете к началу рабочего дня.

— Нет, — упрямо вынул я руку из-под ее ладони и спрятал в карман полушубка. — Извините, у меня не праздная прогулка, я на работе...

— Как хотите, — обиженно надула она свои вишневые губки и снова отвернулась.

«А-а, голубушка, сорвалось, — торжествующе злорадствовал я в душе, — не помогли твои чары, не выполнила задания».

И словно она услышала мои мысли, резко взглянула на меня сразу ставшими жесткими, злыми глазами и сказала сухо, тоном приказа:

— Вы поедете дальше. Со мной. Будет так, как я хочу!

Я чуть было не рассмеялся ей в лицо. Это уже была вызывающая наглость. При всех ее дамских прелестях моя соблазнительница явно переоценила свои возможности.

— Не будем спорить, — мирно и не без гордости за свою стойкость сказал я. — Вот уж скоро моя станция, и вам представляется возможность убедиться, что сойду я именно здесь.

— Гордиться нечем, — отвела она глаза. — Вы — не мужчина.

— Как вам угодно, — сказал я и стал собираться.

Она не удостоила меня взгляда, пока я доставал из верхней сетки свой кожаный чемоданчик, позаимствованный у бывшего владельца моей львовской квартиры, а потом застегивал полушубок, незаметно проверяя, цел ли пистолет в боковом кармане. Не подняв глаз, она лишь подобрала колени, пропуская меня, но, когда я стоял спиной к ней в очереди усатых дядек, поднявшихся с мест и выстроившихся в проходе задолго до остановки поезда, я лопатками почувствовал, что она не сводит с меня глаз, и обернулся. Она, как пойманная врасплох, дернула головой и уставилась в белое, мохнатое от инея окно, где смутно проступали желтые пятна огней приближающейся станции.

Я сошел в толпе полушубков и тулупов на заснеженный перрон перед одноэтажным, красного кирпича маленьким вокзалом, за которым в морозной дымке еле угадывались пологие очертания Карпатских гор. Станционный громкоговоритель хрипло по-украински что-то объявил, из чего я разобрал лишь одно, что поезд стоит на этой станции пять минут. И я побежал как подстегнутый. Влетел в вокзал, невежливо толкая встречных, глазами отыскал окошко с надписью «Касса», с замиранием сердца обнаружил перед ней очередь, человек с десяток, и совершил то, что я делал лишь в крайних случаях, с большой неохотой. Достал свою красную книжечку — удостоверение работника обкома партии, которая волшебно открывает перед ее обладателем любые двери, и, помахивая ею перед носом сонного дежурного по станции, категорически потребовал достать мне без очереди билет до станции, где предстояло провести ночь моей спутнице. Сопровождаемые недружелюбными взглядами усатых дядек из очереди и злыми шепотками «чертов москаль», мы с дежурным протолкались к кассе, и, получив билет и впопыхах забыв взять сдачу, я вылетел на перрон и помчался к своему вагону, у входа в который змеилась очередь новых пассажиров. Тут я спешить не стал. Билет у меня есть, в вагон я вскочу даже на ходу. С моим легким чемоданчиком.

И когда ударил станционный колокол, я уже был в тамбуре, сжатый со всех сторон овчинными полушубками и тулупами.

Все, что я совершил с того момента, как пять минут назад покинул поезд, я проделал без участия моей воли, а словно под гипнозом, ведомый за ниточки чьей-то властной рукой. Это не был гипноз, это не было потерей памяти. Это было черт знает что такое. Чему нет объяснения в медицинской литературе.

На этой станции село много пассажиров, и вагон был переполнен. Полушубки и тулупы стояли в проходе, тщетно разыскивая свободное место. Я заглянул вперед через чужие плечи и воротники и увидел свою спутницу, положившую руку с сумкой на мое прежнее место, оставшееся почему-то незанятым.

Потом я услышал ее голос, крикливо, чисто по-украински осаживавший назойливых пассажиров в проходе.

— Место занято! Человек вышел на минуту.

Она не сомневалась, что я вернусь.

Я похолодел и понял, что моя песенка спета. Я начисто лишился обычных для меня волевых качеств и даже упрямства, каким славился в своем кругу. Я стал мягким и податливым. И понимал, что это — конец, что мой труп с проломленным черепом будет найден утром, полузасыпанный снегом на затерянной станции у самого подножья Карпатских гор. И она, этот дьявол с желтыми льняными волосами и влажными, как черная черешня, глазами, запишет себе в актив еще одного уничтоженного коммуниста-москаля.

Любопытно, что, отчетливо понимая все это и не лишенный способности мыслить, я с холодным равнодушием обдумывал все перипетии заманивания меня в ловушку, будто это происходит не со мной, а с кем-то другим, и мне почему-то лень предупредить его о грозящей опасности.

Она встретила меня своей белозубой улыбкой. Не торжествующей и злорадной, а мягкой и радостной, и, когда я сел рядом, коснулась губами моей щеки и положила свою ладонь на мое колено.

Так мы и поехали дальше. Не сказав ни слова. Обуреваемые оба — не только я, но и она, я это чувствовал по подрагиванию ее руки на моем колене — нетерпеливым, оглушающим желанием, от которого кровь начинает стучать в висках и становится трудно дышать.

Поезд вползал в горы. Движение замедлилось, стало натужным, через силу. Усталое дыхание паровоза, прежде неслышное, теперь проникало в вагон астматическим, задыхающимся ритмом. В такт ему я слышал биение моего сердца и чувствовал ускоренный пульс в ее горячей руке.

Доехали. Сошли. Пассажиры растекались по темным улочкам маленького городка. Редкие фонари таяли в морозном воздухе, клубясь желтым зыбким ореолом. Холод проникал в рукава и за ворот. Кожа на лице одеревенела, потеряла чувствительность. Я понес и свой чемоданчик и ее увесистую, тяжелую сумку, угловато распираемую изнутри.

«Наверное, там автомат, — равнодушно стучало в моих висках. — Нелепо. Сам тащу оружие, которым буду пристрелен».

— Не замерзли? — за всю дорогу лишь раз осведомилась она с прежней улыбкой на раскрасневшемся лице. Черный овчинный воротник, поднятый до макушки, заиндевел и покрылся колечками сахарного инея. Она была еще красивей. От ее пунцовых щек и белых зубов веяло здоровьем и свежестью.

Я не спросил, куда она меня ведет. Лишь иногда локтем проверял, лежит ли пистолет в полушубке, и, как дело решенное, знал, что без боя не сдамся. Уложу сначала ее и еще кого-нибудь в придачу, а потом себе пулю в висок. Мысль о том, чтобы повернуть и умчаться на вокзал, пока еще не поздно, даже не приходила мне в голову. Я не мог уйти от нее. Это зависело уже не от меня.

По темной, круто уходившей вверх, без единого огонька улице, сопровождаемые ленивым простуженным лаем собак, мы добрались до дома с окнами, закрытыми ставнями, и она постучала в деревянную ставню у крыльца. Три коротких стука. Условный сигнал. Кожа на моей спине и руках сделалась гусиной, я зябко передернул плечами и оглянулся по сторонам и назад. Где-то далеко, еще выше в горах, прокатился колокольный звон. Колокол невидимой отсюда церкви пробил двенадцать раз. Я глянул на свои часы. Полночь.

Все складывалось таинственно и жутко, как в детской сказке. Горы. Вымершая морозная улица. Три стука в окно. Церковный колокол. Полночь. И в довершение картины дверь нам открыла ворчливая простоволосая старуха с беззубым ртом и в наброшенном на голову кожушке. Ни дать ни взять — Баба-Яга.

Они обменялись какими-то отрывистыми словами по-украински, почти шепотом, так что я ничего не расслышал, старуха смерила меня с ног до головы быстрым оценивающим взглядом и сказала, зевнув:

— Заходьте.

Я вошел вслед за ними, и меня поглотили абсолютная темень, теплая, даже душная, несвежий запах от дыхания многих людей, вонь от портянок и разопревшей обуви. Я ничего не видел, но слышал сонное дыхание и мужской храп внизу, у своих ног. На полу спали люди.

За спиной грохнула, заставив меня вздрогнуть, щеколда — старуха заперла двери. Я невольно втянул голову в плечи, ожидая из темени удара топором.

— Вы здесь? — у самого моего уха зашептала она. — Дайте руку.

Моя рука очутилась в ее горячей ладони, и я пошел за ней, ничего не видя, натыкаясь на мягкие тела спящих людей и переступая через них, не зная, куда поставить ногу.

Комната была огромной, на полу спали, разметавшись на постеленных тулупах и полушубках, десятка два мужчин, и, судя по чесночной и махорочной вони, это были крестьяне, те самые дядьки с вислыми усами — бандеровцы. Целая банда. Здесь было их логово. И я — представитель обкома партии — такая заманчивая добыча, сам, как на веревочке, пришел к ним, и все еще не отдавая себе отчета, что я делаю, переступал через сонные тела своих врагов, которые нынче славно позабавятся, проснувшись и увидев меня.

— Здесь, — шепнула она, и я коленями уперся в деревянный бок кровати, пошарив рукой, погрузил ее в податливую перину. — Раздевайтесь.

Я сел на край кровати. Она — рядом. Глаза все еще не привыкли к этой абсолютной темени. Я не различал ничего. Только слышал сопение и храп и изредка неразборчивое бормотание во сне. По-украински.

Она первой стала раздеваться, складывая снятую одежду на спинку кровати. Потом нагнулась и пошарила под подушкой.

Я вспотел в своем полушубке и стал поспешно снимать с себя одежду. Достал пистолет из кармана полушубка и нож из-за голенища и все это незаметно подсунул под подушку. Рука моя нашарила там другой пистолет — маленький браунинг, и я догадался, что это она его туда положила, когда нагибалась к подушке.

Все складывалось точно, как по расписанию, и я только не знал, сколько минут или часов жизни отведено мне в этом расписании. И еще я недоумевал, зачем раздевается она. Но, видать, так задумано. Останется только ждать. Еще немного.

Я остался в нижнем белье и молча полез под перину к стене, просунул руку под подушку, сдвинул ее браунинг поближе к себе, незаметно вытащил из него обойму, затем сжал рукоятку своего «ТТ», и ладонь моя сразу взмокла.

Перина приподнялась, она мягко легла на нее и, сделав несколько изгибающихся движений, коснулась меня... голым телом. Она была абсолютно нагой, и свободной рукой я нашарил ее гладкий, чуть выпуклый живот и волосы, мягкие, завитками, в самом низу живота. Выпростав руку из-под подушки, продвинул под ее шею, и она прильнула ко мне всем телом. Перед моими глазами мерцали ее глаза, совсем огромные в этой кромешной тьме, и белели зубы. Она улыбалась.

Она отдалась мне, обхватив руками и крепкими мускулистыми ногами, сжав так, что я почти не мог шевельнуться, и мы ритмично закачались вместе в сладко-пронзительном параличе, сковавшем нас в единое целое. Она была темпераментной, горячей женщиной и стонала и всхлипывала от страсти, не стесняясь присутствия посторонних людей, храпевших на полу этой таинственной огромной комнаты.

Когда мы, пресыщенные и опустошенные, лежали рядом, переводя дыхание и остывая, и она поглаживала ладонью мою грудь, затем и живот и легким шевелением пальцев добралась до моих бедер, зарыв пальцы в волосы, кто-то закашлял на полу и ругнулся вполголоса по-украински, явно имея в виду нас и поднятый нами шум, а она рассмеялась, громко и заливисто, давая мне понять, что здесь все свои и она никого не стесняется.

Мы не сомкнули глаз всю ночь. Она сжигала меня своим бесконечным желанием, утоляемым лишь на короткий миг, и я еле успевал за ней, но каждый раз возбуждался от касаний ее умелых и ласковых рук, крепких, с острыми сосками грудей и упругого выпуклого живота.

Поздний рассвет проник в щели ставней. Стали различимы очертания фигур спящих вповалку на полу мужчин. Над кроватью проступил темный укоризненный лик Иисуса на большом деревянном распятии. Кто-то сел на своем тулупе, прикурил махорочную цигарку и простудно закашлял.

— Пора, — шепнула она, и я сразу сбросил с себя сонную одурь, сел в перине и стал одеваться. Стараясь, чтоб она не заметила, сунул в полушубок пистолет, а в сапог, за голенище, — нож. Свой браунинг она тоже вынула из-под подушки, спиной отгородившись от меня.

Мы вышли на потонувшую в морозном тумане улицу. Она задержалась в сенях, пошепталась с той же беззубой старухой, и из того, что я уловил, понял, что она заплатила ей за ночлег.

Затем она стала поторапливать меня, чтоб я не опоздал к обратному поезду. Мы чуть не бежали до вокзала, смеясь и дурачась, как расшалившиеся дети. Морозный воздух обжигал легкие, и кровь пульсировала в жилах так, что я осязаемо ощущал ее горячий напор.

На ее лице не было и следа усталости от бессонной и опустошающей ночи. Щеки пламенели, глаза-черешни влажно блестели, и улыбка была свежей и пьянящей. Эта свежесть и опьянение передавались мне, и я чувствовал, что готов завалить ее в сухой искрящийся снег, содрать с нее одежду и здесь, на морозе, клубясь паром от пылающего внутри жара, овладеть ею, и это доставило бы мне не испытанное доселе наслаждение.

Она ничего не сказала о себе. И я не стал спрашивать. Только, когда я уже садился в вагон, прильнула губами к моим, обожгла на морозе и шепнула:

— Не думай обо мне, не ищи меня... Был сон... и прошел. Счастливо!

Поезд тронул. Я сидел в почти пустом и холодном вагоне у заиндевевшего окна и беззвучно смеялся от какой-то биологической радости и удовлетворения. Судьба подарила мне жгучее, незабываемое наслаждение на острие ножа, под дулом пистолета. И я остался жив. И мне так легко и хорошо... И это будет тайной. Моей... которой ни с кем нельзя поделиться.

Я приехал на ту станцию, где вчера вечером потерял власть над собой и, купив новый билет, последовал за своей искусительницей, явился в райком к началу рабочего дня, был встречен радушно и приветливо, сразу занялся делами, и все шло так споро, без заминок, что после обеда я был свободен и мог ехать обратно во Львов. Я сэкономил целые сутки из своей командировки. Удача меня не покидала, и местный секретарь по пропаганде оказался дружком Андрея Костенко, недавно гулявшим на его свадьбе, и, узнав, что мы с Андреем фронтовые товарищи и не видались столько лет, тут же распорядился заправить райкомовский «виллис», усадил меня рядом с шофером, у которого на шее висел немецкий трофейный автомат, сунул мне в карманы полушубка по гранате-лимонке, и мы засветло умчались по извилистой дороге в горы.

Без особых приключений — мне по-прежнему везло — к вечеру добрались до Андрея Костенко. Он обалдел от радости и повис у меня на шее, не дав снять полушубок, и целовал мои колючие небритые щеки, тряс меня за плечи и смеялся так радостно, что я был тронут чуть не до слез.

Мы стояли в прихожей большого дома Андрея Костенко, уютно разместившегося в глубине старого сада, заваленного сугробами, но с расчищенными и подметенными дорожками. Как и моя квартира во Львове, это был реквизированный дом, и прежний хозяин был явно состоятельным человеком.

— Ну, какой сюрприз! — не мог опомниться Андрей. — Какая радость! Я ж сегодня самый счастливый человек. И Оксана дома. Сейчас представлю! Приготовься. Смотри, друг, какой Андрей везучий! Уверяю, ты рот раскроешь! Я сам, ей-Богу, до сих пор не верю, что мне такое счастье привалило. Оксана! Оксана! Иди сюда, моя радость. Смотри, кто до нас приехал!

Андрей был прав — я раскрыл рот и долго не мог захлопнуть. В прихожую вышла она, моя вагонная спутница, с распущенными по плечам льняными волосами, и влажные глаза-черешни уставились на меня. Она владела собой прекрасно. Казалось, она даже не удивилась. Протянула мне свою теплую мягкую руку, развела губы в белозубой улыбке.

— Знакомьтесь, — ликовал Андрей, по-своему оценив мое обалделое выражение лица. — Признайся честно, таких красавиц ты еще не встречал? А? Только в наших краях такие водятся. Вот подожди, обживешься тут, мы и тебе подыщем. Ну, чего стоите? Знакомьтесь. Это — Оксана, а это...

Мы с ней только сейчас представились друг другу, пожали руки.

— Что за церемонии? — не унимался Андрей. — Руки жмут. Как на официальном приеме. Это, Оксана, мой фронтовой товарищ, вместе войну прошли. Он мне ближе родного брата. Так не руки надо тискать, а поцеловаться.

Оксана улыбнулась ему, встряхнула льняными волосами, положила мне на плечи свои ладони и коснулась губами моих губ.

— Крепче целуй! — доносились до меня вопли ошалевшего Андрея. — Не стесняйся, Оксана! Я позволяю!

Зимний день короток, и за заиндевелыми окнами бани быстро сгущалась тьма. По всей территории санатория, вдоль глубоко утонувших в снегу расчищенных аллей и дорожек, зажглись фонари, высвечивая внизу согнутые спины баб-дворников, большими фанерными лопатами сгребавших с асфальта свежую порошу.

Мимо бани прошел кучер Ерофей, статный, красивый, в теплом кафтане и шапке пирожком, прислушался к джазовой музыке, доносившейся из бани, покачал головой.

За голубыми елями, под глубокой снежной шапкой располагались бревенчатые конюшни, и оттуда несло терпким запахом прелого сена и конского навоза. Ерофей прошел в полутемное нутро конюшни, и его сразу обдало теплом. Его тройка — серый коренник и две гнедые пристяжные подняли умные морды из яслей, полных овса, и радостно заржали ему навстречу.

— Прощайте, соколики, — подошел к коням Ерофей и каждого обнял за гладкую шею, прижался лицом к шелковой шерстке. — Отъездился ваш Ерофей. Прогнали как собаку.

Кони мотали головами, словно давая ему понять, что они все понимают, да ничем помочь не в состоянии.

— Не убивайся, Ерофей, — подошел к нему старик конюх. — Не поздно еще, смири гордыню, покайся, и не уволят тебя, обратно возьмут.

— В чем каяться? — поднял на него тяжелый взгляд Ерофей.

— Бес, мол, попутал. Откажись от Клавдии. На кой она тебе?

— Эх, Кузьмич, Кузьмич, жизнь ты прожил, а ума не нажил. Как же я от Клавы откажусь, ежели я люблю ее и без нее нет для меня жизни?

— А какая, скажи на милость, будет твоя жизнь без

такой работы, что имел? Да и Клаву твою тоже рассчитали. Куда денешься?

Чем тебя эта баба приворожила? — покачал головой Кузьмич. — Мало их кругом, что ли? Мог втихаря любую пользовать.

— Я не вор, Кузьмич, и бабью ласку красть не привык. А чем меня Клава приворожила — то и родному отцу не сказал бы. Не мужское это дело — свое сердце на людях потрошить. Вот бери обмундирование и расписку дай.

Ерофей снял шапку пирожком и кафтан, сложил аккуратно на тюк прессованного сена.

— Конец маскараду, клоуну — ногой под зад. Будем жить, Кузьмич, как все. Авось не помрем.

Кузьмич взял его кафтан и шапку и стоял, глядя, как Ерофей облачается в свою домашнюю одежонку — стеганый ватник, подпоясанный армейским ремнем.

— Значит, ты уже не коммунист?

— Отгулял, — невесело усмехнулся Ерофей и кивнул на доносившуюся из бани музыку. — А они еще пируют. Хозяева. Слуги народа. Как бы не пришлось поплясать.

— Эй, не говори лишнего.

— А чего? Хуже, что ли, будет? Как в войну говорили штрафники-офицеры: дальше фронта не пошлют, меньше роты не дадут. Прощай, Кузьмич. Завтра поутру тебе мою тройку к вокзалу гонять. Не проспи. Важных гостей ожидают. Заграничных.

— Прокачу с ветерком.

— Гляди, чтоб не сдуло. Кони мои горячие, к чужой руке непривычны.

— Обуздаем. Не таких уламывали.

РАССКАЗ АСТАХОВА

Это было в ту давнюю и сладкую пору, когда я был молод и холост, не ходил в высоких чинах, а потому спал крепко, без кошмаров и единственной заботой к концу рабочего дня было — с кем переспать этой ночью, чья головка будет покоиться на подушке рядом с твоей.

Я начинал карьеру в газете. В большом промышленном городе. И подавал немалые надежды на журналистском поприще. Писал фельетоны. На темы морали, семьи, брака. А это самый читабельный материал на страницах сухой периодики, и потому мое имя в городе было хорошо известно. Я был местной знаменитостью, достопримечательностью, вроде каменного топора, обнаруженного археологами на речном откосе и торжественно выставленного в краеведческом музее.

Меня узнавали на улицах. Незнакомые люди раскланивались со мной с почтением, а матери показывали меня детям, устремив в мою сторону палец и закатывая глаза. К городскому начальству — и партийному, и административному — я входил запросто, без доклада. И причиной тому была не только моя журналистская известность, но и кое-что другое. О чем я и хочу вам поведать.

Не стану утруждать ваше внимание описанием своих журналистских подвигов. Нынче у нас речь о других подвигах... и поражениях. И с годами начинает скрести на душе, жизнь идет к концу, и прожита она не самым лучшим образом. А порой и просто неловко за содеянное. Сегодня мы каемся. Друг перед другом... как нашкодившие коты. Примите и эту историю, как мое покаяние.

К мэру города и к партийному боссу я заходил без доклада. Верные стражи их кабинетов — секретарши Томочка и Таня были моими любовницами. Томочка — ничем не примечательное существо. Из тех секретарш, какими их рисуют в юмористических журналах: талия рюмочкой, глупенький лобик покрыт челочкой, а сзади мотается конский хвост. Хрупкая, как подросток. Но в сексуальных делах большая затейница. Любила, баловница, сочетать секс со спортом. Разденет меня догола, с себя все поскидает, ручкой мой член доведет до железного стояния, поставит меня в одном конце комнаты, а комната у нее была большая, как зал заседаний, и от другой стены бежит ко мне и с ходу прыгает, без промаха надеваясь на член, а ножками обхватывает мою талию и ручками на шее виснет.

— Поехали, — кричит. Как Гагарин, когда в космос полетел.

И я бегаю с нею на члене метров двадцать и назад. Потом снова и снова. А она вертится на члене, подскакивает, чуть не срываясь с него, и снова нанизывается, скуля от наслаждения.

А я бегаю. Здоров был как конь. В Америке — подай

такую идею, там бы непременно соревнования организовали, кто дальше пробежит со своей напарницей на члене и последним свалится и от усталости и от подступившего оргазма. И портреты чемпиона в газетах бы печатали. И отвалили бы круглую сумму, в долларах. Как приз.

У нас, в России, мы забавлялись втихаря, плотно зашторив окна, и я бегал по тридцать кругов, пока не каменели мышцы на ногах, и сваливался на диван, лишь когда подступал оргазм и подкашивались ноги.

Больше ничем Томочка не запомнилась и на большее, я абсолютно уверен, не претендовала. Одноклеточное существо. Амеба. С ресничками. Хорошо налаженная Богом и отрегулированная личным опытом сексуальная машина. Без запаха и цвета.

Такие бабенки — дар господень, когда нужно без забот и хлопот стравить давление, распирающее яйца, и забыть, как забывают промелькнувший за окном вагона заурядный, ничем не примечательный пейзаж.

Таня, секретарша другого хозяина города, была совсем иного типа женщиной. У нее был ребенок. Девочка. Лет девяти-десяти. Галочка. Трогательное существо с удивленными и, я бы сказал, всегда грустными серыми глазами, со светлыми, мягкими волосами, большими завитками ложившимися ей на плечи и на спину.

Мать ее, Таня, происхождения была простого, крестьянского, откуда-то из-под Волхова, из тех болотистых и сырых мест восточнее Ленинграда, где болота высасывают у людей все жизненные соки, и они выглядят какими-то невзрачными, невыразительными. Как загнанные рабочие лошадки.

Галочка, в отличие от матери, ничего плебейского в своем облике не имела. Тонкое породистое лицо. Нежные пальчики. Застенчива, скромна, ненавязчива, от природы тактична. Ничего русского, славянского в ней не угадывалось. И для этого были весьма веские основания, как я выяснил несколько позже, уже став любовником ее мамы.

Таня была матерью-одиночкой, и в метрике ее дочери имя отца отсутствовало, был прочерк, пустое место. У Галочки не было отца, и ни дочь, ни мать никогда об этом не заговаривали, словно так и надо и другого быть не может. Зато любили они друг друга такой любовью, какую я редко встречал в нормальных семьях с полным комплектом родителей.

Как взрослая подруга, девочка трогательно опекала мать, помогала ей, убирала квартиру, мыла посуду, бегала в магазин за покупками. И при этом училась в школе прекрасно. Она инстинктом чуяла мамино одиночество и женскую беззащитность и пыталась из последних силенок уберечь ее от расстройства, порадовать, вызвать на ее бледных, бескровных губах улыбку.

После школы она приходила к маме на работу и там в приемной у хозяина города тихо и незаметно для посетителей присаживалась у маминого секретарского столика и под стук пишущей машинки и трезвон телефонов готовила домашние задания, склонив над тетрадкой кудрявую светлую голову с синим бантом.

После работы они вместе уходили домой, и Галочка несла в одной руке портфель, а другой держалась за мамину руку и то и дело снизу заглядывала ей в глаза, ободряюще улыбаясь и пытаясь заранее предугадать перемену в мамином настроении, весьма неустойчивом.

Таня была еще совсем молода, не достигла и тридцати лет и, будучи нормально развитой женщиной, тяжко переносила сексуальное воздержание, а редко перепадавшие на ее долю ночи, проведенные со случайным мужчиной, только разжигали неутоленный любовный голод. Было это все вскоре после войны, мужчин не хватало, а свободных женщин, ищущих хоть какой-нибудь мужской ласки, хоть отбавляй.

Что меня связало с Таней, я так до сих пор не пойму. Она не блистала выдающимися женскими качествами, была обыкновенной, заурядной, каких сотни встречаешь на улицах, не споткнувшись взглядом.

Овладел я ею безо всякого желания. Просто так. Потому что никто другой не подвернулся. А я был в подпитии. Дело было на каком-то банкете, куда Таня попала, потому что ее босс был распорядителем этого вечера. Я даже отчетливо не могу припомнить, как я очутился в уставленном мягкими кожаными диванами кабинете, куда через обитую дерматином дверь глухо доносился пьяный гам из конференц-зала. Таня почему-то тоже была там, и, когда я по привычке, автоматически, раз уж остался с женщиной наедине, прижал ее, из ее серых и печальных, как у недоенной козы, глаз брызнули слезы, она задышала глубоко и часто, как при крутом подъеме в гору, и, молча, потупившись, стала расстегивать на боку юбку.

В постели она была не лучше и не хуже десятков других ей подобных существ, удостоившихся принять на себя тяжесть моего избалованного тела. Но с ней дело не ограничилось одним разом. Вскоре я обнаружил себя у нее в гостях, столкнулся со светлокудрой Галочкой, напряженно и испытующе разглядывавшей меня, с замирающим сердцем пытаясь предугадать, радость или горе несет этот гость ее матери.

Таня с дочкой жили в одной комнате и ванную и туалет делили с соседями, большой семьей, занимавшей две другие комнаты этой квартиры. Я остался ночевать, раздевшись при погашенном свете и косясь на диванчик в углу, где затаилась Галочка.

Когда подо мной загудели пружины и Таня в темноте жадно обхватила меня руками, из угла донесся тоненький голос Галочки, явно пытавшейся нас подбодрить:

— Я уже сплю.

Я стал ночевать у Тани все чаще, а потом приходил туда, как к себе домой, и там в ванной прочно обосновались мои туалетные принадлежности, а в Танином шкафу лежали стопкой мои рубашки, выстиранные и отглаженные заботливыми руками.

Таня боготворила и чуть ли не молилась на меня. Норовила предупредить любое желание. И, боясь потревожить внезапное мамино счастье, маленькая Галочка старалась изо всех сил услужить мне и смотрела, вопросительно и тревожно улыбаясь, чтобы, не дай Бог, ненароком не вызвать моего неудовольствия.

Две женщины, большая и маленькая, служили мне с какой-то неистовой радостью и самоотверженностью. Таня, как маленького ребенка, купала меня в ванне, намыливала, нежно терла мочалкой и споласкивала струей из душа, получая от этого еще больше удовольствия, чем получал я, нежась в теплой мыльной воде. А Галочка мчалась из комнаты в ванную и обратно, целомудренно не поднимая на меня глаз из-за маминой спины и передавая ей то махровое полотенце, то специально купленные для меня тапочки большого размера.

Теперь уже все мои фельетоны печатала не редакционная машинистка, а Таня. И делала это с благоговением, упиваясь каждой, даже самой банальной моей фразой и не допуская ни одной опечатки и даже помарки. А Галочка бережно вырезала из газеты мои напечатанные опусы и наклеивала их на листы блокнота, превращая это в самодельную книгу, разрисованную и раскрашенную ее ручкой.

Авторское самолюбие провинциального журналиста, как вы можете догадаться, было тронуто, и великий небожитель, каким я выглядел в их глазах, соизволял отпускать им милостивую улыбку и даже собственноручно потрепать детскую головку по кудрям, от чего девочка совсем замирала и смотрела на маму, стараясь прочесть в ее глазах похвалу и удовлетворение.

И хоть я был эгоистом отчаянным и занимался только собственной персоной, благо, обе мои няньки сами меня таким делали, все же иногда я слушал Танину робкую исповедь, и из ее рассказов мне стало ясней вырисовываться ее прошлое и обстоятельства, при каких Галочка появилась на свет. Без отца. Даже ни разу не услышав его имени.

Танина история, должен признаться, открыла мне, скоту, не достойному ее мизинца, какое душевное богатство таится в русской женщине, какая пропасть самоотверженности и терпения в ней, какая бездна тепла, готового согреть любого, переполняет ее любвеобильное сердце. И хоть платят ей за это чаще всего черной неблагодарностью, она не озлобляется и по-прежнему смотрит на мир добрыми глазами и ищет того, кто нуждается в тепле и ласке, и готова без остатка отдать себя ему.

Во время войны Таня была партизанкой, и в доказательство того, что она там не пустяками занималась, а воевала наравне с мужчинами, в тумбочке у кровати валялись боевые медали «За победу над Германией», партизанская медаль и орден Красной Звезды. Таня их не носила, стыдясь, как бы это не выглядело бахвальством, и медали и орден перешли во владение к Галочке, и она одевала их на кукол, пока не подросла и не забросила и медали и кукол.

Тане еще не исполнилось шестнадцати лет, когда началась война и немцы подошли к Волхову, где она училась в медицинском училище, готовясь стать сестрой милосердия. По случаю того, что враг подошел к городу, студентов распустили по домам, и Таня пешком побрела в свою деревню. Деревни она не нашла, сгорела во время боев, и вся местность вокруг была занята немцами. Уцелевшие жители прятались в окрестных лесах. Таня отправилась туда, в надежде разыскать родителей, но и их она тоже не нашла. Осталась девчонка одна-одинешенька. Жила по чужим углам. То картошки поможет крестьянке накопать, то окажет медицинскую помощь — как-никак два года не зря просидела в медицинском училище, — тем и перебивалась.

Потом объявились в лесах партизаны. Немцы усилили гарнизоны в деревнях, на лесных дорогах поставили посты, передвигаться с места на место стало опасно. Попадешь в облаву и — поминай, как звали. Как рабочий скот угоняли оккупанты молодых парней и девчат в Германию.

Таня решила найти партизан и стать у них санитаркой. Долго искала и нашла. Задержал ее на лесной тропке партизанский дозор и препроводил под конвоем к начальству, схороненному в потайном бункере в лесной чаще.

Таня пошла в партизаны не спасения ради, а чтоб исполнить свой патриотический долг и быть полезной Родине в столь трудный для нее час. Ведь она — обученная санитарка, а партизаны остро нуждались в таких людях. Она не ожидала торжественного приема и фанфар, но то, что партизаны с радостью встретят ее, в этом она не сомневалась.

И была жестоко наказана за свою наивность. Партизанский командир, человек грубый и несентиментальный, в каждом пришельце видел подосланного врагом лазутчика и, дыша в лицо Тане спиртным перегаром, спросил в упор:

— Признайся, когда тебя завербовали и с каким заданием послали?

У Тани от обиды из глаз брызнули слезы. Она стала торопливо, сбиваясь и всхлипывая, объяснять, кто она такая и почему искала партизан.

— Москва слезам не верит, — отрезал командир. — Не сознаешься — поставим к стенке и расстреляем, как собаку.

Таня зарыдала еще горше.

— В расход! — приказал командир, и два молодых партизана в крестьянской одежде и в трофейных немецких сапогах повели ее, плачущую, из бункера в лес, поставили к шершавому стволу старой сосны, отошли на пять шагов и навели на нее дула винтовок.

Таня еле держалась на подкашивающихся ногах, и если б не ствол сосны, на который она опиралась спиной, то рухнула бы наземь без чувств.

Как сквозь сон доносились до нее слова, произносимые партизанами медленно, с расстановкой:

— По изменнику Родины, немецкой курве — огонь!

Таня зажмурила глаза и вжалась спиной в шершавый ствол, ожидая услышать треск выстрелов, прежде чем она расстанется с жизнью.

Но выстрелы не прозвучали.

— Отставить, — добродушно сказал партизан. — От, чертова девка, пули не боится. Ну, сейчас, полагаю, язык развяжешь.

Ее отвели обратно в землянку, и тот же командир повторил свой вопрос:

— Признайся, сука, когда тебя завербовали и с каким заданием послали?

Еще два раза водили Таню к старой сосне, зачитывали приговор и отдавали команду: — Огонь!

И не стреляли, а тащили ее, уже не способную ходить, на очередной допрос в бункер.

После третьего раза командир партизан рассмеялся и, удовлетворенно потирая ладони, сказал:

— Молодец, девка! Выдержала экзамен. Добро пожаловать в партизанскую семью! Нам санитарки нужны позарез.

Так началась ее жизнь в партизанах, и оказалась девка к месту: много добрых дел сделала, не одного раненого партизана выходила, вернула в строй. Ее в отряде ценили и по случаю ее несовершеннолетия берегли от недоброго мужского глаза. Одна среди сотни отчаянных бесшабашных мужчин, Таня оставалась невинной, и никто не отважился приударить за ней. Хоть спали они порой вместе, вповалку, согревая друг друга теплом своих тел. Все бы шло хорошо, не случись одно событие, перевернувшее впоследствии всю ее жизнь.

Как известно, партизаны не брали в плен солдат противника. Если кто и попадался живьем, то его, хорошенько допросив в бункере, расстреливали где-нибудь неподалеку, а если противник находился поблизости, то, чтоб не выдать себя шумом выстрела, закалывали штыками. Таков был неписаный закон партизанской жизни: жестокий и беспощадный, как сама эта жизнь, и вполне оправданный условиями, в каких протекала эта жизнь. Пленного некуда было девать — лес окружен противником, который всегда может нагрянуть, а терять боеспособного партизана на его охрану было нелепостью, да и лишний рот в их полуголодном быту был неразумным роскошеством.

Пленных ликвидировали через час-другой после поимки, и к этому привыкли, как каждый привык к тому, что может сам умереть в любой момент, и никто не испытывал угрызений совести. Даже Таня. Партизанская жизнь закалила ее, притупила чувствительность.

Однажды, напав на немецкий транспорт на лесной дороге, партизаны, кроме богатых трофеев, прихватили с собой «языка» — живого немца, из которого можно выколотить на допросе важные сведения.

Из этого пленного ничего выколачивать не пришлось — на ломаном русском языке он добровольно изложил партизанскому штабу все, что знал, и, застенчиво улыбаясь, смотрел серыми доверчивыми глазами на своих конвоиров. Было этому солдатику не больше семнадцати лет, выглядел он совсем мальчишкой из-за тонкой шеи с кадыком и узких, еще не развившихся плеч. Звали его Вальтером.

Так получилось, что его сразу не расстреляли. Отряд спешил на очередную боевую операцию, успеху которой могли способствовать сведения, полученные от Вальтера, и его оставили в живых до возвращения отряда. Посадили его в санитарную землянку чистить картошку для раненых, а Тане наказали следить, чтоб не сбежал, и в случае, если он такую попытку сделает, стрелять на месте, для чего ей оставили трофейный пистолет вальтер — тезку этого мальчишки в немецкой шинели.

Таня села с ним вдвоем чистить картошку, а так как он по-русски кое-как болтал, завела с ним разговор о житье-бытье: откуда, мол, он родом, кто родители, сколько классов кончил до армии. Ведь они с Таней были сверстниками, и им было о чем поговорить.

Вальтер ей рассказал, что он из родовитой немецкой семьи и перед его фамилией стоит приставка «фон», что указывает на дворянское происхождение. Но род их давно обеднел, и отец Вальтера уже ничем не владел, а был лишь университетским профессором, весьма либеральных взглядов, за что на него косятся нацисты и тормозят продвижение по службе. Старший брат Вальтера погиб в Норвегии, после чего мать слегла и никак не может оправиться. Он, Вальтер, у нее последний, и, если с ним что-нибудь случится, мать этого не выдержит.

— Считай, что мать твоя померла, — вздохнула Таня, срезая ножом длинной стружкой кожуру с картошки.

— Почему? — заморгал девичьими ресницами Вальтер.

— Потому что в списках живых ты уже не числишься. Прибьют тебя сегодня. Такой закон у нас, партизан. Пленных не держим.

— Я хочу жить... — заплакал Вальтер. — Не убивайте меня, пожалуйста... Пожалейте мою маму.

— Глупый ты, разве от меня это зависит? — грустно усмехнулась Таня, любуясь его красивым, тонким лицом и длинными, как у девушки, ресницами. — Ну, что сопли распустил? Война, ничего не попишешь.

— Спасите меня, фрейлейн, сделайте что-нибудь... Я буду век за вас Бога молить.

— Бога нет, — сказала Таня. — А вообще-то мне жалко тебя. Никакой ты не враг. Совсем сопливый мальчишка.

Вальтер упал на колени в картофельную кожуру и протянул к Тане руки.

— Спасите меня... Ради моей мамы. Я же могу быть полезным вам... мой немецкий язык... в немецкой форме... Я могу многое для вас сделать.

Когда отряд вернулся на базу, командир сам пришел в Танину землянку. За Вальтером.

— О, сколько картошки начистил! — удивился он. — Старательный малый. Сведения твои были верными, и мы без потерь склад амуниции захватили. За это спасибо. А теперь — пойдем.

Таня бросилась на колени и, заломив руки, заголосила по-деревенски, умоляя командира пощадить Вальтера и использовать его в других операциях... с его языком... и в его форме.

Вальтер тоже бухнулся рядом с ней на колени и, захлебываясь, стал уверять командира, что он ненавидит фашистов и клянется бить их, не жалеючи... что он всегда сочувствовал коммунистам...

— Все вы коммунистами становитесь, — отмахнулся командир, — когда вам штык к горлу приставишь. Ладно, умолкните... оба. Ты тут нам девку испортил... влюбилась она в тебя, что ли? Готова мне за тебя глаза выклевать...

Командир был в хорошем настроении, и это спасло Вальтера.

— Встаньте с колен, — сказал он. — Дадим ему пожить еще день-другой. Пусть покажет, на что способен. Вот пойдем завтра рвать мост, ты снимешь часовых. Но учти... Чуть что не так, пуля в спину, и Таню подведешь под расстрел — она за тебя поручилась.

Вальтер, хоть и совсем мальчишка, показал себя опытным убийцей. Партизаны подобрались к мосту и залегли в снегу, а Вальтер в немецкой военной форме во весь рост пошел к часовому, заговорил с ним и одним рывком всадил ему нож в живот. То же самое он проделал со вторым часовым на другой стороне моста.

Партизаны заложили взрывчатку, и скоро мост взлетел в воздух. Удачная операция снова обошлась без потерь, и, когда вернулись в лес, о ликвидации Вальтера уже никто не заговаривал. Вальтер никак не верил, что его пощадили, и изо всех сил старался выслужиться. Придумывал планы новых рискованных операций.

С его помощью партизаны разгромили немецкий штаб и овладели богатейшими трофеями, за что командир получил личную благодарность из Москвы.

Вальтер свободно теперь разгуливал в своей немецкой шинели по партизанскому лагерю, бывал у Тани в землянке, помогал ей, когда не был занят на задании, и смотрел на нее преданными глазами, моргая девичьими ресницами. Командир поселил его у Тани, с тем чтобы она по-прежнему несла ответственность за него, а Вальтера предупредил:

— Мы тебя пощадили, но если обидишь Таню, вздумаешь с ней шашни завести, разговор будет короткий — пуля в лоб, и знай наших.

Таня опекала Вальтера, как могла. Стирала белье,

подкладывала лучший кусок за обедом. Спасенный ею от смерти, он стал ей дорог, как родное дитя, но так как обоим было по семнадцати, то чувство это приняло другой характер.

Это приходилось таить от окружающих, иначе Вальтеру бы несдобровать. Не посмотрели бы партизаны, что он ценный человек, и хлопнули бы на месте, почуй они хоть что-нибудь неладное в его отношениях с Таней.

А жизнь партизанская шла своим чередом. Бои за боями. Спущенные под откос военные эшелоны, разгромленные лихим налетом гарнизоны. И везде партизаны использовали Вальтера, то, что он, как свой, мог проникать к немцам и там наносить предательский удар в спину.

Вальтера представили к высокой награде. Москва, удивленная его подвигами, затребовала, чтоб его самолетом вывезли за линию фронта, в Центральный штаб. Там решили пустить его на более важные дела.

Когда Вальтера провожали на партизанском аэродроме, командир пожал ему руку, а Таня, вдруг заревев в голос, повисла на его шее и покрыла поцелуями его смущенное лицо.

Партизаны остолбенели. Но Вальтер уже был в самолете и лишь помахал Тане на прощанье. Когда самолет взлетел, обдав всех снежной пылью, командир, взглянув на рыдающую Таню, нехорошо выругался и, выхватив парабеллум, выстрелил вслед самолету, уходившему все дальше и дальше на восток.

Больше Таня Вальтера не видела.

Но зато видела враждебные взгляды люто невзлюбивших ее партизан. Эти взгляды жгли. Как раскаленными шомполами, прожигали насквозь ее все больше набухавший живот, и Тане казалось, что если в животе копошится что-нибудь живое, то оно от этих взглядов должно испустить дух, испепелиться.

Но живот продолжал расти, распирая армейскую гимнастерку, которую Таня носила. А стеганый ватник уже и застегнуть было невозможно, отчего Таня мерзла на зимнем холоде. И нисколько не горевала, что мерзнет. А, наоборот, радовалась. Полагая, что мороз застудит, убьет в ней еще не родившееся, но уже всеми нелюбимое существо.

— Вражье семя! — сплевывали партизаны, обходя, как чумную, брюхатую Таню.

— Вражье семя! — стонала она по ночам, переняв от других ненависть к своему еще не родившемуся дитяти, и делала все, что могла придумать, лишь бы избавиться от него, очиститься от скверны.

Об аборте нечего было и помышлять. В отряде не было врача, а отдаться в руки деревенской бабке-повитухе Таня не решалась, потому что была медицинской сестрой и знала, какое увечье ей принесут неумелые руки деревенской знахарки.

Она сама искала способы, как убить плод в своем чреве. Садилась в снег и подолгу, до посинения, сидела, норовя застудить, выморозить то нечто, что уже ворочалось во чреве.

Не помогло. Таня кашляла, задыхалась от простуды. А ребенок, будь он проклят, хоть бы что, знай постукивает ножкой в стенку живота.

Дойдя до отчаяния, Таня с разбегу билась животом о корявые стволы сосен.

И это не помогло.

Весной в санитарной землянке, под стоны раненых партизан, у них на глазах, потеряв от боли стыд, Таня родила. Где-то неподалеку гремел бой. Все, кто мог носить оружие, ушли из лагеря туда, и поэтому ребенка принял бородатый партизан с забинтованной ногой. Финским ножом, смоченным для дезинфекции в спирте, он перерезал пуповину, поднял на руках окровавленный, мокрый и пищащий комок, и все раненые, что лежали в землянке, перестали стонать и глядели во все глаза на чудо явления человека на свет.

— Девка, — без особой радости провозгласил бородач, заглянув кровяному комку мяса промеж дергающихся лапок-ножек, — еще и орет... немецкая сучонка.

Он отдал ребенка матери и, стоя на одной здоровой ноге, выпил весь спирт из стакана, в котором полоскал для дезинфекции свой финский нож.

Девочка не умерла. Уцелела. Назло всем. И, к еще пущей злости партизан, с каждым днем становилась все больше и больше похожей на своего отца, немца Вальтера, которого унес в небо самолет.

У нее было такое же тонкое, удлиненное лицо, серые глаза и длинные ресницы.

Таня назвала девчонку Галей. И только этим именем определялось ее место в мире. Потому что в лесу нет документов, а какая фамилия может быть у безотцовщины?

На матери лежал грех. Ее обходили. А на ребенка никто и глядеть не хотел. Когда приходил час кормления, Таня, как зверь, уносила своего детеныша в лесную чащу и там, хоронясь от злых глаз, доставала набухшую грудь и совала сосок в чмокающий ротик.

Таня все ждала, как решат партизаны судьбу ее и ребенка. Прогонят из отряда, чтоб духу здесь не было? А может, и пулю пустят вдогонку...

Командир принял другое решение. Для пользы дела. Пусть малышка, вражье отродье, сослужит партизанам добрую службу, как и ее отец. Таню стали посылать в разведку. С грудным ребенком, запеленутым в лохмотья, она проходила, не вызывая подозрений, через немецкие сторожевые посты, проникала в расположение врага и приносила ценные сведения.

Немцы ведь тоже люди. Плач грудного ребенка притуплял их бдительность. А потом они за это платились жизнью. В мокром тряпье, в которое был укутан ребенок, Таня проносила нож и револьвер и, зайдя часовому в спину, стреляла в него, если никого поблизости не было. А когда стрелять было не с руки, загоняла нож промеж лопаток.

А ребенок заходился плачем, захлебывался от крика. Словно немецкая кровь вопила, заслышав предсмертные стоны своих сородичей — немецких солдат.

Уловка с Таниным ребенком пришлась партизанам по вкусу. Ей стали давать задания посложней и опасней.

Таня с трудом носила ребенка. Не потому, что он вырос и потяжелел. Галочка была крохотной и почти не росла. В ее пеленки укутывали мину — связки толовых шашек, провод и электрический детонатор. От этого сверток становился непомерно тяжелым, и Таня едва несла своего с головой укутанного ребенка.

Пуще глаза охраняли немцы от партизан железную

дорогу. Вырубили лес по обе стороны полотна. Поставили часовых. По рельсам то и дело пробегала дрезина с солдатами и водила пулеметом влево и вправо. Каждого, кто приближался к железной дороге, останавливали патрули. Мать с плачущим больным ребенком не стали обыскивать, и Таня, пройдя оцепление, заложила толовые шашки под рельс, протянула провод до ближайших кустов и там залегла, держа ладонь на рукоятке электрического взрывателя. Одного нажима было достаточно, чтоб раздался взрыв. Но нажимать следовало лишь тогда, когда поезд выйдет из-за поворота и паровоз пройдет над местом, где заложена взрывчатка.

Таня сидела в кустах оцепенев, пока проходила по рельсам дрезина с солдатами. Только бы ребенок не заплакал и этим не выдал, где они хоронятся. Она кормила девочку грудью, чтоб не капризничала. И ждала.

Послышался шум поезда. Все ближе и ближе. Сначала из-за поворота выскочила патрульная дрезина. Затем показались товарные платформы с балластом. Они катились впереди паровоза, чтоб в случае, если наскочат на мину, принять удар на себя и тем самым сберечь весь эшелон. Но, чтобы обмануть немцев, партизаны установили мину не нажимного действия, а управляемую на расстоянии.

Таня пропустила платформу с балластом, и затем, когда паровоз, шипя паром, загремел колесами по тому месту, где лежала взрывчатка, с силой нажала рукоятку взрывателя.

Взрыв был такой силы, что окутавшийся тучей пара из развороченного котла паровоз встал на дыбы и вагоны, выкатывавшиеся из-за поворота, налезали друг на друга, лопаясь посредине, как пустые орехи.

А вагоны эти были пассажирскими. И на их стенках нестерпимо резали глаз большие красные кресты.

Таня, сама того не ведая, пустила под откос санитарный поезд, везший с фронта изувеченных, забинтованных и загипсованных беспомощных людей.

Окаменев, не слыша плача ребенка, смотрела Таня, как из расколотых вагонов валились под откос спеленутые бинтами коконы с разинутыми в крике ртами. И опережая их, падали в кусты костыли.

Таня оглохла, онемела от ужаса. И до сих пор не может припомнить, как ушла оттуда, как приволокла ребенка в партизанский лагерь.

У нее началась горячка. Пропало молоко. Ребенку грозила голодная смерть. К счастью, в отряде держали козу. Для поддержки молоком тяжелораненых. Учитывая Танины заслуги и заслуги малышки, помогавшей матери проникать в расположение противника, партизаны постановили урезать нормы молока для раненых, чтобы не дать помереть ребенку.

Галочка уцелела. И дотянула до конца войны. Отряд расформировали. Таню наградили партизанской медалью и отпустили на все четыре стороны. Малышка, уже ковылявшая на собственных ножках, пошла с ней рядом, держась за руку. Пошла в мирную жизнь. В холодную и неласковую жизнь безотцовского ребенка, мать которого не может никому назвать, кто же был причиной появления его на свет.

Прошло несколько лет после войны. Германию победители разделили на две половины, и в той, которая попала под советский контроль, образовали Германскую Демократическую Республику — верного пса СССР. И министрами там посадили верных людей из немцев, подготовленных в Москве.

Однажды Таня была в кино и увидела в хронике приезд немецкой правительственной делегации. В немецком министре Таня безошибочно узнала Вальтера, хоть он и изменился за это время, возмужал и был одет в дорогой штатский костюм.

А Таня в ту пору терпела большую нужду. От себя отрывала, чтобы Галочку прокормить. А тут оказалось, что отец у девочки жив и он теперь важная персона. И жив он остался и достиг такого положения лишь потому, что его спасла, защитила простая русская девчонка, партизанская санитарка. Ему, спасенному ею, отдала Таня свою первую любовь, его ребенка носила под сердцем и сейчас растила, выбиваясь из последних сил. Неужели не откликнется он на ее зов?

Таня послала письма во все инстанции, где, по ее мнению, могли найти Вальтера, сообщить ему о дочери и устроить их встречу. Она писала в Берлин немецкому руководству.

Ответа не было. Письма как в воду канули. А потом ее вызвали в соответствующую организацию, и сам начальник в чине полковника государственной безопасности долго отчитывал ее и категорически запретил тревожить товарища Вальтера, который, во-первых, иностранец, а во-вторых, у него есть своя, немецкая семья, и Танины домогательства могут только доставить ему неприятности. В заключение полковник сказал Тане, что Вальтер сам лично звонил ему из Берлина по телефону и просил замять это дело. И чтоб позолотить Тане пилюлю, полковник распорядился из угла, где она ютилась у чужих людей, переселить ее в большую комнату, а также помог устроиться секретаршей к городскому боссу, где платили побольше.

Таково было Танино прошлое. Так появилась на свет Галочка — мамина заступница и преданнейший друг.

Когда я иногда не являлся к ним ночевать, застряв у какой-нибудь девчонки, каких у меня в городе водилось немало, обе они встречали меня назавтра без упрека, но смотрели на меня такими жалкими, молящими о пощаде глазами, что мне становилось невмоготу.

Таня делала вид, что ничего не произошло, а из глаз ее текли слезы. И такие же слезы бежали по Галочкиным щечкам. Она, бедненькая, металась между мной и Таней, стараясь рассеять гнетущую атмосферу, показать, что ничего не случилось и все по-прежнему хорошо, как было, и улыбалась мне сквозь бегущие слезы.

От всего этого мне становилось совсем нехорошо, и я стал подумывать, как бы это помягче, без потрясений и скандалов унести отсюда ноги.

А тут еще «хозяин» Тани как-то после одного совещания остановил меня и, игриво грозя пальцем, назидательно сказал:

— Что ж это вы, молодой человек, мою секретаршу изводите? Плохо работать стала, плачет ни с того ни с сего. Придется нам вмешаться. Вы — коммунист, учите людей морали, а мораль у самого хромает. Давайте наладьте ваши отношения законным путем.

Тут уж я взвыл. Куда податься? Чего доброго, из партии полетишь. И — конец карьере.

Я с Таней поговорил начистоту. Когда Галочки дома не было. Она ни словом не возразила. Только смотрела на меня в упор. Не моргая. Я забрал свои вещи, унес в свое прежнее жилье, потребовал в редакции отпуск и укатил в Сочи, чтобы дать всему делу отстояться.

Когда вернулся через месяц, первое, что узнал, — Таня пыталась покончить с собой, чего-то наглоталась, но ее спасла дочь, вызвав «скорую помощь». Сейчас она уже дома, вернулась из больницы, но на работу не ходит, слишком слаба.

Как вы догадываетесь, хоть я и расстроился, ведь я был человеком не совсем бесчувственным, мне мучительно захотелось снова отправиться в отпуск, за свой счет, к черту на рога, лишь бы подальше отсюда. И я действительно стал хлопотать об отпуске, а пока старался за версту обходить улицу, на которой жила Таня. Но укрыться мне не удалось.

Однажды на центральной улице, у светофора я столкнулся с длинной вереницей детей, попарно пересекавших проспект с учительницами в голове и хвосте. Такое зрелище всегда умиляет, и, как и другие пешеходы, я залюбовался детишками, одетыми вполне прилично и со вкусом, что, несомненно, свидетельствовало о том, что страна понемногу выползает из послевоенной нужды и бедности.

Вдруг я услышал свое имя. Меня окликнул звонкий детский голосок, и не успел я опомниться, как увидел Галочку, бежавшую ко мне из парной колонны школьников, с растрепавшимися на ветру кудрями и совсем задохнувшуюся от радости. Она чуть не упала на меня, обхватила руками мои ноги, прижалась всем телом, и я бедром чувствовал биение ее сердечка. Головку она запрокинула и смотрела мне в лицо сияющими и просящими глазами.

— Пойдемте, пойдемте к нам... Мама будет так рада... Ей очень плохо... А вас увидит, сразу поправится, — задыхалась она. — Ну, миленький, ну, хороший... пойдемте... на час... хоть на пять минуточек... Вы же добрый... самый лучший... Не надо ночевать... только зайдите..

Я сам чуть не заплакал. Поднял Галочку на руки, поцеловал ее и горячо зашептал:

— Хорошо, маленькая... я приду... обязательно приду... попозже... а ты беги... тебя ждут.

— Я знала, я знала, — ликовала Галочка, лаская ладошками мои щеки, — что вы вернетесь... у нас в шкафу ваши тапочки остались.

Она чмокнула меня в обе щеки, я бережно опустил ее на тротуар, и она посмотрела снизу в мои глаза с неожиданной строгостью:

— Не обманете?

И тут же спохватившись, рассмеялась счастливым смехом:

— Я пошутила... До вечера... Я маме не скажу... пусть ей будет сюрприз.

Она побежала догонять завернувшую за угол многоцветную гусеницу, все время оборачиваясь и махая мне ручкой.

К ним я не пришел ни в этот вечер, ни в следующий. В тот же день я обратился к начальству с заявлением об увольнении, немало удивив своих коллег. Я настаивал с таким упорством, что мою просьбу хоть и нехотя, но удовлетворили, и назавтра скорый поезд мчал меня подальше от этого города. Навсегда.

Больше я Таню не видел и, как сложилась ее жизнь, не знаю. Галочка давно уже выросла и, возможно, замужем.

Моя карьера сложилась по-иному. Я ушел из журналистики и двинул по партийной линии. Как видите — не без успеха.

Много лет спустя, а если поточнее, совсем недавно, я снова столкнулся с Таней и Галочкой. Не прямо, а косвенно. Жизнь свела меня с незнакомым мне до той поры четвертым участником этой истории. Я встретил Вальтера. И сразу узнал, кто это, когда он, представившись, назвался.

Это было в Чехословакии, на курорте Карловы Вары, куда и я, и он, два уставших от трудов праведных труженика на партийной ниве, приехали лечить зашалившую печень. Он был не министром, а очень высокой шишкой в партийном аппарате в Берлине. У него сохранился серый цвет глаз и ресницы были по-прежнему длинными, как у девицы.

Он представил мне свою жену — рослую упитанную немку и трех детей, тоже упитанных и аккуратно одетых. Младшая девочка, как сестра, смахивала на Галочку светлыми кудрями и серыми большими глазами.

Человек словоохотливый, он сам рассказал мне о своих приключениях во время войны, о чудесном спасении в партизанском плену, ни словом не обмолвившись о Тане. Говорил, что относится к русскому народу, как к братьям, и каждый раз, когда по долгу службы приезжает в Россию, у него бывает ощущение, что он на своей подлинной родине.

Я спросил, не бывал ли он случайно в городе — и назвал город, где я работал в газете и где жила Таня, — и он ответил, задумавшись на миг, что нет, не бывал, и спросил, почему я упомянул этот город.

— Да так, — промямлил я. — Там живет один... партизан бывший... он мне вашу историю рассказывал.

— Кто? — насторожился Вальтер, заморгав длинными девичьими ресницами. — Мужчина? Женщина?

— Мужчина, — сделав долгую паузу, сказал я, не отводя взгляда от его серых глаз.

— Фамилии не помните? — облегченно рассмеявшись, спросил Вальтер.

— Не помню.

— Там было много прекрасных, сердечных людей, — сказал Вальтер, — таких ни в какой другой стране не найти.

Мне мучительно хотелось смазать ему наотмашь по румяной, холеной роже и сказать, что он негодяй и подонок и большую ошибку допустил командир партизанского отряда, не расстреляв его, как он делал с другими пленными, среди которых, возможно, были и честные люди.

Но, подумав, промолчал. Потому что сам-то я не намного лучше поступил с Таней. Были мы с ним одного поля ягоды. Благо, состояли в одной коммунистической партии.

Вечером мы с ним пили... не карлсбадскую соль, а русскую водку в ресторане, поднимали тосты за нерушимую дружбу немецкого и советского народов и упились до чертиков.

Два чешских официанта вывели нас под белы рученьки на улицу, позвали такси, и один сказал в сердцах по-чешски, а я разобрал до единого слова:

— Вот свиньи... что немец, что русский... чтоб их обоих черти взяли.

Лунин по ошибке плеснул на раскаленные камни не пиво, а коньяк. Полковша армянского коньяка. Клубы пара извергли острый спиртной дух. Баня быстро пропиталась им, и Астахов с Зуевым, хлеставшие друг друга вениками на самом верху, задохнулись и скатились кубарем вниз. Вслед за ними выскочил в гостиную Лунин. Багровые, распаренные, стояли они посреди ковра, тяжко дыша, как загнанные лошади, и, когда немного отошли, Зуев укоризненно сказал Лунину:

— Готов, парень! Тебе больше пить нельзя.

— А сколько мы выпили? — спросил Астахов, все еще не в состоянии дышать ровно.

Лунин открыл холодильник:

— Так. Коньяк весь. И пиво все. Бутылку шампанского. И три бутылки вина.

— То-то я гляжу, цепляюсь языком за зубы, — удивился Астахов. — Это со мной бывает, когда я крепко переберу.

— Ты и перебрал, — подтвердил Зуев. — И он. И я. Все мы, братцы, незаметно перепились. Аж подташнивает. Вздуют нас жены. И будут правы. Пошли, понимаешь, в баньку попариться, а вернулись на четвереньках. Истинно русские люди. Как тут не вспомнить наш российский анекдот.

Пошли два чудака, вроде нас, в магазин за поллитровочкой, по пути наткнулись на мужика, в дымину пьяного. Лежит в луже, как боров, и пузыри пускает.

— Вот, видишь, — говорит один другому, показывая на пьяного в луже. — Люди уже гуляют, а мы только собираемся.

— Да, действительно, голова кружится, — тяжело рухнул в кресло Астахов. — А за окном уже темно. Жена небось беспокоится. Как бы облегчить голову, а?

— И тебе худо? — спросил Зуев Лунина.

— Муторно, — скривился Лунин.

— Есть средство, — сказал Зуев, отдуваясь и присаживаясь рядом с Луниным на диван. — Народное средство. Мне дед мой, конокрад, демонстрировал. В Сибири это очень распространено. Будешь трезв как стеклышко.

— Какое средство? — слабым голосом спросил Астахов, прикрыв веками глаза.

— Из тепла в холод и наоборот, — оживился Зуев. — Значит, пьян мужик в стельку. Берет веник — и в баню. Распарится, как мы с вами, двери настежь и — прыг в снег. С головой! А оттуда — назад, в парилку. Как рукой снимает. Трезв и прозрачен как стеклышко.

— Так чего же мы ждем? — пробормотал совсем раскисший Лунин. — Айда, ребята, в снег! Я хочу быть как стеклышко.

— А не струсите? — поддел их Зуев. — Да вы раскисли как бабы.

— Кто? Мы? — попытался подняться с кресла Астахов, но, покачнувшись, рухнул назад. — У-у-у, совсем сдал. Безобразие! Пошли в снег! Протрезвимся.

Зуев протянул ему руку, помог встать. К ним присоединился Лунин, и они обнялись, поддерживая один другого.

— Слабы, братцы, — качал головой Лунин. — Сдаем.

Из позолоченной рамы на них глядели со своих могучих коней три русских богатыря в кольчугах и шлемах и тоже удивлялись, до чего слабы в коленках их потомки.

— А вы не щурьтесь, — погрозил пальцем богатырям Астахов. — Мы еще докажем, что не перевелись богатыри на Руси. Виктор! Двери настежь! Все вместе! Бегом! В сугроб! Марш!

Из распахнутых дверей хлынули по низу клубы морозного пара, окутав их молочной пеленой до пояса, а над туманом багровели распаренные плечи и лица. Астахов первым, за ним Лунин и замыкающим Зуев пробежали через прихожую, прыгнули через заиндевелый порог и с визгом и гиканьем бултыхнулись в искрящийся сугроб.

Над всей огороженной проволокой территорией санатория горели фонари и в желтых кругах света плясали снежинки, сверкая и лучась. Начался снегопад. По расчищенным аллеям и дорожкам, прорытым в глубоком снегу, потянулись к главному входу темные фигурки, стекаясь к опущенному шлагбауму. Вахтер, в тулупе до пят и с поднятым овчинным воротом, вышел из своей теплой будки.

Санаторная обслуга кончила рабочий день и возвращалась домой, в деревню. На головах у официанток и уборщиц уже не красовались шитые бисером кокошники, не было на них изящных меховых душегреек и черных чесаных валенок. Казенное обмундирование в псевдорусском стиле, как маскарадные костюмы, было сдано, и участники маскарада снова облачились в свою одежду и стали простыми деревенскими бабами. В платках, ватных телогрейках и старых плюшевых жакетах. Каждая несла в руке тяжелое ведро с дымящимися на холоде помоями. Там было намешано все, что оставалось на столах, когда отдыхающие кончали есть: остатки каши и супа, ломти хлеба, не обглоданные до конца куриные кости, рыбьи головы с голыми колючими хребтами. Это все они уносят как свою законную добычу, чтобы скормить на ночь своим свинкам, изголодавшимся без хозяек в холодных хлевах. А за пазухой припрятан гостинец детишкам: ломоть сладкой булки, ломтик копченой рыбки, кусок пирога с капустой и кончик сухой колбасы «сервелат» — что удалось незаметно унести из столовой.

Вахтер не торопится поднять шлагбаум, и бабы привычно ныряют под него, согнувшись в три погибели. И они не сердятся. Чего сердиться? День прошел, и слава Богу. Скоро будут дома. Затопят печь, накормят поросят, а потом и детишек и лягут спать в теплой избе. Одни. Мужиков нет. Не сладко. Но зато тепло и сухо. У других и того нет.

— Чего там, бабоньки, шум был? — интересуется вахтер.

Бабы оскалили зубы в улыбках, глаза утонули в румяных щеках.

— Дык три мужика свои причиндалы поморозили.

— Да будет тебе! Все при них осталось!

— Каких три мужика?

— Из отдыхающих. Говорят, большие шишки. Вот и застудили свои шишечки.

Все это тонет в хохоте.

— День целый парились в бане, запершись, а к ночи, одурев, надумали в снегу поваляться, чтоб остыть маленько. Прыгнули, распаренные, в сугроб, а дверь-то бани за ними захлопнулась. Вот и остались куковать на морозе.

— А шум-то отчего?

— Как отчего? Все врачи посбегались. А жены голосят. Как не голосить? Все мужское хозяйство морозом прихватило.

— Ври, да меру знай!

— Все! Отгулялись!

— Да там, говорят, и морозить-то нечего было. Старые больно.

— Старый конь борозды не портит.

— Мне бы хоть обмороженного — не откажусь.

— Хватит, бабы, болтать! Ничего такого не было!

Смеются бабы. Горстью угольков рассыпались темные ватники и платки в снежном ущелье, прорытом бульдозером. А с боков стоят, не шелохнувшись, темные ели со снежными подушками на опущенных лапах. Фонари на железных столбах принимают баб из одного круга света в другой.

Впереди них — две фигуры. И умолкает смех. Это Ерофей и Клава. Клава всхлипывает. Они идут, взявшись за руки, в своей домашней одежонке. У Клавы в руках нет ведра. Верный признак, что сюда им больше не вернуться.

Темные ватники и платки, покачивая полными помоев ведрами, обтекают эту пару молча, как чумных, и ускоряют шаг.

Впереди — еще шлагбаум и вахтер в тулупе. Тут кончается расчищенная дорога и светит последний фонарь над аркой, увитой хвоей, с красным транспарантом во всю ширину:

ВСЕ ДОРОГИ ВЕДУТ К КОММУНИЗМУ

Дальше — кромешная тьма.

Бабы с ведрами снова ныряют под шлагбаум, и черные ватники сливаются с ночной темнотой. Крепкий бабий голос затягивает песню:

Летят утки, летят утки
И два-а гу-у-уся.

И с разных концов, потому что бабы пошли каждая своей тропкой, без дороги, чтоб сократить путь домой, подхватывают пять или шесть голосов:

Эх, кого люблю, кого люблю,
Не до-о-жду-у-ся.

Ерофей и Клава последними сгибаются под шлагбаумом и, разогнувшись, обнимаются. Ерофей прижимает ее к себе, гладит по голове.

Эх, кого люблю, кого люблю,
Не до-о-жду-у-ся, —

замирает вдали, перекликаясь, как эхо.

— Ничего, Клава, — шепчет ей в зареванное лицо Ерофей. — Перезимуем.

Болдер, штат Колорадо, Скалистые горы,
Индиан пикс, высота 11 тыс. футов;
1978-1980 гг.

ПОПУГАЙ, ГОВОРЯЩИЙ НА ИДИШ

ПОПУГАЙ, ГОВОРЯЩИЙ НА ИДИШ

Гарри лег поздно. До двух часов он был с Барбарой в ресторане. Потом, пока вернулись домой, пока легли, еще полчаса, не меньше, ушло на любовные утехи, и когда, наконец, чтоб лучше выспаться, он ушел из спальни от горячей и ненасытной рыжей Барбары и постелил в кабинете, вот тогда зазвонил телефон. Вырвав его из сладких глубин первого сна. В трубке послышался голос мамы. Голос он узнал сразу. Но поначалу никак не мог понять, почему она всхлипывает. Она плакала, стонала и сморкалась у себя там в кондоминимуме в Форт-Лодердейл, Флорида, и Гарри должен был это выслушивать, не совсем еще очухавшись ото сна, на другом конце Америки, в Кливленде.

Наконец он разобрал в маминых стонах, что умерла Фира.

— Какая Фира?

— Не помнишь Фиру? Твоя тетя! Моя старшая сестра Фира!

Да, действительно, у матери была такая сестра. Гарри ее в последний раз видел, когда был еще маленьким мальчиком, и не помнил даже, как она выглядит. Кажется, она единственная из маминых сестер не имела детей, и это еще больше отдалило ее от младшего поколения: не было связи через кузенов. Она пережила мужа и долго, на удивление всей родне, почти до девяноста лет, тянула одна в маленьком городишке, в Нью-Джерси, в том самом доме, который купил еще дед, переселившись в прошлом столетии из Польши в Америку.

— Меня эта новость сразила, — всхлипывала мама.

— Конечно, конечно, — сдерживая зевоту, согласился Гарри. — Но что поделаешь?.. Естественный ход событий... Дай Бог нам дотянуть до ее лет.

— Я уже не дотяну... — сказала мама. — Она была здоровее всех. А я трех детей вырастила, мужа похоронила. И даже теперь мне нет покоя.

Она снова зарыдала.

Теперь она жалуется, что не дотянет до лет своей старшей сестры Фиры.

«Конечно, миссис Гомес, — подумал, но не сказал Гарри, — ваш образ жизни не способствует долголетию».

Мать, в довершение ко всем своим проделкам, взяла фамилию нового мужа и стала вместо миссис Шварц миссис Гомес. Неплохой подарочек покойнику, с кем прожила бок о бок сорок лет. Но этого покойник не знал. Гарри его еще при жизни обидел, и отец ему так этого и не простил. Вступив в бизнес, открыв свое дело, он сменил уж совсем откровенно еврейскую фамилию Шварц на англосаксонскую Блэк и стал Гарри Блэком — президентом большой инвестиционной компании, с солидными связями в Канаде, Бразилии и Европе.

Когда отец попытался его упрекнуть в том, что стыдиться своего происхождения не большая добродетель, он нашел неотразимый аргумент:

— А мое имя Гарри? Я его, что ли, выбирал? Меня назвали по покойному деду. Но не Гершелем, а Гарри. И имя это выбрал ты, отец. Так что при нееврейском имени не обязательна и еврейская фамилия.

Мать и тогда была человеком более современным, чем отец.

— Что Шварц, что Блэк, — рассмеялась она, — от этого наша фамилия светлее не станет.

Она имела в виду, что Блэк по-английски то же самое, что Шварц по-немецки и на идиш, и то и другое означает — черный.

Мама, миссис Гомес, молодящаяся старушка с крашенными в темно-красный цвет и, невзирая на это, по-прежнему прозрачными, как пух, волосами, хлюпала носом на другом конце провода.

— Когда похороны? — спросил, чтобы не молчать, Гарри.

— Вот об этом я тебя хотела попросить, сынок. Я не могу вылететь. У меня, как на грех, разыгрался ишиас, и я уже три дня не могу разогнуться. Я умру от огорчения и стыда, если кто-нибудь от нас не поедет на похороны.

— Кто? — спросил Гарри, окончательно просыпаясь, и почувствовал неприятный вяжущий привкус во рту от выпитой с вечера мешанины из разных вин и виски.

— Только на тебя надежда, — снова заплакала мать, — твой брат, ты знаешь, в отъезде, а Сюзан никак не сможет. Я ей звонила. С кем она детей оставит? Ради меня... умоляю... там будут все... и от нас тоже должен быть кто-то... бедная Фира... она тебя так любила... ты был крошкой... и мы на два месяца к ней тебя завезли... когда с твоим отцом ездили в Европу. Гарри... Это моя последняя просьба... Я ведь тоже скоро уйду вслед за Фирой.

Дальше пошли такие густые рыдания, что Гарри ничего не оставалось, как согласиться.

Настроение было испорчено. Лететь черт знает куда, терять дорогое время, отменить столько деловых встреч, и лишь для того, чтобы потолкаться среди малознакомых родственников, собравшихся со всей Америки в этот жалкий городишко, откуда три поколения назад пошел их род на американской земле, притворно вздыхать и делать печальное лицо, говорить пустые, но приличествующие случаю слова и выслушивать комплименты и неискушенные восторги по поводу его, Гарри Блэка, не сглазить бы, блистательной карьеры.

Он плохо проспал остаток ночи и утром заказал билеты на дневной рейс в Нью-Йорк. Не один билет, а два. Рыжая Барбара, его любовница с роскошным ирландским телом, белым и усеянным веснушками, не захотела оставаться дома одна. Она уже второй месяц жила у Гарри. Он привез ее из Лос-Анджелеса, где она дебютировала в фильме, финансированном его, Гарри, компанией. Дебютировала не она, а ее тело. В фильме Барбара по большей части снималась обнаженной и в сексуальных сценах была настолько пластична и выразительна, что срочно заказали еще несколько сценариев подобного рода, уже специально для нее, чтоб продлить коммерческий успех, достигнутый первым фильмом. До начала съемок Барбара перебралась к Гарри в Кливленд, и с тех пор он почти каждую ночь пил и не высыпался.

Появиться среди своей еврейской родни с рыжей Барбарой, которую многие, возможно, видели в фильме и поэтому знают, как она выглядит без одежды, было не совсем удобно и, конечно, не приличествовало печальному поводу, сведшему всю семью вместе. Потом, кое-кто знал Кристину, жену Гарри, с которой он уже три года в разводе, помнили, несомненно, его детей, живущих теперь в Калифорнии с отчимом. Это все вызовет недоуменные взгляды, незаданные вопросы, еврейское пожимание плечами и переглядывания друг с другом за его спиной.

— Я никогда не бывала на еврейских похоронах, — сказала Барбара за завтраком, разметав по голым, в веснушках, плечам свою рыжую, с медным отливом, гриву. — Это должно быть забавно.

Гарри не смог ее убедить, что лучше ей остаться в Кливленде и дожидаться его возвращения. Барбара настояла. И единственное, в чем она ему уступила, — не наложила, как обычно, много краски на лицо и ресницы и поэтому в самолете выглядела мятой и словно неумытой.

Городок, в котором умерла тетя Фира, казалось, ни в чем не изменился с тех пор, как Гарри мальчиком провел здесь лето. Он даже узнал дом, немного старомодный, из красного кирпича и без привычного гаража. Покойная автомобилем не пользовалась. Только деревья перед домом — толстые буки — разрослись неимоверно, и нижние ветви тяжело лежали на крыше.

Когда-то эта улица, да и все прилегающие, были заселены исключительно евреями. Теперь население сменилось полностью: в окнах и на тротуарах мелькали одни черные лица. Тетя Фира была последней еврейкой и последним белым человеком во всей округе.

Евреи, окрепнув и разбогатев, переселились в лучшие районы, а в их обветшалые дома въезжали другие бедняки — негры и пуэрториканцы. Даже синагога, в двух домах от тети Фиры, тоже была брошена, и сейчас там пели псалмы негры-баптисты, а на кирпичных стенах по-прежнему виднелись шестиконечные иудейские звезды.

Поэтому вся религиозная часть похорон проводилась в нескольких милях отсюда, в роскошном — сплошной парк — еврейском районе с новой современной синагогой из стекла и бетона.

Тетя Фира, сморщенная, маленькая, как ребенок, лежала в отлично сделанном, недешевом гробу. Молодой упитанный раввин говорил много похвальных слов о ее благочестивой жизни и ставил покойницу в пример сидевшим на скамьях похоронного дома, хорошо одетым, холеным евреям и еврейкам, среди которых отлично вписалась съехавшаяся сюда родня Гарри Блэка. Даже Барбара не совсем выделялась. На скамьях попадались похожие англосаксонские лица блондинок. По всей видимости, жены евреев, при замужестве перешедшие в иудаизм.

В комнатах тети Фиры было запустение, какое бывает в жилищах старых, потерявших подвижность людей. И мебель, и картины на стенах были старыми, ветхими, их поставил здесь еще дед, приехав из Польши, и никто их с тех пор не сдвигал с места.

На комоде с облупленными боками в высокой клетке из позеленевших медных прутьев сидел, нахохлившись, на перекладине старый зеленый попугай с красным пятном над клювом, касаясь длинным хвостом кучки помета — клетку давно не убирали. Глаза попугая были затянуты розовой кожицей, и казалось, он спит среди шума в переполненном гостями доме. Лишь изредка пленка сдвигалась с круглых глаз, клюв приоткрывался и попугай издавал вздох, какой может издать только старый еврей, когда он чем-то опечален:

— Ай-яй-яй-яй-яй.

И все в комнате вздрагивали, и кое-кто даже улыбался.

Старушонка, из тех, что навещала покойницу, объяснила приехавшим, что этот попугай был долгие годы единственным собеседником тети Фиры и перенял все ее манеры и привычки. Тетя Фира под старость почти забыла английский и рассуждала сама с собой на языке предков — на идиш. Попугай вторил ей. Такая умная птица! Он даже научился картавить, точь-в-точь как евреи в польских местечках.

— Знаете, — сказала старушка, моргая розовыми, как у попугая, без ресниц, веками, — во всем нашем городе они только двое разговаривали на идиш. Остальные забыли. Даже я еле помню.

Она повернула сморщенное личико к попугаю и сказала пару непонятных слов. На идиш, догадались все в комнате и даже привстали с мест, ожидая, что ответит попугай.

Попугай совсем по-еврейски, с мировой скорбью в круглых глазах, посмотрел на них и, ничего не ответив, сдвинул, как занавески, розовые пленки на глазах.

Гарри листал старый альбом в малиновом бархатном переплете, с залысинами в местах, где их касались пальцы. Рыжая Барбара через его плечо разглядывала фотографии, пожелтевшие, в трещинах. Здесь был и дед с бородой, в черной фуражке-картузе, какие носили в ту пору в Российской империи, и бабка в черном платке, по-крестьянски повязанном под подбородком. И мать Гарри, нынешняя миссис Гомес, — маленькая пухлая девочка со светлыми локонами и в юбке колоколом, в ту пору не подозревавшая, что есть такая болезнь по названию ишиас.

Все свое имущество покойная завещала еврейской общине, а так как в основном это был хлам, то порешили пригласить сюда эмигрантов из СССР — пусть выберут, что им приглянется. Родственники согласились взять лишь по какому-нибудь незначительному предмету на память. Как сувенир. Гарри остановил свой выбор на медном подсвечнике-меноре, куда вставляют на Хануку восемь свечей и каждый день зажигают по одной. Менора была прошлого столетия, из Восточной Европы. Из багажа деда.

Все брали по одной вещи. И Барбаре тоже захотелось что-нибудь взять.

— Можно попугая? — попросила она Гарри, неуместно блеснув порочными глазами.

Он усмехнулся, пожал плечами:

— Мало тебе хлопот? Возьми.

И стал думать об оставленных дома делах, о предстоящих переговорах с инвеститорами из Торонто, приезд которых он из-за похорон передвинул на один день.

Как попугай перенес перелет из Нью-Йорка в Кливленд, они не знали: он ехал в своей клетке в багажном отделении самолета.

В доме Гарри Блэка клетку с попугаем поставили в гостиной между тумбой со стереофоническим проигрывателем и высоким торшером: Барбара вычистила клетку, налила свежей воды, протерла каждый медный прутик, и клетка засверкала, как пожарный колокол.

А менору с восемью пустыми чашечками для свечей поместили в противоположном углу, где Гарри собрал коллекцию сувениров, привезенных из дальних деловых поездок. На стене щерились черные ритуальные маски из Африки. На полу сидел, расставив круглые колени, упитанный бронзовый Будда, купленный в Бангкоке. Над ним печально смотрел с креста деревянный распятый Христос с длинным удивленным лицом, которого Гарри раздобыл в Польше. Русская темная икона мерцала тусклой позолотой оклада. И маленькая менора совсем потерялась в этой коллекции.

Гостиная была большая, просторная, полная света, и воздух был чистый и прохладный, процеженный через кондиционер. А старый попугай задыхался. Ему недоставало захламленной тесноты, привычных запахов лекарств, играющих в солнечном луче пылинок, веток бука, хлопающих по мутному, давно немытому окну.

Вечером пришли гости. Канадский партнер Гарри из Торонто Сэм Винстон, такой же высокий и уже начинающий полнеть еврей, как и Гарри.

«Какой он Винстон? — почему-то ухмыльнулся в душе Гарри. — Тоже сменил фамилию, чтоб выглядеть ВАСПом. Небось, отца зовут Кац или Рабинович».

С Сэмом приехала его секретарша Жаннет — канадская француженка. Не такая вульгарная, как Барбара, но зато и с меньшим зарядом секса.

И еще одна пара. Кливлендский адвокат Брюс Мортон и его подружка — коллега по конторе, незамужняя Майра Кипнис. Оба евреи.

Сначала они обедали в загородном клубе. Вечером ввалились к Гарри, уже изрядно отяжелев от еды и питья. И принялись танцевать, включив на всю мощь стереопроигрыватель.

Попугай вздрагивал в своей клетке, ерошил перья, втягивал голову в плечи, высунув лишь желтый, как слоновая кость, кривой клюв.

Барбара, пьяная, заплетающимся языком рассказала гостям о попугае. С ним попробовали разговаривать. Он не отвечал. Жаннет задала вопрос по-французски.

— Идиоты! — вспомнила Барбара. — Он знает лишь один язык... еврейский.

— Иврит? — спросил Сэм.

— Нет, идиш, — ответил Гарри. — Моя покойная тетя пользовалась только этим языком, объясняясь с попугаем. После смерти тети попугай остался последним могиканином, понимавшим идиш.

Все рассмеялись удачной шутке хозяина дома. Темноволосая Майра вздохнула:

— Я тоже немножко понимаю. Честное слово. Мой дедушка с бабушкой, когда хотели что-нибудь утаить от моих ушей, пользовались этим языком.

— Спроси его на идиш, — загорелась Барбара.

— Не умею. Спрашивать не умею. Лишь немножко понимаю.

Они отстали от попугая.

К ночи гости перепились. Женщины утомились от танцев, перегрелись и стали обнажаться, сбрасывая понемногу с себя всю одежду. Барбара сняла даже трусики и раскинулась на ковре, широко расставив ноги, подтверждая, что все в ней натурально и роскошные волосы — свои, некрашеные; на ее лобке пониже выпуклого живота кудрявился рыженький пучок.

Возле Барбары клевал носом Сэм Винстон. Без пиджака и без рубашки, но в брюках. В одной руке он держал бокал с кусочками тающего льда, а ладонью другой мял плоско опавшие груди Барбары.

Гарри на другом конце целовал секретаршу Сэма — Жаннет, раздевшуюся не совсем до конца. Брюс и Майра жались на диване. Голова Брюса с закрытыми глазами покоилась на ее коленях, а голова Майры была запрокинута на спинку дивана и глаза устремлены в потолок.

Стереофонический грохот, оборвавшись, умолк — кончилась пластинка, и механический рычаг, потрескивая, переворачивал ее другой стороной. И пока было непривычно тихо, вдруг послышался скрипучий горестный вздох:

— Ай-яй-яй-яй-яй...

Как будто старый как мир еврей хочет пожаловаться на свою судьбу.

И Барбара, и Сэм, и Гарри, и Жаннет, и Брюс, и Майра повернулись к попугаю.

Старая зеленая птица потопталась серыми скрюченными лапами на перекладине и изрекла четко:

— Вей из мир! Вос хот геворн мит ди идн! (Горе мне! Что сталось с евреями!).

— Что? Что он такое говорит? — вскочила на четвереньки голая Барбара.

— Он говорит на идиш, — сонно сказала с дивана Майра. — И, если я его поняла правильно, он сказал мало лестного о нас.

НАШ ПРЕЗИДЕНТ

Я приехал в гости в Мевасерет Цион — маленький поселок для новых репатриантов в Иудейских горах под Иерусалимом. Мой друг встретил меня на автобусной остановке в прорубленном в скалах ущелье и повел по асфальтовому серпантину, чтобы по мостику перейти на другую сторону шоссе.

На автостраде машины кишели как муравьи, а на перекинутом высоко мостике и на самой дороге к поселку было пустынно в этот час. Потом вдали показалась автомашина, большая и дорогая. Кажется, «кадиллак». А впереди неслись на сверкающих никелем мотоциклах два дюжих парня в черных кожаных куртках и галифе и в белых пластиковых шлемах.

— Это — президент Израиля, — почтительно сообщил мой друг. — Тут, в горах, его дача, и он каждое утро в сопровождении охраны едет в Иерусалим в свою резиденцию.

Мы сошли с дороги и остановились, чтоб пропустить кортеж, а заодно поближе рассмотреть президента еврейского государства, которого я знал лишь по газетным портретам, и он мне казался очень похожим на старенького детского доктора, как их рисуют в сказках для детей.

При виде сверкающих мотоциклов сопровождения и черного лака шикарного автомобиля я невольно подтянулся, как бывший офицер, вытянул руки по швам и от волнения и торжественности почему-то захотел затянуть негромко, хотя бы шепотом, государственный гимн.

«Кадиллак» с мотоциклами впереди миновал мостик, а мы ждали его на повороте, круто уводившем асфальтовую ленту вниз, к автостраде. Мотоциклисты лихо заложили глубокий вираж, наклонив машины под опасным углом. И один мотоцикл, потеряв равновесие, шлепнулся на асфальт чуть не под колеса «кадиллака», чудом успевшего затормозить. Белый пластмассовый шлем охранника покатился по насыпи. Сам охранник лежал на земле и морщился, потирая рукой в черной перчатке ушибленное плечо.

В черном «кадиллаке» открылась дверца, и на асфальт неуверенно ступил седенький еврейский дедушка в черной старомодной шляпе и таком же пальто, засеменил к упавшему мотоциклу, кряхтя опустился на одно колено и прижал к себе голову своего незадачливого стража. Дюжий парень, затянутый в черную кожу, стал всхлипывать на его плече, а он гладил его кудрявую голову, совсем как своему внуку. Выглядело это все нелепо и комично, как в еврейском анекдоте, но поверьте мне: вместо того чтобы рассмеяться, я чуть не заревел в голос. Потому что такое можно увидеть только в еврейском государстве, непохожем на все остальные. И до своих последних дней я никогда не забуду этой картины: плачущий солдат, ушибший плечо, и глава государства, утешающий его, как дедушка.

СОЛДАТСКИЕ ШТАНЫ

Солдатские штаны. Цвета хаки. Или оливкового цвета. В зависимости от рода войск. С обилием карманов сзади и спереди. Заправленные в шерстяные носки и в высокие армейские ботинки, которые весят полпуда, особенно в такую жару, какая бывает на Ближнем Востоке.

Казалось бы, что поэтического и возвышенного может быть в солдатских штанах? Простите, но это для вас. А что касается меня... то, когда я вижу эти самые солдатские штаны цвета хаки или оливкового цвета, только что выстиранные и вывернутые наизнанку со швами наружу и множеством болтающихся карманов, вывешенные для просушки на балконе иерусалимского дома, мое сердце начинает биться учащенно.

Потому что это уже не штаны, а флаг, сообщающий всем окружающим балконам, что обладатель этих штанов, хозяин дома, благополучно вернулся из армии, жена, плача от счастья, выстирала их и гордо вывесила штанинами вверх и в разные стороны для всеобщего обозрения, как знак семейного торжества.

Когда кончилась война Судного дня и первые партии солдат хлынули домой с Голанских высот и Суэцкого канала, бородатые, просоленные и грязные, на многих балконах Иерусалима затрепетали на сухом ветерке солдатские штаны цвета хаки и оливкового цвета, с которых жены и матери, мешая слезы с мыльной пеной, отстирали песок пустынь и копоть взрывчатки.

Свесившись с бельевых веревок, солдатские штаны словно кричали всей улице со своих балконов:

— В нашем доме полный порядок! Радуйтесь, люди добрые, вместе с нами!

А на тех балконах, где не было видно солдатских штанов и сиротливо болтались пустые бельевые веревки, было траурно неуютно и одиноко. В те дома или еще не вернулись, или уже никогда не вернутся мужчины.

Я помню старушку, сгорбленную, опершуюся на посох, сощурившую слезящиеся глаза на балконы с солдатскими штанами. Она пальцем считала каждую пару и бормотала, как молитву:

— Слава Богу, слава Богу... Еще раз слава Богу. Господи наш, никого не обойди, вывесь на каждом балконе солдатские штаны.

Глядя на эту бабушку, я, к тому времени тоже демобилизованный и вывесивший свои выстиранные штаны на нашем балконе, вспомнил такую же старушку, что повстречалась нам в первый день войны, когда мы, резервисты, только что облачившиеся в военную форму, еще не опомнившиеся от неожиданности, мчались в реквизированных для нужд армии пассажирских автобусах из Иерусалима на север, к Голанским высотам.

В нашем автобусе было человек пятьдесят солдат. Новенькое обмундирование еще мешковато и неудобно сидело на нас, каски сползали на глаза на всех неровностях дороги. Мы были взвинчены, день был сухой и жаркий, в горле пересохло, язык стал шершавым, как наждак. Мы мучительно хотели пить.

Шофер автобуса не меньше остальных страдал от жажды, и хоть был строжайший приказ не останавливаясь мчаться к Голанам на помощь нашим отступающим частям, как только мы въехали в какой-то поселок, подрулил к маленькому магазину с бутылками кока-колы на вывеске и со скрежетом затормозил, распахнув и передние и задние двери.

Пятьдесят солдат ворвались в эту крохотную лавочку. Вернее, там поместилось не больше десяти, остальные толпились снаружи, и им из рук в руки передавали поверх касок запотевшие в холодильнике бутылки.

Хозяйка магазина, женщина лет под семьдесят, очень похожая на Голду Меир, суетилась у прилавка. В считанные минуты мы опустошили весь магазин. Выпили все, что было возможно пить. Всю кока-колу, содовую воду, апельсиновый и грейпфрутовый соки. Тем, кому не хватило напитков, пришлось довольствоваться водой из крана.

Старушка отдала нам весь свой товар, все запасы. Магазин был крохотный, не из богатых, и все, что мы выпили, было единственным достоянием старенькой хозяйки.

Освежившись и ожив, мы полезли в карманы за деньгами.

— Сколько с нас, мамаша?

Солдаты весело галдели, суя ей деньги. Задние с улицы передавали смятые фунтовые бумажки, пригоршни мелочи.

Хозяйка магазина подняла руку, как бы отстраняя деньги, и шум понемногу улегся.

— Не надо платить, — тихо сказала старушка. — Я вас очень прошу. Заплатите потом... когда поедете назад... Только, будьте добры, вернитесь живыми... Ладно? Тогда и заплатите мне.

Каюсь, я не уплатил за напитки и после войны. Никак не мог вспомнить, какой дорогой мы ехали на фронт, в каком поселке остановились попить.

Но когда я увидел старушку с посохом, считавшую скрюченным пальцем солдатские штаны, вывешенные после стирки на иерусалимских балконах, я вспомнил и ту, что напоила нас в первый день войны, отдав все, что имела. И хоть у меня давно нет своей матери, как никогда прежде, я почувствовал, что еще не осиротел.

ВОЛЧИЦА

Солнце стояло в зените, южное, знойное, и лишь раскрытые по всему пляжу многоцветные зонты давали спасительные круги тени в этом пекле. Курортники уползали под защиту зонтов, оставив на смятом желтом песке обрывки газет, семечную шелуху и арбузные корки.

Азовское море тускло сверкало стеклянной глазурью, и скользивший с задранным носом теплоход на подводных крыльях, казалось, полз белой мухой по вязкому киселю.

Утопая коричневыми босыми ногами в раскаленном песке, брела по пляжу старуха, не из курортниц, а из местных жителей. В кофте и юбке, старых и рваных, с непокрытой головой, подставив немилосердному солнцу космы немытых волос, она являла собой резкий, нестерпимый контраст холеным телам в кокетливых купальниках и бикини на ковровых подстилках в многоцветной тени зонтов. У старухи было сморщенное, продубленное солнцем лицо и запавший беззубый рот. Она бесчувственно ставила в раскаленный песок ноги, просушенные до костей, с шелушащейся, как у змеи, чешуйчатой кожей и глубокими черными трещинами на пятках.

Старуха не была нищенкой и не просила милостыни. Она не останавливалась у каждого зонта и не клянчила гривенник.

Она брела по песку, изредка вскидывая ладонь к глазам и прикрываясь ею от слепящего солнца, вглядывалась в людей под зонтами, словно искала кого-то.

И останавливалась с глупой ухмылкой, если находила среди голых тел человека с еврейской физиономией. Особенно широко улыбалась она, обнажая пустые десны с единственным и желтым, как у лошади, зубом, когда видела еврейскую семейку с непременно толстой, распирающей купальник мамашей и упитанными, раскормленными детьми.

Она приближалась к ним, как ведьма из детской сказки, и ее сумасшедшая улыбка и нездоровый блеск в глазах увеличивали это сходство. Не доходя до тени из-под зонта одного шага, она опускалась на колени в песок на самом солнцепеке и начинала причитать, подвывая:

— Деточки мои родненькие! Еврейские мои глазоньки! Точь-в-точь как у моих доченек... Как у Маруси... Оксаночки... и у Ривочки... Младшую звали так... по покойной матери моего мужа... Царство ему небесное... и деточкам моим.

Дальше из ее тихих, как бы заученных причитаний выяснялось, что она из этих мест и до второй мировой войны была учительницей в сельской школе. Она — украинка, а замуж вышла за еврея.

— Хороший человек был, ничего не скажешь. Ей-богу, — словно оправдывалась она. — Ничего худого не могу припомнить. Не пил, руку никогда на меня не поднимет. А что заработает, то в дом тащит... для меня и для доченек.

Жили они так, пока не началась война и не пришли немцы. Зимой, когда мелководное Азовское море покрылось льдом, полицаи забрали мужа и всех троих девочек. То, что мать у девочек украинка и в них течет лишь половина еврейской крови, не приняли во внимание. Всех евреев полагалось по приказу убить, и никакого исключения не делалось.

Погнали их по льду, подальше от берега, как раз напротив того пляжа. Тогда здесь пляжа не было, а только дикий берег. Сделали проруби во льду и стали сталкивать туда евреев, топить их.

— И моих деточек... Оксаночку... Марусечку... и Ривочку... как щенят утопили. Я потом, как ушли полицаи, бегала туда, а проруби уже льдом затянуло. Думала, весной растает, выкинет их на берег, можно будет в могилке схоронить... Не выкинуло... Так и лежат в море... как рыбки... Кто заплывает далеко, может, и увидит их.

Она оборачивалась к морю, заслонялась от солнца рукой и щурилась на расплавленное зеркало, тряся головой и что-то пришептывая.

Евреи, смущаясь, слушали ее причитания. Словно они чем-то были повинны в горе этой свихнувшейся украинской старухи. И совали ей деньги. Не мелочь. А бумажные рубль или даже два.

Старуха брала эту дань не благодаря, а как положенную ей плату и поднималась с колен со вздохом:

— Трудное дело быть евреем. Врагу своему не пожелаю.

И шла дальше босыми ногами по раскаленному песку, выискивая под зонтами еврейские лица. Найдя, она опускалась на колени и заводила все ту же песню, как патефонную пластинку. Теми же словами. Не меняя интонации.

Я дал ей три рубля. Хотя и не поверил ни одному ее слову. Она казалась мне хитрой бестией, ловко эксплуатирующей еврейскую чувствительность. И три рубля я ей дал в награду за находчивость.

Правда, уходя с пляжа, я, в нарушение обычая, не выкупался на прощанье в море. Постоял у кромки воды, как у края могилы, и не отважился сунуть туда ногу.

А вечером я гулял вдоль моря. Дул освежающий ветерок, море наползало на песок и со вздохом откатывалось, оставляя клочья тающей пены, как пряди седых волос.

Зонтики уже не стояли, расправив многоцветную ткань, а, опущенные, со сложенными крыльями, они торчали пиками в песчаном безлюдье, и луна отражала их остроконечные тени на чистом и темном песке.

Пляж был пустынен и чист. Весь мусор убрали граблями, и волнистые линии тянулись по песку почти у самой воды, на которой серебрилась и мерцала, уходя к горизонту, зыбкая лунная дорожка. И в том месте, где лунное серебро упиралось в берег, колыхаясь и вспениваясь, темнел силуэт не то собаки, не то волка, присевшего на задние лапы с задранной к небу мордой.

— У-у-у-у, — выл силуэт на луну.

Меня охватила дрожь.

Волк взмахнул передними лапами и воздел их над головой, совсем как человек, и голосом нищей старухи заголосил:

— Деточки мои родненькие! То я пришла до вас... ваша мама. Как вы там? Как ваши косточки? Холодно небось в глубине! А? Откликнитесь! Я очень по вас соскучилась.

И снова волчьим воем залилась на луну:

— У-у-у-у... Господи, растолкуй мне... Ну, евреев бьют... Это понятно... А моих деточек кровных за что?

Темный силуэт волчицы умолк, вперившись в медный лунный диск, и, не дождавшись ответа, тоскливо и надсадно завыл:

— У-у-у-у-у...

БЕЛЫЕ НОЧИ

На фронте авиация по ночам отдыхает.

С наступлением темноты самолеты, отбомбившись и отстрелявшись, спешат к своим полевым аэродромам, чтоб успеть приземлиться засветло, и летчики спокойно заваливаются спать до рассвета. Даже зенитчики, хоть и не покидают своих постов у орудий и пулеметов, задранных стволами к темному небу, тоже сладко подремывают, потому что знают: до первой зари им не придется приступить к работе — вражеские летчики в это время тоже спят.

На фронте авиация по ночам отдыхает.

За исключением Северного фронта.

Летом на Севере — белые ночи. Эти ночи ничем не отличаются от дня. Так же светло. И так же светит солнце. Правда, низко-низко, над самым горизонтом. Это и есть полярный день, который тянется не одни сутки, а целых полгода. Потом наступает полярная ночь, и становится темно круглые сутки, и так тянется тоже полгода.

Поэтому лишь на Севере авиация по ночам не отдыхает. Ночи стоят белые, и самолеты взлетают и садятся и тогда, когда на юге день, и тогда, когда на юге ночь. Все двадцать четыре часа в сутки.

А самолетов на Севере не так уж и много. Фронт считается не главным, второстепенным. Вся авиация сосредоточена на центральном и южном участках советско-германского фронта. А в тундре, на ее бесконечных пространствах, до тоски однообразных, без единого деревца, с зыбким мхом на оттаявшей сверху вечной мерзлоте, редко попадается военный аэродром. Обычно — это одна взлетная полоса, проложенная среди сдвинутых в стороны лысых гранитных валунов, называемых «бараньими лбами». Из тех же камней, отполированных еще в ледниковый период, выложены стенки капониров, куда под маскировочные сетки загоняют вернувшиеся с задания самолеты и откуда по сигналу тревоги они выруливают на взлетную полосу. «Бараньи лбы» надежно защищают сверху от бомбежки землянки и блиндажи, вырытые глубоко в оттаявшем грунте: там живут пилоты, технари, готовящие самолеты к полетам, оружейники, набивающие магазины пулеметов патронами и орудийные обоймы — снарядами, ремонтники, латающие пробоины на крыльях и фюзеляжах машин, врачи и медсестры, тоже латающие, но уже пилотов, до которых добралась пуля через пробоину в стенке кабины. В отдельных землянках расположились зенитчики, стерегущие небо от налетов вражеской авиации. А еще подальше, совсем в стороне, горбятся «бараньими лбами» зарытые в грунт казармы БАО — батальона аэродромного обслуживания. И там же под открытым небом материальная часть, даже не затянутая маскировочными сетями: тракторы, бульдозеры, грузовики.

Дальше — тундра. Во все стороны. Со впадинами зеленеющих болот и каменными выпуклостями сопок. До ближайшего населенного пункта километров пятьдесят по разбитой и часто непроезжей дороге. По этой дороге на аэродром поступает снабжение: горючее, боеприпасы и продовольствие. Автомобили идут колоннами, чтоб подталкивать и вытаскивать застрявшие машины. Идут, надрывно гудя моторами, буксуя в вязкой жиже, скрежеща карданным валом и осями по выпершим камням.

А со взлетной полосы уходят в небо остроносые истребители с красными звездами на крыльях. Уходят парами: ведущий и ведомый. Уходят красиво, как трассирующие пули ввинчиваясь в небо. Пропадают за серым горизонтом. Связь тогда с ними аэродром поддерживает по радио. Помочь им ничем нельзя. Только переживать за них и надеяться, что все обойдется благополучно.

Нередко так и бывает. Возвращаются оба — и ведомый и ведущий. Легкие, словно половину веса потеряли. На последних каплях горючего. Израсходовав весь боезапас. С парой пробоин в крыльях и фюзеляже. Такой день считается на аэродроме удачным. А уж если в рапортах значится сбитый самолет противника, тогда уж день совсем хороший. И всему персоналу аэродрома, даже солдатам из батальона обслуживания, по распоряжению командира полка дважды Героя Советского Союза полковника Софронова, начальник продовольственного снабжения капитан Фельдман выдает дополнительных, сверх положенной нормы, сто граммов спирта, разведенного пополам с водой.

А бывает, возвращается один. Ведомый без ведущего. Или наоборот. И возвращается не лихо, а еле-еле тянет. И садится косо, ломая при посадке шасси, а то и крыло.

В таких случаях на аэродроме тоже пьют. Капитан Фельдман выдает дополнительный спирт только пилотам, и те, залпом опорожняя стаканы, поминают не вернувшегося с боевого задания товарища.

Так и течет аэродромная жизнь. Однообразная и скучная, как тундра вокруг аэродрома. Летчики воюют где-то далеко от своей базы и сюда возвращаются, лишь чтоб перекусить да поспать и снова подняться в воздух. О самом бое напишут краткий рапорт да в столовой поделятся с технарями:

— Я его так... А он в сторону... Я ему в хвост, а он, сука, свечкой... Я его...

Вот и весь рассказ.

Дыхание войны краем коснется аэродрома лишь тогда, когда из приземлившегося самолета летчик вылезть самостоятельно не может, и его, обмякшего, приходится осторожно вытаскивать, а с его штанов и унтов сыплется стеклянное крошево разбитой приборной доски, густо смазанное кровью.

Однажды вот так сел, качаясь и опрокидываясь, как пьяный, старший лейтенант Митрохин, по возрасту самый пожилой пилот в полку, даже с сединой на висках. Его машина была пробита и изрешечена пулями. Технари ее потом отказались латать, списали в лом да на запасные части. Митрохин посадил это решето. Даже выключил мотор. А сам не вылезает из кабины. Сбежался народ. Откинули колпак. Митрохин еще жив. Но весь в крови. И в грудь угодило, и в живот.

А главное, обе руки перебиты. И ведь не выпустил руля. Без рук, можно сказать, привел самолет и посадил нормально. Командир Софронов поглядел на его перебитые руки.

— Такого, — говорит, — еще в истории авиации не случалось. Как же ты, Митрохин, без рук управился?

У Митрохина уж глаза нездешние, на тот свет косят. Но командиру отвечает:

— У меня, товарищ полковник, четверо детей. Помирать никак нельзя. Вот и долетел.

И там же, в кабине, помер.

Потом во фронтовой газете был помещен его портрет со статьей о том, как любовь к Родине помогла ему без рук посадить самолет на своей базе.

Из-за белых ночей нагрузка летчика на Севере вдвое больше. Взлетай и взлетай. Круглые сутки. Только успевай поспать часок-другой между полетами. Самолет устает, не выдерживает такой перегрузки. Приходится заменять материальную часть. А человек выносливей. Тянет. И не жалуется. Да ордена и медали прибавляет к своему иконостасу — по числу сбитых самолетов противника. Пока самого не собьют и не врежется он костями в промерзлый и летом грунт тундры.

Все четыре года войны фронт на Севере не двигался.

стоял на месте. Поэтому летчикам не приходилось менять аэродром. С противником встречались в небе. Машина с машиной. Покружат, постреляют. Кто-то задымит, камнем пойдет вниз, в прах рассыплется на земле. А кто-то домой потянет, на свою базу. Здесь за всю войну в лицо немца не видели. Только самолеты с крестами. Получалось, что воюют не люди, а машины с машинами.

Трудно человеку привыкнуть к белым ночам, к тому, что все время нет темноты, а разлит кругом свет. Ходишь как в полусне. Глядишь в белесое мглистое небо — и такая тоска охватит, что хоть волком вой.

Как и повсюду на земле, и здесь были свои евреи. Двое на весь аэродром. Начальник продовольственного снабжения полка капитан Наум Фельдман. Всегда в новеньком, прямо со склада, обмундировании. Армейская летная форма на нем сидит ловко, как на манекене. Фельдман больше всех походит на бывалого вояку. Летная кокарда на фуражке и золотые авиационные крылышки на кителе выглядят на нем особенно лихо. Возможно, потому, что он ни разу не поднимался в воздух на боевой машине.

Боевые пилоты, те, кто каждый день жизнью рисковали, к Фельдману относились без особой любви, но и неприязни тоже не проявляли. У начальника продовольственного снабжения всегда можно разжиться кружкой спирта сверх положенной нормы. Таким знакомством какой нормальный человек побрезгует?

Зато другой еврей был в полку в почете. Саша Круг. Похожий на цыгана, вся голова в колечках черных волос. Нос с горбинкой. Орлиный. И белые-белые зубы. Тоже капитан. Пилот. Из ветеранов полка. Ни разу не был сбит. А у самого на счету — семнадцать самолетов противника. Сбитых индивидуально. Не считая тех, какие поджег в групповом бою, когда точно не определишь, чья пулеметная очередь была решающей.

У него на кителе, который надевал он, вернувшись с полета, лучилась Золотая Звезда Героя Советского Союза. А орденов и медалей было столько, что он их не надевал, а хранил кучкой в чемодане.

Оба еврея дружили, хоть и разнились, как день и

ночь на юге. Саша — хулиган, задира, выпивоха. Наум — поведения примерного, застенчив, а что касается спиртного, капли в рот не берет, при том, что все запасы хранятся под его началом.

Но когда на сотни километров тундры только два еврея, то какими бы они ни были разными, обязательно потянет их друг к другу.

Их дружба началась давно. Саша Круг тогда еще ходил в лейтенантах и служил в другом полку, бомбардировочном, пилотом на СБ — скоростном бомбардировщике с экипажем в три человека. Их аэродром располагался далеко от истребителей, тоже в тундре, но южнее.

С Наумом Фельдманом Саша Круг познакомился, когда его самолет, подбитый зенитным огнем, не дотянул до своей базы и совершил вынужденную посадку на чужом аэродроме, у истребителей. Пока прибывшие из их полка технари приводили бомбардировщик в порядок, экипаж наслаждался отдыхом, как будто попал в санаторий. Начальник продовольственного снабжения капитан Фельдман так обрадовался встрече с другим евреем, тоже из авиации, да еще боевым пилотом, что не поскупился, всех троих чужих летчиков обеспечил выпивкой и разнообразными закусками.

Саша Круг — высокий, худой, напоминавший ястреба, всегда готового взлететь, — оказался парнем хоть куда, веселым и проказливым, и за ним толпой ходили развесив уши истребители, свободные от полетов. За те несколько дней, что он прожил у них, Саша успел покорить не только весь летный персонал, но и неприступную крепость аэродрома — медсестру Эру, в которую лейтенант Бондаренко от избытка неразделенных чувств стрелял из пистолета и все равно склонить не смог. Саша покорил Эру с легкостью необыкновенной и, окрестив ее Эпохой, улетел на отремонтированном бомбардировщике, оставив Эру в слезах, а весь аэродром в растерянности. Потому что с его отлетом как бы кончилась веселая жизнь и наступили скучные будни.

Но Саша не исчез навсегда. Он повадился, возвращаясь с боевого задания, хоть на часок-другой делать посадку на этом аэродроме, забирая далеко в сторону от указанного маршрута. То у него, видите ли, горючее на исходе и надо подзаправиться, то забарахлил один из двигателей и тут же, если не совершить вынужденной посадки — гибель всему экипажу. А экипаж подобрался — свои ребята и пилота не закладывали.

У летчиков-бомбардировщиков была мода: каждый экипаж красил коки на своем самолете в другой цвет. Коки — это конусные воздухообтекатели впереди винта. У Саши коки были красного цвета. Поэтому, когда его СБ появлялся над аэродромом истребителей и делал круг, прежде чем зайти на посадку, все узнавали самолет по кокам, капитан Фельдман поспешно отдавал распоряжение столовой приготовить обед для экипажа, а медсестра Эра, еще пока самолет с красными коками кружил в небе, стремглав бежала из санитарной землянки через весь аэродром в отдельный блиндаж к капитану Фельдману, и тот покорно уходил, отдав ей ключи.

Посадив самолет, Саша сразу отцеплял ремни парашютов, вылезал на крыло, кивал сбегавшимся технарям, а сам устремлялся на длинных, циркулем, ногах к блиндажу Фельдмана, где Эра уже дожидалась в спальном мешке. Потом, если время позволяло, обедал в столовой со своим дружком Наумом и, прихватив в подарок бутылку спирта, улетал, описав красными коками прощальный круг над гостеприимным аэродромом истребителей.

Весь наземный персонал, да и летчики тоже провожали, задрав головы к небу, бомбардировщик с красными коками, и на их лицах можно было прочесть восторг и уважение к лихому пилоту.

Однажды Саша, заскочив к ним в очередной раз, отколол такой номер, что все истребители животы надорвали от хохота, а начальник продовольственного снабжения капитан Фельдман чуть в госпиталь не угодил.

Была у тихого начпрода мечта — слетать на боевое задание. Чтоб хоть как-то оправдать авиационную кокарду на фуражке, а на кителе — золотом шитые крылышки. В истребитель не сядешь. Он — одноместный, в кабине лишь пилот умещается. То ли дело — бомбардировщик. Да и Саша — лучший приятель. И притом еврей. Не поднимет на смех.

Фельдман попросил Сашу, и Саша не отказал. С серьезным видом, на глазах у экипажа, посетовал, что он бы рад, да в самолете каждый сантиметр рассчитан, нет свободного пятачка. Только лишь если капитан согласен лечь в бомболюк. Там сейчас свободно, бомбу они сбросили над расположением противника. Если вытянуть руки по швам и не требовать особого комфорта, то капитан Фельдман может вполне поместиться в наглухо закрытом бомболюке и кислорода ему хватит, пока самолет не вернется на базу.

Разволновавшийся начпрод тут же согласился, и Сашин экипаж подсадил его под брюхо самолета в распахнутые створки бомболюка и створки эти захлопнул.

Потом взревели моторы, самолет задрожал как в лихорадке. Все, кто свободен был от вахты, сбежались к содрогающемуся бомбардировщику, и только рев моторов не позволил бедному начпроду расслышать громовой хохот.

С полчаса трясся в бомболюке капитан Фельдман, уверенный, что он парит высоко над землей, и главной его заботой было не сблевать, как это, он знал, случается в полете с новичками. Потом Саша нажал кнопку бомбометателя. Створки бомболюка с треском распахнулись под телом начпрода, и он, вместо бомбы, полетел вниз, по направлению к земле. Именно так успел подумать начпрод и даже успел попрощаться с жизнью.

Летел он ровным счетом два с половиной метра. Потому что самолет все эти полчаса стоял на земле со включенными двигателями, и экипаж, потешаясь, распивал разведенный спирт за здоровье славного начпрода Фельдмана. Капитан, пролетев два с половиной метра, умудрился потерять сознание и мгновенно заболеть медвежьей болезнью. Когда тут же под самолетом его приводили в чувство, резкий запах нашатыря не смог перебить вонь, исходившую из диагоналевых галифе начпрода.

Капитан Фельдман простил Сашу. Потому что не хотел лишиться лучшего друга. А обвинить его в антисемитизме — тоже нелепо. Саша Круг — сам еврей, да еще с типичной физиономией. Только шальной еврей, которому море по колено и жизнь не в жизнь, если он не отколет какой-нибудь номер.

Кончилось все тем, что командир полка, знаменитый Софронов, не захотел отпустить лихого пилота с СБ и договорился в высоких инстанциях о переводе лейтенанта Круга из бомбардировочной авиации в истребительную.

У знаменитого Софронова был верный глаз. Став истребителем, Саша Круг прославил полк семнадцатью сбитыми самолетами противника и к списку полковых асов добавил еще одного кавалера Золотой Звезды.

С капитаном Фельдманом они остались друзьями. Когда истребитель Саши взмывал в небо, Фельдман, обычно очень аккуратный и дисциплинированный офицер, становился рассеянным, отвечал невпопад, и это длилось до тех пор, пока остроносый самолет с семнадцатью звездочками по фюзеляжу не пробегал, гася скорость, по взлетно-посадочной полосе, замирал у края, останавливал винт, откидывал плексигласовый колпак над кабиной и оттуда высовывался стянутый шлемофоном горбоносый, как у ястреба, профиль.

А роман с медсестрой Эрой закончился прозаически. Женитьбой. Эра забеременела, и капитан Круг, как человек порядочный, из приличной еврейской семьи, счел своим долгом расписаться со скуластой сибирячкой, которая незамедлительно была демобилизована и, неся впереди выпуклый живот, отбыла в слезах в свой родной город Томск. Капитан же остался в полку и продолжал летать над тундрой, нетерпеливо ожидая весточки из Сибири о рождении сына.

Но пока он ждал эту весть, пришла совсем иная. У Саши была семья. Мать, отец. Братья, сестры. На Украине. И с тех пор, как немцы заняли этот городок, ничего не знал он о судьбе родных. Саша попал на Север еще до войны и там воевал несколько лет, везучий и удачливый, ни разу не сбитый, выходя целым и невредимым из самых, казалось бы, безвыходных положений.

Когда освободили родной его город на юге, он стал писать туда по старому адресу и наконец получил ответ. Написанный чужой рукой. Соседи извещали Сашу, что никто из его семьи не остался в живых. Всех до одного убили фашисты. И покоится его родня в братской могиле, в которой лежат и остальные евреи этого города.

И не стало в авиационном полку веселого и удачливого пилота Саши Круга. Глаза его потухли. Лицо почернело. Поросло бородой. И капитан Фельдман, единственный знавший еврейские обычаи, пытался объяснить другим пилотам, что Саша, перестав бриться, следует древнему обряду поминовения усопших родных.

Командир полка Софронов снял его с боевых полетов, хотя каждый пилот был на вес золота. В таком состоянии Саша проиграл бы первый же воздушный бой. Попробовал командир поговорить с ним по душам, образумить, привести в чувство. Безуспешно.

— Отпусти меня, командир, в пехоту, — попросил Саша, и в глазах его стояли слезы.

— Как же тебя отпустить в пехоту? — всплеснул руками Софронов. — Да меня ж за это расстрелять и то мало будет, если я такого сокола, такого первоклассного пилота спишу в пехоту. Только враг, чтоб ослабить нас, такое может допустить. Ты еще, брат, полетаешь. И за кровь твоих родных не одного фашистского гада отправишь в ад.

— Нет, — замотал Саша кудрявой, с первыми нитями седины головой. — В небе я бью самолеты. А мне крови надо! Чтоб лицом к лицу! В глаза его посмотреть, а потом уж бить и видеть, как он корчится, подыхая. Отпусти, командир, в пехоту.

Не уважил командир полка просьбу Саши. Приказал ему не отлучаться с аэродрома, а товарищам по блиндажу велел не спускать с него глаз. Человек, мол, отчаянный. До беды недолго.

А потом был воздушный бой. Недалеко от аэродрома. Наших в небе вдвое меньше, чем противника. Остальные экипажи ушли раньше на задание. Один лишь самолет капитана Круга оставался в резерве под маскировочной сеткой. Махнул на все рукой полковник Софронов и скрепя сердце послал на подмогу своим чумного от горя капитана.

Никогда до того так не дрался Саша Круг. Не страхуясь, напролом ворвался в строй вражеских самолетов, раскидал их, а одного прошил пулеметной очередью и поджег. Погнался за другим и ушел далеко от места боя.

Он превосходил опытом противника. Гонял его, как ястреб воробья, по небу. Сам постреливал экономно, сберегал боезапас. А того довел до того, что он все, что имел, расстрелял впустую, ни разу не зацепив Сашиной машины. Этого-то и добивался капитан Круг. Противник был обезоружен, и ему только оставалось на последней скорости удирать к своим через линию фронта, под защиту зенитных батарей.

Саша не дал ему уйти. Но и добивать не стал. Прижал низко к земле и на бреющем полете погнал к своему аэродрому. Чуть не верхом на немецком самолете, цепляя выпущенными шасси прозрачный колпак над кабиной летчика, посадил он его на бетонную дорожку и сам сел вслед за ним, и обе машины бежали по земле друг за дружкой, словно одна, со звездами, вела другую, с крестами, под конвоем.

Немец затормозил. Сашин истребитель, обогнув его, пробежал сотню метров и тоже застыл. Немец откинул колпак и вылез из кабины по крылу на бетон, сбросил с плеч парашютный мешок и поднял вверх руки.

Со всех концов поля к нему бежали русские. Технари. Солдаты из БАО. Такого еще на аэродроме не бывало, чтоб живой немец сел и сдался в плен. Каждому любопытно поглядеть на эту невидаль, и все, кто были на аэродроме, побросав свои дела, мчались к самолету с выпученными от любопытства глазами. Даже командир полка Софронов и тот бежал, задыхаясь от излишнего веса и позванивая двумя Золотыми Звездами Героя Советского Союза.

Но впереди всех, он-то был ближе, спешил к немецкому самолету Саша Круг. Бежал косолапо в меховых унтах, забыв сбросить парашютный мешок, и тот мягко бил его по заду, мотаясь на брезентовых ремнях. Правой рукой он шарил по боковым карманам комбинезона и уже, когда был шагах в пятидесяти от немца, вытащил то, что искал, — черный пистолет ТТ.

Немецкий летчик стоял неподвижно, спиной прижавшись к алюминиевому, в маскировочных пятнах, боку своего самолета, и справа от него, ближе к хвосту, там, где на советских самолетах звезда, зловеще распластался рубленый коротконалый крест. Летчик стащил с головы шлемофон и, мигая белесыми ресницами, смотрел, как завороженный, на Сашу Круга, приближавшегося к нему, тяжело дыша, с каждым шагом выше поднимая пистолет.

Лицо немца было бледно. Под стать его белокурым, от пота слипшимся на лбу волосам. А в бесцветных, как небо над тундрой, глазах застыл ужас, какой только может охватить человека перед лицом неизбежной, неминуемой гибели. Эта смерть сосредоточилась в круглом черном отверстии пистолета, мерно качавшемся в такт тяжелым неуклюжим шагам русского летчика.

Саша перешел с бега на шаг. Не потому что устал. Он разглядел лицо врага. Нормальное человеческое лицо. До жути обыкновенное лицо испуганного мальчишки. Немец был намного моложе его. Без шлемофона, со взъерошенными потными волосами, ему и двадцати лет не дашь. И запал ярости, какой клокотал в Саше, пока он гонял его в небе, а потом бежал с пистолетом в руке по земле, стал быстро улетучиваться, и уже последние шаги, отделявшие его от немца, Саша прошел, смущенно опустив пистолет к бедру.

Он стал против него, расставив толстые ноги в меховых унтах. Они еще были одни. Народ, со всех сторон мчавшийся к немецкому самолету, еще не добежал. И, глядя в мягкое, окончательно не сформировавшееся по-мужски лицо немецкого летчика, которого он еще минуту назад был готов растерзать, Саша смутился и от смущения улыбнулся. Немец ухватился за эту улыбку, как утопающий за спасательный круг, и тоже улыбнулся, часто-часто заморгав рыжеватыми ресницами. На его ожившем лице проступили веснушки, множество веснушек, которых прежде из-за смертельной бледности нельзя было разглядеть.

Тут уж Саша окончательно смутился и ляпнул:

— Давай меняться сапогами.

И прихлопнул ладонью по меховому голенищу своего унта.

Немец ничего не понял. Заулыбался еще шире, обнажив неровные мальчишечьи зубы.

Вокруг них быстро густела, сопящая после бега, толпа технарей и солдат из БАО. Технари были в замасленных грязных комбинезонах. Солдаты — в стеганых телогрейках и бушлатах не первого срока, в дырах и пятнах. Поэтому, когда протолкался вперед позже других добежавший командир полка, от волнения он не нашелся что сказать и строго прикрикнул на своих:

— Что за вид! Не солдаты, а черт знает что! Хорошенькое мнение составит о вас противник.

А «противник» по массивной фигуре и двум Золотым Звездам на кителе определил, что этот человек и есть самый главный на аэродроме и от него теперь зависит его судьба, и впился глазами в рыхлое, в складках, лицо полковника. Софронов из-под строго нахмуренных бровей мельком глянул на немца и криво усмехнулся:

— Пацан. Летать не умеешь.

И протянул ему широкую мясистую ладонь:

— Ну, здравствуй, летун... коль пожаловал в гости.

Немец обеими руками облапил его руку и не отпускал, пока кольцо солдат и технарей не грохнуло беззлобным хохотом.

— Молчать! — еще больше растерялся полковник Софронов. — По нашему русскому обычаю гостя нужно перво-наперво накормить.

И через весь аэродром пестрой гурьбой двинули к летной столовой. В центре — совсем ошалевший немец. Справа — Саша Круг, так и не снявший парашюта и шлемофона. Он был выше немца и положил ладонь на его плечо, словно придерживая добычу и этим давая всем понять, что это его, Саши Круга, добыча. Но в то же время Сашина ладонь на плече у немца была вернейшим знаком совсем не враждебного, а, скорее, фамильярного отношения к пленнику. Слева топал, тяжело отдуваясь и сопя, тучный полковник Софронов, озабоченный тем, как дальше поступить с немцем, ибо с такой ситуацией ему приходилось сталкиваться в первый раз.

В столовой немца усадили между Сашей и Софроновым. Любопытных технарей и солдат не пустили на порог. За столом разместились только офицеры, летчики и, конечно, начпрод капитан Фельдман, тоже до обалдения взволнованный случившимся и метавший глазами молнии на нерасторопных подавальщиков.

Кто-то из офицеров немножко кумекал по-немецки, и его усадили напротив, чтобы переводил. Тогда же узнали имя немца — Вальтер, и все по очереди назвали себя и при этом обменялись рукопожатием. Немец сидел распаренный, потный, со счастливым и глупым выражением на веснушчатом лице.

Его накормили от пуза. Начпрод достал из тайников вкуснейшие вещи, какие хранились для особого случая: копченые телячьи языки в американских консервных банках, семгу, которую летчикам в подарок привозили рыбаки-поморы, и даже красную кетовую икру с Дальнего Востока.

Немец объелся и обпился. Но пока он еще мог сидеть на скамье, подпираемый плечами соседей, Саша с помощью переводчика, а больше жестами пытался втолковать ему, какие промахи он по неопытности допускал в небе и как и каким способом он, Саша Круг, заставил его впустую израсходовать весь боезапас, а уж заставить его сесть было делом плевым.

Немец на все согласно кивал головой и глупо, по-пьяному, ухмылялся. А когда Саша, тоже крепко подвыпивший, вдруг помрачнел и с паузами, тяжело выдавливая слова, поведал Вальтеру, почему он его посадил живым и бежал потом с пистолетом, рассказал, что случилось с его семьей, немец, хоть и пьяный, перестал улыбаться, брови его горестно полезли вверх, и он припал к Сашиному плечу и стал тереться щекой. Саша обнял его, похлопал по спине. А начпрод капитан Фельдман, у которого был американский фотоаппарат с магниевой вспышкой, заснял их в этой позе. Мрачно набычившегося Сашу и раскисшего, развесившего губы Вальтера.

К концу обеда немца пришлось тащить волоком из-за стола. Возле столовой у автоцистерны он упал на колени, и его стало выворачивать наизнанку. Летчики снисходительно и понимающе смотрели. Полковник Софронов, румяный от выпитого спирта, хмыкнул:

— Слабы...

А Саша вступился:

— Мальчишка... Какой с него спрос?

Вечером на аэродром прибыли офицеры СМЕРШа. Контрразведка. Из Мурманска. Прибыли за немцем, который спал безмятежно в офицерском блиндаже на койке Саши Круга. Саша спал на пороге блиндажа и сказал, что этот немец его и никому его не отдаст, а если им, контрразведчикам, так позарез нужен немецкий летчик, то пусть они попробуют посадить самолет, а пилота взять живьем.

Сашу уговаривали, грозили. А он — ни в какую. Сам полковник Софронов вступил с ним в переговоры и тоже не уломал.

— Мой немец, — упрямо повторял Саша. — Не отдам.

— Пьян, — как бы извиняясь, развел руками Софронов. — Проспится — пожалеет.

Так и ушли контрразведчики ужинать, ничего не добившись.

Наступила ночь. По-прежнему было светло. И солнце не ушло за горизонт, а висело низко-низко бледным размытым пятаком. И тускло поблескивали вокруг аэродрома каменные бока «бараньих лбов».

Капитан Круг уснул, не раздеваясь, присев у порога блиндажа. Контрразведчики, стараясь не шуметь, обошли его и, разбудив ничего не понявшего спросонья Вальтера, увели. Когда проходили мимо спящего Саши, немец узнал его и рванулся. Но ему зажали рот и скрутили руки за спиной.

Вальтера увезли в Мурманск, допросили и отправили в лагерь военнопленных, разместившийся за колючей проволокой в тундре на окраине города Мончегорска. И стал Вальтер, как другие немцы, обычным пленным. В серой безликой колонне водили его конвоиры на работу: чинить дороги в тундре, посыпать осевший от таяния грунт щебнем и добывать щебень, раскалывая тяжелым молотом серые камни-валуны.

Стояли белые ночи. На вышках даже прожектора не включали. Часовым все видно как на ладони. И когда другие пленные спали на двухэтажных нарах в бараке, Вальтер выходил наружу и бродил в призрачном свете вдоль столбов с колючей проволокой, вызывая недовольные окрики часовых.

Он вглядывался в тундру, в узкую грунтовую дорогу, глубокие автомобильные колеи, которые уходили к неясному горизонту. Вглядывался, будто ждал кого-то. Ждал и дождался.

Однажды, когда лагерь спал, а Вальтер, как всегда, вышел к проволоке, он увидел на дороге подскакивающий на ухабах грузовик. А когда автомобиль приблизился, Вальтер просиял и запрыгал, как мальчишка. В кузове, опершись локтями на крышу кабины, стояли, покачиваясь, три русских летчика, и в одном из них Вальтер сразу узнал капитана Круга.

Летчики, бренча орденами и медалями на кителях, переговорили с лагерным начальством, и Вальтера выпустили к ним за проволоку. Они даже обнялись, как старые друзья, а так как переводчика с ними не было, объяснялись восклицаниями и жестами.

Сели в кружок на камни. Друзья развязали вещевые мешки, достали съестные припасы, вспороли ножами консервные банки, из бутылки по кругу глотнули разведенный спирт. Вальтер тоже глотнул и захлебнулся, зашелся кашлем. Летчики с хохотом стучали кулаками по его спине и объяснили, чтоб ел, не стесняясь, а то ведь совсем дойдет на лагерном пайке.

На прощанье насовали ему в карманы консервов, плиток шоколада и парочку луковиц — что в тундре является особым деликатесом.

На той стороне проволоки, словно учуяв запах пищи, столпились выползшие из бараков пленные в серо-зеленых шинелях внакидку.

— Ешь сам! — строго наказал Вальтеру Саша Круг. — А этим гадам — ни кусочка!

Он окинул злыми глазами пленных за проволокой.

— Понял? Иди и лопай! Скоро еще приедем. Жди!

И грузовик с тремя летчиками в кузове укатил в тундру, залитую неживым светом белой ночи.

С тех пор Вальтер, как на пост, выходил каждую ночь к проволоке. Даже часовые на вышках смотрели, куда и он, на дорогу. Они-то, часовые, первыми увидели грузовик.

— Эй, фриц! — закричали они Вальтеру. — Твои едут!

За кабиной грузовика на сей раз стояли только два летчика. Не было капитана Саши Круга. И в кабине рядом с водителем место пустовало.

Летчики сели на камни, стали развязывать вещевые мешки. А Вальтер беспокойно спрашивает что-то по-немецки, и они хоть ни слова не понимают, а догадались сразу, что он интересуется, почему не приехал Саша Круг.

— Нет Саши, — вздохнул летчик. — Сгорел.

Сказано было по-русски. Но Вальтер понял. Понял и застыл. Потом медленно отодвинул от себя консервные банки, поднялся с земли и пошел, сгорбившись, к проволочной ограде. Припал к столбу лицом и не шевелился.

Над ним стояла белая полярная ночь. Нечеткий, неживой свет был разлит над тундрой, и «бараньи лбы» тускло отсвечивали базальтовыми боками.

ОСВЕДОМИТЕЛЬ

Встречали вы еврея с такой кондовой русской фамилией Полубояров? Фамилией, которая сразу вызывает в памяти нехорошие ассоциации: казачьи чубатые рожи на горячих храпящих конях, гоняющие саблями несчастных евреев по кривым улочкам местечек в черте оседлости. Фамилией, от которой за версту разит погромом. Чем-то антисемитским.

Я знал еврея с такой фамилией. Аркадий Полубояров — московский художник-ретушер, в основном специализировавшийся на портретах вождей, по чьим упитанным и строгим лицам он проходил рукой мастера, придавая им несколькими легкими штрихами и точками более представительный и торжественный вид.

Работенка не пыльная и довольно денежная. Потому что спрос на портреты вождей, так же как и на сахар и на хлеб, в Советском Союзе никогда не иссякает, а, наоборот, постоянно возрастает, и Аркадию Полубоярову всегда был обеспечен его бутерброд, даже с колбасой, а порой и с икрой.

Особенно прочно закрепился он на своем месте после

одного случая, из-за которого в кругах московских газетных репортеров и фотографов при появлении Полубоярова пробегал уважительный шепоток:

— Он открыл глаза Брежневу.

Вождю советского народа. Главе СССР. Среди бесчисленных добродетелей которого любовь к евреям как раз не числилась.

И кто открыл глаза ему, ведущей мировой фигуре, перед которым трепещут иностранные премьер-министры и последние уцелевшие на земле короли? Аркадий Полубояров, тихий и совсем неприметный еврей. Он и в политике-то не смыслит ни шиша, и, как человек достаточно пуганый, не очень-то и норовит что-нибудь в ней понять.

И тем не менее открыл глаза Леониду Ильичу Брежневу не кто иной, а Аркадий Полубояров. Открыл единственным способом, доступным ему. И никому другому. За исключением, пожалуй, еще нескольких профессиональных ретушеров, но их, на счастье, не оказалось под рукой в тот самый нужный момент, когда взошла его, Аркадия Полубоярова, звезда.

Брежнев где-то закончил очередную речь, и у допущенных к высокой трибуне на дозволенное расстояние газетных фотографов, как на грех, засветилась в аппаратах отснятая пленка, и лишь с одного чудом уцелевшего кадрика удалось отпечатать сносную фотографию выступающего перед народом вождя.

Все на ней выглядело пристойно. И даже вставные челюсти смотрелись как настоящие. За исключением одного. Глаз. Когда фотограф щелкнул камерой, Брежнев моргнул, и на единственном пригодном к печати снимке получились закрытые, как у покойника, глаза.

Мороз продрал по коже редакторов газет при виде этого снимка. Речь Брежнева идет в очередной номер, а фотографии докладчика нет. Редакторы явственно чувствовали, как из-под их ягодиц ускользают редакторские кресла.

И тогда настал звездный час Аркадия Полубоярова.

Случилось так, что он безо всякого определенного дела толкался в редакции самой главной газеты и услышал стоны из редакционного кабинета. Узнав, в чем дело, он попросил разрешения взглянуть на портрет «спящей красавицы». Фотографию положили дрожащими руками пред светлые очи ретушера и застыли в ожидании приговора. Судьба редакторов была сейчас полностью в руках этого еврея, с которым они даже не считали нужным здороваться, когда натыкались на него прежде в редакционных коридорах.

Аркадий Полубояров пожевал толстыми вялыми губами, от чего они прижались к кончику его длинного носа, и сказал слова, потом облетевшие всю газетную Москву:

— Я открою ему глаза.

Редакторов прошиб пот. Один из них, большой антисемит, по уверениям свидетелей, публично обнял Аркадия, прижал к своей жирной груди и даже всхлипнул.

Он заперся в лаборатории, откуда попросил всех удалиться, и все высокое начальство толпилось в коридоре, затаив дыхание и предупреждающе цыкая на каждого, осмелившегося приблизиться к двери, за которой колдовал их спаситель.

Надежда на спасение была самая минимальная. Что может сделать ретушер? Ну, подбелить зубы. Убрать морщины. Но открывать закрытые глаза?

На следующий день во всех газетах вместе с речью Брежнева появился его портрет с открытыми глазами. И никаких следов подделки. Шедевр ретушерской работы. Благодарное начальство тут же выписало Аркадию двойной гонорар и из премиального фонда отвалило денег на поездку на курорт.

Этим все и ограничилось. Когда он вернулся с курорта, обгорев на южном солнце, с шелушащимся, как молодой картофель, розовым носом, начальство снова перестало узнавать его и, сталкиваясь в редакционных коридорах, забывало, как и прежде, поздороваться.

А теперь возвратимся к тому, с чего начали.

Откуда у еврея такая, мягко выражаясь, нееврейская фамилия? Полубояров! Откуда имя Аркадий — понятно. Это слегка модернизированное еврейское имя Абрам. Таких Аркадиев в России — пруд пруди. Но Полубояров ни из какой еврейской фамилии не сделаешь, сколько бы ты ни мудрил. Такой в ней прочный русский корень.

Гадать нечего. Это, конечно, была не его, Аркадия, фамилия. Его отца Абрама Перельмана люди знали именно по этой фамилии, и в документах он был записан черным по белому — Перельман. И Аркадий, пока не женился, таскал на себе, как гроб, эту очень уж еврейскую фамилию. Хотя и без фамилии по его черным меланхоличным глазам и длинному семитскому носу ни у кого, даже у малограмотных дворников, его еврейское происхождение не вызывало сомнения.

Жил в Москве шофер. Обыкновенный русский парень. Алеша Полубояров. Ничем не выдающийся. Крутил баранку своего грузовика, зарплату аккуратно отдавал своей жене Клаве, а что перепадало сверх того — утаивал и пропивал в компании своих же шоферов.

И духом не ведал Алеша Полубояров, что станет родоначальником целой семьи Полубояровых, с которыми у него никаких кровных связей не было и быть не могло.

Первой получила эту, довольно редкую в нынешней России, фамилию его законная жена Клава. Выйдя замуж за Алешу, она, естественно, сменила свою девичью фамилию Кургапкина на более представительную мужеву — Полубоярова.

Сам Алеша, в жилах которого играла казачья кровь, выпив, любил дать волю рукам. Клаву он поколачивал регулярно. В каждую получку. А иногда и до.

Когда же, будучи на взводе, он не мог отыскать спрятавшуюся у соседей Клаву, то начинал приставать к посторонним. И те уж колотили его. Однажды, по пьяному делу, ему проломили автомобильной ручкой череп, и Полубояров отдал Богу душу в 1-й Градской больнице, так и не приходя в сознание.

Осталась в Москве молодая симпатичная вдова Клава Полубоярова, в девичестве Кургапкина. Кроме фамилии ей осталось от мужа, как бы в наследство, пристрастие к вину, что позже на суде фигурировало как одна из причин ее развода с Аркадием.

Аркадий, которого женщины не очень баловали своим вниманием, женился на Клаве к немалому удивлению своих знакомых. Это был явный мезальянс. Хоть в рабоче-крестьянском государстве классовые различия были ликвидированы еще в революцию 1917 года и все граждане объявлены равноправными, женитьба газетного работника, то есть журналиста, даже если он всего лишь ретушер, на простой официантке, да еще с пристрастием к выпивке, никем не воспринималась как равный брак. Тем более Аркадий еврей, а у Клавы фамилия какая-то подозрительно антисемитская.

Но именно эта фамилия больше всего в Клавином приданом привлекла сердце Аркадия. В ЗАГС он вошел под руку с еще трезвой Клавой как Аркадий Перельман, а вышел оттуда с ней же под руку, но уже Аркадием Полубояровым. Он взял фамилию жены. Это практикуется весьма редко, но законом не возбраняется.

И стал Аркадий абсолютно русским человеком. Если бы не физиономия, предательски выдававшая его происхождение. Да запись в паспорте, в пятой графе, отвечающая на вопрос о национальности коротким, как плевок, ядовитым словом: еврей.

Люди, с которыми Аркадию доводилось общаться, диву давались, откуда, мол, у еврея такая редкая русская фамилия Полубояров! Известен был под такой фамилией лишь генерал танковых войск, прославившийся во вторую мировую войну. В победных приказах Главнокомандующего генералиссимуса Сталина, которые торжественно транслировались на всю страну по радио, почти каждый день отмечались танкисты генерала Полубоярова.

У военных от столкновений с Аркадием зарождалось нехорошее подозрение о далеко не чистом происхождении прославленного русского генерала, и они иногда дотошно допытывались у Аркадия, в каком родстве состоит он со своим знаменитым однофамильцем. На что Аркадий, себя за дурака не державший, отвечал неопределенно — пожиманием плеч и скромным потупленным взором. Мол, не хочу вдаваться в подробности, а также примазываться к чужой славе. Понимайте так, как сочтете нужным. А лучше всего: замнем для ясности. Умный поймет, а глупому знать нечего.

Разведясь с Клавой, Аркадий сохранил за собой фамилию Полубояров. А женившись во второй раз, хоть и фиктивно, одарил этой фамилией еще одну женщину, которая стала числиться по всем документам, в том числе и в выездной визе на предмет отбытия из СССР на постоянное жительство в Израиль, гражданкой Полубояровой.

Но об этом потом и подробней, потому что и сам Аркадий считает историю второго и фиктивного брака самой мрачной страницей своей жизни.

Пожалуй, главной страстью всей жизни этого человека было постоянное неутомимое желание хоть чем-то выделиться из серой массы, обратить на себя внимание, привлечь интерес окружающих. Любым способом. Случай с закрытыми глазами Брежнева, которые он распахнул на читателей советских газет, совсем недолго щекотал самолюбие Аркадия и был известен лишь узкому кругу журналистов. Миллионы читателей даже и не догадывались, какой операции были подвергнуты глаза Главы государства, и тем более не знали, кто эту операцию совершил.

У кого-то были военные заслуги, и об этом свидетельствовали ордена и медали, надеваемые на грудь по праздникам. Аркадий этим не мог похвалиться. Кто-то съездил в заграничную командировку и в узком кругу рассказывал удивительные истории о тамошней жизни, чего в газетах никогда не прочтешь, и такого рассказчика слушали с разинутой пастью и круглыми от восторга и зависти глазами. Аркадия за границу ни разу не пустили, и поражать воображение слушателей было, соответственно, нечем. Кто-то, наконец, был красив и неотразим, и вокруг него штабелями лежали расколотые женские сердца. Аркадий же никак не мог причислить себя к славной когорте сердцеедов.

Он был довольно высок, но сутул. Толстогуб и длиннонос. И, в довершение ко всему, на верхней губе у него торчала бородавка довольно значительных размеров, и с таким украшением нужно было обладать большой дозой мужества, чтобы отважиться протянуть свои губы даже для поцелуя. Аркадий этим мужеством не обладал.

Он избрал самый простой и доступный ему путь к славе. Молчание. Намек. Загадочность. Так вел он себя, когда его фамилия Полубояров вызывала в памяти у людей ассоциации с прославленным военачальником. Не подтверждал, но и не отрицал. Томитесь в мучительных догадках.

Но генерала Полубоярова помнили лишь отставные военные. Людей помоложе и, женщин в особенности, этим не взволнуешь. Нужно было что-нибудь действующее сильно и неотразимо.

И Аркадию показалось, что он нашел это средство.

В Советском Союзе ни для кого не секрет, что самая большая власть в стране не у правительства, а у КГБ — Комитета государственной безопасности, который явно и тайно неусыпно следит за каждым гражданином и, как лучами рентгена, прощупывает всю его жизнь. Судьба каждого в СССР находится в руках таинственного и страшного КГБ, официально называемого весьма романтично — щит и меч революции.

Аркадию понравилась идея понежиться в лучах жуткой славы этого страшилища. Он стал намеками и недомолвками слегка приоткрывать свои связи с некоторыми ответственными лицами из этой организации. С которыми он будто бы на короткой ноге и принимаем в их кабинетах запросто, без доклада.

Люди слегка бледнели, когда улавливали смысл его намеков, и начинали тщательно взвешивать каждое слово, произнесенное при нем, и лихорадочно вспоминать, не сболтнули ли чего-нибудь лишнего в прошлом.

— Никакого ослабления гаек не ожидайте, — произносил он таинственно и бросал взгляд на дверь, не подслушивают ли чужие. — Гайки завинтят еще туже... Предполагаются большие аресты... Среди творческой интеллигенции.

Он старался произвести впечатление. И производил. Люди замыкались. Всячески норовили избегать его.

А он-то предполагал, что, догадавшись о его связях, они станут искать его дружбы и покровительства, чтобы в трудный момент (а кто застрахован от такого в СССР?) Аркадий Полубояров замолвил за них словечко где следует и уберег от больших неприятностей.

Неприятности Аркадий навлек на себя. Он попал в КГБ. Но не в том амплуа, в каком силился предстать перед окружающими. Его вежливо пригласили на допрос. Вернее, на беседу. Так это в последние, более либеральные годы называется в этом учреждении. И, как мальчишку, высекли за то, что он своей безответственной болтовней компрометирует славные советские органы государственной безопасности, и в подтверждение того, что эти органы зря казенный хлеб не едят, показали ему пухлую папку с донесением обо всем, что он болтал. Слово в слово. Как стенографический отчет.

Он задрожал как осиновый лист, быстро-быстро припоминая все ужасы, слышанные им или читанные украдкой в нелегальной литературе, гулявшей по рукам в Москве, о пытках и истязаниях, которым подвергают в подвалах этого дома всякого, попавшего сюда не по своей воле.

— Виноват, виноват... — залепетал он. — По глупости все... Фантазии меня, знаете, посещают...

— Мы умеем лечить от таких фантазий.

— Не сомневаюсь... Но... я заслуживаю снисхождения... У меня заслуги...

— Какие заслуги?

— Я открыл глаза Брежневу.

— Что-о-о?

Аркадий, путаясь и сбиваясь, пытался поведать им о звездном часе своей жизни, но его оборвали на самом интересном месте:

— Не смейте касаться грязными руками имени, священного для каждого советского человека. Ясно?

— Ясно и понятно, — непослушными холодеющими губами вымолвил Аркадий.

— Если бы нам понадобился осведомитель, — сердито сказали ему на прощанье, — мы поискали бы кого-нибудь поумнее. А сейчас идите! И больше не болтать! О том, что вас вызывали сюда, тоже. Идите... товарищ Перельман.

Его назвали уже забытой еврейской фамилией, которую он не без основания мог считать своей девичьей. От этого пахло угрозой. Антисемитским намеком. И Аркадий покинул неласковое учреждение, мелко дрожа и беззвучно шлепая толстыми губами.

В еще большую дрожь его кинуло тогда, когда одна за другой редакции газет стали отказываться от его услуг художника-ретушера. Им позвонили откуда следует.

Худо стало Аркадию — дальше некуда. Жить не на что. Пришлось понемногу продавать свои вещи. Толкаясь в комиссионных магазинах, он неожиданно обнаружил, что в России большие перемены начались. В еврейских делах. О которых он прежде не задумывался. Да и вообще старался держаться от евреев подальше. С такой фамилией — Полубояров.

Но когда пришла беда, потянуло и его поближе к своим. А свои-то подняли в стране заварушку. Хотят в Израиль. На историческую родину. Надоело им быть гражданами второго сорта в стране, где на всех углах только и кричат о равенстве всех наций. И задали жару правительству: забастовками, голодными и на полный желудок, демонстрациями у того самого здания КГБ, что прежде в страхе обходили за версту. Советская власть, которую ничем не удивишь, удивилась и пустила в ход привычное и всегда верное средство: стала пачками евреев сажать в тюрьму, а кое-кого даже к высшей мере — расстрелу приговорили. И вдруг оказалось, что даже это не помогает. Евреи не унимались. А во всем мире заграничные евреи дружно поддерживали своих советских соплеменников: отпусти, мол, народ мой! И стали отпускать. Тысячами. Из страны, откуда уехать другим до сих пор немыслимо. Только евреи добились такой привилегии. К немалой зависти остальных ста наций из дружной семьи советских народов. Даже ярые антисемиты зашлись от зависти и, изнемогая от желания уехать к чертовой матери из матушки-России, стали внимательно рассматривать в зеркале свои курносые физиономии в надежде обнаружить в них хоть какие-то семитские черты. Смешанные браки снова, как и когда-то после революции, стали модными. Поговорка на Руси появилась: еврейская жена или муж не предмет роскоши, а средство передвижения. То есть с ней или с ним — выезд за границу обеспечен.

И Аркадию тоже остро, до коликов в животе, захотелось уехать. За границу. Куда глаза глядят. Лишь бы подальше от этой страны. Но, конечно, не в Израиль. Какой из него еврей? Да еще с такой русской фамилией. Лучше всего в Америку. Самую богатую и свободную страну на земле. Там нет КГБ и евреев, по слухам, не обижают, а даже наоборот — они там живут припеваючи. Без страха, что кто-нибудь заглянет в паспорт, где жжет глаза графа о национальности, и покрутит носом: в ваших, мол, услугах, извините, не нуждаемся. Там, в Америке, и паспортов-то нет. Живи как птичка. На воле.

Что необходимо еврею, чтобы навсегда распрощаться с СССР? Терпение. И вызов из Израиля. От родственников. Любых. Даже несуществующих. Потому что все евреи родственники. По несчастьям. Советская власть на эту откровенную липу смотрит сквозь пальцы. Важно, чтобы формальность была соблюдена.

А как затребовать такой вызов из Израиля? Надо попросить какого-нибудь счастливчика, у которого в кармане имеется билет в Израиль, чтобы там сказал, где следует, что, мол, такой-то и такой-то, стопроцентный еврей, просится на историческую родину и лет ему столько-то и родился он там-то и там-то. Только и всего. Дальше машина заработает сама. А уж выскочив за границу, не обязательно ехать в Израиль. Можно спокойно податься и в Америку. Через Рим. Мировое еврейство покряхтит-покряхтит и покроет все расходы и без особой радости, но все же примет тебя в свои объятия в Нью-Йорке.

Аркадий кинулся к евреям. Чтобы помогли вызов из Израиля организовать. А евреи от него — врассыпную. Осведомитель, мол. Специально подослало КГБ. Аркадий чуть не в слезах клянется, что это все выдумки, пустой треп. Сам на себя наговаривал по глупости. А ему не верят. Стараются держаться подальше.

Ох и побегал он по Москве. Как затравленный пес. Один-одинешенек. Никому не нужный. Ни русским, ни евреям. Еврей с русской фамилией Полубояров. И с незавидной репутацией осведомителя, которая отпугивает людей посильней, чем самая нехорошая и заразная болезнь.

Сжалился кто-то над ним, а может быть, слухи до него не дошли, и взял он у Аркадия его паспортные данные и пообещал сделать вызов.

Теперь оставалось только ждать. Терпеливо. Не высовывая носа. А то ведь советская власть время от времени все же сажала в тюрьму парочку-другую особо беспокойных евреев, чтобы других держать в узде. И Аркадию такая перспектива никак не улыбалась. Себя он никогда не причислял к особо храбрым. Тем более зачем дразнить гусей в такой ответственный момент твоей жизни, когда ты имеешь реальный шанс вырваться из мира строящегося коммунизма в такой заманчивый мир загнивающего капитализма.

Пусть другие бездумно рискуют горячей головой, произносят красивые возвышенные слова, а потом, попав за решетку, гордо и печально смотрят на весь мир с плохо отретушированных портретов на страницах мировой прессы.

Аркадия занимало совсем иное: как он будет жить там, в Америке? На какие шиши? Хотя бы первое время, пока научится сносно лопотать по-английски, и акулы капитализма оценят его талант и высокую квалификацию портретного ретушера.

С собой он из России может вывезти лишь дырку от бублика и от жилетки рукава. Таможня не пропускает ценности, да их у него и не было в помине. С немалым удивлением Аркадий вдруг обнаружил, что он за свою трудовую жизнь ничего не нажил, что представляло бы хоть какую-нибудь ценность. И денег не скопил ни гроша. А человеку перевалило уже за пятьдесят. И вкалывал он как вол, прихватывая заказы сразу в нескольких местах. И что толку? Трухлявая и потертая мебель, которую не возьмет и старьевщик, да пара изрядно поношенных и уже вышедших из моды костюмов — вот и все.

Единственной ценностью у него была перспектива получить визу на выезд. За одинокими неженатыми обладателями такой визы в Москве охотились нееврейские дамочки, мечтавшие сбежать из страны Советов и готовые не поскупиться ради фиктивного брака, чего было достаточно, чтобы быть вписанным в визу к своему фиктивному мужу, и вместе лететь до Вены или Рима. Там будет произведен расчет, как условились, и они дружелюбно разъедутся в разные стороны. Как говорится в России, стукнувшись задом об зад — кто дальше прыгнет.

Аркадий воспламенился и стал подыскивать себе невесту на выезд. Конечно, такую, чтобы была в состоянии вознаградить его услуги. И притом хорошо. Невеста не заставила себя долго ждать.

Аркадия свели с пышнотелой и эффектной дамочкой

лет на двадцать моложе его. Ее даже можно назвать красивой, но красота эта была вульгарной. И немножко жутковатой. У нее были не совсем пристойные манеры, от которых попахивало большим стажем уголовной жизни.

Короче говоря, Алла, по крайней мере под этим именем она значилась в паспорте, была из тех птичек, с которых советская милиция глаз не спускала и часто прятала за решетку, пока их компаньонам не удавалось собрать достаточно денег для выкупа.

Она ворочала большими и нелегальными деньгами, и ее бизнес, выражаясь по-английски, в основном сводился к переправке за границу старинных русских икон и редких, уникальных драгоценностей. Через иностранных дипломатов и журналистов, получавших свою долю от чистой прибыли. Опасный, рискованный бизнес. За который можно было сесть в тюрьму на всю жизнь и даже схлопотать смертную казнь по строгим советским законам. Но зато этот бизнес сулил большие доходы. Суммы выражались в цифрах со множеством нулей.

Сватовство было коротким и деловым. Условия следующие. Аркадий идет с Аллой в ЗАГС, где они сочетаются браком. До получения визы Алла с маленькой дочерью, нажитой неизвестно от кого, поселяется у него, дабы не вызвать у властей сомнения в действительности этого брака. Разумеется, спят они отдельно, и по ночам Аркадий не будет претендовать на свои супружеские права. За все это Алла обязуется взять его на свое содержание до самого отъезда, оплатить стоимость билета до Рима, где он перейдет на содержание к мировому еврейству, и там же в Риме вручить ему в качестве вознаграждения две тысячи американских долларов наличными. И расстаться навсегда.

Аркадий принял эти условия без лишних разговоров.

Алла вышла с ним из ЗАГСа законной супругой. Полубояровой по мужу. Даже свою маленькую дочь она тоже переписала на эту фамилию. Аркадий формально удочерил ее.

Таким образом, у покойного Алеши Полубоярова появились новые наследники, и в том числе крохотная девочка, которая уж точно никогда не догадается, от кого пошла фамилия, которую ей предстояло носить, по крайней мере до замужества.

И тогда Аркадий познал доподлинно, почем фунт лиха, и вспоминал свою прежнюю жизнь, до фиктивной женитьбы, как райское, сказочное время.

Аркадий жил на Чистых прудах в маленькой однокомнатной квартирке с отдельной кухонькой, выгороженной в углу, и с ванной и туалетом, которые он делил с двумя семьями соседей.

В его комнате было одно спальное место: широкий диван, на ночь раскидывавшийся. Алла с дочерью, не спросив Аркадия, заняли диван, и ему ничего другого не оставалось, как каждую ночь вытаскивать из шкафа походную кровать-раскладушку, которую он держал для застрявших поздно гостей, и вытягиваться на ее жестком парусиновом ложе без матраса, чтобы долго ворочаться с непривычки, пока не одолеет тревожный сон.

А сны были воистину тревожными. Алла была сочной аппетитной женщиной и вела себя при нем, как будто он был мебелью, а не мужчиной. Раздевалась она, не выключая света и даже не утруждая себя повернуться к нему спиной. Раздевалась догола, и любовалась собой в зеркале, и мазалась кремами, и натирала все части тела духами, отчего у бедного Аркадия начиналось головокружение.

Однажды он не выдержал и, подкравшись к ней сзади, обхватил обеими руками, сплющив ладонями ее груди. Алла стряхнула его с себя, больно стукнув локтем в переносицу, отчего у него засиял вокруг левого глаза фиолетовый кровоподтек. И не успел этот кровоподтек рассосаться, как возник другой, у правого глаза, и еще один, с багровым отливом на левой скуле.

Их посадил ему любовник Аллы, кавказского вида человек, которому она пожаловалась на хамское поведение Аркадия.

Этот человек был партнером Аллы в бизнесе и, когда наезжал с Кавказа, предпочитал останавливаться не в гостинице, а у Аллы, деля с ней ложе, и, неутомимо подгоняемый коньячными парами, предаваться любви на этом ложе. Сонную девочку в этих случаях Алла относила к Аркадию на раскладушку и возвращалась в объятия к своему любовнику.

Ночи превратились для Аркадия в кошмары. Но и дни не приносили покоя. Потеряв работу, он жил на содержании у Аллы и отрабатывал это содержание как кухарка, нянька для ребенка и мальчик на побегушках. Алла давала ему денег на расходы, и он с сумками толкался среди женщин в длинных очередях в продуктовых магазинах, потом готовил на крохотной плитке супы и всякие рагу, их заказывала Алла для себя и ребенка, и сам ел с ними за одним столом.

Удостаивала его вниманием лишь одна особа — крохотная дочь Аллы, привязавшаяся к нему, как к няньке. Аркадий за ручку прогуливал ее в соседнем чахлом скверике, где бабушки и деревенские няньки сидели с детьми на всех скамьях и о нем, единственном мужчине с ребенком, судачили одобрительно и не без зависти к чужому счастью.

Он часто и подолгу гулял с девочкой не только потому, что ребенку полезно бывать на свежем воздухе. Его квартиру компаньоны Аллы облюбовали для тайных встреч: там совершались сделки, разрабатывались коммерческие операции, за которые можно было угодить за решетку на добрый десяток лет. Владельцу квартиры полагалось не меньше за укрывательство — пойди докажи, что ты ничего не знал и не ведал. Его бесцеремонно выставляли из собственной комнаты на улицу и, чтобы нескучно было, давали ребенка в придачу, мол, гуляй, дыши свежим воздухом, угощайся мороженым и орехами, расходы будут возмещены.

Аркадий до того был подавлен страхом, что все раскроется и он вслед за Аллой ни за что ни про что сядет в тюрьму, что, когда получил заграничную визу, рыдал от счастья, и радость его перемежалась с жутким предчувствием, что власти еще раздумают, отберут визу и вместо Вены он поедет в Сибирь.

На сборы им дали две недели. Аркадий чуть не на коленях умолил Аллу поторопиться, и они вылетели из Москвы через два дня.

Только в Вене, уже за границей, Аркадий перевел дух. Взгляд его тусклый, как у дохлой рыбы, снова прояснился. Улыбка заиграла на толстых вялых губах. Тут он никого не боялся. Даже Аллы. Срок их контракта истек. Брачным свидетельством, выданным в Советском Союзе, здесь можно было зад подтереть. Они с Аллой так не поступили. Аркадий считал себя интеллигентным человеком, а она себя — деловым. Поэтому бумажка была изорвана многократно, и мелкие обрывки спущены с водой в унитаз туалета. Римского. Потому что из Вены они попали в Рим. Здесь Аркадию предстояло дожидаться выезда в Америку, а Алла планировала остаться в Европе. Их пути окончательно расходились. Нужно было лишь завершить последнюю формальность: получить с Аллы обещанные две тысячи долларов, из-за которых он принял на себя столько неприятностей, и забыть ее, как кошмарный сон.

Развязаться с Аллой долго не удавалось. Выплату денег она каждый раз переносила на новый срок и этим держала Аркадия на привязи. Алла развернула в Риме кипучую деятельность: собирала высланный нелегально товар, взимала долги. И снова вокруг нее увивались мужчины южного типа, но уже не кавказцы, а итальянцы, а Аркадий гулял с девочкой, пока мама была занята, по римским улицам и площадям и пояснял ребенку, что они видят перед собой, вспоминая запавшие в голову еще со школьных времен сведения из истории древнего мира.

Наконец, у Аркадия истощилось терпение.

Улучив момент, когда они остались с Аллой вдвоем, Аркадий потребовал расчета, а не то...

— А не то? Что ты мне сделаешь? — насмешливо прищурила на него свои густо подведенные серые глаза Алла.

— Сделаю, — дернул губами Аркадий.

— Ничего ты не сделаешь, губошлеп. За такие слова тебя бы следовало прогнать, не дав ни копейки, но я добрая, отходчивая.

Алла денег не дала, а великодушно согласилась покрыть свой долг товаром. Она показала ему русскую икону — большую, в трещинах темную доску с полуоблупленным ликом Христа. Икона пришла из Москвы, завернутая в газеты «Правда» и «Известия», их использовали для упаковки, и на одной из страниц был портрет Брежнева, того самого, кому — когда это было? — Аркадий Полубояров открыл глаза.

— Возьми эту икону и продай. Цена ей больше двух тысяч долларов. Поторгуешься — и три тысячи выбьешь. Бери и знай мою доброту.

Я этого не видел. Но один мой знакомый клялся, что был свидетелем вот какой картины. По Риму, в страшную жару, толкаясь на тесных и потных тротуарах, двигалась странная фигура, на которую недоуменно оглядывались прохожие. Немолодой еврей с печальными глазами, вислым носом и вялыми мягкими губами, истекая потом и прикрыв от солнца голову носовым платком, тащил на спине тяжелую доску с намалеванным на ней изображением Христа. Обрывки упаковки свисали клочьями газетной бумаги с краев иконы, и с одного из клочьев строго и недовольно смотрел на итальянцев советский лидер Брежнев.

Аркадий таскал икону по всему Риму, из конца в конец, переводя дух в антикварных лавках. Там он показывал товар и на жуткой смеси русского языка с итальянским и несколькими словами на идиш пытался объясниться. Ему не давали трех тысяч долларов, которые посулила ему Алла, и не дали и двух тысяч, которые она ему была должна. С неимоверным трудом ему удалось получить за икону пятьсот долларов, и он был счастлив не только потому, что получил хоть какие-то деньги, а из-за того, что больше не надо было таскать на спине эту тяжесть, стирая кожу до крови и наживая себе нарывы на лопатках.

А главная радость была от того, что связь с Аллой порвалась окончательно, он стал свободным человеком, неженатым и никого не боящимся. Он вернулся к своему былому амплуа «холостяка» и «завидного жениха», и на его толстых губах снова заиграла блудливая ухмылочка, какая всегда возникала у него при встрече с женщинами не старше, скажем, сорока лет.

В Риме можно было, наконец, одеться по-человечески. Джинсы, настоящие американские джинсы, синие, с блеклыми подпалинами на коленях и заду, за которые в Москве надо было отдать состояние, чтобы получить их из-под полы, на черном рынке, здесь продавались на каждом углу и совсем по дешевке. Но пусть в джинсы облачаются одесские и киевские мальчики. Аркадий Полубояров, москвич, интеллигент, зрелый мужчина с тонким и разборчивым вкусом, оделся самым изысканным образом: замшевый пиджак с кожаными пуговицами — он всю жизнь мечтал о таком, туфли-мокасины, мягкие и легкие, как перчатки, фуляровый платок на шее, в расстегнутом апаш вороте рубашки (35% хлопка, 65% полистирола, не мнется, в глажке не нуждается). Голова блестела бриллиантином, в тонких черных усиках, отращенных уже за границей, проглядывали редкие нити благородной седины. В Москве он курил сигареты, а в Риме — толстую коричневую сигару. Сигару он не курил: сразу начинается удушающий кашель, а также и по той причине, что курение сигар разорило бы дотла. Поэтому у него была одна-единственная сигара — толстая, темно-коричневая, с обкуренным концом. И никогда не дымившая. Погасшая. Он носил ее, как носят галстук, небрежно зажав толстыми губами и стараясь не заслюнявить. А то сигара раскиснет, рассыплется, придется разориться на новую.

Сигара была ему к лицу. С нею в зубах он походил на латиноамериканца. Этакого бизнесмена из Рио-де-Жанейро, заскочившего в Европу поразвлечься, а заодно и подписать парочку контрактов на поставку, скажем, кофе.

В ожидании визы в Америку Аркадий фланировал по римским улицам. Его видели на виа Венетто, на вилле Боргезе. Он толкался среди паломников на площади перед собором Святого Петра, оценивающе щурился на проституток на Пьяцца-дель-Пополо. Только лишь щурился. Проститутки в Риме были совсем недороги. Но барахло в магазинах еще дешевле. И надо быть сумасшедшим, чтобы отдать за сомнительное удовольствие, причем за один раз, стоимость пары приличной обуви. Уж лучше заняться онанизмом. Не истратишь ни одной лиры, и полная гарантия от венерических болезней.

Среди эмигрантов из России, которые заполонили Рим в такой степени, что вслух изматериться на улице опасно — обязательно рядом окажется женщина, которая скорчит кислую или негодующую гримасу, найти себе бесплатную сожительницу, чтоб на равных началах: ты — мне, я — тебе, удовлетворить взаимно половые потребности, Аркадию тоже не посчастливилось. Хоть одиноких евреек, правда с детьми, которые оставили на родине своих русских мужей, кругом было полно, но войти с ними в близкий контакт, завершающийся постелью, ему не удавалось.

Его сторонились и женщины и мужчины. Так что, будь он даже гомосексуалистом, шансы на успех все равно равнялись нулю. А избегали его бывшие соотечественники по той же причине, что и в Москве. За длинный язык, который уже однажды доставил ему много хлопот.

В компании эмигрантов, чтобы как-то выделиться, обратить на себя внимание, он стал напускать на себя томную загадочность, намекая на то, что он знает кое-что, о чем не каждому дано знать. А что бы хотели знать русские евреи, томящиеся, как на горячей сковородке, в Риме, без твердой уверенности, что их впустят в благословенную Америку? По русско-еврейскому Риму носились слухи, что бывших коммунистов на пушечный выстрел не подпускают к Америке. И комсомольцев. А ведь почти каждый в России торчал в комсомоле, пока седина не ударяла в бороду. Людей с психическими отклонениями, то есть попросту малохольных, отправляли в Израиль. И только туда. Никто больше не хотел принимать. Пусть, мол, резвятся на исторической родине, среди своего брата еврея.

Аркадий намекнул, что он на короткой ноге кое с кем из американцев.

— Из посольства?

— Мелкая шушера, — пожимал плечами Аркадий. — Есть кое-кто поважнее. Из тех, кто не любят афишироваться. Им это ни к чему. Но решают они. И только они.

Людям нетрудно было догадаться, кого имел в виду Аркадий. У него рука в Си-Ай-Эй. Он на короткой ноге с американской разведкой. И контрразведкой тоже. Лучше при нем держать язык за зубами. Возможно, ему даже и платят за то, что всякие сведения приносит. Вынюхает, кто что скрывает в своем прошлом, и — туда. Хау ду ю ду? Принимайте отчет! Известно, на какие денежки он ходит в замше и раскуривает дорогие сигары.

Как и в Москве, в Риме тоже образовался вокруг Аркадия вакуум. Русские евреи его избегали. И мужчины. И женщины. Так что спал он как монах и только облизывался на проституток, а по ночам ему снились кошмары на сексуальной почве.

Но добро бы только этим все и ограничилось. Судьба не знала милосердия к Аркадию.

Одному одесскому мяснику с Привоза американцы отказали из-за того, что скрыл такой немаловажный факт своей биографии, как пребывание в рядах славной партии коммунистов. Нашли коммуниста! Ворюга! С уголовной рожей. И бандитскими замашками. Ему партийный билет как ширма, чтоб за ней свои дела крутить и этим самым подрывать экономику СССР. Он этот коммунизм видел в гробу в белых тапочках. В Америке он будет как рыба в воде. Гангстер лучшей пробы! Любая мафия не побрезгует пополнить им свои ряды.

Нет! Коммунист! Скрыл! Отказать!

Одесского мясника наконец согласилась впустить Канада, и он, успокоившись, на досуге стал прикидывать, кто это его заложил американцам. Кому было известно, что он имел несчастье числиться в России в коммунистах? В его памяти всплыла потасканная рожа Аркадия, который на короткой ноге с американцами, и поэтому мясник с ним советовался о своей беде. Осведомитель! Стукач! Ему открыли душу, а он, фраер, несет в Си-Ай-Эй!

Когда Аркадий ночью безмятежно поднимался по истертым ступеням знаменитой лестницы на площади Испании, известной ему по давно виденному фильму «Девушки с площади Испании», кто-то кулаком, тяжелым, как молот, стукнул его по макушке, и он полетел вниз, считая носом ступени, одну за другой, десятую и двадцатую, пока не затормозил в самом низу, уткнувшись бесчувственным теменем в бортик фонтана, не менее знаменитого, чем лестница.

Он очнулся от утренней прохлады, и поначалу ему показалось, что это не наяву, а он смотрит фильм «Девушки с площади Испании». Тем более что по лестнице сбегали вниз, хохоча, точно такие же, как в фильме, девицы. Но, завидев распростертого на земле немолодого джентльмена, они бросились врассыпную, и это окончательно вернуло его к реальности. Он смочил голову водой из фонтана, смыл с носа и подбородка запекшуюся кровь. А вот сигары не нашел. Искрошилась и рассыпалась в прах, когда он катился по ступеням. Пришлось потратиться на новую сигару, обкурить ее и, погасшую, водрузить на прежнее место, в угол рта.

Недолго торчала в его губах и эта сигара. Аркадий ее тоже потерял. И уж другой не покупал. И денег не было, да и ему стало не до того.

А произошло это таким образом.

Наконец, после томительного ожидания, его, как и всех других эмигрантов, вызвали в консульство на беседу. Аркадий явился туда при полном параде, почистив замшевый пиджак, надраив бархоткой туфли, выстирав фуляровый платок и повязав его пышным бантом на шее. Обкуренная сигара, как короткоствольная пушка, сидела в его запекшихся от волнения губах.

Его провели в маленькую комнатку, где стоял сейф и письменный стол. А за столом сидел американец с таким же, как у Аркадия, еврейским носом и заговорил с ним по-русски, с каким-то непривычным акцентом. Не нужно было быть большим умником, чтобы догадаться, кто таков этот малый. Офицер Си-Ай-Эй. А кто еще в Америке разговаривает по-русски, скромно сидит в самой дальней и самой крохотной комнатке консульства? Даже трехлетний ребенок, аккуратный зритель советского телевидения, не станет долго ломать себе голову.

Он улыбался. И Аркадий улыбался.

Он вежливо осведомился, почему Аркадий не пожелал поехать на историческую родину евреев, в государство Израиль, а предпочитает ехать в Америку. И Аркадий также вежливо осведомился, почему он с такой еврейской физиономией предпочитает оставаться под американским флагом, а не отдать свой талант разведчика своему народу в государстве Израиль.

Американец перестал улыбаться, а Аркадий не перестал. Улыбка приклеилась к его толстым воспаленным губам и даже не исчезла, когда ему было сказано конфиденциально:

— По имеющимся у нас сведениям вы, Аркадий Полубояров, служили в советской секретной полиции КГБ в качестве осведомителя.

Аркадий все еще улыбался, выпятив навстречу американцу свою сигару, и американец перегнулся через стол, щелкнул зажигалкой, поднес огонек к обкуренному концу сигары. Аркадий втянул вместе с воздухом едкий дым, задохнулся, зашелся кашлем и выплюнул вонючую сигару в услужливо подставленную американцем пепельницу.

Аркадию отказали во въезде в Америку. И он, с одеревеневшей кожей не только на лице, но и на всем теле, покинул консульство, забыв в пепельнице свою сигару.

Новую покупать уже не стал. И когда его, ошалевшего от свалившихся бед, встречали на улицах Рима те, что видели его прежде, то им казалось, что без сигары он выглядит каким-то полуодетым, словно выскочил из дома, забыв очень важную часть своего туалета.

Это был конец. С таким жутким пятном в личном деле ни одна приличная страна его не примет. Даже Красный Китай. Его длинный болтливый язык, обернувшись вокруг непутевой головы, вонзил ядовитое жало в собственный затылок, как это бывает не у людей, а только у пауков, обитающих в пустыне Каракум и называемых тарантул.

Спасение пришло с самой неожиданной стороны.

Бывшая фиктивная жена Аркадия Алла, ухитрившись стать итальянской гражданкой и развернувшая свой бизнес в Милане, узнав о его беде и не на шутку испугавшись, что он, не дай Бог, застрянет в Италии и будет висеть на ее шее, пустила в ход все свои чары и таланты и заставила капитулировать американское консульство. Она сумела убедить Си-Ай-Эй, что он, Аркадий Полубояров, никогда не был агентом КГБ, а просто-напросто — шут гороховый с длинным языком. Как бывшая жена она дала в этом присягу, и ее любовник, итальянский бизнесмен, тоже клятвенно подтвердил его, Аркадия, политическую непорочность.

Казалось, фортуна улыбнулась ему.

Он жил в Нью-Йорке, в плохонькой квартирке в Бруклине, но все же попросторней, чем он имел в Москве. И работу нашел. По профессии. Ретушером в журнале. Порнографическом. Платили не Бог весть сколько, но зато какое наслаждение испытывал Аркадий, обрабатывая фотографии с мужскими членами крупным планом и женскими прелестями, развернутыми анфас. Это было куда привлекательней, чем корпеть над сытыми физиономиями советских вождей.

Одно смущало его и отравляло существование. Ему казалось, что Си-Ай-Эй не оставило его без надзора и неусыпно следит за его поведением. В каждом, кто останавливал свой взор на нем, он подозревал агента, ведущего наблюдение. Аркадий каждым своим шагом старался убедить американские власти в своей полной лояльности и везде, и дома и на работе, к месту и не к месту, расхваливал Америку на все лады. Какое-то его высказывание попало даже в газету «Нью-Йорк Таймс», и это привело к событиям, от которых Аркадия сначала бросило в жар, а потом в холод.

Как-то поздно вечером зазвонил телефон, и из трубки донесся хриплый задыхающийся голос. По-русски. Почти без акцента.

— Полубояров? Фамилия точная? Ошибки нет?

Аркадий подумал, что это проверка, длинная рука Си-Ай-Эй, и поспешно подтвердил:

— Я — Полубояров. По всем документам.

— Ах ты, сукин сын, Полубояров! — возликовал голос. — Да мы ж с тобой родня!

— Какая родня? Простите, не понимаю... У меня в Америке нет никакой родни.

— Не было, а сейчас есть! Ты же Полубояров? И я — Полубояров. Я — донской казак. А ты?

— Я? Я... москвич.

— Ну, значит, наша фамилия по всей Руси распространилась. Генерал-то Полубояров тоже из наших. Верно? Небось, встречал?

— Генерала? Да... он, некоторым образом, мой... я бы сказал... дальний... но... родственник.

— Значит, и мой! Мы, Полубояровы, все родственники. Куда бы судьба ни закинула. А корень один — Дон-батюшка. Потомственное казачество. Ясно?

— Ясно!..

— Тебе сколько лет?

— Пятьдесят... с небольшим...

— А мне... угадай? Не допрешь. Под девяносто! Я был есаулом у генерала Мамонтова. Ох, мы большевиков рубали шашками... Пополам... Хрясь! Хрясь! Ты, часом, не большевик? А?

— Нет... Что вы?

— Тогда наш! Только вот имя... Аркадий... не наше. Не казацкое. Откуда у тебя, Полубоярова, такое имя?

— Не знаю... Не выбирал имени... Как назвали...

— Большевики все смешали. Ладно. Рад я, что нашел тебя. А то, думал, помру, чужие люди все порастаскают. А я-то кое-чего нажил... Два дома есть... И в банке... Хоть Полубоярову, родственнику оставлю. Ты, того, не мешкай. Приезжай, голубчик, погляжу на тебя. Расцелую твою полубояровскую рожу. И справим документы. Завещание.

Езды было полчаса от Нью-Йорка. За Гудзон. Через мост Вашингтона. Там жило немало русских. Из первой и второй эмиграций. Аркадий числился в третьей. Он, не откладывая, отпросился с работы на день, добрался на метро до моста, а там пересел на автобус. И пока ехал, мягко покачиваясь, по огромному висячему мосту через реку Гудзон, широкую, как Волга, с барками и парусными лодками далеко внизу, прикидывал в уме, как он распорядится свалившимся с неба наследством, где откроет свой собственный офис, в какой части Манхэттена снимет квартиру и как начнет играть на бирже, потому что только на бирже, как он понимал, можно без труда сделать из одного доллара два, из миллиона — десять миллионов. И вот тогда он будет настоящим, полноценным американцем. И съездит в Европу развлечься. И снова пройдется по Риму. Но как! Во рту у него не будет той потухшей сигары. Он будет дымить, как паровоз. Что ему сигары? Мелочь. Шикарный отель! В ресторанах сам метрдотель подносит меню. А уж женщины... Отборные... Не старше двадцати пяти лет! Синьор, синьор... А, идите вы все к... На денежки мои польстились! Вы меня полюбите... мою душу.

От этих приятных размышлений отвлекала тревожная мыслишка, то и дело впивавшаяся в мозг:

— Не пройдет номер. Есаул Полубояров с первого взгляда определит, что никакой Аркадий ему не родственник. С его, Аркадия, еврейским носом...

Но он тут же, как комара, отгонял эту мысль.

— Есаулу девяносто лет. Ни черта не различит... какие бы очки ни надевал.

Еще собираясь в поездку за наследством, Аркадий не удержался и, хоть не впрямую, а намеком, дал понять кое-кому из своих знакомых, что скоро он будет с такими большими деньгами, какие им и не снились. Похвастался явно раньше времени и не на пользу себе.

Есаул Полубояров, с седой гривой и красным, как кирпич, лицом, ходил опираясь на тяжелую палку, а очков не носил. Зрение у него было не по годам отличным. Казачья порода.

Он принял Аркадия в своем большом, как поместье, двухэтажном доме, где он жил один, с черной старухой служанкой. К приезду Аркадия был накрыт стол, и посреди тарелок с яствами красовались, чуть повыше — бутылка «Столичной» и чуть пониже — бутылка с украинской горилкой. Есаул был не дурак выпить.

— И грибы, и капуста, и огурчики — свои, домашнего приготовления, — похвалялся есаул. — Я американской еды даром не возьму.

А выпив по первой, а потом по второй, он уставился на Аркадия своими выпуклыми, в кровавых прожилках, рачьими глазами.

— А теперь скажи, друг ситный, зачем меня обманул?

— Как? — подавился соленым огурчиком Аркадий. — Я? Обманул?.. Вы шутите.

— Кто ты, скажи? Что жид, вижу сам. А почему Полубояров, объясни.

И Аркадий, заикаясь и косясь на тяжелую палку в руках есаула, чистосердечно рассказал, каким путем ему досталась эта фамилия и что его... девичья, то есть, пардон, настоящая фамилия... Перельман.

— Вон! — коротко сказал есаул Полубояров.

— А-а... завещание?

— Вот тебе завещание!

Старик огрел его палкой по плечу, рыча и брызгая слюной.

— Вон! Жидовская морда! Змея! Гаденыш! Большевик!

Рев разбушевавшегося есаула Аркадий слышал всю дорогу, пока бежал вприпрыжку к остановке автобуса, забыв вытереть рот, и полоска соленой капусты болталась на усах. Плечо саднило немилосердно.

Через три дня в нью-йоркской газете «Новое русское слово» появилось в черной рамке с православным крестом в углу траурное объявление о том, что скончался есаул Иван Данилович Полубояров и где состоится панихида.

Аркадий, прочитав это объявление, опечалился. Все же жаль было старика. Хоть он и антисемит. А также его двух домов и денег в банке, что достанутся неизвестно кому.

А еще через три дня к Аркадию пришли два американца в штатском, предъявили удостоверения Си-Ай-Эй и долго и нудно допрашивали насчет больших сумм денег, которые он ожидает получить. Не из советской ли миссии? И где назначена встреча для передачи денег?

Тут он не выдержал. Зарыдал в голос. Да так горько, что даже у сухих американцев выжало по одной слезе.

Они извинились и ушли, пообещав прийти в другой раз, когда он будет в состоянии отвечать на вопросы.

МУЖ ГРАФИНИ

Вам доводилось знать еврея с титулом графа? Настоящим титулом. Не фиктивным. Пожалованным его предку королем или императором за большие услуги, оказанные царствующему дому?

Мне лично не привелось такого встретить. Хотя всем известно, что еврею Дизраэли, премьер-министру Англии, королева Виктория пожаловала высокий титул, и он стал именоваться лорд Биконсфильд. Я сам знал в Лондоне одного литовского еврея, которого нынешняя королева Елизавета сделала лордом, и с тех пор к нему надо было обращаться только так: сэр Джозеф, хотя в узком семейном кругу его называли по-старому, на идиш — Иоселе.

Наконец, есть евреи-бароны. Скажем, барон Ротшильд. Вы будете смеяться, но с одним бароном из этой небедствующей еврейской семейки, а именно с Эдмоном Ротшильдом, моим сверстником и весьма славным малым, я сидел за одним столом в его парижской резиденции на улице ду Фобур де Сант-Оноре и в разговоре (через переводчика, конечно, потому что он не понимал по-русски, а я не вязал лыка по-французски) подпустил ему едкую шпильку, и он за словом в карман не полез и весьма изящно ее парировал.

Был душный день, и распахнутые окна в большом кабинете барона не приносили прохлады. Эдмон Ротшильд и еще два банкира, присутствовавшие при этой исторической для меня встрече (ибо какой еврей не мечтал в своих самых радужных грезах поглядеть хоть одним глазком на живого Ротшильда — самого богатого еврея на земле?), отчаянно потели и то и дело вытирали платками багровые лица и шеи.

Один лишь я не пользовался платком. Не потому, что у меня его не было. Я не потел. У мена было сухое лицо. И даже под мышками не ощущалось скопления влаги.

— Что ж это такое получается? — удивился барон. — Мы все потеем. А он — абсолютно сухой.

— А вот так, — ответил я. — Я не потею и все. Это — врожденное качество, и его ни за какие деньги не купишь.

Я, как вы догадываетесь, тонко намекнул на финансовую пропасть, которая разделяла меня, с жалкой сотней-другой в кармане, чем исчерпывалось все, что я имел, и его — одного из самых богатых людей на земле.

Барон оценил мою язвительность. Вслед за ним заулыбались, закивали потными головами его компаньоны — банкиры. Он встал из-за стола, подошел ко мне, обнял за плечи (не похлопал по плечам, а обнял) и сказал с грустью во взгляде:

— Дорогой мой, в мире имеются тысячи вещей, которые не купишь за деньги. Я это знаю... Возможно, и ты когда-нибудь с этим столкнешься...

Ух, как у меня заныло под ложечкой, что рядом нет

никого из моих прежних знакомых, которые могли бы засвидетельствовать, как меня обнимает барон Ротшильд и при этом жалуется на судьбу, не всегда милостивую даже к миллиардеру. И в первую очередь мне бы хотелось, чтобы все это лицезрел мой бывший московский сосед Наум Крацер, с которым мы нередко переругивались по утрам, когда и он и я норовили первыми проскочить в единственный туалет — общий для всего поголовья нашей коммунальной квартиры, в каждой из пяти комнат которой плотно умещалось по одной семье.

А хотелось мне, чтобы в кабинет барона Ротшильда на фешенебельной парижской улице ду Фобур де Сант-Оноре вошел мой бывший сосед Наум Крацер по той причине, что этот самый Крацер имел больше оснований пребывать в объятиях барона, чем я. Потому что Крацер был граф.

— Еврей — граф? — ехидно пожмете плечами вы. — Да еще в советской Москве? Глупее ничего не могли придумать?

Не смог. Потому что я не придумываю, а рассказываю, как оно было в жизни. А жизнь, как известно, богаче фантазии.

Я допустил неточность лишь в одном. Наум Крацер, конечно, не был подлинным графом. Он был мужем графини. Чистопородной русской аристократки, отпрыска одной из самых знаменитых дворянских фамилий государства Российского. Ее то ли дед, то ли прадед был тот самый фельдмаршал Кутузов, одноглазый портрет которого вплоть до наших дней знаком каждому школьнику, граф Голенищев-Кутузов, под чьим командованием русские войска разбили в 1812 году французского императора Наполеона Бонапарта.

Как мог случиться такой мезальянс? Если б я сказал, что местечковый полуграмотный еврей женился на такой родовитой графине до революции 1917 года, то вы могли бы мне плюнуть в глаза и поступили бы абсолютно справедливо. Но дело-то в том, что эта женитьба состоялась после революции. Ясно? То-то.

Молоденькая графиня Голенищева-Кутузова, непонятно каким чудом уцелевшая в гражданскую войну, потеряв, естественно, все, что имела: и имения, и фамильные ценности, и деньги до последней копейки, ютилась в Москве у своей бывшей няньки, ходила в старой ветхой одежде, по-крестьянски повязав голову платком, и, как вся Москва, пухла от голода и замерзала зимой в неотапливаемой комнатке. Революция лишила ее не только имущества, но и всех прав, положенных гражданину. Таких, как она, называли «лишенцами», т. е. лишенными всех прав, кроме, пожалуй, одного права — трястись от страха перед рабоче-крестьянской властью и ждать с замиранием сердца, когда ночью явятся чекисты в кожаных куртках и уведут из дому насовсем.

Но, лишив прав одних, революция наделила правами других, кто прежде был обделен. Рабоче-крестьянское происхождение стало лучшим пропуском по пути наверх. И к этому пропуску потянулись тысячи рук, мозолистых, не привыкших держать пальцами перо.

Из нищего украинского местечка добрался на крышах вагонов до Москвы молодой еврей Наум Крацер. Он с детства вместо школы ходил в учениках столяра, пилил и строгал доски и брусья, заливал пазы столярным клеем, вгонял гвоздь по самую шляпку одним ударом молотка и, не случись революции, до конца своих дней зарабатывал бы на жизнь этим ремеслом и дальше соседнего местечка не знал бы, как выглядит мир, он жил в черте оседлости, откуда еврею было законом запрещено выезжать, а уж о Москве и Петербурге не приходилось и мечтать.

В голодной Москве Крацер, едва умевший вывести на бумаге свою фамилию, решился штурмовать науку. Для таких, как он, рабоче-крестьянская власть создала рабфаки, рабочие факультеты, где они проходили ускоренный курс за всю гимназию, чтобы подготовиться к экзаменам в университет.

Вот на этом-то рабфаке и скрестились пути местечкового еврея Крацера и графини Голенищевой-Кутузовой. Он, неуклюжий и малограмотный, был там студентом, а она, образованная и прекрасно воспитанная, работала уборщицей, своими нежными ручками смывала с холодных каменных полов густую грязь, нанесенную сапогами и лаптями жаждущего знаний пролетариата.

В ту раннюю пору советской власти нравы были пуританскими и крутыми. Влюбленность, поцелуи, вздохи при луне причислялись к буржуазным пережиткам и подвергались публичному осмеянию. А связь с человеком из разгромленного революцией класса эксплуататоров считалась страшным грехом и изменой своему рабоче-крестьянскому классу.

Студент рабочего факультета Наум Крацер воспылал страстью к худенькой бледнолицей уборщице. И когда под строгим секретом она призналась ему, что она — бывшая графиня и ему никак не стоит с ней связываться, он, вместо того чтоб отступить, воспылал еще большей страстью.

У Наума Крацера закружилась голова. Подумать только: у него есть шанс стать мужем графини. Десятки поколений его предков, презираемых и преследуемых евреев, покоящихся на местечковом кладбище в бывшей черте оседлости, перевернулись бы в могилах от этой новости и категорически отказались бы поверить, что такое может случиться. Не хотели верить этому и коммунисты — товарищи Наума. Его вызвали в партийный комитет и строго, без церемоний, предупредили, чтоб опомнился и не марал чести пролетария, а не то он горько пожалеет.

Женитьба действительно подорвала карьеру Наума Крацера. В инженеры он выбился. Но дальше не пустили человека с подмоченной пролетарской репутацией.

Он поселился со своей тихой, робкой женой в маленькой комнате нашей большой коммунальной квартиры, и графиня старалась как можно реже появляться на общей кухне, чтоб соседки, прослышавшие о ее родовитом происхождении, не смеялись и не подтрунивали над ней. Зато муж ее не только не стыдился, а где только мог похвалялся своей женой-графиней. И в доме и на службе. Соседи прозвали его «местечковым графом», а на службе сделали организационные выводы и не давали повышения, как бы старательно он ни работал.

И все равно Крацер извлекал немало наслаждения из своей роли мужа графини. Он получал неизмеримое удовольствие от того, что обед ему подавала графиня, и подавала так, словно она — лакей, а он — граф. Когда он натирал мозоли, графиня подносила ему горячую воду в тазу, и он опускал в этот таз свои несвежие пахнущие ноги и блаженствовал, пока она, стоя на коленях, намыливала каждый его пальчик и безопасной бритвой «Жиллетт» срезала с размякшей ступни наросты.

У них родился сын, вылитый еврей, но графский титул матери, как клеймо, омрачал его детство. Во дворе мальчишки часто били его и окрестили прозвищем «графеныш». В те годы в Москве антисемитизм строго преследовался, а классовая ненависть, наоборот, поощрялась. Поэтому мальчика изводили не из-за семитских печальных глаз, а за происхождение по материнской линии от графов Голенищевых-Кутузовых. Наум Крацер выбегал во двор с ремнем в руке и разгонял обидчиков сына, называя их «босяками», «голытьбой» и «хамами». В эти моменты он сам чувствовал себя если не графом, то, по крайней мере, представителем дворянского сословия.

Во вторую мировую войну, когда в России надо было вызвать патриотические чувства, вспомнили великих предков, некогда прославивших русское оружие, и имя фельдмаршала Кутузова замелькало в газетах и на красных транспарантах, и даже был выпущен орден Кутузова, которым награждали высших офицеров за боевые заслуги, и на этом ордене сиял серебром одноглазый, с повязкой через лоб, профиль дальнего родственника Наума Крацера. Вспомнили и жену Наума, правнучку фельдмаршала, и выдали хороший, по тем голодным годам, персональный продовольственный паек. А когда хватились, что у фельдмаршала имеется праправнук, сын Крацера, потребовали, чтоб он немедленно поменял фамилию отца на мамину и восстановил на благо отчизны славное имя Голенищева-Кутузова. Но опоздали. Сын графини и Крацера успел попасть на фронт рядовым солдатом и очень скоро погиб. В похоронном извещении, полученном родителями, он все еще значился Крацером.

Они оплакали сына и остались вдвоем.

Но жену Крацера, графиню Голенищеву-Кутузову, уже не оставляли в покое. Ее приглашали в президиум, когда в Москве собирались важные совещания, и докладчики с трибуны каждый раз поворачивались к ней и даже указывали пальцем, когда говорили о патриотизме, любви к Родине и преемственной связи славного прошлого русского народа с еще более славным настоящим. В паспорте она была записана по мужу — Крацер, но этим именем ее не называли. А только девичьим — Голенищева-Кутузова. Потому что к тому времени к евреям стали относиться в Советской России примерно так же, как сразу после революции относились к свергнутому классу, к дворянам и буржуям.

И однажды ее, бывшую графиню, а по мужу — Крацер, вызвали к очень высокому советскому начальству и без обиняков сказали:

— Гоните вы этого еврея к чертовой матери. Вы же — русская. Гордость нашего народа. Зачем вам этот грязный жид?

Графиня побледнела и, ничего не сказав, покинула кабинет, хлопнув дверью.

С тех пор она стала чахнуть и скоро скончалась.

Наум Крацер похоронил ее на еврейском кладбище. И на все деньги, которые он собрал за долгие годы семейной жизни, заказал и поставил на могиле жены мраморный памятник. Проект памятника разработал он сам. Скульптор лишь старательно воплотил в камне его замысел.

На гранитном пьедестале в натуральный человеческий рост сидела в кресле покойная жена Крацера, а сам он, тоже в полный рост, стоял перед ней, опустившись на одно колено, и лобызал протянутую ему руку.

На черном цоколе золотом горели слова:

«Графине Голенищевой-Кутузовой от скорбящего мужа Наума Крацера».

Этот необычный для еврейского кладбища памятник и по сей день стоит среди каменных плит с древнееврейскими надписями и шестиконечными звездами Давида под Москвой, в Востряково.

А гипсовая модель его в натуральную величину много лет стояла в нашей коммунальной квартире, совсем загромоздив и без того тесную комнату Наума Крацера. Он так и жил в этой комнате вдвоем с памятником. Гости к нему перестали приходить. Даже соседи испытывали неловкость, заглянув в приоткрытую дверь: то ли музей, то ли часовня.

Потом умер и он. Муж графини. Где он похоронен, я не знаю. В его комнате поселились новые жильцы, и куда они выставили громадную гипсовую модель надгробия, я тоже не знаю.

Зато евреи, приезжающие на кладбище в Востряково по разным невеселым делам — или хоронить родных, или навестить могилу, — сначала с недоумением, а потом с почтением останавливаются перед мраморным памятником и с уважением повторяют имя Наума Крацера, ничем не выдающегося еврея, которого будут помнить, пока стоит это кладбище. Потому что он умудрился достигнуть недостижимого и навечно утвердить себя в камне как мужа графини.

ПРАВЕДНИК

В Иерусалиме солнце горное. Не изнурительное. Даже в летний полдень. Сухо. И очень-очень тепло. В Иерусалиме даже приезжий не потеет и не устает от жары.

Музей Яд вашем стоит на вершине горы, над Иерусалимом. Это — мемориал в память о жертвах Катастрофы европейского еврейства.

Даже в самую сильную жару сюда тянутся люди. Экскурсанты и туристы. Со всего мира. И среди них много неевреев.

В черных лимузинах поднимаются по спиральному шоссе среди пыльных кипарисов и сосен правительственные делегации разных стран. Посещение музея Яд вашем — непременная часть программы их пребывания в Израиле.

Впереди и сзади лимузинов парами несутся военные мотоциклисты в белых пластмассовых шлемах. Обыкновенных туристов, прибывших в автобусах, израильские полицейские слегка придерживают у входа, пропуская вне очереди правительственную делегацию.

И кто бы ни были люди в лимузинах, японцы ли, румыны, уругвайцы или немцы, они, прежде чем спуститься, как в пещеру, в забранное черным бархатом, высеченное в скале помещение музея, как перед входом в еврейский храм, надевают на головы черные ермолки, услужливо поданные им молчаливыми привратниками.

Из полумрака музея, где лишь светятся огромные документальные фотографии, сделанные палачами до казней и после, с которых смотрят, раскрыв рты в немом крике, еврейские дети перед дулами винтовок, где стоят в очереди, белея голыми телами, у входа в газовую камеру еврейские женщины с прижатыми к груди младенцами, где лежат, оскалившись, груды младенцев, иностранцы выходят на яркий знойный свет, щурясь и пряча слезы. Подавленные. Угнетенные чувством собственной вины за то, что их народы допустили в свое время такое, ничего не сделали, чтоб предотвратить.

И тогда израильские гиды ведут их на узкую аллею, обсаженную молодыми деревцами. И лица иностранцев проясняются. Эта аллея называется Аллеей праведников. Каждое деревцо на ней посажено в честь человека, нееврея, не побоявшегося в ту пору протянуть руку несчастным, поставить на карту свою жизнь ради спасения еврейской семьи или еврейского ребенка.

У подножья каждого деревца — керамическая табличка с именем праведника и названием страны, где им были спасены евреи.

Калигури Челия (Италия)
Кристиансен Анна (Дания)
Жиль и Мари Феди (Франция)
Андрис и Ида Янсен (Голландия)
Рихтер Эмма (Германия)

Зенон не выходит на Аллею праведников, когда там проводят в окружении полицейских официальную делегацию. Он отсиживается ниже деревьев на голом каменистом склоне холма. Таков его уговор с полицией. При делегациях не появляться. А к отдельным туристам может приставать сколько хочет. Израиль — свободная страна, и попрошайничать законы не воспрещают.

У Зенона нееврейское лицо. Он — поляк. Чистокровный. Блондин с выцветшими голубыми глазами и обожженной на солнце и сморщенной от сухости кожей. В первые годы его нос и лоб багровели и шелушились от южного солнца, как молодой картофель. А теперь кожа пропеклась, стала темно-коричневой. Завитки нечесаных волос выгорели до белизны.

Киббуцная панамка, из синих и белых клиньев, съехала ему на нос, прикрыв глаза от прямых лучей солнца. Он сидит на ребристом камне. Спине и ягодицам даже через ткань горячо. Из-под края панамки сощуренные глаза следят через негустые кроны деревьев за цепочкой одетых в темные костюмы официальных гостей. Они удаляются, за ними и полицейские, и на аллее появляется болтливая и пестро одетая публика — туристы из Америки или Франции. Наметанный глаз Зенона определяет по их нескованному поведению, что это не христиане, а евреи.

Тогда он достает из-за камня почти пустую бутылку, разбалтывает остатки водки на дне и, выпив до конца, швыряет подальше. Затем встает с камня, критически морщась, смотрит на свои пропыленные и изношенные башмаки, подтягивает мятые штаны, все время норовящие сползти с его худых бедер, и тяжело шагает вверх, к аллее. Из нагрудного кармана выгоревшей армейской рубашки цвета хаки он без рук, запекшимися губами достает сигарету, перекатывает ее кончик в беззубом пустом рту, но не зажигает. Лучшее средство остановить туриста и завязать душевный разговор — попросить огоньку прикурить.

Пустая бутылка, брошенная Зеноном, долго скатывается по каменным уступам, не разбиваясь, а лишь издавая приглушенный звон.

— Здравствуйте, дорогие гости, — сняв с полысевшего темени киббуцную панамку и галантно взмахнув ею, будто в поклоне, до самой земли, обращается он к туристам по-английски. — Добро пожаловать на многострадальную землю Израиля.

Туристы, естественно, останавливаются, привлеченные и этим необычным приглашением, и всем обликом пожилого оборванца, никак не похожего на гида.

Он просит прикурить, и не одна, а сразу несколько зажигалок тянутся к нему со щелканьем, испуская невидимые язычки пламени. Прикурив, он окутывается дымом, вежливо благодарит и представляется:

— Кто я такой? Вы знаете? Ну, кем я вам показался с первого взгляда? Старым гоем, верно? Я не отрицаю. Я — не еврей. Я — гой. Но такой гой, как я, стоит иного еврея.

Вы видите вон то дерево? Слева, третье с краю. Это мое дерево. Не я его посадил. Его посадили в мою честь. Напрягите зрение... прочтите имя праведника под этим деревом... Зенон... и фамилию читайте. Да, да. Меня зовут Зенон. Это я из Польши. А следовательно, я — праведник. Когда фашистские людоеды, эти нелюди, эти варвары, убивали всех евреев подряд, я... простой поляк... христиански поставил свою голову на кон...

Он говорил хрипло и громко, не совсем послушным от выпитой водки языком, а панамку так и не натягивал на голову, а держал в руке книзу донышком, и туристы, без понуканий с его стороны и не дожидаясь просьб, смущенно клали, засовывали в панамку мятые израильские лиры и зеленые американские доллары. Мелочь никогда не клали, только бумажные банкноты. Чтоб не унизить героя, вступившегося за евреев, не обесценить его подвиг.

Когда из музея выходила на Аллею праведников смущенная и подавленная стайка туристов с нееврейскими физиономиями, Зенон встречал их другим приветствием:

— Здравствуйте, братья во Христе! Я такой же, как вы, нееврей, но живу в Израиле среди евреев. Замаливая наш общий с вами грех.

Вы своими глазами видели, что сделали нацисты в годы войны с евреями. Где они убивали младенцев и беспомощных стариков? В пустыне? В космосе? Нет! В густонаселенной Европе. На наших с вами глазах. На наших черствых и равнодушных глазах.

Посчитайте, сколько здесь растет деревьев! Ну, триста! Ну, пятьсот! От силы! На весь христианский мир нашлось всего триста или пятьсот чистых душ, праведников, рискнувших своей жизнью ради чужой. А остальные? Миллионы... Сотни миллионов видели и делали вид, что не видят. Позор нам!

В мою честь благодарные евреи посадили дерево в этой аллее. Назвали меня праведником. Вон мое дерево. Отсюда видно.

А вы кто? Снимите шляпы с голов! Пусть солнце святой земли жжет ваши головы, склоненные перед этими деревьями. Воздайте должное редким, праведным душам. И мне!

Он протягивал свою панамку, и христиане-туристы, чтоб поскорей отвязаться от него, откупались деньгами в разной валюте.

Лишь когда из пещерной прохлады музея выводили на зной очередную делегацию, Зенон покидал Аллею праведников, не дожидаясь, пока полицейские кивками попросят его убраться подобру-поздорову.

Его знали полицейские, знали служащие музея. Его пропеченное, в морщинах лицо с проваленным ртом уехало в разные концы земли — туристы любили фотографировать Зенона возле его дерева. За такую позу у него была такса — два доллара.

Иногда, когда ручеек туристов и экскурсий иссякал и арабы — рабочие с мотыгами рыхлили иссохшую землю вокруг деревьев и поливали из длинного шланга, Зенон отбирал у них шланг и свое дерево поливал сам, рукавом очистив потом керамическую табличку со своим именем от налипших комочков грязи.

В годы войны в деревне под Люблином совсем еще молоденький Зенон спрятал без ведома своих родных еврейскую семью в сарае, на сеновале. Носил им еду и питье. Дрожал от страха, когда чужие приближались к сараю, и не взял с евреев ни копейки. Потому что Зенон был влюблен в девицу из этой семьи по имени Хайка. После войны Зенон и Хайка поженились, поселились в Варшаве. У них родился сын Яцек. Зенон стал коммунистом и сделал карьеру. О его мужественном поступке писали в газетах.

Но, на его беду, в Иерусалиме открыли музей Яд вашем и заложили Аллею праведников. В честь Зенона было посажено дерево, а его самого правительство государства Израиль пригласило за свой счет в гости и наградило медалью.

Вернулся Зенон в Польшу с медалью, и вся жизнь его пошла прахом. Его назвали сионистом, прогнали из партии, уволили с работы. А потом намекнули, что в Польше ему делать нечего и пускай мотает в свой Израиль.

Зенон и Хайка уехали. Сын Яцек тоже. Но он не в Израиль, а в Швецию и там женился на шведке.

В Израиле редко кто пьет. И водка, да и коньяк в еврейском государстве самые дешевые в мире. Зенон стал пить, сколько душа пожелает.

А когда умерла от рака жена Хайка, он без водки и двух часов не мог прожить. Пропил все. Не только свою одежду, но и платья покойной. Потом продал по дешевке квартиру и стал ночевать по чужим семьям, где пожалеют и пустят. А все дни проводил на каменной горе у музея Яд вашем, возле Аллеи праведников. Стал местной достопримечательностью. Туристы, слава Богу, Израиль не обходили стороной, и на водку раздобыть деньжат удавалось без большого труда. Иногда, упившись, он засыпал на камнях, прижавшись щекой к начатой, но не конченной бутылке, и тогда гиды, если вели неофициальные туристские группы, рассказав о праведниках, спасавших евреев, показывали сверху, с аллеи, на него, спящего среди горячих камней, и, если кто-нибудь из любопытных хотел спуститься к нему, чтоб лучше рассмотреть, гиды сдерживали таких:

— Не троньте его. Пусть праведник отдыхает! Он заслужил покой.

СУББОТНИЕ ПОДСВЕЧНИКИ

Когда я сказал моему отцу, что уезжаю в Израиль, он, отставной полковник артиллерии и коммунист, не выразил никаких чувств по этому поводу, а только наморщил гармошкой лоб, заморгал из-под сдвинутых седых бровей и спросил:

— С каких это пор ты стал евреем?

Я не нашелся что ему ответить.

Действительно, с каких пор? Весь советский образ жизни, да и немалые старания моего отца сделали все, чтобы изгнать из моей памяти даже намек на какое-нибудь национальное чувство. Я рос никем: ни русским, ни евреем. А просто советским, каким-то абстрактным, то есть никем.

Ответ на недоуменный вопрос отца родился в самые

последние часы моего пребывания на русской, советской земле — в советском аэропорту «Шереметьево», среди форменных мундиров таможенных чиновников и истерически взвинченных лиц проходящих досмотр пассажиров самолета, летящего на Вену.

В толпе не менее взвинченных провожающих я то и дело натыкался на сосредоточенное угрюмое лицо отца, совсем еще не дряхлого и в свои годы, почти семьдесят лет, не потерявшего военной выправки. Его привычный суровый командирский взгляд не оттаял даже здесь и неотступно сопровождал меня в метаниях от чемоданов к столу, где немолодой с испитым лицом таможенник дотошно и скучно ковырялся в моих вещах.

— А это что?

Руки таможенника извлекли из чемодана два массивных подсвечника, тепло замерцавших серебряным отливом под неживым светом люминесцентных ламп. Два еврейских субботних подсвечника отличной работы. Бог весть какого столетия. С тяжелыми гроздьями винограда вокруг подножья и по спирали до самого верха.

— На вывоз за границу положено не больше девятисот граммов серебра, — сказал чиновник, взвешивая на ладонях подсвечники. — А тут на полтора килограмма потянет.

— Пропустите подсвечники... будьте добры... — вдруг заговорил я не своим, заискивающим тоном. — Это бабушкины... память о ней...

— На память... — сонно сказал таможенник, — хватит и одного подсвечника.

— Они парные... для субботних свечей... их нельзя разделять.

— Не положено.

Мне было противно, что я унижаюсь, но я почему-то не мог остановиться и продолжал канючить, забыв о своем самолюбии, словно на этих подсвечниках свет клином сошелся и без них мне уехать никак нельзя. Я оглянулся на отца, который, без сомнения, видел все и слышал и, конечно, должен в душе осудить меня за проявленную слабость и непонятное пристрастие, с каким я отбиваю у таможенника эти два подсвечника. И это после того, как я лишился, отказавшись от советского гражданства, и квартиры, и имущества, и всего, что нажил своим горбом.

Но вместо осуждения я прочел в глазах отца совсем иное. Его замкнутый непроницаемый взгляд, отработанный долгими годами военной службы, вдруг раскололся, поплыл, и в нем пробудились какой-то живой трепет и совсем уж непривычная для него еврейская скорбь.

Он узнал эти субботние подсвечники.

У меня дрогнуло сердце. Я нашел ответ на вопрос отца:

— С каких это пор ты стал евреем?

Бабушка Роза. Мать моего отца. Которую все называли барыней. И в этой кличке не было насмешки. А совсем напротив — почтительное восхищение.

Я появился на свет, когда она уже была стара. И поэтому помню ее совсем седой. Ее волосы были почти белыми и густыми, и носила она их по-старомодному, собрав кверху и связав на макушке узлом, откуда торчали головки черных шпилек.

И одета она была, словно сошла с пожелтевшего дагерротипа и ходила по советскому городу, в середине тридцатых годов, среди женщин с короткими стрижками и челками на лбу, как восковая фигура, за которой не уследили музейные сторожа.

Она носила блузки с воланами и буфами на рукавах, длинные черные юбки, и на ее тонком греческом носу поблескивали стеклышки пенсне с черной лентой, свисавшей по щеке до шеи. В нашем городе, по крайней мере, я людей в пенсне больше не встречал.

В советское время, когда всех людей уравняли и все имели одинаковый нищий и затертый вид, бабушка Роза, единственная в городе, оставалась барыней, какой и была до революции. Когда-то ее отец, а следовательно, мой прадед, был купцом первой гильдии, что по нынешним понятиям равняется миллионеру, с той лишь разницей, что его миллион исчисляется в царских золотых монетах, а не в нынешних обесцененных бумажках. И проживал он в столице Российской империи — Санкт-Петербурге, где евреям проживать категорически воспрещалось. Кроме тех, кто принял христианство, стал православным. А таких уж никто евреями не считал. Мой прадед не крестился, чтобы получить право жительства в столице. В законе была оговорка: еврей, обладающий имуществом не меньше чем на миллион рублей, получал разрешение поселиться в Санкт-Петербурге и в Москве, которая считалась второй столицей и куда евреев тоже на дух не подпускали. У прадеда состояние оценивалось не в один, а во много миллионов, поэтому он жил в Петербурге и имел дома в разных городах Российской империи.

В том городе, где много-много лет спустя родился я, в маленьком тихом городе на реке Березине, со всех сторон окруженном вековыми сосновыми и еловыми лесами, прадед тоже выстроил себе дом. Потому что раз или два в году он наезжал сюда из Петербурга. По реке Березине его люди сплавляли на юг плоты из огромных, остро пахнущих смолой бревен, и такому крупному лесопромышленнику не к лицу было останавливаться в местной захудалой гостинице.

Дом, который построил прадед, был, не скажу — самым большим в городе, но зато самым красивым без всякого сомнения. Он напоминал и средневековый замок в миниатюре, и терем из русской сказки. В три этажа, темно-зеленый, с отделанными в елочку фигурными дощечками стенами, с кружевной резьбой на оконных наличниках, с двумя, как церковные купола, башенками, матово отсвечивающими цинком, и такими же цинковыми с бахромчатой резьбой по металлу водосточными трубами, что змеями вились, причудливо изгибаясь на выступах карнизов, от цинковой крыши до каменного, как крепостная стена, фундамента. В окружении столетних голубых елей, чьи темные густые лапы были словно сахарной пудрой посыпаны, дом с башенками выглядел новогодней елочной игрушкой.

После революции советская власть конфисковала дом, выселив его обитателей, и те еще были рады, что легко отделались: их могли запросто поставить к стенке и расстрелять. В доме разместилось самое главное учреждение — городской комитет партии большевиков. Судьба всех жителей города теперь зависела от того, с какой ноги встали люди, разместившиеся за столами на всех трех этажах дома моего прадеда. Дом хоть и оставался красивым, но глядеть на него было жутковато.

Когда я родился, уже мало кто помнил, кому этот дом когда-то принадлежал, а я просто не знал ничего. Но однажды бабушка Роза, гуляя со мной, остановилась перед зеленым домом с башенками, но на противоположной стороне улицы, и сказала:

— Если бы не советская власть, этот дом принадлежал бы тебе.

— Зачем мне дом? — удивился я, не вынув изо рта палец, который старательно сосал. — Человеку достаточно одной комнаты. И в ней можно жить вдвоем и втроем — так веселее.

— Когда подрастешь — поймешь. — Бабушка выдернула мой палец изо рта, а мои губы вытерла носовым платком.

Она повела меня дальше, но я все оборачивался на дом. Мне вдруг захотелось заглянуть вовнутрь, посмотреть, что там делают люди на всех трех этажах, которые могли бы быть в полном моем распоряжении, если б не советская власть.

Я попросил бабушку вернуться. Она печально показала мне не пальцем, а глазами на огромного милиционера с револьвером в черной кобуре на ремне, который стоял перед входом, как бы загораживая его.

— Туда нужен пропуск, — вздохнула бабушка. — А так не пропустят... если ты не коммунист. Мы с тобой оба, слава Богу, беспартийные.

— Я вырасту и стану коммунистом, — сказал я.

— Не спеши. Достаточно нам того, что твой папа коммунист.

Бабушка говорила правду.

Сын «барыни» был коммунистом.

Во время революции ее выселили из зеленого дома с башенками, и с тех пор она ютилась в подвале многоэтажного дома. Ее комнатка с подслеповатым окошком у самого потолка, где виднелись лишь ноги прохожих, даже не была оклеена обоями, и стены были красные, по цвету кирпичей, из которых были сложены, с серыми цементными прожилками между кирпичами. Сейчас даже модно оклеивать стены обоями, имитирующими кирпичную кладку. В этом есть какое-то кокетничанье с бедностью. У бабушки были стены из реальных кирпичей. И бедность была без кокетства, реальной. Вдоль стен вились ржавые водопроводные трубы. Зимой кирпичи слезились от сырости, а бабушка кашляла, подолгу, со всхлипами в легких.

До революции она не имела понятия о бедности. Училась за границей, в Бельгии, и говорила по-французски с такой же легкостью и грациозностью, как и по-русски. После революции она зарабатывала себе на пропитание частными уроками французского языка, которые давала детям новой элиты: бывших сапожников, ставших хозяевами в стране.

У нее было четыре сына, с которыми занимались бонны и гувернантки. Бабушка не только не знала, как пеленать ребенка, она не помнила ни одной колыбельной песни, потому что ее детей укладывали спать няньки.

Однажды, уже позже, из-за этого произошел конфуз. Я еще был маленьким. Мои родители были куда-то приглашены в гости, и поэтому к нам, в военную крепость за городом, вызвали бабушку, чтобы она провела ночь со мной. Я долго не засыпал. И бабушка стала петь мне колыбельную песню. Мне понравилась песня. Бабушка повторила ее много раз, пока я не уснул. Эта колыбельная застряла в моей памяти. И мелодия. И слова. На идиш. Я ее помню до сих пор, хотя с тех пор ни разу не слышал, чтобы ее пели.

Много дней спустя после того, как бабушка у нас ночевала, при гостях я спел эту колыбельную песню, и гости долго и дружно смеялись. Потому что песня эта оказалась не колыбельной, а старинным любовным романсом. Романсы бабушка знала, а колыбельной — ни одной.

Тем не менее, когда у меня появился сын и мне доводилось его укладывать спать, я почему-то пел ему тоже не колыбельную, а бабушкин любовный романс. И он засыпал, улыбаясь во сне.

Ее сыновья еще были подростками, когда их переселили в подвал. Но если б только это, было бы полбеды. На детях лежало проклятье происхождения. Они были из богатых, и революция швырнула их на самый низ социальной лестницы. С этим клеймом они были обречены. Перед ними, как перед прокаженными, были закрыты все пути. И несовершеннолетние мальчики, бабушкины сыновья, оставили ее, разбежались, кто куда по всей России и там, скрывая происхождение, выдав себя за сирот времен гражданской войны, стали равноправными, поступили учиться и быстро сделали карьеры инженеров, ученых и офицеров.

К бабушке они не наведывались — это могло подмочить их репутации. Лишь посылали ей кое-когда денежные переводы и редкие, очень редкие письма, в которых упоминались лишь самые важные события: их женитьбы и имена жен, даты рождения детей с присовокуплением их имен, а также фотокарточки, с которых глазели на бабушку незнакомые ей внуки.

Бабушка не обижалась на своих сыновей. Она все понимала. Не знаю, одобряла ли она ту цену, какую платили сыновья за свою карьеру при рабоче-крестьянской власти. Но я не помню, чтобы она хоть раз их укорила. Лишь со вздохом говорила:

— Господи, не покарай их!

Эта фраза была самым сильным проявлением гнева. Она заменяла бабушке проклятье.

Помню, и я удостоился его.

Я уже был школьником, носил на шее красный галстук пионера и под барабанную дробь и надрывные вопли сверкающего горна маршировал в колонне таких же, как я, мальчиков и девочек, с такими же красными галстуками на тоненьких шеях, и нашим богом в стране безбожников был наш вождь Сталин, а нашим будущим — коммунизм.

Чтобы строить новое, надо ломать старое. Так учили нас. Строить — мы не умели. Зато ломать — с наслаждением. Нас, несмышленых, взрослые негодяи натравили на религиозных стариков. Нам ободряюще сказали, что мы можем ворваться в церковь или в синагогу и безнаказанно громить все, что попадется под руку. И если кто-нибудь вздумает нас обидеть, за нас вступится милиция и не позволит трогать маленьких.

Ох и побушевали мы, юные кретины, опьяненные безнаказанностью, в русском православном соборе с голубыми куполами и позолоченными крестами на них, а потом повторили то же самое в старенькой еврейской синагоге, раскидывая свитки Торы и таская за седые бороды древних согбенных старцев.

Домой я пришел в тот день поздно, с пылающими от возбуждения щеками и с нехорошим блеском в глазах. Снял красный галстук с шеи, аккуратно повесил его в шкаф и пошел умыться, чтобы остудить лицо. У нас в гостях была бабушка, и она сливала мне из ковшика холодную воду на подставленные ладони. А я, пока мылся, захлебываясь, рассказывал ей, как интересно провел день.

Бабушка не дала мне договорить. Наотмашь влепила пощечину по мокрому лицу, потом вторую, и, содрогнувшись от того, что наделала, потому что прежде за самые жуткие проделки ни разу не коснулась меня пальцем, подняла лицо к потолку, и, сдерживая дрожь, всхлипнула:

— Господи, не покарай его! Ибо он не ведал, что творил!

Я считаю, мне повезло куда больше, чем моим двоюродным братьям и сестрам, полукровкам, жившим в Москве, Ленинграде и Казани. Они не знали бабушку Розу и очень многого лишились, как если бы выросли без витаминов. Лишь один сын бабушки Розы, мой отец, жил в том же городе, что и она, потому что судьбе было угодно, чтобы конноартиллерийский дивизион, в котором он служил, стоял в гарнизоне именно там, и стоял много лет подряд, до самого начала второй мировой войны. А где дивизион стоял после войны, если этот дивизион вообще уцелел, никому не интересно, потому что мой отец в нем больше не служил, а, главное, бабушки больше не было в городе — она умерла, а если быть более точным, была убита оккупантами и своими местными полицаями, как и все другие евреи, не успевшие бежать от войны на Восток, в глубь России.

Я был единственным евреем среди внуков бабушки Розы и до сих пор разговариваю на отличном идиш, хотя с каждым годом встречаю все меньше и меньше собеседников, способных тягаться со мной на равных на этом, к сожалению, вымирающем языке. Писать и читать не умею. Только разговариваю. Потому что схватил язык на слух. От бабушки Розы.

Ее идиш был совсем не похож на тот скрипучий, картавый язык, на котором ругаются и посылают всему миру проклятия базарные торговки. Он также отличается и от сухого лающего языка еврейских книжников, похожего на плохой немецкий. Бабушкин язык был певуч и горько-сладок, как грустная еврейская песня.

Идиш не был для нее основным языком. Читала она только по-русски и по-французски. И в разговоре пользовалась преимущественно русским. Идиш был ее увлечением, даже страстью. Интерес к этому языку был у нее исследовательский. Она с ним обращалась как археолог, собирая по крупицам языковые драгоценности и осторожно очищая его от вульгаризмов, отметая весь налипший веками мусор. Бабушка обожала подолгу разговаривать с еврейскими портнихами, наслаждаясь их цветистой скороговоркой, терпеливо слушать грубоватую, но сочную, как квашеная капуста, речь извозчиков и балагул и, как курочка по зернышку, отбирала искрящиеся алмазы и складывала в копилку. Поэтому, когда заговаривала она на идиш, слушать ее было удовольствием.

В нашем доме на идиш не разговаривали. Ни отец, ни мать. Хотя знали язык. В нашем доме, где обычными гостями были сослуживцы отца из конноартиллерийского дивизиона, разговаривали только по-русски. Лишь когда мои родители оставались одни и хотели обменяться мнениями о чем-то, не предназначенном для детского уха, они вполголоса перекидывались несколькими фразами на идиш.

Язык, на котором я заговорил в год, был, разумеется, русским.

Бабушка навещала нас раз в неделю, по субботам. Аккуратно причесанная, с высоко уложенными на голове седыми волосами, увенчанными темным роговым гребнем, с неизменной кружевной черной шалью на плечах, в поношенных, но почищенных кремом старомодных ботинках, высоких, со шнуровкой, она шла пешком через весь город, пересекала реку по железному гулкому мосту, выходила на булыжное шоссе, уложенное на насыпи, потому что луга с обеих сторон были низкими и топкими, и по ним разгуливали на красных тонких ногах цапли. Шоссе вело к красным кирпичным стенам военной крепости, построенной еще при царе и обнесенной высоким земляным валом, поросшим кустами орешника. У самых ворот крепости с полосатой будкой и полосатым шлагбаумом бабушка доставала из складок кофты свое пенсне с черной ленточкой и не надевала на нос, а, как лорнет, подносила к глазам, чтобы разглядеть часового, солдата с красной звездой на тулье фуражки, с простоватой скуластой рожей, уже издали скалившего ей в улыбке свои крепкие зубы.

Часовые знали бабушку и пропускали без разговору. Ее знали и любили. Потому что не было случая, чтобы она чего-нибудь не подарила часовому. То пачку папирос, а то и пряник домашнего изготовления. Для бабушки Розы что солдаты, что арестанты были людьми одного сословия, которых надо жалеть и чем-нибудь подсластить их нелегкую жизнь.

В руках она несла не сумку, а узелок, повязанный из чистого платка. В нем лежали гостинцы для внука: коржики, усеянные маком, и пряники, липкие от меда. Бабушка в пятницу пекла все это в голландской печи, которая дымила из щелей и погружала весь подвал в синий едкий туман.

Я уже ждал ее прихода с самого раннего утра, когда только открывал глаза. Вместе с бабушкой в нашу квартиру входил вкусный и сладкий аромат ее гостинцев. Со мной она здоровалась на идиш и требовала, чтобы я отвечал ей на этом языке.

— Стыдиться нечего родного языка... даже если твой папа коммунист и красный командир, — говорила она мне, подслеповато косясь на закрытую дверь в другую комнату, где, по ее предположению, не особенно торопился выйти к своей матери мой отец. — Если ты будешь отвечать мне на идиш — получишь пряники, которые бабушка испекла своими руками, а если нет, то пусть тебе папа покупает гостинцы в советском магазине.

И я, по природе весьма ленивый, готовился к приходу бабушки как к экзамену, мучил маму вопросами, по сто раз повторял услышанные от нее слова, которые я собирался преподнести бабушке как сюрприз.

Идиш евреи называют «мамелошн» — языком мамы. Я его могу смело назвать «бобелошн» — языком бабушки. И для меня он связан с ароматом ванили и пряностей, который источали ее гостинцы. Для меня этот язык сладок и пахуч, и до сих пор, проходя мимо кондитерских и уловив ноздрями запах печенья, начинаю автоматически складывать в уме фразы на идиш.

Иногда мама приводила меня в гости к бабушке и оставляла в ее подвале ночевать. Это случалось, когда моим родителям надо было куда-то отлучиться надолго из дому. Оставшись вдвоем, мы разговаривали только на идиш, и я поражался — до чего красивым и благозвучным он становился в устах этой старенькой подслеповатой женщины.

Она не была националисткой. Боже упаси! Родной язык она упрямо сохраняла потому, что новая власть, которую она на дух не принимала, пыталась этот язык умертвить, выветрить из голов евреев. Она не была религиозной, но берегла еврейские традиции не так уж по привычке, как из чувства сопротивления безбожному и безнравственному режиму, которому верой и правдой служили ее сыновья.

После выселений, реквизиций и конфискаций у бабушки ничего не осталось от прежнего имущества, кроме ветхой одежды, многократно перешитой и штопанной. Ей также удалось сберечь два старых подсвечника. В них набожные евреи зажигают свечи по субботам. Эти подсвечники были из чистого серебра и матово лоснились, когда бабушка натирала их песком. Они были тонкой художественной работы: увиты по спирали гроздьями винограда и довольно тяжелые на вес — когда я был маленьким, еле удерживал в обеих руках. На самом верху каждый подсвечник был увенчан раскрытым бутоном розы. Тоже из литого серебра. В этот бутон бабушка вставляла оплывший огарок свечи и зажигала темный фитилек, головкой шпильки выковыряв его из застывшего парафина.

Оба огарка в подсвечниках горели каплевидными язычками, вытягиваясь в темную ниточку копоти и покачиваясь, когда хлопала на лестнице дверь или наверху за подвальным окошком прогромыхивала на улице по булыжникам телега.

Эти два огонька озаряли мягкое, в складках, бабушкино лицо, кружевной белый платочек на голове, отражались слепящими бликами в стеклах пенсне.

Бабушка рассказывала мне, как она умудрилась сохранить подсвечники даже в ту пору, когда вскоре после революции советская власть отбирала дорогие вещи у их владельцев, и в первую очередь золото и серебро: за укрывательство таких вещей владельцев, не желавших расставаться со своим добром, держали в тюрьме, пока они не сознавались, куда спрятали это добро, а особенно упрямых в назидание другим ставили к стенке и расстреливали.

Революция у бабушки отняла все, и она даже не очень и скорбела. А вот с этими двумя подсвечниками, цена-то которым не Бог весь какая, расставаться никак не желала.

По всему городу шли обыски. Сотрудники ГПУ, в кожаных куртках и с большими маузерами в деревянных кобурах, врывались по ночам в спальни к обывателям, на кого поступал донос, и все переворачивали кверху дном, пока не находили в тайнике пару серебряных ложек или золотую брошь. Добыча тут же конфисковывалась в пользу государства, а ее бывшему владельцу за укрывательство припаивали пяток лет тюремного заключения. Без разбирательства. И без суда. Именем трудового народа.

Свои подсвечники бабушка Роза укрыла надежно. Кто-то их засек у нее и донес властям. Дважды обыскивали подвал: ничего не нашли. В третий раз искать не стали, а пришли ночью, велели одеться и увели с собой. В городском отделе ГПУ, в заплеванной и прокуренной комнате, бабушку допрашивал сам начальник Вертубайло, чахоточный скелет с нечесаным скальпом. В накинутой на острые плечи черной комиссарской кожаной куртке он сидел на стуле, поигрывая револьвером в костлявой руке, а бабушку оставил стоять. Бабушка не испугалась его угроз и спокойно отвечала, что она ни о каких подсвечниках ничего не знает и что ее оклеветали.

Тогда Вертубайло вызвал двух красноармейцев с винтовками, к которым были примкнуты граненые штыки, и приказал вывести ее во двор и расстрелять.

Красноармейцы повели ее, и, в дверях, Вертубайло окликнул:

— Ну, сволочь, жить тебе осталось пять минут. Сознавайся!

Бабушка не ответила ему и вышла за дверь. Красноармейцы спустились с ней по замызганной лестнице на первый этаж, вышли в маленький утоптанный дворик без единой травинки, окруженный со всех четырех сторон глухими кирпичными стенами, а в местах, где раньше были окна, проемы без рам были заткнуты мешками с песком и крест-накрест заколочены старыми трухлявыми досками.

Ее, полуживую, поставили спиной к стене, сами отошли шагов на пять, подняли винтовки и навели на бабушку. Сверху со второго этажа высунулся из окна нечесаный Вертубайло и насморочным голосом скомандовал медленно, с расстановочкой:

— По врагу революции... именем трудового народа... слушай мою команду... стрелять при счете «три»... считаю... Раз!

Бабушка закрыла глаза.

— Покажешь, где подсвечники, буржуйское отродье? За кусок серебра жизнь свою собачью не пожалеешь? Считаю... Два!

Дальше бабушка ничего не слышала, хотя чувств не лишилась и не рухнула навзничь. Просто отключилась.

— Не врет, стерва, — сплюнул со второго этажа чахоточный начальник ГПУ. — Гоните ее в шею.

Бабушку вывели на улицу и подтолкнули в спину. И она пошла. Понемногу оживая. Пришла к себе в подвал, когда уже стемнело. Стала свет зажигать и вспомнила, что пятница. Пошла и принесла из тайника подсвечники, поставила их на столе, воткнула по свечному огарку, засветила и при колеблющихся огоньках зачитала молитву на древнееврейском языке, застрявшую в памяти еще с детства.

С тех пор она стала произносить молитву каждую пятницу, перед ужином, как это делала ее покойная мать, а до нее мать матери. Молилась она в одиночестве, без свидетелей, а то, чего доброго, донесут куда следует, и это может плохо отразиться на карьере ее сына, моего отца. Поэтому даже и при мне, своем любимце, она этого не делала, а если я застревал у нее допоздна в пятницу, зажигала свечи молча.

Как бабушка молится, я все же услышал. И не потому, что схоронился неприметно и проследил. Нет.

На нашу семью навалилась беда. Бабушкиных сыновей, живших в Москве, Ленинграде и Казани и занимавших там очень ответственные посты, одного за другим арестовали, как иностранных шпионов. Какое-то время оставался на свободе лишь мой отец. Потом и его взяли, подняв всю нашу квартиру на ноги поздней ночью, и я, еще не совсем очнувшийся от сна, видел, как его уводили, велев надеть не военное обмундирование, а гражданскую одежду. Единственный гражданский костюм отца незадолго до этой ночи мать отдала в чистку, и он ушел в тюрьму в спортивных тренировочных шароварах и вязаном свитере, со звездой на спине — эмблема спортклуба, лишь на ноги ему разрешили натянуть армейские сапоги, но не хромовые, парадные, а из яловой кожи, в которых он ездил на полевые занятия.

Таким образом и я, как и мои двоюродные братья и, как я потом узнал, тысячи и тысячи других детей по всему Советскому Союзу, стал сыном «врага народа».

А бабушка Роза стала матерью четырех «врагов народа» — по количеству арестованных сыновей. Их, кроме того, что они — агенты иностранных разведок, обвинили также и в сокрытии своего буржуазного происхождения. Так что все их уловки, отдаление и отчуждение от матери, не помогли. Только напрасно старушку обижали. В ГПУ все знали и, небось, посмеивались, видя, как они упорно отгораживаются от своей матери и подчищают все следы своего «преступного» непролетарского происхождения.

Вот тогда-то я впервые увидел всех бабушкиных внуков — моих двоюродных — вместе под цементным потолком ее подвала. Их мамы, одна — татарка, другая — русская, третья — украинка, после ареста мужей были выселены из своих квартир прямо на улицу, с детьми. Куда им было деваться? Родственники в страхе отвернулись от них, чтобы на себя не навлечь беды. Даже родители побоялись приютить своих дочерей с внуками, хотя они были самого пролетарского происхождения и в своем прошлом им нечего было таить от советской власти. Не пустили на порог.

И, не сговариваясь, из Ленинграда, Москвы и Казани, купив на последние деньги билеты на поезд, устремились все три невестки с детьми в наш маленький город, к бабушке Розе, которую до того ни разу не навестили, в тайной надежде, что она не прогонит, даст им кров.

Бабушка Роза, мудрая и великодушная, с каждой из них поцеловалась при встрече, как с родной дочерью. И с татаркой Гюзель, и с русской Марусей, и с украинкой Валентиной, и всем им нашла место в своем тесном подвале.

На всю жизнь запомнил я ужин у бабушки в ночь на субботу. За столом было тесно, и дети сидели на коленях у матерей, и, потому что не хватало посуды, каждый ел из одной тарелки с матерью.

Бабушка поставила посреди стола свои два серебряных подсвечника с новыми свечами. Зажгла их. И сказала молитву по-древнееврейски (тогда я впервые услышал эту молитву), как фокусник в цирке, сделав ладонями вроде крыши над трепетными огоньками, а потом этими же ладонями проведя по своему лицу. Она благословила хлеб и еду и спокойно и с достоинством попросила у еврейского Бога, воздев близорукие глаза к бугристому цементному потолку подвала, сжалиться над безбожными ее сыновьями и не оставить сиротами этих детей, в каждом из которых вместе с русской, татарской и украинской кровью была частичка ее, бабушки Розы, еврейской крови.

Она разговаривала с Богом на его языке. Не на идиш. По-древнееврейски. И не только все три невестки — одна из мусульман, две другие христианского, православного происхождения, но и я — единственный внук ее, на все сто процентов еврей, не могли понять ни слова. Но зато мы все поняли, о чем речь, следя за бабушкиными глазами и слушая, с какой болью и страстью говорит она с потолком.

С той ночи у меня, выросшего без Бога, в моей одурманенной голове родилось подозрение, что, вопреки всем уверениям советской власти, моих школьных учителей и воспитателей в детском саду, Бог все-таки существует. И сердце у него — не камень.

Потому что он, Бог, услышал молитву бабушки Розы. Все сыновья, год или два спустя, вернулись из заключения живыми. Но не невредимыми. Они были очень крепкими и упрямыми — сыновья бабушки Розы — и не подписали ни одного обвинения в шпионаже и вредительстве, сколько их ни били на допросах. Они вернулись с широкими расплющенными носами, какие бывают у боксеров, с поломанными и неправильно сросшимися пальцами на руках, и вместо своих белых зубов, с какими их увезли, объявились дома со вставными металлическими, нестерпимо сверкавшими, когда они разжимали свои неровные, в заживших шрамах, губы.

Тогда, в ту ночь на субботу, я как зачарованный смотрел на огоньки на кончиках свечей в серебряных тяжелых подсвечниках. Эти огоньки, чуть колеблемые, отражались на выступах каждой виноградины в серебряных гроздьях, обвивавших подсвечники, и оттуда зайчиками играли в заполненных слезами до краев ресниц глазах женщин, плечом к плечу сидевших за столом и внимавших непонятным, но убедительным словам, которыми бабушка Роза просила у своего Бога помощи.

Потом они уехали, увезя детей. Уехали, когда их мужья вернулись и им больше ничто не угрожало. Но с тех пор они уже не стыдились бабушки и писали ей письма аккуратно.

А потом была война. Когда немцы заняли город, никто из бабушкиных сыновей не смог ее защитить. Они были в армии. И до невесток с внуками было не докричаться. Даже я с мамой, как назло, жили в то лето далеко от города и туда уже не вернулись.

Она погибла вместе с другими евреями, не успевшими или по старости не сумевшими убежать из города.

После войны, уже взрослым человеком, я заехал в этот город. Лично у меня там не оставалось ничего. Потянуло к местам, где прошло детство. А если не кривить душой — надеялся разыскать могилу бабушки Розы.

Военная крепость, где мы жили до войны, сгорела дотла. Вокруг пустых узких окон-бойниц на кирпичах были черные полосы копоти. На плацах, где когда-то солдаты учились рукопашному бою, росла дикая трава, и там паслись козы с репьями, застрявшими в бородах и на боках. Кое-где крепостные стены обвалились. Крепость не восстанавливали: она была бесполезной в условиях современной войны.

Сгорел и многоэтажный дом, в подвале которого жила бабушка Роза. Кирпичные стены с облупленной штукатуркой. Повисшие в воздухе лестничные марши. Скрученные, словно в конвульсии, железные балки перекрытий.

Но подвалы этого пожарища были обитаемы. Окошечки у самого тротуара были застеклены, и, нагнувшись, можно было разглядеть, что там, за стеклом, кто-то двигался. На стук открыла старушка. С крестиком на дряблой шее. Когда-то жила наверху в этом же доме.

Она меня узнала. И даже всплакнула. Пригласила войти. Вещи в подвале были другие, не бабушкины. За кроватью, покрытой стеганым одеялом, стояли на полке два до боли знакомых подсвечника. Тусклого серебра. Перевитые виноградными гроздьями.

— Это ее, — кивнула старушка. — Как уводили, беднягу, сказала мне: возьми себе. На память. Мол, больше ничего у меня ценного нет. Ну, раз вернулся живой — твои они. По наследству.

Она завернула подсвечники в газету с фотографией Сталина в форме генералиссимуса на полстраницы и протянула мне. Я принял их в раскрытые ладони, и руки мои дрогнули.

... Теперь, в таможне, я держал в руках оба подсвечника и смотрел в рыбьи, с похмелья, глаза чиновника, все еще надеясь, что он вдруг улыбнется, махнет рукой и скажет:

— Ладно! Вези оба!

Он не улыбнулся.

— Попрошу не задерживать, — сказал он, не глядя на меня. — Один подсвечник разрешаю взять, второй оставьте здесь. И чтоб больше к этому вопросу не возвращаться.

— Дай, сынок, мне один.

Мой отец протянул руку к подсвечнику.

Я уже был в зале ожидания, где толпились евреи, прошедшие таможенный досмотр. Они держали сумки, маленькие чемоданчики — ручную кладь, которую позволяли взять с собой в самолет. У меня в руке, зажатый посреди стебля, мерцал серебряный подсвечник.

За толстым звуконепроницаемым стеклом от пола до потолка, прозрачной, но глухой стеной отгораживающим уезжающих навсегда от провожающих, остающихся навсегда, стоял, сдавленный другими евреями, мой отец, приплюснув нос и шевелящиеся губы к стеклу. Я ничего не слышал, сколько ни напрягал слух. Мы уже были в двух разных мирах, разделенных не только этим стеклом, но и границей, о которой напоминали то и дело проходившие по залу солдаты с автоматами в зеленых фуражках пограничных войск. Глаза отца моргали — он силился сдержать слезы, как подобает офицеру, хоть и отставному. У меня тоже из-за влаги в глазах расплывалось, текло изображение, и нестерпимо, до рези, посверкивал в отцовской руке бабушкин подсвечник, насильственно разделенный со своим напарником. Должно быть, и меня отец тоже видел нечетко, и ему туманно отсвечивал второй подсвечник, в моей руке. И эти два ярких серебряных блика у меня и у отца по обе стороны стекла выделяли нас обоих в толпе, как две половины расколотого целого.

ЗАГАДОЧНАЯ СЛАВЯНСКАЯ ДУША

После ужина гости Маргулиса обычно разделялись на две группы. Мужчины, те, что помоложе и крепче, поднимались на второй этаж в кабинет к хозяину перекурить. Кабинет из темных старинных книжных шкафов по стенам, с большим письменным столом, напоминавшим зеленым сукном биллиард, и мягкими кожаными креслами и диванами, тонул в зеленоватом полумраке настенных бра и старинной литой бронзы настольной лампы. Зеленоватый свет быстро перемешивался с синими прядями сигарного дыма. Вкусные гаванские сигары в раскрытой коробке манили закурить даже тех, кто давно бросил это занятие. Алекс мучительно боролся с искушением взять двумя пальцами хрустящую и упругую темно-коричневую штуку, медленно развернуть и снять золотистый ободок, надрезать специальным ножичком кончик и, прикусив сигару передними зубами, подержать во рту и не зажигать, а только вкушать острый возбуждающий запах.

Покурить с мужчинами поднимался и девяностолетний Сэм Кипнис и, пыхтя и посапывая, жевал вялыми губами сигару, слюнявил ее, и рыжие трупные пятна на его голом черепе стушевывались в облаке пахучего дыма.

Из женщин уходили в кабинет нещадно курившая миссис Шоу, оставив в гостиной занимать дам своего некурящего мужа-адвоката, и еще одна молодящаяся сухопарая женщина, муж которой недавно бросил курить. Эти две дамы присоединялись к мужчинам не только из-за своей страсти к табаку — пропустить пару сигареток не возбранялось и в гостиной, а потому, что в кабинете у Эйба Маргулиса гости предавались мужским разговорам, далеко не для каждого женского ушка приемлемым. Их мужчины считали «своими парнями» и не стеснялись в выражениях. И они курили и слушали, понимающе играя глазами, но сами в разговор не вмешивались — это, пожалуй, посчиталось бы нарушением приличий.

Собиравшиеся в кабинете курильщики давно знали друг друга, и эти встречи почти в том же составе чередовались то у Эйба Маргулиса, то у кого-нибудь из них, каждую неделю год за годом. За исключением летних каникул и зимних поездок в Колорадо на лыжный сезон. Все хоть мало-мальски скабрезное из своего опыта они уже поведали друг другу, и не по одному разу, смакуя и мусоля пикантные подробности. Алекс был свежим человеком. И опыт его был другой. Из таинственной и романтичной России. Да еще он и рассказчик был отменный. И поэтому все взоры из сигарного дыма устремились на него, без слов пояснения, что пальма первенства отдана ему, их уши приготовлены к приему и заранее предвкушают услышать нечто незаурядное, с перцем, а уж дело его чести оправдать их надежды и доставить им радость.

На сей раз Алекс решил не копаться в далеких воспоминаниях, а пощекотать их уши рассказом о своих приключениях здесь, в Америке, на Западном побережье, в славном городе Сан-Франциско, куда занесла его изменчивая эмигрантская судьба как раз в ту пору, когда он на короткий миг стал ее баловнем. И не без помощи Эйба Маргулиса, замолвившего за него словечко в каком-то лекционном бюро, и его, как по мановению волшебной палочки, на неделю вынесло из грязи в князи, из тараканьего логова гостиницы «Ройял» в охлажденный воздух апартаментов самых роскошных отелей «Хилтон» и «Шератон», и он плотно, впрок, бесплатно набивал свое брюхо самыми изысканными блюдами в дорогих ресторанах при этих отелях три раза в день, а если не было лень, то и четыре раза, вместо денег рассчитываясь с официантами своей размашистой подписью на каждом счете, поднесенном на серебряном блюдечке. И еще дописывал пятнадцать процентов дополнительно к счету на чай вышколенному холую, знающему толк в клиентах и, конечно, догадывающемуся, что эта птица не из миллионеров, потому что миллионер так не пыжится, стараясь выглядеть солидно и, кроме пятнадцати положенных процентов на чай, приписанных к счету, обязательно уходя оставит на столике среди смятых салфеток доллар-другой наличными.

Бюро, нанявшее его для этого тура по нескольким городам, кроме умеренного гонорара, оплачивало все его расходы: и самолет, и такси, и гостиницу, и питание в гостиничных ресторанах. Алекс только расписывался на счетах.

В Сан-Франциско он отбарабанил свою лекцию в полдень во время ланча, и его слушали с набитыми ртами, жуя сандвичи и хлебая кофе из бумажных стаканов. Так в Америке экономят время. А потом он был свободен до следующего утра. Утром предстояло вылететь в Питтсбург, почти на другой конец континента, и завтрак и обед, тоже бесплатные, входящие в стоимость билета, ему будут сервировать на пластмассовых подносах на откидном, со спинки переднего кресла, столике прелестные, улыбчивые стюардессы.

Алекс не позволял себе тратить лишнего доллара, стараясь сэкономить как можно больше в поездке, чтобы потом тянуть на свои кровные в Нью-Йорке. Поэтому он себе никаких развлечений, связанных с затратами, не позволял и старался держаться поближе к своему небоскребу-отелю, где все, что он израсходует, будет занесено в счет и предъявлено не ему, а его работодателям. Он дважды пообедал, выпил несколько коктейлей, послонялся по холлам, полежал во дворе на раскладушке возле бассейна, сняв рубашку и грея плечи и грудь на ласковом калифорнийском солнышке. Потом смотрел цветной телевизор у себя в номере, прыгая с программы на программу нажимом кнопки на ручке дистанционного управления. Распахнул шторы и смотрел с пятнадцатого этажа на залив с первыми огоньками на противоположном берегу, на знаменитый цепной мост «Золотые ворота», пересекающий залив. Верхушки двух опор моста уходили в облака или в полосу тумана, пробивая их насквозь и оттуда дразня небо красными сигнальными огнями. Огоньков на заливе становилось все больше и больше. Наступал вечер. Спать не хотелось, потому что он днем успел вздремнуть между двумя обедами.

Всего этого Алекс, конечно, не рассказал гостям Эйба Маргулиса, собравшимся в кабинете выкурить по сигаре и послушать что-нибудь с перчиком, мужскому уху предназначенное. Он начал с того, как, совершенно не зная, куда себя девать, увидел в лифте отеля афишку с объявлением, что на четырнадцатом этаже к услугам постояльцев имеется финская сауна с массажистками. Алекс решил выйти на четырнадцатом и узнать, нельзя ли попариться и подвергнуть свое тело массажу не за наличные, а такой же росписью в счете, как и в ресторане и в киосках, торгующих разной мелочью в холле.

В приемной на него подняло зеленые, как незрелый крыжовник, глаза прехорошенькое существо с рыжими, медного оттенка, пушистыми волосами, с белым, какое бывает только у рыжих, лицом, редкими пленительными веснушками на щеках и вздернутом носике. Она была в бледно-голубом, выше колен, халатике, в незапахнутом вороте которого заметно бугрились такие же молочно-белые груди, не стесненные никаким бюстгальтером. Босые ноги с крепкими икрами и круглыми коленями держали на концах пальцев домашние шлепанцы.

Алекс подробно описал прелести Кэт, которую он тут

же на русский манер окрестил Катей и так и называл ее дальше. Она понравилась слушателям. Даже миссис Шоу прищурилась, буравя Алекса своим загадочным мерцающим взглядом из-под наезжающих на глаза прямых прядей черных с сединой волос. А престарелый Сэм Кипнис перестал чмокать сигарой и сидел не шелохнувшись — длинный кусок серого пепла на конце его сигары держался и не падал ему на колени.

Эйб Маргулис ободряюще улыбался несвоими жемчужными зубами и удовлетворенно поглядывал на внимающих рассказчику гостей. Начало сулило презанимательнейшую интрижку.

Все решило крохотное обстоятельство: услуги массажистки тоже можно было внести в гостиничный счет, и скоро Алекс уже лежал на деревянной полке в сауне, и его обнаженное тело приятно покалывали и щипали незримые волны сухого пара. Потом он лежал в прохладной кабинке, с наслаждением вдыхая полной грудью остуженный эйркондишеном воздух. Зеленоглазая рыжая Катя сидела рядом с ним, показывая вкусные круглые колени, и старательно натирала маслами его грудь и живот, целомудренно прикрыв низ живота мохнатым полотенцем. Затем она массировала его ноги и, велев повернуться, спину и плечи, шлепала ладошками наотмашь по ягодицам.

Алекс блаженствовал и чуть ли не мурлыкал от наслаждения и испытывал какое-то удивительное, необъяснимое чувство оттого, что он лежал голый, и рядом с ним сидела, лаская его тело упругими ладошками, полуодетая пышущая здоровьем и свежестью юная зеленоглазая русалка, почти доступная и недосягаемая. Эта вот половинчатость, недосказанность волновала его больше, чем если б она принадлежала ему и в его мужской самцовой воле было бы поступить с ней как ему заблагорассудится. Рыжая Катя, оказавшаяся американкой в пятом поколении, хорошей смеси шотландских и ирландских кровей, массировала его прилежно, ей, видно, наскучило безделье из-за нехватки клиентов, и это было разминкой для нее самой, ее белокожего, крепкого, до краев налитого соками тела. И беспечно болтала с ним, заинтригованная его акцентом. И профессией. Кинорежиссер. Близость Голливуда сказывалась на воображении калифорнийских девчонок. Там была сказочная жизнь. Доступная избранным. Кому повезет. Кто сумеет вовремя показать свои прелести нужному лицу. Даже не кинорежиссеру, а его третьему ассистенту. И тогда распахнутся ворота рая. Начнется феерия.

И вот Катя разминает еще не совсем старое тело такого мага, волшебника. Да еще из загадочной России. Говорящего по-английски с таким акцентом, с каким в голливудских фильмах разговаривают русские шпионы.

Еще не имея никакой определенной цели, он сразу стал привирать ей. Даже не заикнулся о своей эмигрантской нищете. Он, мол, советский кинорежиссер, из Москвы, будет ставить совместный советско-американский фильм. Сейчас это в моде. Детант. Вот, ездит по Америке, приглашенный Голливудом, знакомится с жизнью этой страны, ищет места поинтереснее для съемок.

Катя клюнула на наживку. Даже перестала массировать, а лишь задумчиво водила ладонями по его бокам, бедрам и раз нечаянно смахнула полотенце, обнажив его всего, и при этом не смутилась и не стала поднимать полотенце с полу.

— Как долго вы пробудете в Сан-Франциско? — спросила она.

— Недельку... или две.

Алекс улетал завтра утром в Питтсбург, и билет на самолет торчал из нагрудного кармана пиджака, который висел на плечиках у его изголовья.

— Вы здесь уже все успели повидать?

— О нет. Я только приехал, — потянул нитку Алекс. — Мне бы хотелось посмотреть Сан-Франциско изнутри. Понимаете, не туристический Сан-Франциско, а его лакомые, злачные места... известные лишь хорошему знатоку города.

— Я здесь родилась, — сказала Катя, и ладонь ее застыла на его животе.

— Послушайте, Катя, — снизу заглянул ей в глаза Алекс. — Вас Бог послал. Мне нужен гид! Вы знаете город как свои пять пальцев. Не правда ли? Я не ограничен в средствах, и поэтому мы себе можем позволить роскошь побывать в самых изысканных и дорогих местах.

— Но... я работаю.

— Возьмите отпуск.

— Зачем? Я занята через день... Вас устроит... если... я буду с вами... три дня в неделю?

— Конечно. И... ваш труд будет отлично оплачен. Расходы, разумеется, я беру на себя. Сто долларов в день вас устроит?

— О!

— И вообще за деньгами остановки не будет. Все должно быть самым лучшим и изысканным. Платит Голливуд.

— О!

— Ну, вот и договорились. Завтра с утра и начнем.

Никто не заглядывал в массажную кабинку, и Алексу вдруг мучительно захотелось ее. Он положил руку ей на бедро. Она не сняла руки, а только вскинула глаза и деловито сказала:

— Здесь нельзя. Узнают — немедленно уволят.

— Тогда поднимемся ко мне...

— Нет. Я работаю в этом отеле. Кто-нибудь увидит.

— Когда ты кончаешь работу?

— Около полуночи.

— Сразу же поднимайся ко мне. Этажом выше. Без лифта. По лестнице. Там никто не ходит.

— А как я выйду? Мне ведь придется поздно ночью пройти через холл... а служащие отеля знают, когда массаж закрывается. Догадаются, где я была.

— Глупенькая, зачем тебе ночью переться через холл? Поспишь у меня, а завтра, когда новая смена заступит и в холле будет много народу, тебя никто и не заметит.

Доводы Алекса убедили ее. Она спросила номер его комнаты и сказала, чтоб он ждал ее после двенадцати. Он оделся, не стесняясь ее. Она выписала квитанцию на пятнадцать долларов. Алекс щедро приписал снизу чаевые и размашисто расписался. А уходя, фамильярно поцеловал ее в щеку, а затем, подумав, в губы. Катя прикрыла веками свои зеленые большие глаза и, нежно обняв за шею, поцеловала в ответ и тоже в губы. Как целуют любимого. Без подделки. Девочка с радостью быстро-быстро вошла в роль любовницы знаменитого кинорежиссера-волшебника, способного одним взмахом руки переделать ее скучную и серую жизнь Золушки из массажной кабинки отеля в ослепительную и радужную сказку, где деньгам не знают счета, все будет самым лучшим и изысканным. Платит Голливуд.

До полуночи оставалось почти три часа, и Алекс все это время изнывал от нетерпения, снова слонялся по всему многоэтажному отелю, заглянул в ресторан, поковырялся в еде, но есть не смог и лишь подписал очередной счет. Посидел в баре, тянул коньяк. Без интереса обозревал публику, а в мыслях был с ней, с Катей. Чувствовал кончиками пальцев ее белую-белую кожу, видел мерцание зеленых, как незрелый крыжовник, глаз, зарывался лицом, носом в пушистую гриву медного цвета и обрывал грезы, чувствуя, что соседи замечают, как он возбужден, и даже косятся на его вздувшиеся между ног брюки.

Последний час он решил полежать в комнате. Успокоиться, отдохнуть. Предстояла сладкая, но совершенно изнурительная ночь. А завтра у него лекция в Питтсбурге, а после такой ночи да еще многочасового перелета он будет иметь неважнецкий вид. Ему ведь не двадцать и не тридцать. В его возрасте любое чрезмерное усилие запечатлевается на лице новой морщинкой и синяками под глазами.

В половине двенадцатого он почувствовал, что у него заныло в челюсти. В верхней. С правой стороны. Он сунул в рот палец. Нащупал зуб. Заныло сильнее. Он нажал. И тогда родилась боль. Тонкая. Сверлящая. От зуба вверх к скуле. Оттуда к виску. И под череп.

Он вскочил, забегал по комнате. Боль росла, охватывая полголовы. Всю ту сторону, где вначале слабо заныл зуб.

Зубная боль всегда пытка. И даже сильные, мужественные люди сгибаются от нее в три погибели. Но когда такая боль начинает разрывать челюсть и всю голову накануне свидания с красоткой, которая вот-вот войдет, играя зелеными глазами, открывая в улыбке за сочными губами ровные белые зубы, которые не болят... то хочется взвыть в голос и проклясть свою злосчастную судьбу.

Куда звонить в такой поздний час в незнакомом городе?

Алекс вскочил в ванную, разинул рот перед зеркалом, двумя пальцами ухватил больной зуб, зашатал его в нелепой потуге вот так вот голыми пальцами вырвать с корнем и таким образом заглушить, унять невыносимую боль.

Конечно, ничего сделать не удалось. У Алекса раскалывалась голова. Боль пульсировала в висках, в затылке. У него начинался жар. Хотелось выть в голос. Он пробовал полоскать рот холодной водой из крана. Не помогло. Включил горячую воду. Стало еще хуже. Он носился по своей комнате, упершись кулаком в больную челюсть, и с трудом услышал сквозь гул в голове настойчивый вкрадчивый стук в дверь. Наконец в его сознании сверкнула мысль о том, что это Катя. На часах была четверть первого ночи.

Он открыл, постаравшись придать своему лицу нормальное выражение. Катя вошла, улыбаясь и прикрыв за собой дверь и сама повернув ключ в замке, стала перед ним, интимно заглянула в глаза и положила свои руки ему на плечи.

Когда она разделась, Алекс, хоть ему было не до того от неослабевающей боли, не смог не прийти в восторг при виде мягкой белой фигуры, белой, как мрамор, с синими прожилками порой чуть заметных под кожей вен. При взмахе головы вздыбливался огненный вихрь волос. И глаза. Огромные. И зеленые. И доверчивая улыбка двух рядов прекрасных, как на заказ, зубов. При ее двадцати годах у нее широкие налитые женские бедра. И большие груди. Белые полушария с темными торчащими сосками.

Алекс лег с ней в постель и на время отключился, забыл о боли. Готовая лопнуть голова была отдельно, а все его тело напряглось от возбуждения. В нем проснулся такой силы самец, каким он себя давно не помнил, и он овладел ею яростно, зло, словно каждым ударом своего тела он давил, уничтожал боль, и Катя, стеная и вскрикивая, насладилась им многократно, пока и он разрядился, наконец.

Как только это произошло, тупая неумолимая боль снова стала рвать череп, и Алекс, лежа на спине рядом с совершенно раздавленной и удовлетворенной Катей, которая слабо и нежно поглаживала ладошкой его живот, чуть не плакал от досады. Катя даже и не догадывалась, какие муки испытывал он.

Он думал о том, что надо сказать ей. Может быть, она что-нибудь посоветует, придумает. Но тогда из любовницы она превратится в сиделку. А утром он улетит и больше не увидит ее, и на всю жизнь у него останется ощущение, что его только поманили, показали краешек огромной радости и не дали насытиться ею, а только разожгли голод, который уже больше не утолить. Ни одна женщина не сможет заменить Катю. Так казалось ему в ту ночь. И он ничего не сказал ей. И еще два раза овладел ею. Доводя ее до исступления своей неиссякаемой мужской силой и бесконечно долгой выдержкой, причины которой ей были невдомек. В перерывах он убегал в ванную, полоскал рот. Снова пытался вырвать пальцами зуб. И тихо поскуливал, чтоб она его не услышала.

Ему так и не удалось в эту ночь сомкнуть глаз. Катя умудрилась несколько раз вздремнуть, разметав мягкие рыжие волосы по его груди и лицу, и он жевал губами эти волосы, стараясь хоть этим отвлечься от боли. Порой ему казалось, что щека вздулась и опухла, но Катя, открыв глаза, ничего не замечала, даже когда, ласкаясь, водила горячими губами по этой стороне лица.

За окном рассвело. Открылся вид на залив. Погасли гирлянды огней на мосту «Золотые ворота». Верхушки опор моста скрывались в густом молоке утреннего тумана, наплывавшем с открытого моря. Вернее, с Тихого океана.

Он отупел и привык к своей боли. В восемь утра они оба приняли душ, вместе плескаясь под теплой струей. Катя резвилась и веселилась, как ребенок, вслух прикидывая, в какие из сан-францисских злачных мест им лучше всего направиться. Он велел ей собраться и пойти домой отдохнуть до пяти часов вечера. Он ей позвонит. Чтоб она к тому времени была готова. Они вместе окунутся в сладкую жизнь. А сейчас у него дела. Он ждет важного посетителя.

Катя, заливаясь счастливым смехом, одевалась. Смеясь, целовала его на прощанье, и ему стоило больших усилий не морщиться, когда она касалась воспаленной щеки.

После ее ухода он быстро уложил вещи, слетел вниз в

лифте, подписал все бумаги у администратора гостиницы и, вскочив в такси, попросил шофера быстрее мчаться в аэропорт. Шофер оказался понятливым малым, и они добрались туда так быстро, что еще оставалось время до объявления посадки на самолет.

Вот тогда-то в мутной голове Алекса появилась мысль, что он поступил как свинья, обнадежив и обманув простоватую бесхитростную Катю, прелестную зеленоглазую и огненно-рыжую американскую девочку шотландских и ирландских кровей, и что она будет вечером ждать напрасно его звонка и так никуда не пойдет и просидит до ночи у телефона, а потом будет плакать, как ребенок, которому не дали обещанной игрушки.

Он набрал ее номер, слышал долгие гудки, которые, наконец, вырвали ее из сна, потом ее хриплый голос и радость, когда она узнала, кто звонит. Он сказал ей всю правду. Она не перебивала. Ни вздохом, ни словом. Он сказал, что он — нищий эмигрант. Что он действительно режиссер. Но бывший. Никто не пригласил его на совместный советско-американский фильм и никогда, по-видимому, не пригласит. У него ни гроша в кармане. А за номер в гостинице платят те, кто наняли его на неделю читать скучные лекции наивным американцам о советской внешней политике, сведения о которой он сам черпал из американских газет.

О своей зубной боли он снова умолчал.

— Прости меня, Катя... Если можешь.

Трубка долго молчала.

— Ладно, — сказала Катя. — Прощаю. Если для тебя это важно. Хоть ты и подлец, но мужчиной оказался отменным. Американцев я таких не встречала.

Алекс рассмеялся в телефон:

— Дорогая Кэт, спасибо за комплимент. Только, ради Бога, не адресуй его русскому народу. Я — нерусский. Я — еврей. Из России. Поэтому будет справедливо, если мой сексуальный успех разделят со мной мои соплеменники, евреи.

— Вы не только негодяй, вы еще и националист.

Кэт рассмеялась на другом конце провода.

В Питтсбурге перед лекцией ему вырвали зуб с наросшим на корне мешком гноя, и врач-американец удивился, как он смог выдержать такую адскую боль в течение почти суток.

— Вы, русские, — железные люди.

Лекцию Алекс читал с кровавым ватным тампоном в дыре между оставшимися зубами. При этом немножко шепелявил. Слушатели же приписали это русскому акценту лектора.

История, рассказанная Алексом, понравилась мужчинам. Даже старейший Сэм Кипнис, давным-давно отошедший от активных дел в бизнесе, а от сексуальных и подавно, пришел в неожиданное возбуждение и предложил Алексу, когда гости прощались с хозяевами, прогуляться пешком перед сном, благо им было по пути.

Чтобы добраться до эмигрантского клоповника на Западной стороне, нужно было обогнуть Сентрал-Парк и пройти фешенебельную Сауф-Лейн-парк, состоявшую из самых дорогих отелей, где богатые люди снимали квартиры и жили под охраной вооруженной стражи и объективов телекамер. В одном из этих отелей снимал холостяцкую квартиру стоимостью в полторы тысячи долларов в месяц престарелый Сэм Кипнис. Вторую такую же квартиру он держал в другом отеле на другом конце Америки, в жарком Майами, и жил попеременно, в зависимости от времени года, то там, то здесь.

Сейчас он довольно бодро для своих лет вышагивал рядом с Алексом и, возбужденно жестикулируя, говорил с ним на русском языке, изрядно забытом с тех пор, как он мальчиком, учеником гимназии, покинул родной город Пинск.

— Мой друг, поверьте опытному человеку... я ведь тоже знал женщин... Я переспал... чтоб не соврать... с женщинами, какие только есть на земле... всех национальностей. Вы удивлены? Нет, я не объездил для этого земной шар, их всех имел в одном месте. В одном городе... Есть такой... Рио-де-Жанейро. Там я провел несколько лет... в молодости. И там были бордели по национальному признаку... В одном борделе исключительно польки, в другом — еврейки, в третьем — немки, в четвертом — индианки из племени апачей... отдельно из племени ирокезов... Даже негритянки из Африки тоже были разделены строго по племенному признаку.

Короче, в городе Рио-де-Жанейро я перепробовал женщин всего земного шара... Всех... за одним исключением... Мне не удалось переспать только с голландской женщиной. В голландском борделе я переспал со всеми, кто там был в наличии... и все они, когда их немножко поскрести, оказывались не голландками, а норвежками, польками, кем угодно, но не голландками.

Это меня задело за живое. И, будучи в Европе, я специально заехал в Голландию, посетил не один бордель... не два... и с тем же результатом. Вы можете себе такое представить? Голландки не занимаются этим ремеслом. И поэтому, если вы меня спросите, что собой представляет голландская женщина, я вам честно признаюсь: не знаю, не пробовал. И если вы думаете, что я что-нибудь помню о других, то глубоко заблуждаетесь. Ничего, дорогой мой, не помню. Ни лиц, ни тел... ни глаз... ни голосов... Как будто никогда не касался женщины... А сколько я на это денег ухлопал! По тем временам — состояние... Не помню... Единственное, что осталось в памяти... это... что у негритянок какой-то специфический запах... А вот какой запах... убейте, не припомню.

Прощаясь с Алексом у подъезда своего «Эссексхауза» на виду у плечистого мордастого портье и под устремленными на них объективами замаскированных полицейских телекамер, Сэм Кипнис тряс своей розовой с бурыми трупными пятнами головой и смотрел на него слезящимися бесцветными от старости глазами.

— Запомните, что я вам сказал... Женщина — пустой звук... Ничего не остается. Я даже свою покойную жену забыл. А голландки остались для меня загадкой. Самые нравственные женщины на земле. Правда, это когда было? Все в мире изменилось... к худшему. Но если вы надумаете жениться, мой вам совет — купите билет в Амстердам.

Совсем другую реакцию вызвал рассказ Алекса у дам в курилке у Эйба Маргулиса. Они, в отличие от мужчин, не смеялись над его злоключениями в гостинице в Сан-Франциско, где в самый неподходящий момент на него свалилась зубная боль. Миссис Шоу, нервно курившая сигарету, исподлобья, неотрывно, как бы гипнотизируя, рассматривала его и, когда все спускались из курилки в гостиную, как бы ненароком задержалась возле Алекса на узкой лестнице и тихо сказала грудным низким голосом:

— Оставьте мне ваш телефон. У меня имеются связи в мире кино... Возможно, я смогу быть вам полезной.

Она позвонила ему в гостиницу поздно ночью, когда он уже спал на своем жестком матрасе. Он успел за это время забыть и ее имя, и как она выглядит, и поэтому миссис Шоу пришлось долго, с заметной долей раздражения в голосе, объяснять ему, кто она такая.

— Не очень пристойно так легко забывать даму, которой вы были представлены, — выговорила она ему по телефону чуть хрипловатым от излишнего курения голосом. — Тем более что эта дама обещала свою поддержку в поисках нужных связей. Или вы уже устроили свои дела и вам не нужна помощь?

Алекс стал лепетать нечто оправдательное, и по мере того, как он говорил, сознание его окончательно освободилось от сонной паутины, и он вспомнил жену адвоката в салоне у Эйба Маргулиса, средних лет женщину вампирного типа, с мрачным затаенным взглядом черных глаз, глубоко укрытых под густыми бровями, ее прямые черные с проседью волосы и неправильный прикус: выступающую вперед нижнюю челюсть.

— Не нужно оправдываться, — снисходительно сказала она. — Тем более по телефону. Вы — из другого мира. У вас — другая мораль. До сих пор мужчины, которых со мной знакомили, помнили меня. Даже когда я забывала об их существовании. Что вы так тяжело дышите?

— Я дышу нормально, — ответил Алекс и сам услышал в трубке частое сопение. — И если у вас нет насморка, значит, нас подслушивает дежурная на коммутаторе гостиницы. У нее аденоиды, и когда она увлеченно слушает чужие разговоры, начинает сопеть.

В телефоне что-то треснуло, и сопение прекратилось.

— Это замечательно, — рассмеялась миссис Шоу. — Кажется, теперь отличная слышимость. Вот так обычно легко дышится, когда прочистишь нос. Да, так ближе к делу. Вы, конечно, понимаете, что я не для того позвонила, чтоб услышать сопение леди-телефонистки. Есть дело.

И таинственно умолкла.

— Какое? — не выдержал и ухватил наживку Алекс.

— Приедете — узнаете.

— Когда?

— Сейчас... я вам дам адрес. Возьмите такси...

— А не поздно?

— Если б я так считала, то не стала бы вас беспокоить. Я еще раз повторяю, вам нужна моя поддержка?

— Конечно, конечно.

— Так вот. Я, как вы догадываетесь, не у себя дома на Лонг-Айленд, а в Нью-Йорке. В Гринич-Виллидж. У своих друзей. Из вашего мира. Из кино. Я им о вас говорила...

— Но... будет ли удобным... беспокоить людей так поздно?

— Не прикидывайтесь наивным. У этих людей день начинается только сейчас, после полуночи. А у вас в Москве богема живет иначе? Потом... мне не пристало вас упрашивать. Снова проступает разница культур... Вы едете? Запишите адрес.

Ехать надо было к черту на рога, через весь Манхэттен, сверху вниз по этому длинному каменному острову, густо застроенному самыми высокими в мире домами. На такси он не стал раскошеливаться — потянуло бы долларов на десять. А это — два дня жизни. Даже три. Можно вполне уложиться в три доллара в день. Если варить на плите в своем номере куриные крылышки и пупки — будет и мясо, и можно запить оставшимся бульоном.

Съехав лифтом в холл, он отдал ключи дежурной с телефонными наушниками на голове, и она презрительно фыркнула под его взглядом.

Алекс спустился в метро. В ржавый и грязный нью-йоркский сабвей, насквозь пропахший мочой и совсем не безопасный в это время суток. Внизу на платформе два негра и одна негритянка тупо приплясывали на одном месте, пощелкивая пальцами и лениво отрывая каблуки от заплеванного цементного пола. На скамейке стоял большой черный транзистор и, казалось, подрагивал от горячих знойных ритмов. Даже усеянная окурками платформа вибрировала под ногами у Алекса. Но не от включенного на всю мощь транзистора, а от приближающегося с грохотом и лязгом поезда. Алекс поспешно прошел вперед, чтоб не садиться в тот же вагон, что и эти трое с транзистором.

Когда двери вагона пневматически захлопнулись за его спиной, он обнаружил, что, кроме него, в полупустом вагоне нет ни одного белого лица. Сплошная чернота. Человек десять на разных скамьях. Молодые и старые негры с усталыми сонными лицами, и от этого вид у них был совсем не дружелюбный. Алексу сразу припомнились многократные репортажи по телевизору об убитых в сабвее пассажирах, изнасилованных женщинах. И всегда пойманные убийцы и насильники прикрывали руками свои лица от объектива камеры, и почти всегда эти лица были черными, как и ладони, заслонявшие их.

Хозяева города, испуганные ростом преступности под землей, поскрипели, поохали и выжали из тощего бюджета Нью-Йорка еще парочку миллионов долларов, и по ночам в каждом поезде сабвея стали патрулировать полицейские. Сотни полицейских торчали под землей, и пассажиры ехали как бы под конвоем. Дожил величайший город мира!

Алекс присел на свободную скамью и стал косить то в один, то в другой конец вагона, надеясь скоро увидеть кряжистую толстозадую фигуру нью-йоркского полицейского, увешанного оружием, патронташем, резиновой дубинкой, радиоаппаратом, металлическими браслетами наручников и связкой ключей. Почему-то у полицейских на поясе висело чудовищно много ключей. Словно для того, чтобы отпирать и запирать решетчатые двери камер большой тюрьмы. И зады у них были раскормленные, широкие. И ходили они вразвалку, как жирные гуси, в своей темно-синей форме. При взгляде на них возникала мысль, что ударить они могут крепко, внушительно, но бегать, ловить преступника им при таком весе явно не под силу.

Алекс ждал, теряя терпение, когда же наконец появится этот неуклюжий толстый и столь желанный полицейский. А он не появлялся, и Алекс ехал в окружении дремавших черных, и ему казалось, что скоро кто-нибудь из них встанет со скамьи, небрежно подойдет к нему и, оттопырив толстые губы, уставится в его белое, от страха еще сильнее побелевшее лицо. И как он, Алекс, тогда поступит? Будет защищаться один против дюжины? Каждый из них крепче его. Безоружный против ножа, а может быть, и пистолета. Сопротивление бессмысленно. Лишь больше ударов навлечет на себя. А сдаться без боя, как баран, подставить выю под нож было совсем не по-мужски, и Алекса покоробило оттого, что такая трусливая мысль пришла ему в голову. Руки и спина покрылись гусиной кожей.

Вагон качался, погромыхивая, минуя без остановки промежуточные станции, мелькавшие после черноты за окном белыми кафельными стенками платформ. Этот поезд — экспресс. И пока доберется до остановки и спасительно распахнет пневматические двери, можно много раз умереть: быть зарезанным, застреленным и даже изнасилованным. А что? Среди этих рож немало гомосексуалистов.

Когда у него вспотели ладони и окаменела от напряжения шея, из другого вагона прошел к ним полицейский. С широкой, в темно-синем сукне, спиной, с разошедшимся в стороны низом форменной куртки, потому что куртку распирал большой откормленный зад. Гремели ключи в связке на поясе, позвякивали хромированные кольца наручников, и большая черная дубинка подскакивала при ходьбе, ударяясь о большое толстое бедро.

У полицейского были черные, как в перчатках, кулаки. И черное губастое лицо под козырьком форменной фуражки. Полицейский тоже был негром.

Друзья миссис Шоу жили в самом сердце Гринич-Виллидж, на Кристофер-стрит, улице, известной на весь Нью-Йорк высочайшим процентом гомосексуалистов на душу населения. В этот час, уже за полночь, «голубые» фланировали парочками по узким тротуарам Кристофер-стрит в обнимку, положив друг дружке ладони на ягодицы. Ягодицы у гомосексуалистов были узкими и выпуклыми. Какая-то смесь мужских и женских признаков. И были они, гомосексуалисты, чем-то похожи друг на друга, как братья. Невзирая на масть, цвет глаз, рост. Что-то в их облике было одинаковое, общее, как у представителей одного и того же подвида млекопитающих. Словно они все были расово идентичными. Одной, какой-то новой национальности. Как бывает у дебилов, монголоидов.

Когда-то Алекс был поражен, увидев в парке целую вереницу юных дебилов лет по двенадцати-тринадцати. Из какой-то лечебницы их вывели под наблюдением воспитателей на прогулку. Маленькие уродцы происходили не только от разных родителей, но и представляли все три главные расы на земле. Там были белые, желтые и одна негритянка. Но выглядели они членами одной семьи, с одинаковыми видовыми признаками: отвисшие, слюнявые нижние челюсти, узкие заплывшие глазки, крохотные лобики на сужающихся кверху головах. Лишь цвет кожи был разным.

Гомосексуалисты, вдыхавшие неостывший и ночью нью-йоркский воздух, были, как на подбор, узкобедрыми, до треска в швах, как гусары в лосины, затянутые в потертые джинсы. Кожаные куртки до талии дополняли эту униформу. Куртки непременно с узеньким меховым воротничком. Даже летом. И желтые ковбойские сапоги, на короткие голенища которых приспущены джинсовые штанины трубочкой. Длинных волос гомосексуалисты не носили. У них были короткие спортивные стрижки. Вроде старомодного «ежика». И непременные усы.

Они мирно паслись на узких тротуарах, обхватив ладонями ягодицы напарников, и синхронно покачивали станом, обходя груды черных и серых пластиковых мешков с мусором.

Алекс поднялся лифтом к друзьям миссис Шоу. Ему открыла блеклая худая женщина, несомненно, из актрис, судя по испорченной гримом коже лица. В комнате на диванах и пуфах сидело еще несколько мужчин и женщин, не очень молодых и тоже актерского типа, и у каждого на лице была словно каленым железом выжжена откровенная печать неудачников. По крайней мере, так показалось опытному в делах с подобной публикой глазу Алекса.

А в самой глубине у окна в плаще, который она, видно, так и не снимала с момента прихода, стояла она. Миссис Шоу. Женщина-вамп. С седоватой густой гривой, ниспадавшей прямо вдоль щек на плечи и грудь, и угольно-жгучими глазами, запрятанными глубоко под брови. Они недобро мерцали в своих норах и впились в вошедшего Алекса, оценивая и гипнотизируя.

«Привораживает, — подумал, усмехаясь, Алекс. — Вошла в роль коварной соблазнительницы. Лонг-Айленд для Нью-Йорка такая же провинция, как Мытищи для Москвы. Ничто не ново под луной».

Но кое-что все-таки было внове и для него. Миссис Шоу задала игре чрезвычайно бурный темп. Она даже не удосужилась формально познакомить его с обитателями этой квартиры, а лишь представила его всем сразу, назвав «крупным, выдающимся русским режиссером международного класса».

Кто-то хмыкнул, откровенно не поверив миссис Шоу. Но она не собиралась настаивать на точности рекомендации. А просто взяла Алекса крепко под руку и, не спросив согласия, от его и своего имени попрощалась со всеми, сказав, что им обоим некогда и вообще... до следующего раза.

Уже очутившись на улице, на той же Кристофер-стрит, на которой не поубавилось фланирующих гомосексуалистов, Алекс, стараясь не обидеть ее, спросил, к чему такая спешка и где те полезные связи, которые миссис Шоу ему посулила по телефону, подняв в поздний час из постели.

— Вы — варвар, — прожгла она его засверкавшими угольками глаз. — Вы не знаете обхождения с женщинами.

— Но куда мы идем, я могу поинтересоваться?

— Все мужчины до вас были готовы пойти со мной на край света. Не задавая вопросов.

Алекс отказался от попытки выяснить что-нибудь и послушно поплелся рядом с нею, стараясь не отстать от ее быстрого делового шага.

— Хочу внести некоторую ясность, — не глядя на него, быстро, словно рапортуя, заговорила миссис Шоу. — Я — нееврейка. Мой муж — еврей. Я перешла в иудаизм перед брачной церемонией. Среди моих предков коренные американцы — индейцы из племени апачей. А также итальянцы и португальцы.

— Гремучая смесь, — рассмеялся Алекс. — А к чему вы, собственно говоря, мне это излагаете?

— А так. К сведению. Чтоб знать, кто есть кто.

— Следовательно, и мне придется раскрыть свою родословную?

— Не надо. Чего вы стоите, вы уже доказали в Сан-Франциско. — Она метнула на него исподлобья испытующий взгляд. — Таинственная славянская душа.

— Между прочим, в стране, где я родился и где и поныне обитают славянские души, то есть в России, есть гнусный обычай. Если еврей чем-либо прославится, совершит поступок, достойный похвалы, и о нем заговорит пресса, вы никогда не найдете и намека на то, что речь идет о еврее. Его будут называть русским или советским человеком, нашим славным соотечественником, но как черт ладана будут избегать упоминания о его еврейском происхождении. Но пусть попробует еврей оскандалиться, совершить что-либо непристойное, как в первую очередь укажут, что он — еврей, и повторят это неоднократно, чтоб никаких сомнений не оставалось.

— А это вы к чему рассказали?

— Просто так. К сведению.

— Кофе пьете на ночь?

— Мм-м, — замялся Алекс. — Предпочитаю по утрам.

— Отлично. Я вам утром приготовлю кофе. Надо зайти в магазин намолоть. Здесь работают всю ночь.

Она исчезла в дверях магазина, ярко освещенного изнутри и с довольно густой для этого часа толпой покупателей. Алекс остался ждать ее у входа.

— Так, значит, утренний кофе включен в программу, — грустно покачал головой Алекс, прикидывая, не послать ли к черту эту предприимчивую американскую дамочку, которая уже дважды указала ему, что он — представитель иной культуры, и, несомненно, более низкой, чем ее, с Лонг-Айленда, и все же решил не хамить, а посмотреть, что будет дальше, после несомненно заурядного совокупления, которое ему предстоит где-то здесь, в Гринич-Виллидж, в неизвестно чьей постели. Что насчет полезных связей? Кто знает, где затаилась волшебная удача? Вот такая, претендующая на роль пожирательницы мужских сердец, сытая многодетная мещаночка с Лонг-Айленда может вложить в ладонь путеводную нить. А дальше он сам пойдет. Есть еще порох... И сил не занимать. Дали бы возможность показать, на что он способен.

С пачкой едко пахнущего кофе и ломкими хрустящими круассонами в открытом пакете она вышла из магазина и кивком головы позвала его следовать за ней.

Дальше все было банальным. Вонь узких ободранных коридоров. Большая полупустая комната подруги, уехавшей в Италию и оставившей миссис Шоу ключи, чтоб она время от времени навещала оставленных кошек. О кошках свидетельствовали острые запахи, пропитавшие эти облупленные стены с многочисленными портретами владелицы этих кошек. Миссис Шоу сказала, что она обещающая актриса и уехала в Италию пробоваться в фильме. С портретов глядело немолодое потасканное лицо, которому актерская судьба не могла сулить никаких обещаний. Таких актрис предпенсионного возраста Алекс встречал во множестве и в Москве в Театре киноактера. После сорока жизнь может обещать актрисе лишь одинокую и необеспеченную старость в компании с еле волочащей лапы облезлой кошкой.

Миссис Шоу распахнула единственное пропыленное окно, и с улицы потянуло горечью гниющих в мусорных мешках отбросов. Затем согрела кофе, и этот аромат перебил остальные запахи, и Алексу даже показалось, что стало легче дышать. Она на ходу, обжигаясь, заглотала чашечку кофе, еще раз предложив Алексу, но, натолкнувшись на его категорический отказ, не стала настаивать.

— Отлично. Выпьем утром. А я пью в любое время дня и ночи.

Постель состояла из покрытого одеялом широкого квадратного матраса, положенного прямо на пол. У изголовья к стене прижались две подушки в цветных наволочках.

— Я — в ванную, — сказала миссис Шоу. — А вы — располагайтесь.

Скоро зашумела вода за стеной. Алекс почувствовал неимоверную усталость и разделся, уже сонный, небрежно бросив одежду на пол у матраса. Откинул одеяло и шлепнулся спиной на мятую простыню не первой свежести.

Вода за стеной шумела. С улицы в комнату проникал усыпляющий гул из решеток метро. Алекс боролся с сонливостью, насильно держал глаза открытыми и чувствовал, что все больше и больше увядает, проваливаясь в вязкий сон.

Даже явление из ванной голой миссис Шоу, обмотавшей лишь бедра белым мохнатым полотенцем, не пробудило в нем бодрости. Алекс смотрел на ее покатые плечи с каплями воды на них, на еще крепкие, но основательно повисшие груди и с тревогой думал о том, что ему будет очень трудно возбудиться и привести себя в боевое состояние, когда она ляжет рядом с ним.

Но она не спешила ложиться. Сняла с бедер полотенце, посветив Алексу незагорелым и довольно вялым, как тесто, задом, и постелила полотенце на пол, как коврик.

— Немножечко йоги, — пояснила она и, нагнувшись, уткнулась головой в полотенце, уперлась руками и вздернула вверх ноги, разведя их чуть-чуть в стороны и открыв нелюбопытному взгляду Алекса за мохнатым черным лобком синий с розовым отливом клитор, похожий на улитку в раскрытой раковине. И так застыла, разметав по белому полотенцу черную с проседью гриву.

Застыла надолго. Потому что Алекс, как ни силился, не смог превозмочь сон и выключился. Когда миссис Шоу растормошила его, он по часам-будильнику в ногах матраса определил, что она простояла на голове в своей позиции йоги почти пятнадцать минут. Миссис Шоу склонилась над ним, и ее груди болтались у его подбородка.

Алекс снова закрыл глаза.

— Вы что, спать сюда пришли? — услышал он гневный возглас миссис Шоу.

— Продолжайте свои упражнения, — сонно пробормотал Алекс. — Я сплю.

— Спать будете дома... в своей гостинице.

— И там тоже, — безвольно бормотал Алекс.

Миссис Шоу стала трясти его за плечи, голова его замоталась на подушке, и он нехотя разлепил глаза.

— Отвяжитесь от меня.

— Хам!

— Пусть буду хам. Хоть час дайте вздремнуть.

— Не позволю! Вы мне нужны сейчас.

— А вы... мне... не нужны.

— Господи, — заломила руки, стоя на коленях на краю матраса, миссис Шоу, и ее густые прямые волосы делали ее похожей на американскую индианку, молящуюся своему языческому богу, — нельзя вступать в контакт с человеком иной культуры.

— О какой культуре вы бормочете? — рассердился Алекс. — Ваша-то культура в чем? Ложиться к мужчине без чувства, без волнения. В первый раз идти с ним в постель и перед этим постоять пятнадцать минут на голове, потому что это полезно для здоровья? Ну и пусть вас ебут йоги.

— Дикарь! — презрительно сказала миссис Шоу. — Единственное, что вы, русские, умеете, это оскорблять женщину. Я это читала где-то.

— Мы еще умеем посылать на хуй. Поняла, сука?

Алекс проснулся окончательно. У миссис Шоу засветились глаза:

— О, у вас сон прошел? Не будем пререкаться. Удовлетворите меня.

И она привалилась к нему, сплющив обе груди на его шее и лице, и задышала часто.

— Ничего не получится, — замотал головой Алекс. — Я так не умею.

— Но вы должны обслужить меня.

— Как это... обслужить? — оттолкнул ее Алекс. — Что вы несете? Уж и такую вещь, как воспетая поэтами близость мужчины и женщины... вы перенесли в сферу обслуживания... как мойку автомобилей и смену масла в моторе? Как я вас должен обслужить? Поясните мне мои обязанности.

— Если у вас не стоит и вы — импотент, то есть другие средства удовлетворить женщину... Пальцы... Язык...

— Заткни себе свой грязный язык в жопу! — по-русски сказал Алекс и поднялся на матрасе, снова перейдя на английский. — Дорогая миссис Шоу, обслуживать я вас не намерен. Для этого у вас есть рогатый муж. Адвокат. Все! А я ложусь спать.

— Нет уж! Спать я вам не позволю. Я сойду с ума, всю ночь созерцая ваше бесполезное, ни на что не способное тело. Уйдите! Оставьте меня одну. Это была ошибка. Мы — разных культур.

Алексу захотелось всласть, на много колен, изматериться по-русски. Но вместо этого он с мрачным лицом поднялся и стал одеваться. Перспектива переть обратно в метро так поздно не улыбалась ему. Голая миссис Шоу стояла у окна, демонстративно повернувшись к нему спиной, и не шевелилась, когда он уходил. В темной прихожей из-под ног шмыгнула, завизжав, кошка, и только тогда он услышал миссис Шоу:

— Варвар! Только зубная боль делает вас мужчиной!

Алекс вдруг усмехнулся.

— У меня к вам одна просьба, миссис Шоу. Свое недовольство мною, пожалуйста, не переносите на всех евреев. Вы же меня считаете загадочной славянской натурой? Не так ли? Так пусть братья славяне делят со мной не только мои успехи, но и поражения.

Он вышел, хлопнув дверью, и побрел вонючим коридором к выходу на улицу.

Гомосексуалистов на Кристофер-стрит поубавилось. Только редкие парочки обнявшихся мужчин, виляя бедрами, плелись впереди.

И вагон метро был пуст. Один негр сидел в другом его конце и удивленно и даже испуганно посмотрел на отважившегося спуститься в такой час белого. Вагонная качка стала его убаюкивать, и он думал о том, чтоб не проспать свою остановку.

ЕВРЕЙСКИЕ МЕЛОДИИ

Он был честнейшим человеком. Мой сосед. Никогда не возьмет чужого. Никому не позавидует. Живет себе тихо, как мышь под полом. Никто в доме даже не знал, где он работает. И кем. Кажется, агентом по снабжению. Но агенты по снабжению обычно живут богато, не на свое жалованье. И рано или поздно попадают за тюремную решетку. С конфискацией имущества.

Он же еле-еле тянул от получки к получке. Если его

бы и посадили, то не в тюрьму, а в клетку зоопарка, как последний экземпляр честного идиота в советской стране.

Сам был маленького роста. И жену выбрал себе под стать. И сынишка у них рос тоже меньше своих сверстников во дворе. Хороший еврейский мальчик. Умница. Всем задает самые неожиданные вопросы и терпеливо ждет ответа, поглядывая снизу на озадаченного взрослого дядю с сочувствием и пониманием.

О таких, как мой сосед, в еврейских семьях, слава Богу, неплохо устроенных, говорили «шлимазл» и указательным пальцем крутили у виска.

Сказать, чтоб он был бездельником или лентяем, я тоже не могу. Всегда куда-то спешит, всегда глубоко озабочен, словно на его утлые плечи возложили земной шар со всеми мировыми проблемами.

Когда евреи из Москвы стали тоненькой струйкой просачиваться на историческую родину, в Израиль, мой сосед, не долго думая, заказал себе вызов от всем известной «тель-авивской тети» и получил разрешение на выезд с такой скоростью, словно советская власть страшно обрадовалась возможности избавиться от такого «шлимазла» и очень боится, что он еще раздумает.

Как известно, советская родина-мать не очень вежливо распрощалась со своими подкидышами — гражданами еврейской национальности и, кроме того, что вымотала им душу, пока отпустила из своих объятий, еще хорошенько плюнула в рожу, запретив евреям вывозить честно нажитое добро, и велела уезжать, как мать родила, обменяв лишь сто долларов на нос. А все остальное куда девать? Раздайте знакомым, оставьте родственникам.

У моего соседа родственников не было, одарить знакомых он тоже не изнемогал от желания и, потолкавшись среди уезжающих евреев, понял, что есть все же выход. Например, продать все свое имущество и на эти деньги купить у кого-нибудь один бриллиант. Маленький сверкающий камушек, который можно так запрятать, что никакая таможня не найдет.

Правда, все это надо проделать в абсолютной тайне и абсолютно тихо, потому что иначе советская власть не поленится сделать обыск, а бриллиант, в который вложено все состояние, конфискует в пользу государства, а сам ты вместо Израиля, с его апельсинами и грейпфрутами, поедешь за казенный счет в совершенно обратном направлении. К белым медведям.

Последние дни до отъезда мой сосед ходил с видом террориста, замышляющего крупный акт. За версту можно было угадать по выражению его лица, что он еле-еле хранит какую-то страшную тайну. Евреи сразу догадывались, что он купил нелегальный бриллиант. И неевреи тоже.

Поэтому, когда он уже прошел таможенный досмотр в московском аэропорту и вместе с женой и сыном поднялся по трапу на австрийский самолет, вслед за ним поднялись несколько молодых людей в штатском и вежливо попросили его на несколько минут вернуться в аэропорт для выполнения каких-то мелких формальностей, а жена с сыном пусть остаются в самолете, потому что рейс задерживается.

Умный сынишка моего соседа, когда возбужденные пассажиры самолета начали строить догадки о судьбе несчастного еврея, сказал им авторитетно:

— Мой папа там какает.

И он как в воду глядел.

У моего соседа, конечно, попросили бриллиант, и он, конечно, его проглотил. Тогда ему дали выпить лошадиную дозу слабительного и в присутствии таможенного чиновника усадили на ночной горшок, который там специально держали для подобных случаев. Таможенный чиновник с каменным лицом стоял над ним и терпеливо слушал непристойные звуки, которые издавал в горшок мой сосед. Чиновник попался покладистый и даже не матерился. Потому что он был женского пола и, судя по всему, хорошего воспитания.

Потом моего соседа заставили ковыряться пальцами в содержимом горшка, и он при этом напоминал золотоискателя, промывающего песок.

К удивлению таможни и к не меньшему удивлению моего соседа, ничего сверкающего в горшке не обнаружили. Его хотели повести на рентген, чтоб просветить живот, не запутался ли бриллиант в кишечнике и нашел укрытие в аппендиксе, но рентгеновский аппарат вышел из строя, как это часто бывает в стране социализма, и моего соседа отпустили с миром, так как экипаж австрийского самолета уже выразил протест в связи с задержкой.

С тех пор в Вене, в транзитном лагере Шенау и в Израиле, сначала во временной квартире в пустыне Негева, а потом в полученной после долгих хлопот постоянной квартире в Иерусалиме, мой сосед ходил по большой нужде только на горшок и каждый раз потом долго ковырялся в нем. Он даже сходил к врачу. Бриллиант исчез. Как будто испарился. Или расплавился в желудке моего незадачливого соседа. Правда, для этого надо, чтобы там была температура свыше тысячи градусов по Цельсию. Но разве охватишь разумом все загадки природы? Особенно если природа добирается до еврея и на нем отводит душу.

В Иерусалиме нас поселили в одном доме в Гиват Царфатит, и, как и в Москве, мы опять стали соседями, и я смог следить дальше за приключениями этого «шлимазла».

В бриллианте было все его состояние, а так как он его проглотил, но не смог извлечь обратно, то свою жизнь на исторической родине мой сосед был вынужден начать с нуля.

Он был неистребим и живуч, как наш многострадальный еврейский народ. Снова я видел его озабоченное лицо. Снова он куда-то спешил. Он по очереди записался во все политические партии, ходил на собрания, ни слова не понимая на иврите. Его видели в синагогах с полосатым талесом на плечах и с молитвенником в телячьем переплете в далеко, по дальнозоркости, отставленной руке. Люди везде, в партиях и в синагоге, что-то получали. В кредит. И даже безвозвратно. Хоть что-то уносили в клюве, чтоб свить гнездо на новом месте.

Мой сосед во всех этих злачных местах, именуемых фондами, ссудами, толкался активнее всех, но всегда чуть-чуть позже чем надо, и уходил с пустыми руками, потому что как раз перед ним деньги кончались, и ему предлагали прийти в другой раз, а когда конкретно, не говорили.

Поэтому когда он зашел ко мне с таинственным выражением на лице и зашептал мне на ухо, что имеет приглашение посетить заседание еврейской масонской ложи — «Бней Брит» и мне, как соседу, предлагает составить ему компанию, я вначале отказался. Потому что был хорошо осведомлен о его предприимчивости и знал, чем обычно это кончается. Но когда он, горячась, объяснил мне, темному человеку, что такое масоны, и какой в ложе соблюдается мистический ритуал, и как все члены называют себя каменщиками и даже надевают фартуки каменщиков и держат в руках мастерки, самые настоящие, какими бетонный раствор кладут на стены, это меня заинтриговало, и так как делать было особенно нечего и телевизионная программа на иврите, которого я не понимал, не обещала ничего интересного, я согласился, и мы поехали.

По дороге, в переполненном автобусе, который полз по крутым холмам Иерусалима, мой сосед объяснил мне:

— Мы, конечно, в СССР отрицали мистику, и я, честно говоря, до сих пор в нее не верю. Мне эти масоны, как говорится, до лампочки. Но говорят, — тут он переходит на свистящий шепот, — они, эти масоны, страшно богатая организация. Среди этих «каменщиков» много миллионеров. И своему брату масону всегда готовы прийти на помощь. И наличными и протекцией.

Я на это ответил, что не рассчитываю что-нибудь урвать у масонов, я не наивный ребенок, но мне интересно посмотреть на еврейских каменщиков. До сих пор во всем Иерусалиме, где на каждом шагу строят новые дома, я почему-то видел на лесах в этой роли исключительно арабов.

Мы добрались немного с опозданием и тихо подсели сзади на свободные стулья. Здесь собралась русская секция масонской ложи, то есть эмигранты из России, прошедшие или желающие пройти обряд посвящения в таинственный орден «каменщиков». Поэтому говорили по-русски. Сверху доносились обрывки английской и французской речи, и я догадался, что там заседают секции масонов — выходцев из Америки и Франции.

Собственно говоря, там, наверху, и были главные помещения ложи, а нам, русским евреям, алкающим приобщения к таинствам ложи, выделили в вестибюле закуток под лестницей, ведущей наверх.

Дом этот был очень старый, и деревянная лестница на двадцать ступеней, косо провисшая над нашими головами, на мой взгляд, уцелела в Иерусалиме со времен разрушения Второго храма. Она визгливо скрипела и почти человечьим голосом стонала, когда кто-нибудь ставил ногу на ее ступени. Заседание русской секции шло под этот аккомпанемент.

Какой-то малый, отрекомендовавшийся братом Шапиро, обратился к нам с приветственным словом, выразив радость по поводу нашей активности, о чем свидетельствует отсутствие незанятых стульев. Затем он выразил горе, сообщив о том, что в Москве скончался выдающийся композитор Шостакович, который хоть и не был евреем, но также и не был антисемитом и даже написал произведение для скрипки под названием «Еврейские мелодии».

— Сейчас брат Лифшиц, — с ленинградским произношением оповестил брат Шапиро, — исполнит нам «Еврейские мелодии» Шостаковича.

— Все ясно, — тихо вздохнул мой сосед. — У этих братьев получишь от жилетки рукава. Но зато хоть хорошую музыку бесплатно послушаем.

Брат Лившиц — крепкий старик с добрым и грустным лицом, поднялся со своего стула и уперся лысиной в ступеньку повисшей над нами лестницы. В руке он держал скрипку и смычок. Вынул другой рукой из кармана сложенный вчетверо носовой платок и положил его на левое плечо. Потом на платок легла дека скрипки, а на деку — подбородок скрипача.

Я подвинул стул, приготовившись слушать, и тут увидел первого настоящего масона. Каменщика. В фартуке. Правда, в руках у него был не мастерок, а большой медный поднос, густо уставленный стаканами с чаем. И был это не каменщик, а, скорее, каменщица, потому что все половые признаки, как-то: широкий, отставленный зад, большие груди, нависавшие над фартуком, а также прическа и серьги в ушах — утверждали, что это женщина. За исключением черных усов на верхней губе, внушавших сомнение.

— Каменщик? — шепотом спросил я моего соседа.

Он оглянулся и хмыкнул.

— Буфетчица. Понесла чай американским братьям. Русским братьям в последнюю очередь.

Скрипач поднял смычок, его седые брови трагически заломились, и глаза наполнились скорбью. Мы все затаили дыхание, настроились на печальные еврейские мелодии русского композитора Дмитрия Шостаковича.

Смычок лег на струны и взмыл вверх, издав жуткий звук, какой издает несмазанное колесо. У скрипача округлились глаза, а мы все повернули головы к подножию лестницы. Звук исходил не из скрипки, а оттуда. Толстая буфетчица, балансируя на вытянутых руках подносом с чаем, ступила на нижнюю ступеньку и замерла сама, услышав исторгшийся из-под нее треск и визг сухого дерева.

Скрипач сделал еще одно движение смычком, и снова скрип лестницы перекрыл инструмент в его руках: буфетчица сделала второй шаг.

И дальше точно в такт движениям смычка переставляла ноги по лестнице буфетчица, и мы слышали только скрип и стон ступеней под ее весом. Когда она преодолела последнюю ступеньку, наполнив помещение особенно режущим звуком, скрипач тоже сделал последний взмах смычком, потому что по партитуре он дошел до финала, и, отставив скрипку, глубоко поклонился публике, лоснясь вспотевшей лысиной. Из всех нас он единственный слышал мелодию. И то в уме. Мы, клянусь честью, ничего, кроме скрипа лестницы, не уловили.

Уже покидая старинный дом масонской ложи «Бней Брит», мой сосед виновато покосился на меня и сокрушенно вздохнул:

— Еврейские мелодии.

ИСКЛЮЧЕНИЕ ИЗ ПРАВИЛА

— Весь мир — антисемиты, — сказала тетя Соня, и в ее еще ясных и выразительных, несмотря на преклонный возраст, глазах не промелькнуло ни тени сомнения. — Они нас не любили, не любят и никогда не будут любить!

Под словом «они» тетя подразумевала весь мир, все его население. За небольшим, крохотным исключением.

— Но исключение только подтверждает правило. — В

бескомпромиссном взгляде тети Сони еще мерцали остатки ее прежнего, от молодых лет, темперамента.

Мы сидели в ее очень чистой и с хорошим вкусом обставленной квартире, в самом сердце Парижа — чудесном Пасси, в двух шагах от Трокадеро, а там уж рукой подать до Эйфелевой башни.

Неплохое местечко выбрала тетя Соня для проживания. Дай Бог каждому еврею такое. Правда, тогда бы это был бы уже не Париж, а Бруклин. И первой бы оттуда уехала тетя Соня.

Называть тетю Соню тетей было явной натяжкой с моей стороны. Какая она мне тетя? У моего отца был двоюродный брат, а у него, как у каждого приличного человека, есть жена. Так вот эта жена приходится тете Соне дочерью ее покойного мужа от первого брака. Тетя Соня какое-то время подвизалась в роли ее мачехи.

Какое это имеет отношение ко мне? Я ее с тем же успехом мог называть не только тетей, но и дядей. Благо под ее еврейским носом вились весьма заметные, с серебристой сединой, усы — мечта гусара и верный признак страстной, темпераментной натуры.

Даже в безобидный, ничего не значащий разговор за обедом она вкладывала столько пылкой энергии, что невидимые магнитные волны устраивали бешеную пляску над моей головой, а серебряная ложка с супом начинала светиться в моей руке.

Я был в Париже в первый раз, денег у меня было — только не умереть с голоду, и мне дали телефон тети Сони в надежде, что она не оставит меня без внимания. Я позвонил ей неделю назад, и из телефонной трубки на меня хлынул водопад родственных чувств, завершившийся приглашением на обед, настоящий еврейский домашний обед, который я, по мнению тети Сони, уже не помню, конечно, как пахнет.

И вот я обедаю на севрском фарфоре, серебро вилок и ложек непривычно подрагивает в моих пальцах, хрусталь люстры давит своим весом на мои плечи, а тетя Соня сидит напротив, пожирает меня своими любвеобильными родственными глазами и получает от этого большое удовольствие.

— Ну, где ты ел такое? — сверкает очами тетя Соня. — Ну, признайся честно... То-то! Ешь, ешь, не стесняйся. Мы, евреи, все родственники друг другу. Остальной мир — наши враги. Они нам не могут простить, что мы на свете живем.

Твое счастье — ты не жил в Париже под немецкой оккупацией. Ты не смотри на их улыбочки. У этих французов. Внешне они вежливые, а что кроется под этим? Ты не знаешь — я знаю.

Немцы издали приказ — всех евреев депортировать. Куда? Теперь-то мы знаем — в Аушвиц, в газовые камеры. Что ты думаешь, у этих французов от расстройства пропал аппетит и кто-нибудь отказался от ужина в положенное время? Мы остались одни, наедине со своей несчастной судьбой.

Правда, один француз зашел. Наш жандарм. Предупредить, что завтра в 12. 00 я вместе с детьми должна быть на сборном пункте, и если он к этому времени застанет нас дома, то собственноручно доставит туда. Сукин сын! Двадцать лет знакомы — и приходит меня пугать.

Честно признаться, не такой уж он был сукин сын. Даже наоборот. Сделал намек: убирайтесь куда глаза глядят, завтра будет поздно. Можно сказать, он нам жизнь спас. Но таких среди них — единицы. Исключительный случай.

Мне намек не нужно было дважды повторять. Через полчаса мы испарились. Бросив все как было. Ключи швырнула соседке. Бери, мол, пользуйся. Такая мадам Буше. Из обедневших аристократов. Ты же знаешь, как они нас любят?

Но эта мадам была исключением. Попадаются иногда такие. Когда мы через несколько лет вернулись в Париж, эта старушка, божий одуванчик — пусть земля ей будет пухом, она умерла от истощения, — отперла нам квартиру, и я глазам своим не поверила: все стояло как было, даже ни одной серебряной ложки не пропало, и цветы в горшках политы и не завяли. Ты, кстати сказать, ешь суп этой ложкой, которую мадам Буше сберегла. А ведь могла продать. И неплохо питаться. Попадаются такие. Но она — исключение.

Я брела по Парижу со своими детьми и не знала, куда спрятаться, как выскочить из этого проклятого города, где французы сидят в кафе и кушают, а я умираю от страха и не знаю, что делать. Кругом немецкие патрули, проверяют документы, одним словом, конец.

Останавливается возле нас грузовик с фургоном. За рулем — бандитская морда в немецкой форме. Коллаборационист. Предатель. Пошел к ним на службу, чтобы грабить безнаказанно таких, как я.

Но, как видишь, я сижу перед тобой и кормлю тебя обедом. Потому что этот подонок был исключением. Он быстро сообразил, кто я, в каком положении и что ищу. Усадил меня с детьми в фургон, навалил сверху пустые ящики — я вся потом в синяках ходила, пропади он пропадом — и через все немецкие заставы, у него был пропуск, вывез нас из Парижа.

Догадайся немцы, кого он везет, его бы тут же пристрелили. Ты не поверишь — он оказался на удивление приличным человеком. Довез нас до деревни, и когда я хотела ему заплатить, — у меня еще были деньги, — ничего не взял. И даже обругал меня неприличными словами, при детях, что не характеризует его с лучшей стороны. Бог с ним! Я его простила.

Теперь представь себе наше положение. Мы одни, среди этих антисемитов — крестьян. Без документов, без денег, они скоро кончились, и без хлебных карточек, а питание в войну было нормировано, и без карточек ничего не купишь. Ложись и умирай! Что я пережила с детьми, рассказать — не поверишь.

Мы прятались в деревне на чердаке и только ночью спускались в дом к хозяевам. Они нас подкармливали. Попались хорошие люди. Нам повезло. Среди сплошных антисемитов нарваться на таких людей! Это было, конечно, исключение. И они, и их соседи. Они все знали и никуда не донесли. Даже подбрасывали что могли: десяток яичек детям, кусочек сыру, кружку молока. И на том спасибо. Пронюхай немцы про нас — их бы по головке не погладили. Но, слава Богу, кошмар кончился — Париж свободен. Мы вернулись домой. Наша консьержка, ну, привратница, очень удивилась, что мы живы. Противная баба. Правда, назвать ее антисемиткой я не могу. Когда я захотела приготовить детям покушать, а газ не работал, она мне сказала:

— Возьмите ваш уголь в подвале.

Ты можешь себе представить, сохранила мой уголь. Попадаются и такие, скажу я тебе. Но это исключение.

Ты впервые в Париже. Слушай меня. Не очень им доверяй. Не развешивай уши. Они все — жуткие антисемиты.

И тетя Соня стала участливо расспрашивать меня, в каком отеле я остановился, что ем и сколько плачу за это. К себе, хоть в ее большой квартире, кроме нее, никого не было, жить не пригласила. Я сказал ей, что в отеле не живу, у меня для этого нет денег, но по счастливому случаю бесплатно ночую в одной французской семье. Я с ними познакомился в поезде по дороге в Париж, и они уговорили меня пожить у них.

— Удивительно, — пожала плечами тетя Соня. — Тебе просто повезло. Исключительный случай. А вообще, не будь ребенком и не строй иллюзий — кругом одни антисемиты, и этому никогда не будет конца.

МОРСКАЯ БОЛЕЗНЬ

Что такое морская болезнь, вы знаете? Уверяю вас, симптом этой болезни — отнюдь не желание выйти на морские просторы. А скорее, совсем наоборот. Это когда вас тошнит от моря. То есть от морской качки. Нормального сухопутного человека, когда он стоит на качающейся палубе, а качается палуба оттого, что на море поднялись волны, и они играют кораблем, как игрушкой, и вы перестаете понимать, где пол в каюте, а где — потолок, и какая стена — правая, а какая — левая, так вот тогда все внутренности нормального сухопутного человека начинают проситься наружу, его тошнит немилосердным фонтаном, и матросы, убирая за ним все, что он съел еще на твердой земле, ругаются непристойно, как это умеют делать только матросы, и их тоже начинает мутить.

Следовательно, нужны волны, нужен шторм на море, чтобы вас поразила морская болезнь.

Ну, а что вы скажете, если я опишу вам случай, когда

люди заболели морской болезнью при абсолютном штиле, когда море было гладкое, как моя лысина, без единой морщины на поверхности воды, как на хорошо отутюженной скатерти. А людей тошнило и на палубе и в каютах, и они дружно блевали на все предметы, которые попадали в поле их мутного зрения, и друг на друга тоже, как говорится, на брудершафт.

Такого не бывает с нормальными людьми, скажете вы, и я с вами спорить не стал бы. Но ведь я говорю о евреях. А жизнь еврея разве можно назвать нормальной? И если называть ее нормальной, тогда объясните мне, неразумному, что такое жизнь ненормальная?

Но сначала скажу пару слов, о каких евреях идет речь.

Это не какие-нибудь евреи. Это — немецкие евреи. Конечно, не те настоящие немецкие евреи, которые выглядят и ведут себя как немцы, больше, чем сами немцы. Такие в Германии почти не сохранились. Их, а вернее, их потомков еще можно встретить в Израиле или в Америке. Они дисциплинированны и точны и даже, когда праздно гуляют, похожи на марширующих солдат.

Немецкие евреи, о которых пойдет речь, разговаривают на ломаном идиш в полной уверенности, что это и есть немецкий язык. Если бы Гете или, скажем, Шиллер сохранили слух на том свете, они перевернулись бы сейчас в гробу, и не единожды, услышав, как порой разговаривают по-немецки на улицах Западного Берлина, Мюнхена, Франкфурта-на-Майне и в маленьком городе Оффенбах, где концентрация таких евреев особенно насыщенная.

Евреи эти стали немецкими совсем недавно. А до того они были русскими, советскими евреями и другими себя не мыслили. На еврейских кладбищах городов и местечек западной части России, если эти кладбища чудом уберeглись от рук антисемитов и не сровнены бульдозерами, на этих кладбищах покоятся их предки на десять поколений назад.

В Германии, как известно, Гитлер провел капитальную чистку евреев и сделал свой фатерланд «юден-фрай», то есть свободным от евреев. Но разве может какая-нибудь страна долго прожить без евреев? Это исключено. Аборигены почувствуют себя как-то неуютно, обойденными судьбой. Скажем, если очень чешутся руки и мучительно хочется кого-нибудь бить, колотить, резать, а в стране, хоть ты вой, нет ни одного еврея, то ведь придется бить своих собратьев, а это лишает битье аромата, той необычной услады, какую доставляет треск еврейских черепов.

Свято место пусто не бывает.

Сразу после войны, когда очищенная от евреев Германия лежала в руинах и еще не выветрила запаха пожара, там уже появились первые евреи. Польские. Из тех, кого почему-то не успели дорезать в Польше. И они от своих польских антисемитов, ставших коммунистами, побежали к немецким, стыдившимся вспоминать, что они были фашистами.

Много лет спустя поднялись со своих мест русские, советские евреи. Поднялись куда? В Израиль. На историческую родину.

Из Советской России никого не выпускают. Как из тюрьмы. Нет, вру. Из тюрьмы все же выпускают, когда истекает срок заключения. В СССР все население: и русские, и украинцы, и татары томятся в пожизненном заключении. Только для евреев сделали исключение — так силен был соблазн избавиться от них. И они поехали в Израиль, обобранные до нитки, но шальные от счастья, что хоть головы смогли унести.

Выскочив на свободу и оглядевшись по сторонам, кое-кто смекнул, что в Израиле живут одни евреи, а в Германии евреев почти нет. Страна же процветает даже больше, чем Америка. Так почему же еврею не вкусить хоть немножко от немецкого процветания? И рванули в Германию. Не спрашивая разрешения.

Германия не очень охотно пускала к себе евреев, хотя захлебывалась от любви к евреям и от чувства вины перед ними за прошлое. От евреев, пожелавших стать немецкими гражданами, требовали, чтобы они подтвердили документально или под присягой свидетелями, что они хоть какое-то отношение к Германии имеют. Скажем, в жилах течет немножко немецкой крови... Или ты вырос в атмосфере немецкой культуры.

И евреи из Житомира и Киева, Минска и Одессы врали напропалую, выдумывая небылицы, и приводили свидетелей, готовых подтвердить все, что угодно.

Мне рассказывали об одном малом, настолько обуянном страстью стать немцем, что он клятвенно заверил германские власти в том, что его мама, его еврейская мама, во время войны была изнасилована немецким офицером (не солдатом, а офицером!) и он явился на свет результатом этой любовной интрижки. Посему он просит считать его немцем и дать паспорт Федеративной Республики Германии. Этот полунемец даже не удосужился повнимательнее заглянуть в свои документы, где значился возраст матери. По этим документам явствовало, что она, бедняжка, во время войны была почти младенцем, и если бы немецкий офицер как-то умудрился ее изнасиловать, то уж, по крайней мере, зачать и произвести на свет такого скота она никак не смогла бы.

Мне скажут, что надо быть черт знает кем, чтобы еврею захотеть жить в Германии после того, что там произошло с евреями. Ну, а жить на Украине, где украинская полиция резала евреев, не дожидаясь приказа, а для душевного удовольствия? Или в Польше, где всю черную работу по ликвидации евреев взяли в свои руки местные громилы?

Если так смотреть на вещи, то, пожалуй, на всей земле не найдется места, где еврей может жить не смущаясь.

Так что можно жить и в Германии. Благо страна богатая и чистая. И паспорт дают почти сразу. А паспорт немецкий чего-нибудь да стоит.

Россию покидают, имея билет в одно направление. О возвращении обратно не может быть и речи. Ни туристом, ни в гости, ни по телеграмме о смерти ближайшего родственника. Советскую Россию покидают навсегда. Без права въезда обратно.

Почти у каждого еврея там осталась родня. Порой и папа с мамой. Одних не выпустили по причине их ценности для России. Другие сами никак не могли решиться. Мол, могилы предков, земля, на которой вырос... Ну и что с того, что евреи здесь не в чести? А где их особенно любят? Живут и без взаимной любви. Увольняют с работы? Детей не принимают в университет? Но пока еще, слава Богу, не режут, не убивают на улицах. И ломались семьи надвое, разлучались люди на срок, уму непостижимый.

Проходит год. Два. Три. И вдруг мучительно захочется их увидеть. Но... Нельзя. Визу не получишь. Сиди и тоскуй. Довольствуйся письмами, полными невнятных намеков, и лихорадочными телефонными разговорами, которые слушают чужие и недружественные уши.

С немецким же паспортом, оказывается, бывший советский еврей может ступить на землю своей бывшей родины. Ей-Богу! Бывают же на свете чудеса!

Сначала этот слух показался настолько фантастическим, что никто всерьез его не воспринял. Потом стали возникать подробности, уже внушавшие кое-какое доверие.

Оказывается, какая-то немецкая туристская компания организует рейсы по Балтийскому морю с короткими однодневными стоянками в польских и скандинавских портах. А также с заходом в советский порт Рига. Там пассажиры сходят на берег и знакомятся с городом. А к ночи возвращаются на пароход.

В такой туристской поездке не требуется виз. И в Ригу можно въехать без визы. А раз не нужно визы, то не нужно предъявлять советским властям подробных анкет с указанием места рождения и времени убытия из страны прежнего проживания. Следовательно, никто не может догадаться, что ты бежал оттуда. А то, что ты еврей, в немецком паспорте, в отличие от советского, не записано.

Воистину открылась неожиданная возможность хоть на один денек заглянуть в страну, где родился, и повидаться с теми, кого там оставил. Теперь задача была в том, чтобы родные в точно указанный день из разных концов России стянулись в Ригу и к прибытию парохода уже стояли в порту. Не как встречающие. Упаси Бог! А просто как зеваки, как любопытная публика, пришедшая поглазеть на иностранцев. Это по советским законам не возбраняется.

Когда же туристы сойдут на берег, то пускай немцы едут себе на здоровье с гидами осматривать исторические достопримечательности Риги. Бывшие советские евреи, которые с немецкими паспортами выгрузятся в порту, хорошо знают эти достопримечательности, и они их волнуют как прошлогодний снег. Эти люди, отойдя немножко от порта, бросятся в объятия к родным, которые будут дожидаться за углом, как в засаде. А дальше ресторан... икра... шампанское... и все тому подобное, что можно достать лишь за иностранную валюту. И разговоры... разговоры... разговоры... Перемешанные с поцелуями и слезами. Без устали и без перерыва. До самого последнего мига, пока не нужно будет возвращаться на пароход.

Родных надо заранее предупредить. Сообщить, когда им следует быть в Риге и, подавив волнение и слезы, изображать в порту праздношатающуюся публику. Послать телеграмму? Выдать властям секрет. Письмо? Все письма из-за границы прочитываются там, где следует. Заказать международный разговор по телефону? Подслушивают.

Ну и пусть слушают, пока не лопнут барабанные перепонки. Не обязательно говорить открытым текстом. Для чего существует эзопов язык? Намек? Слава Богу, евреи не самые тупые люди на земле, и у них в мозгу извилин, по крайней мере, не меньше, чем у других народов.

Значит, не откладывая в долгий ящик, надо звонить. Потому что билет уже заказан и пароход отчаливает через парочку деньков.

Зазвенели звонки в московских, киевских и одесских квартирах. И разговоры были разными, но чем-то похожими на близнецов. Через треск помех, через сопение подслушивающих операторов.

Выглядело это примерно так:

— Алло! Алло! Мама?

— Смотря чья? Кто это говорит?

— Твой сын. Не узнаешь?

— Не может быть! Яша?

— Мама, я сам знаю, как меня зовут. Здравствуй. И слушай внимательно, что я тебе скажу.

— Яшенька, солнышко, откуда ты? Ой, у меня сердце разорвется от радости. Я слышу твой голос...

— Ты можешь не только услышать меня, но и увидеть.

— Как? Ты шутишь?

— Слушай и старайся понять.

— Что понять?

— Ты меня увидишь, если будешь в Риге такого-то числа.

— Ты приедешь в Ригу?

— Ну, зачем такие вопросы? Слушай и запоминай. Будь в порту. Там много красивых пароходов. Ведь ты любишь смотреть на пароходы? Так вот: один пароход будет называться «Карл Моор».

— Карл Маркс?

— Какой Карл Маркс? Тебе говорят русским языком — Карл Моор.

— Яшенька, я не пойму, кто такой Карл Мо... черт выговорит... Ты с ним подружился?

— Карл Моор — это, понимаешь, герой пьесы Шиллера...

— Герой Советского Союза?

— Нет. Герой пьесы Шиллера «Разбойники».

За тридевять земель, из-за «железного занавеса», доносится глубокий вздох:

— Хорошенькое дело... с кем ты там связался. А это... не опасно?.. с этими... с разбойниками?

— Мама! Я ни с кем не связался. Так называется пароход.

— Именем разбойника? Боже мой, куда тебя судьба занесла.

— А ты думаешь, именем Карла Маркса назвать пароход — это лучше?

Пауза.

Подслушивающие дяди начинают сопеть гуще.

Затем примирительный голос мамы:

— Что мы с тобой спорим, Яшенька? Каждая минута стоит Бог знает сколько, а деньги легко нигде не достаются.

— Так ты поняла, что я хотел тебе сказать?

— Ничего не поняла, Яшенька.

Теплоход «Карл Моор» отправился в круиз по Балтийскому морю с немецкой пунктуальностью точно по расписанию и без единого непроданного билета. Все каюты корабля заполнены пассажирами, в ресторане невозможно отыскать свободный столик, на палубе толпами прогуливаются туристы. Среди немецких тевтонских лиц густо были вкраплены еврейские физиономии с извечной мировой скорбью в глазах, хотя все настраивало на праздничный лад.

Впереди за несколько сот километров балтийских вод грезилась Рига и дорогие лица оставленной в России родни. И даже не очень благоприятствовавшая погода — волнение на море — не могла понизить тонуса. Никто из русских евреев не страдал от морской болезни: сказывалось радостное возбуждение от предстоящей встречи. Некоторых немцев, правда, подташнивало. То ли от бортовой качки, то ли от непривычного зрелища такого обилия семитских лиц и не вызывающих добрых воспоминаний звуков русской речи.

Первым портом, который они навестили, был польский Гданьск, когда-то называвшийся по-немецки Данцигом. Поэтому у немецких туристов экскурсия по городу вызвала ностальгическое волнение: кто-то узнал среди красных готических зданий дом, в котором родился, провел детство и откуда его невежливо прогнали поляки после второй мировой войны.

Евреев Гданьск оставил равнодушными. От города осталось в памяти лишь то, что здесь баснословно дешево продавалась на иностранную валюту водка, и ее закупили по полудюжине бутылок и притащили на пароход, предвкушая распитие с родными в Риге.

В Ригу пароход пришел солнечным утром, и панорама города, встававшая навстречу, с колокольнями и башнями церквей, изумрудно-зелеными от времени и соленых морских ветров, вышибла не одну слезу у русских евреев, теснившихся у перил и во все глаза пытавшихся разглядеть людей на причале.

Людей на причале было много, в форме и в штатском. Без радости на лицах, а со служебно-непроницаемым выражением на них. Капитан парохода «Карл Моор», не первый раз заходивший в этот порт, удивился такому количеству официальных особ, пришедших на причал. А далеко сзади за железной оградой, охраняемой вооруженными солдатами, виднелись скопления гражданской публики, взволнованной и возбужденной и на удивление однородной по национальному составу — исключительно одни евреи.

У въезда на причал стояли милицейские автомобили и мотоциклы. Кругом мелькало столько вооруженных людей, что можно было подумать, будто Рига приготовилась отразить высадку вражеского десанта. Пассажиры хлынули с парохода с немецкими паспортами в руках. Их пропустили, как сквозь сито, незаметно разделив на две группы. В одну попали исключительно немцы, в другую — бывшие русские евреи, обладатели немецких паспортов. Вторую группу тут же оцепили люди в штатском.

Подошли туристские автобусы. Немцы, весело болтая, расселись в них и укатили, сверкая солнечными очками, вставными зубами и бриллиантовыми сережками в ушах. Евреи тесной толпой остались на причале.

За железной оградой, почуяв неладное, тревожно загалдели встречающие.

Приехавших евреев молча, как арестантов, погрузили в один автобус, заперли двери, и молодая, без улыбки, русская девица-гид обратилась к ним на чистом немецком языке, а водитель с каменными плечами кадрового военного недобро оглядывал своих пассажиров в зеркальце над ветровым стеклом.

— Дорогие гости, — сказала гид. — Мы рады приветствовать вас в столице Советской Латвии — городе Рига. Сейчас мы с вами совершим экскурсию по городу, и вы увидите исторические достопримечательности красавицы Риги. А после экскурсии вернемся в порт.

— Простите, — сказал по-русски, робко подняв руку, как прилежный школьник, один из пассажиров. — А выйти из автобуса в городе мы сможем?

Ничто не дрогнуло в белесом славянском лице гида. Не удивившись вопросу, заданному по-русски, она тем не менее ответила на немецком языке:

— К сожалению, из-за недостатка времени мы не сможем предоставить вам такой возможности. Достопримечательности Риги вы увидите из окна автобуса.

— И обедать будем в автобусе? — раздраженно спросил другой голос по-русски.

— Обедать вы будете на своем корабле, — по-немецки ответила гид. — Мы вас не станем утомлять экскурсией. Как раз к обеду вернемся в порт.

Наглухо запертый автобус рванул с места, охрана распахнула железные ворота, и среди сгрудившихся с обеих сторон дороги людей пассажиры успели разглядеть родные лица, мелькнувшие до боли знакомыми пятнами. Автобус на большой скорости уходил в город. А за ним, догоняя и отставая, устремилась вереница легковых автомобилей — частных и такси. В этих автомобилях мчались, как на похоронах, зареванные родственники, заклиная шоферов не терять из виду туристский автобус.

Гид долго и скучно бормотала в микрофон по-немецки заученные тексты, рекомендуя пассажирам посмотреть то налево, то направо. Автобус не останавливался, лишь замедляя ход возле достопримечательностей города, о которых монотонно повествовала гид.

Проносились улицы и бульвары, памятные многим пассажирам автобуса по прежним временам, еще в бытность советскими гражданами. В Ригу ездили со всех концов России, чтобы провести отпуск на Рижском взморье или купить что-нибудь в рижских магазинах, потому что Рига была городом, открытым для иностранных туристов, и поэтому снабжалась товарами лучше других городов.

Теперь они сами были иностранными туристами. Но туристами особыми, не достойными обязательного казенного гостеприимства, и поэтому их закупорили в автобусе и катали, как в клетке, по городу, на немецком языке расхваливая им прелести страны, из которой они сами еле ноги унесли.

Водитель автобуса играл с преследовавшими его автомобилями в кошки-мышки. То увеличивал скорость, то внезапно сворачивал в сторону, на время скрывшись из виду. В автомобилях начинались рыдания и стоны, утихали они, когда нагоняли туристский автобус.

Так и колесили по городу. Со слезами на глазах у тех, кто был в автобусе, и громким плачем в старавшихся не отстать легковых автомобилях.

Но всему приходит конец. Пришел конец и этой гонке. В туристский маршрут входило обязательное посещение рижского кладбища — одного из самых красивых кладбищ в мире, славящегося удивительными памятниками на могилах и прекрасно спланированными аллеями и газонами. Лучше этого кладбища, пожалуй, только одно во всем мире — в итальянском городе Генуя.

На кладбище, разумеется, нельзя разъезжать в автобусе. Поэтому перед воротами пассажиров выгрузили и повели цепочкой под сень старых каштанов и лип, к линиям мраморных и гранитных надгробий, утонувших в зелени стриженых кустов.

Гид еще по инерции продолжала вякать по-немецки, но ее никто не слушал. В ворота кладбища бежали с воплями и плачем родственники туристов: сестры, мамы, бабушки, волоча за руки детей. И тогда туристы бросились врассыпную. Заметались, ища своих, и, найдя, без поцелуев и объятий, лишь хватались за руки и устремлялись в глубь аллей, подальше от обалдевшего гида.

Скоро исчезли все. Рассосались среди могил. Залегли в кустах, укрывшись за мраморными и гранитными крестами. На чужих могилах, прямо на земле и на скамейках евреи тискали друг друга, чуть ли не душили от радости, хором рыдали и наперебой хохотали, раздавали подарки и даже наспех заглатывали по стаканчику польской водки, закусывая пирогами и булочками, сухими и черствыми, потому что их заботливо пекли два дня назад и везли в Ригу черт знает откуда, чтобы сыночек или дочь вспомнили вкус домашнего маминого печенья.

Гид и водитель метались по аллеям и уже не по-немецки, а по-русски, громко, сложив ладони рупором, приказывали всем вернуться к автобусу.

Потом приехал автомобиль, полный милиции. За евреями гонялись по всему кладбищу, топча траву на могилах, опрокидывая горшочки с цветами. Еврейки голосили и царапались, когда милиционеры пытались оторвать их от туристов. Да и туристы, из мужчин покрепче, матерясь по-русски, тоже не давались им в руки.

Два часа стонало рижское кладбище, пока удалось всех туристов загнать в автобус, запереть и, пересчитав по головам, на предельной скорости умчать в порт.

На сей раз легковые автомобили не преследовали автобус. Родственники с опухшими от слез глазами пешком побрели с кладбища и продолжали всхлипывать, так что встречные принимали их за семьи, только что похоронившие близких. И при этом удивлялись, вспоминая, что кладбище-то христианское и евреи там никак не могут быть погребены. И еще больше изумлялись, спохватившись, что кладбище закрыто много десятков лет и на нем давно никого не хоронят, а лишь показывают красивые надгробья экскурсантам.

Вечером пароход «Карл Моор» вышел из Рижского порта в Балтийское море. Стоял полный штиль. Дышалось легко и свободно. А людей в каютах и на палубе тошнило. От свидания с родиной. Как от самой настоящей морской болезни. Люди перевешивались через поручни, и их рвало за борт, прямо в море. И чайки с криком ныряли вслед, проносясь у самых лиц, опухших от слез.

ФАМИЛЬНОЕ СЕРЕБРО

На Балтийском побережье не только рядовой дачник не может предугадать погоду, но даже и синоптики. Предвещали весь август жарким и сухим, а до самого конца летнего сезона моросили нудные дожди, море было свинцово-серым с каймой грязной пены у набухшего влагой и потерявшего золотой цвет песчаного пляжа.

Дачи по всему Рижскому взморью быстро пустели. Раздраженные, с кислыми физиономиями, люди раньше срока покидали курорт, теряя вперед уплаченные деньги и единственную в году возможность отдохнуть.

Я снимал комнатку в деревянном доме, два этажа которого латышская семья, сама на лето перебравшаяся в мансарду, сдавала курортникам. Моими соседями были евреи из Ленинграда и Москвы, приехавшие на это полюбившееся им взморье с детьми и бабушками, электрическими плитками, термосами и транзисторами. Сейчас они складывали свои пожитки, так и не успев загореть.

За дощатой перегородкой я слышал недовольные голоса, затем раздраженный крик. Стены в доме такие тонкие, что я различал не только голоса, но и скрип стула и ночной храп. Ссорились две старухи: хозяйка-латышка и еврейская бабушка из Москвы. И еврейка и латышка, обе владели русским языком весьма приблизительно, и речь их была окрашена непробиваемым акцентом, у каждой своим, так что со стороны эта ссора могла вызвать только улыбку.

Я был знаком с обеими. Каждое утро здоровался с ними, иногда перекидывался парой-другой слов. Не больше. Но и этого было достаточно, чтоб иметь кое-какое представление об их прошлом. Обе пострадали в годы второй мировой войны. У еврейки, подвижной старушонки с неразгибаемой спиной, погибли в гетто почти все родственники, а с фронта не вернулись муж и сын. В живых осталась лишь дочь, и когда та, подросши, вышла замуж за приличного человека, мать осталась при них экономкой, кухаркой и нянькой внучатам. Мне она под строгим секретом проговорилась, что они всей семьей собираются в Израиль и ей ни капельки не жаль расставаться с этой антисемитской страной, будь она трижды неладна.

Латышка была примерно ее лет. Немногословная, замкнутая и не скрывающая своей неприязни к нам, дачникам, понаехавшим на лето из России в ее родную и, как она считала, оккупированную Латвию. А то, что мы лишь русские евреи, а не русские, не смягчало в ее глазах нашей вины. Все евреи у нее ассоциировались с комиссарами, приведшими сюда русских солдат и лишившими бедную Латвию, как невинности, ее такой недолгой независимости. Поэтому во вторую мировую войну ее сын пошел служить в немецкую армию, чтоб мстить русским, и не вернулся домой. Тогда же она потеряла и дочь. Осталась доживать с мужем, и этот дом на взморье был ее основным кормильцем. Она сдавала комнаты всем, кто согласен был уплатить довольно высокую цену. И даже евреям. Ибо евреи составляли большинство дачников и платили, не слишком торгуясь и вперед.

Я вслушивался в нелепую, с жутким акцентом, перебранку за стеной, и то, что я слышал, вовсе не настраивало на улыбку. Старухи не очень церемонились и били друг дружку по самым болезненным местам. По национальным. Еврейка в гневе обличала не только хозяйку, но и всех латышей в том, что во время войны они вместе с немцами убивали евреев и грабили еврейские дома. И что этот дом на взморье, она уверена, тоже принадлежал евреям, а они с мужем убили их обитателей и завладели чужим добром. Латышка не оставалась в долгу и проклинала евреев, которые всегда, по ее глубокому убеждению, были врагами Латвии и открыли двери русским большевикам и вместе с ними выгоняли латышей из их домов и отправляли их в холодную Сибирь. И как последнюю и главную причину своей неприязни к евреям латышка швырнула дачнице гибель дочери. Не от руки евреев. Но из-за них.

Озлобленные крики за стеной били по моим ушам:

— Жиды! Иуды! Оккупанты!

— Латышская свинья! Убийцы! Предатели!

Дольше оставаться в доме не было моих сил. Набросив на плечи плащ (зонт я не прихватил из Москвы, потому что до осени было далеко), вышел под мелкий моросящий дождь на пустынную улицу. Низко бежали лохматые серые тучи. Порывы ветра с моря раскачивали верхушки сосен, и оттуда, как град, на мою голову пригоршнями сыпались крупные капли.

Улица, как просека в лесу, полого спускалась к пляжу, и в створе крайних сосен виднелось море — уголочек темно-пепельной мути, нечеткой линией отделенной от неба, тоже пепельного цвета, но чуть посветлее.

От соседей и от других дачников, приезжающих сюда ежегодно и поэтому бывших в курсе всех дел обитателей взморья, я кое-что знал о том, что случилось с дочерью нашей хозяйки. Я составил эту историю из обрывков, услышанных от несловоохотливых, но знающих правду латышек и многословных и подозрительно далеких от истины дачных кумушек. И история эта зазвучала печально и светло, как фольклорные старинные легенды о верной и трагической любви, что переходят из поколения в поколение по всему Балтийскому побережью, как сестры, схожие одна с другой, и у латышей, и у литовцев, и у эстонцев. У евреев подобных легенд я не слыхал. И может быть, эта, если время ее не сотрет, восполнит пробел в еврейской мифологии и прибавит также кое-что к латышским сагам.

Потому что героями этой легенды, подлинными, не вымышленными, были латышская девушка Милда и юный еврей Ян, имя которого по-латышски звучало Янис. Как у героинь старых саг, у Милды были густые золотые волосы до пояса и серые, как небо над Балтикой, глаза. Янис был смугл, и волосы его вились кольцами, а глаза — темно-карие, как спелые вишни на синеве белков.

Между ними была любовь. Тихая, даже потаенная. Потому что и латышские родители Милды, и еврейские — Яниса не одобрили бы ее. И завязалась эта любовь задолго до того, как немецкие войска оккупировали Ригу и загнали всех евреев в гетто, за колючую проволоку, поставив латышскую полицию сторожить. В гетто попал и Янис. Оттуда он выйти не мог. Милду же туда не пускали. Влюбленных разлучили. Потом евреев стали вывозить партиями в Румбулу, под Ригу, и там в сосновом лесу, в оставшихся от войны противотанковых рвах, расстреливали. Сотнями каждый день. Когда ров заполнялся телами доверху, новая партия засыпала могилу песком, а сама отправлялась в сопровождении палачей к другому рву, еще пустому. Противотанковых рвов вокруг Румбулы было много.

Улицы гетто пустели. Каждый день новые и новые дома оставались без обитателей, и из никем не закрываемых на ночь окон доносился лишь вой голодных кошек, которые хоть и прежде принадлежали евреям, но евреями не были и поэтому не подлежали уничтожению.

Семья Милды была состоятельной. Дом на взморье, большая квартира в центре Риги. Картины в дубовых рамах. Ковры. И предмет семейной гордости — столовое серебро старинной работы. Несколько столетий переходившее от прабабушки к бабушке, от нее к матери и предназначенное Милде, когда она выйдет замуж. Серебра хватало на большую свадьбу. Столько в наборе было ложек, вилок и ножей. А какие подносы! Кофейники! Сахарницы! Молочницы! Все из чистого серебра, тепло отливавшего за стеклянными створками дубового резного буфета. Мать обожала фамильное серебро и никому не доверяла, сама начищала его песочком и разными смесями, доводя до нестерпимого блеска.

Однажды серебро исчезло из дома. В ту ночь не вернулась под отчий кров Милда. И в следующую ночь тоже.

Лишь много позже мать и отец узнали, куда девалось все фамильное серебро, а вместе с ним и их единственная дочь.

Не представляла себе Милда жизни без Яниса. Чтоб спасти его из гетто, нужны были деньги. Подкупить полицейскую охрану. Милда отнесла им фамильное серебро. Латыши полицейские ночью вывели Яниса за ворота гетто, где дожидалась Милда. А она уже повела его глухими улицами, рискуя наскочить на немецкий патруль, из города. Привела на взморье, в тот самый дом, где я нынче снимал комнату. Дом тогда пустовал. Родители жили в Риге.

А следующей ночью оба ушли в море. На веслах. В лодке, которую отец Милды держал на пляже для прогулок.

Я полагаю, что ночь была темной, безлунной. А море — бурным, штормовым. Ибо в полный штиль да при луне не отважились бы они пуститься в море, где рыщут немецкие сторожевые катера, а с неба прощупывают водную гладь самолеты-разведчики. Высокие волны и темнота могли их укрыть от чужого глаза. Но эти же волны швыряли лодку, как щепку, грозя потопить, и не давали двигаться вперед, норовя вырвать весла.

Как они удержались на плаву, не опрокинулись? Где взяли сил грести против волны, час за часом, всю ночь и день? Как миновали сторожевые катера, прожекторными лучами рассекавшие пенные гребни волн? Как не столкнулись с рогатой плавающей миной, которыми Балтийское море было нафаршировано погуще, чем клецками мамин суп?

Все прошли, все миновали. И сил хватило. Потому что несли их крылья любви.

Они пересекли Балтийское море и достигли шведских берегов. В нейтральной Швеции, где войной и не пахло, они поженились и прожили счастливо четыре года до самой победы над Германией. И когда мир наступил на земле и по Балтийскому морю пошли вместо эсминцев пассажирские пароходы, с первым рейсом из Стокгольма в Ригу прибыли Милда и Янис. Соскучившись по Латвии и своим родным.

Латвия уже была не Латвией. А республикой в составе СССР. В Рижском порту пароход встретили советские солдаты и вопросы сошедшим на берег пассажирам задавали по-русски.

Яниса арестовали там же в порту. За то, что спасся из гетто, откуда другим уйти не удалось. Значит, что-то нечисто. Попахивает предательством. Объяснения Милды, что она выкупила его, отдав полицейским все фамильное серебро, никто слушать не стал. Янису дали десять лет лагерей за измену Родине и отправили в Сибирь.

А Милда сошла с ума.

Она бродила по Риге простоволосая, в грязной рваной одежде и заглядывала каждому встречному мужчине в лицо. А когда на улице никого не было, громко звала:

— Янис! Янис!

Милиция ловила ее, отвозила к родителям. Ее запирали в доме на взморье. Каждый раз она убегала. И снова ее видели на улицах с глупой ухмылкой на некогда красивом лице, и снова люди слышали зов:

— Янис! Янис!

Потом она пропала. По одним слухам, умерла в больнице, по другим — в бурную темную ночь бросилась в море и, перекрывая шум волн, звала:

— Янис! Янис!

Много лет спустя в Риге объявился Янис. Из Сибири. С седой бородой. Лишь глаза были те же. Темно-карие, как спелые вишни. С синевой белков. Он искал Милду. Не верил в ее смерть. Бродил, кружил по Риге, как потерявший хозяина пес. Просил указать ее могилу. Где похоронена Милда, никто не знал.

Однажды утром в самом центре Риги в парке у обелиска Свободы ранние прохожие обнаружили человека, висящего на поясном ремне, затянутом на толстом суку дерева. Одет он был в рваный сибирский ватник и лагерную шапку-ушанку.

Вот так вошли в современную легенду Милда и Янис.

В моих ушах еще стояла крикливая свара матери Милды и еврейки-дачницы, когда я вышел в дюны и упругий встречный ветер с моря вздул парусом плащ на мне.

Пляж был безлюден. Волны с шумом накатывали на песок и ползли, шипя лопающейся пеной, почти до самых дюн, а выдохшись, стекали назад, оставляя темную, быстро светлевшую полосу. На тех местах, куда доползал пенный язык, оставалась грязная седина и почти черные жгуты водорослей, и это было границей, дальше которой заходить не стоило, чтоб не замочить ног. Я пошел вдоль кучек пены и водорослей, оставляя на влажном песке глубокие следы. Шел, уставившись под ноги, как искатель янтаря. Но я не искал в песке янтарных крупиц. Я брел, задумавшись, под рокот прибоя.

По морю гуляла высокая волна. Быстро темнело, и луч прожектора с пограничного катера скользнул по белым гребням, как по спинам белых овец, словно считая их, и, дойдя до берега, на миг ослепил меня. Потом исчез, словно прожектор проглотил собственный язык.

Я думал о том, что Милда и Янис бросились в море, когда шторм был посильней этого. И так же тогда прощупывал бараньи спины волн прожектор. Да еще мины, круглые и черные, утыканные рогами, как черти из подводного царства, выпрыгивали из пучины то справа, то слева от лодки, и Милда и Янис поднимали вверх весла, словно сдаваясь судьбе, и замирали, бессильные что-либо сделать.

Какая силища у любви! Только любовь могла дать им волю и выдержку, сверхчеловечью силу. Они прошли, где утонули бы в неравной борьбе с волнами самые опытные гребцы. Они проскочили мимо мин, сторожевых катеров и самолетов, куда посчитал бы безумным сунуться военный разведчик.

Латышская девочка и еврейский мальчик.

И сейчас в доме, чьи стены на одну ночь укрыли эту любовь, старые латышка и еврейка готовы были вцепиться в горло друг другу.

Меня снова ослепило. На сей раз не прожектор с моря. Задумавшись, я не заметил, как чуть не столкнулся с пограничным патрулем. Два молодых солдата, с русскими крестьянскими лицами, в зеленых фуражках и кирзовых сапогах, с автоматами на груди, проверили мои документы, хмыкнули, переглянувшись, при виде моей еврейской фамилии и велели найти для прогулок место подальше от моря, ибо с наступлением сумерек это уже не берег, а государственная граница СССР.

ПОТОМОК ЧИНГИСХАНА

— Заруби себе на носу, сынок, — сказал мой отец, не спуская глаз с гусиного перышка вертикально торчавшего из воды поплавка. — Из всех человеческих ценностей я превыше всего ставлю чувство собственного достоинства, которое отличает человека от скота и делает его венцом природы.

Мы сидели на мягком мшистом берегу тихой и ленивой русской речки, поросшей камышом и осокой, и удили рыбу самодельными удочками. За нами шелестели кружевными кистями листьев белые тонкоствольные березки, застывшие вперемежку с серыми осинами. Дальше высились темные верхушки елей. Забираться в лесную глушь, подальше от города и людей, просиживать до одури с удочками в руке стало в последние годы подлинной страстью для него, отставного полковника, повидавшего на своем веку столько, что и на сто человек хватило бы с лихвой. Он, все еще крепкий, с каменными мускулами на груди и руках, видно, очень устал от людей, от подлостей и измен и искал уединения, где можно бездумно, уставившись в одну точку, убивать время, оставшееся до могилы.

— Я, к примеру, — продолжал он, оторвав от губ приклеившийся конец сигареты, отчего приоткрылись еще крепкие, но желтые, насквозь прокуренные зубы, — оттого и жив до сих пор, что сохранял некую толику этого чувства. А не то сто раз бы погиб.

Это только кажется, что подлый и хитроумный народ живет подольше и слаще, а честный и прямой человек гибнет первым. Из того, чего я нагляделся, напрашивается совсем иной вывод. И тут ничего не подведешь под общий закон. От национальных ли качеств это зависит, от родительских ли генов? Не берусь судить.

Надо полагать, какой-то определенный закон естественного отбора распространяется на род людской, без различия рас, национальностей и вероисповеданий.

Чувство собственного достоинства в самом лучшем его виде проявляется у двух категорий людей: у крестьян, что трудятся на земле, выросли среди лесов и полей и привыкли хлеб добывать в поте лица своего, а также у интеллигентов. Подлинных, а не тех полуобразованных люмпенов, каких теперь встречаешь на каждом шагу. У интеллигентов развито понятие личной чести. И они не опустятся до низкого поступка, до скотского поведения, даже если на карту поставлена собственная жизнь. Они, к счастью, еще не лишились чувства стыда. А сколько народу даже не знает, что это такое?

Когда мой артиллерийский дивизион был разбит и те, кто уцелел из личного состава, разбежались по окрестным деревням, я сорвал с себя командирские знаки различия, зарыл в землю партийный билет и в одиночку попытался пробиться из окружения к своим. Не вышло. Схватили.

И вот стою я в серой и грязной колонне военнопленных. Немцы нас построили в три шеренги и через переводчика объявляют:

— Кто еврей — три шага вперед!

Я сам поразился, как много евреев оказалось в колонне. Их всех отделили и поставили в другом конце плаца. Я, как ты догадываешься, даже бровью не повел, словно я не еврей. Стою где стоял. Снова объявляют:

— Кто коммунист — три шага вперед!

Их тоже в сторонку, к евреям.

Я — стою.

— Старший командный состав — три шага вперед!

Их туда же, к коммунистам и евреям.

Потом всех, кого отделили, тут же на плацу и расстреляли. Из пулемета. На наших глазах.

А я, как видишь, жив и с тобой вот болтаю. Почему? Мне, сынок, надо было сделать не три шага, а целых девять. А, как знаешь, я — большой лентяй.

Он улыбнулся. Невесело. Слегка приоткрыв свои прокуренные зубы. Придавленные тяжелыми веками глаза не смеялись.

— Думаешь, я один был такой умный? Нашлось немало таких, что не вышли из строя по первому требованию. Но им не повезло, как мне. В колонне пленных оказались люди, что знали их и поспешили помочь немцам, выволокли их из шеренги.

Потому что немцы сделали верный расчет на психологию скотов. Голодных и опустившихся скотов. За каждого выданного еврея, или коммуниста, или старшего офицера тому, кто их выдаст, была обещана награда: сто граммов хлеба и пачка махорки.

Я оказался достаточно везучим, чтобы не попасть в плен со своими сослуживцами. Во всей колонне ни один человек не знал меня. И поэтому остался жив и в состоянии рассказать тебе, до чего мерзок род людской, когда теряет те несколько качеств, слегка отделяющих его от животного. Я стоял, окаменев, в своей шеренге и не верил глазам своим. Солдаты, еще вчера вместе делившие тяготы фронтовой жизни, в одном окопе, локоть к локтю, отстреливались от врага, ели из одного котелка и спали вповалку, обнявшись, согревая друг друга теплом своих тел, выводили, выталкивали из строя своих товарищей, отдавали в руки палачей и тут же бесстыдно и униженно просили награды: кусок хлеба и махорки, чтобы покурить.

Некоторые даже дрались между собой, не поделив добычи, потому что вдвоем ухватились за одну жертву, знакомую по совместной службе, и теперь пинали ногами друг друга, кровавили носы, и каждый тащил к себе напуганного оцепеневшего человека, чтоб самолично поставить его под пулю и ни с кем не разделить жалкой награды.

Когда выстрелы затихли и все, кого отогнали на другой конец плаца, уже не стояли, сгрудившись, а валялись на булыжнике в самых невероятных позах и кое-кто из недобитых дергал руками и ногами в предсмертных конвульсиях, туда ринулись из нашей колонны их вчерашние товарищи и без стеснения деловито стали шарить по карманам убитых, снимать с еще не остывших рук часы и сдергивать с трупов сапоги, чтобы тут же, присев, за неимением скамьи, на грудь мертвеца, переобуться в новую, немного лишь поношенную обувь.

Немцы, стоявшие в сторонке возле остывавшего после стрельбы пулемета, с брезгливостью взирали на эту сцену и тешили себя мыслью, что не зря фюрер назвал этот народ «унтерменшами».

Я, кадровый строевой офицер, стоял, обалдев от стыда и бессилия, и горестно размышлял о том, что в самом жутком сне не мог предполагать, что советские солдаты, наследники революции, которым мы годами прививали нормы человеческого поведения, прожужжали им уши лекциями об интернационализме, классовой солидарности трудящихся и дружбе советских народов, оказались на поверку такими безнравственными скотами.

Было бы упрощением объяснить их поведение заурядным антисемитизмом или ненавистью к коммунистам и своим командирам. Объяви немцы награду за каждого рыжего советского солдата или за каждого низкорослого, и они бы с ними проделали то же самое. Безо всякой злобы. А лишь потому, что голодной утробе за это обещан кусок хлеба.

Потеря чувства собственного достоинства или же полное отсутствие такового толкает человека на подлые поступки независимо от его национальности. Еще до того, как я попал в плен, когда еще надеялся выбраться из окружения и отсыпался днем в стогах сена, а ночами брел на Восток, к своим, я повстречал еще двух окруженцев. Два польских еврея, еле лопотавшие по-русски, были мобилизованы в Советскую Армию где-то под Белостоком и теперь, когда их воинская часть была разгромлена, метались, как зайцы, по чужой им и враждебной Украине в поисках спасения. С их откровенно выраженными семитскими физиономиями, с их еврейско-польским акцентом нельзя было сунуть носа ни в какую деревню, чтобы найти что-нибудь пожевать. Они держались подальше от человеческого жилья и кормились сырой свеклой, которую удавалось вырыть в поле, и сухими зернами пшеницы.

Вид у них был жуткий, когда я случайно наткнулся на них, — какие-то зачумленные, жалкие существа. У меня был с собой печеный хлеб, добытый в деревне, и я скормил им полбуханки, а вторую половину оставил на завтра. Когда я укладывал в вещевой мешок остатки хлеба, они следили за моими руками воспаленными глазами, в которых мне чудилось безумие. Я велел им никуда не отлучаться и ждать меня, пока я разведаю местность и установлю наиболее безопасный маршрут. Они безропотно соглашались на все, что я им говорил, и на идиш, захлебываясь, благодарили судьбу, пославшую им в спасители еврея без ярко выраженных семитских черт и отлично говорящего по-русски. Только за моей спиной могла для них замаячить хоть какая-то надежда на спасение. Без меня — гибель.

Когда я к вечеру вернулся из разведки по окрестным деревням, то не обнаружил моих евреев под стогом сена, где я их оставил, тщательно замаскировав вход в нору. Не было видно никаких следов борьбы. Они ушли сами, не дождавшись меня. Голод лишил их разума. Желание съесть вдвоем остатки хлеба, не поделившись с третьим, пересилило страх за свою жизнь. И они убежали с моим хлебом.

Через два дня, в одной из деревень, я услышал, что украинские полицаи поймали двух солдат-евреев, которые даже не умели говорить по-русски. Это были они.

Пьяные полицаи не довели их до лагеря военнопленных, а прикончили по дороге, устроив состязание в стрельбе по мечущимся живым мишеням.

Уцелеть еврею на оккупированной немцами Украине было делом непосильным. Немцы методично вылавливали евреев соответственно инструкциям свыше, украинцы же это делали добровольно, с большим рвением, стараясь опередить оккупантов и выслужиться перед ними. Не буду скрывать, я куда больше опасался встречи с украинской полицией, чем с немцами. Немцы не очень-то отличали, кто еврей, а кто — нет, да и относились к этому равнодушно, без интереса. Их больше занимала сама война с Россией. Для украинцев охота на евреев, грабеж их имущества, избиение и убийство безоружных и беспомощных людей стало азартной и страстной игрой, доставлявшей им большое и непостижимое нормальному уму удовлетворение.

Меня выручил восточный тип лица: не семитский, а больше монгольский. Не очень ярко выраженный, смытый. Какой встречается у казанских татар. Их порой не отличить от русских. Чуть-чуть скулы выдаются. И глаза немножко уже. Вот так выглядел я в ту пору. Сейчас с возрастом все больше пробиваются семитские черты. И ты к старости подобное обнаружишь в своем лице. Гены предков сказываются даже и при полной ассимиляции.

Легенда о татарском происхождении оказалась лучшим прикрытием. Благо, мне не пришлось выдумывать достоверные подробности. Последние годы денщиком у меня служил казанский татарин Реза Аблаев, расторопный солдат из старослужащих. Он по-татарски ни слова не знал. Вырос сиротой в русском приюте под Москвой. Лучшей биографии и не придумать для меня.

Реза погиб в последних боях в окружении. Я его сам хоронил и его солдатскую книжку взял с собой. Просто так. На память о верном денщике, с которым прошел бок о бок все начало войны и долгое время до войны.

Попав в плен, я, не задумываясь, объявил себя татарином по имени Реза Аблаев. Свои документы я заранее уничтожил, офицерское обмундирование сменил на солдатское, снятое с убитого, а в лицо меня, к счастью, никто в лагере не знал.

Определили меня в татарский барак — лагерная администрация старалась размежевать пленных по национальному признаку. Бараки недоверчиво косились друг на друга, а это охране только и надо было: легче держать все стадо в повиновении.

Наш лагерь стоял на берегу Черного моря, куда я до войны ездил на курорты. Тогда была зима, и холодный пронизывающий ветер с моря донимал нас, истощенных голодом, и люди умирали как мухи. Первыми умирали те, кто не имел чувства собственного достоинства и быстро терял человеческий облик. Я, к примеру, сидел на том же голодном пайке, что и другие, худел, усыхал, но не позволял себе подобрать что-нибудь с земли и сунуть в рот. А находилось немало таких, кто с помутившимся от голода сознанием ковырялись, как мухи, в кучах гнилых помоев возле кухни и жадно набивали себе брюхо. И конечно, сразу — дизентерия. Таких, еще живых, охранники складывали штабелями в яму и заливали известью, чтобы предупредить эпидемию. Залитые белой известью трупы напоминали плохо обработанные статуи.

Работать нас гоняли на ремонт дороги и погрузку угля в соседнем порту. На голодное брюхо долго не проработаешь, свалишься по дороге и будешь пристрелен охранником.

Однажды нас выстроили на плацу. Всех, кто еще мог

двигаться. Пришел начальник лагеря. Моих лет, худой подтянутый офицер. По имени Курт. Пленные почему-то знали его имя, но не фамилию. Имя короткое, легче запомнить. А жаль. Возможно, он жив сейчас, и, знай я его фамилию, чем черт не шутит, и повидаться удалось бы. Интересный бы у нас разговор получился.

Вышагивает этот Курт перед нашим грязным и рваным строем на своих длинных ногах в сверкающих хромовых сапогах. Здоровенная немецкая овчарка на кожаном поводке лениво трусит рядом. А чуть сзади — хорошенькая пухлая бабенка. Его любовница из Польши по имени Ада. Миниатюрная красотка. Брезгливо морщит вздернутый носик — дух от пленных идет тяжелый. Она с грехом пополам лопотала по-русски, и Курт иногда пользовался ее услугами и как переводчицы тоже.

Остановился Курт. Остановилась собака. Остановилась Ада. Повернулись лицом к строю.

— Есть интересное предложение, — переводит Ада слова Курта. — Кто из вас сапожник — три шага вперед.

Я обмер. Сапожника освободят от изнурительных общих работ. Он будет сидеть в тепле и загонять гвозди в подметки. И останется жив. Не умрет от истощения.

И тут я вспомнил, что хоть я и кадровый офицер и всю жизнь провел в армии, все же имею право называться сапожником. Потому что в революцию, в голодные годы, совсем еще мальчишкой был отдан матерью в ученье к сапожнику и бегал у него на посылках и получал тычки и зуботычины, пока меня не призвали в армию. Так я сапожником и не стал.

— Кто сапожник — три шага вперед!

Ноги меня сами вынесли из строя. Отсчитал три шага. Замер.

— Ты — сапожник? — недоверчиво оглядел меня Курт.

— Так точно.

— Не похож, — усомнился он.

Проклятая офицерская выправка и тренированное спортом тело подводили меня, выдавали мое прошлое.

— Кто еще хочет назвать себя сапожником?

Гляжу, еще один человек несмело вышел из строя. Из

нашего татарского барака. Одутловатый, будто у него водянка, неприятный тип с дырками от оспы на широком и плоском лице. По имени Ибрагим. Он больше других с подозрением косился на меня в бараке: отчего, мол, я не знаю родной язык? И все похвалялся, что татары — величайший народ на земле и что они — прямые потомки покорителя России Чингисхана.

Ты, сынок, запомни, если человек говорит о себе во множественном числе: мы — русские, или мы — татары, или мы — немцы, так и знай — дрянной это человечишко, пустой и никчемный. Свое ничтожество прикрывает достоинствами всей нации. Человек стоящий всегда говорит: я — такой-то и называет себя по имени, а не по национальности. А раз говорит — мы, значит, за спину нации прячется. Подальше держись от такого.

Таким вот и был Ибрагим, мой сосед по татарскому бараку, тоже объявивший себя сапожником.

Больше никто из строя не вышел.

Курт не был лишен проницательности. Он не усомнился, что мы оба липовые сапожники и хотим отвертеться от общих работ. Немцы — народ трудолюбивый, надо отдать им должное, и лентяев и придурков терпеть не могут. Как и воров.

— Я не сомневаюсь, — сказал Курт, и Ада перевела его слова с польским акцентом, — что эти два сапожника никогда не держали сапожный молоток в руках, а сделали три шага вперед с одной целью — обмануть меня и освободиться от тяжелой работы. Только русские свиньи способны на это. Но я вас проучу так, чтоб другим неповадно было.

Он назвал татарина Ибрагима и меня, еврея, выдавшего себя за татарина, русскими свиньями потому, что откровенно презирал нас всех и не делал никаких различий. Одно стадо. На одно лицо.

Ибрагим и я стояли в трех шагах впереди строя грязных и тощих военнопленных, людей, обреченных на медленную смерть от недоедания и непосильной работы. Но их смерть таилась в неблизкой перспективе. Когда организм окончательно не выдержит и сдастся. Наша с Ибрагимом смерть маячила перед самым носом. Курт без особого труда обнаружит обман, что никакие мы не сапожники, и тогда две пули (немцы — народ аккуратный и экономный и дефицитный свинец зря переводить не станут) уложат нас двумя кучками грязного тряпья на краю плаца перед равнодушным от отупения строем военнопленных.

Это понимали мы с Ибрагимом. Это было написано на худых лицах наших товарищей, стоявших в относительной безопасности в трех шагах позади нас.

— Вот так, — сказал Курт, по-журавлиному вышагивая перед нами в высоких хромовых сапогах, начищенных до нестерпимого блеска. Сапоги были хорошей работы. Не фабричные. А сшиты по заказу. Мягкие голенища, как перчатки, облегали его кривоватые ноги, казавшиеся особенно тонкими из-за нависавших над ними широких крыльев суконных брюк-галифе.

— Не раздумали? — с насмешкой в глазах остановился перед нами Курт, игриво постукивая тростью по голенищу сапога. — Лучше сейчас сознаться во лжи, и вы понесете наказание без лишних хлопот... Двадцать палок... От этого не всегда умирают. А то ведь подохнете позорной и мучительной смертью. Ну, раздумали?

Я выдержал его насмешливый взгляд и мотнул головой. Мол, не отрекаюсь от того, что сказал.

Как повел себя Ибрагим, к которому подошел после меня Курт, не знаю. Не глядел в ту сторону. Не до того было. Ибрагим, видать, тоже не отступился, потому что Курт спиной вперед отошел от нас, чтобы лучше разглядеть обоих, и объявил:

— Слушайте все! Этих двух сапожников я помещу отдельно от всех, в караульную будку, пусть подтвердят свою квалификацию. Я дам им задание сшить туфли... Модельные туфли для нее, — он ткнул тростью в сторону Ады, и мои глаза невольно скользнули к ее стройным ножкам, обутым в открытые туфли-лодочки на высоких тонких каблуках. И то, что мой взгляд засек машинально, заставило мое сердце замереть от безысходной тоски. У Ады была крохотная ножка. Тридцать пятого размера, не больше. И высокий, высоченный подъем. Западня. Волчья яма. Гибель для сапожника. Сделать что-нибудь приличное на такую ногу даже в нормальных условиях под силу лишь хорошему мастеру. И даже у него мало шансов на успех. Я помнил, как мой хозяин, который славился золотыми руками, при виде такой каверзной ножки кривился, как от зубной боли, и чаще всего не брал заказа, а если брал, то за очень высокую плату. Потому что даже он не мог заранее предсказать, что получится в результате.

— Если вы действительно сапожники, а не жалкие трусливые лгуны, — продолжал Курт, а Ада дословно переводила с мягким польским акцентом, — то вы управитесь за неделю. Потому что вас двое. А был бы один, я бы продлил срок еще на одну неделю. Ни инструментом, ни материалом я вас обеспечивать не собираюсь. Это — ваша забота. Через неделю новые туфли должны украсить ее ножки. Опоздание хоть на один час — расстрел. Отсчет времени начинается вот с этой самой минуты.

Курт сдвинул рукав кителя с запястья и посмотрел на часы.

— Итак, начинаем. Через неделю будет ясно, кто вы: люди или свиньи.

И он поднял глаза на строй военнопленных. Курт бросал вызов всему лагерю. Люди мы или свиньи? Кем нас считать? Я почему-то перестал думать о неминуемо нависшей смерти. В моей голове носились мысли более высокого порядка.

От меня, от того, как я вывернусь из абсолютно безнадежного положения, зависела честь всей этой обезличенной серой толпы. Честь армии и страны, к которой мы совсем недавно принадлежали. Моя победа могла поддержать дух этих уже почти сдавшихся людей и тем самым продлить их существование. Мое поражение неминуемо ускорит и их конец.

Хоть я стоял в рваном солдатском обмундировании, в душе, еще не окончательно сломленной, оставался офицером, командиром и, как это ни покажется смешным, испытывал чувство ответственности за судьбу других, словно они оставались моими подчиненными. Я готовился постоять за честь тех солдат, от которых я скрывал, что я — коммунист, что я — старший офицер и, наконец, что я — еврей. Обнаружь я хоть один из трех этих грехов, и они сдали бы меня в лапы гестапо на расстрел ради пачки махорки или ломтика хлеба, почитавшегося в лагере эквивалентом тридцати сребреников.

Я оглянулся на линию серых, небритых безжизненных лиц и увидел, как навстречу мне загорались сочувствием и надеждой глаза. Они вместе со мной приняли вызов. Но я ставил на карту голову. Они — честь. О которой не все имели достаточно понятия.

— Снимайте мерку, — распорядился Курт.

Ибрагим не шелохнулся. Я двинулся непослушными ногами к Аде. Она кокетливо вздернула выше колена юбку, сбросила туфлю и протянула ногу мне. Я опустился на колени и поставил ладонь под ее теплую пятку.

Да. Убийственный тридцать пятый размер. И необыкновенно высокий подъем. Гибель. Но в запасе неделя. Что бы ни случилось, а мерку надо снять. Чем? У меня в карманах даже шнурка не оказалось. И тут из строя пленных кто-то бросил мне комок шпагата. Я даже не оглянулся. Приложил к ноге Ады. Измерил длину стопы и завязал узелок. Затем объем. Еще узелок. И так далее. Быстро. Не раздумывая. Сосредоточившись на одном: запомнить порядок узелков на шпагате.

Курт наблюдал за мной с интересом и нервно постукивал тросточкой по голенищу сапога. Он тоже, как и весь лагерь, включился в эту игру. Азартную игру. Где призом была моя голова.

Конвойные отвели меня с Ибрагимом в караульную будку. Голые стены. Два табурета. И шаткий дощатый пол. Как камера для смертников, ожидающих исполнения приговора.

Как только мы остались вдвоем, рыхлый, как тесто, Ибрагим безвольно опустился на пол и по его плоскому, иссеченному оспой лицу потекли мутные слезы.

— Мы — погибли, — захлюпал он носом. — Я — не сапожник.

И тут я не смог себя сдержать, наотмашь хлестнул его по морде.

— Чего же ты, гад, полез? Из-за тебя мне лишь одну неделю срока дали. А так бы я две недели работал.

— Ты действительно сапожник? — поднял он на меня свои узкие щелки глаз, и в них засветился почтительный восторг, словно он увидел живого волшебника.

Я не ответил. Я сдерживался, чтоб еще раз не сорвать злость на этом обезумевшем от страха мешке, набитом студнем и костями.

— Не выдавай меня, — взмолился Ибрагим, — я тебе служить буду... Что прикажешь. Ну, хотя бы чесать спину...

— Молчать! — сорвался я на уже позабытый офицерский окрик. — Слушай мою команду! Хочешь прожить эту неделю — молчи, ни звука! И все, что я прикажу — исполняй, не медля. Ясно?

— Ясно, ясно... Только прикажи...

— Вот тебе первый приказ. Пропаши носом весь лагерь, но найди какой-нибудь режущий инструмент. Ножей в лагере нет. Разыщи кусок стали и на камне отточи, чтоб было лезвие как у бритвы.

Ибрагим, сопя, приволок в будку кусок ржавого железа и камень. Сел на пол и начал тереть железо об камень. Как первобытный человек, трением высекавший огонь. Я же подобрал на свалке парочку сухих кусков дерева. Из них предстояло вырезать колодки. Без колодок туфли не сшить. Но для начала нужен был нож.

Ибрагим пыхтел, сопел. Каждые полчаса я сменял его. Всю ночь мы продолжали работу при свете луны. К утру край стали сверкал узким и острым лезвием, и первый луч солнца отразился от него и на миг ослепил меня.

Это был первый шаг к спасению.

Я поспал часок-другой и приступил к изготовлению колодок. Колодки делает специалист. Это вроде художественной резьбы по дереву. Нужно сделать модель человеческой ноги. Да еще такой миниатюрной, как у Ады. И с таким проклятым высоким подъемом.

Никогда в жизни я ни резьбой по дереву, ни изготовлением колодок не занимался. Мой хозяин — сапожник, которому когда-то я был отдан в учение, тоже колодки сам не вырезал, а покупал их готовыми. Так что я даже и представления не имел, как это делают. И тем не менее приступил к делу. Спокойно, уверенно. Будто всю жизнь только этим делом и занимался.

Зажал кусок дерева между колен и осторожно снял лезвием желтую стружку. Потом снял вторую. Стружка завивалась колечком и ложилась у моих ног. Ибрагим сидел на корточках против меня и с восторгом и преданностью в глазах следил за каждым движением лезвия. Как собака у ног работающего хозяина. Только не повизгивал для полного сходства. Правда, разок заскулил и даже облизнулся, когда увидел проступающие в дереве очертания человеческой стопы.

К вечеру в лагерь возвращались колонны с общих работ. Измученные до предела пленные, еле волоча ноги, проходили в ворота за колючую проволоку и не рассыпались по баракам, как делали прежде, а столпились у открытых дверей сторожевой будки, в глубине которой сидел я, окруженный, как пеной, желтыми стружками. Левая колодка была готова. Желтая, как слоновая кость, миниатюрная женская ножка. Ибрагим вышел с ней к пленным, бережно держа ее в обеих ладонях, и высоко поднял над головой, чтоб побольше людей могли увидеть. Толпа одобрительно загудела, и Ибрагим тут же унес сокровище в будку.

С наступлением темноты я спать не лег. Слишком велико было возбуждение. Не знаю, что испытывает скульптор, кончив высекать из мрамора фигуру. Я был как пьяный.

Кто-то принес немецкую парафиновую плошку-свечку. Среди пленных свеча считалась редкой драгоценностью. Ее меняли на хлеб и махорку. Нам свечу принесли безвозмездно. При ее колеблющемся свете я стал строгать вторую колодку.

Что я могу сказать по этому поводу? Говорят, что битьем можно медведя выучить танцевать, а собаку считать до десяти. Так, мол, делают цирковые дрессировщики. Мои руки совершили чудо. Никогда прежде этим не занимаясь, я выстругал две колодки, две модели человеческих ног, левую и правую. И такой красоты, такого совершенства, что встань из могилы мой хозяин, обучавший меня сапожному ремеслу, он повертел бы их в руках, прищелкнул языком и сказал бы:

— Хоть в Брюссель на выставку посылай.

Так говорил он всякий раз, когда что-нибудь вызывало его восторг. В Брюсселе, как я полагаю, в те времена устраивалось нечто вроде международной выставки обуви.

— Высший класс! — сказал бы мой хозяин.

Меня он никогда такой похвалы не удостаивал. Потому что, пребывая в учениках, я не успел сшить ни одной пары обуви. А уж изготовление колодок совсем не моим делом было.

Можно считать, что моей рукой водил страх перед наказанием. А наказание — смерть. Но я полагаю, что не только это вызвало у меня взрыв творческого вдохновения. Нечто большее, чем страх перед обещанной пулей. Курт, дав мне непосильную задачу, не сомневался в результате, и для него это был еще один повод торжествовать над нами, беззащитной серой толпой, которую он откровенно презирал, считая низшей расой. А мне очень хотелось ему попортить торжество. Для меня это была единственная возможность почувствовать себя человеком — царем природы и восторжествовать над моим врагом.

И весь наш лагерь загорелся тем же чувством. Даже в изоляторе, где доходили дистрофики, когда туда втискивали очередной полутруп, его тормошили и спрашивали, как обстоит дело с туфлями для Ады. Всякий, кого не угнали на общие работы, подходил ко мне и приносил украдкой кусок хрома от старого голенища или уцелевшую подметку. Из ваты, надерганной из солдатских телогреек, мы сучили пальцами суровые нитки. Из полена нарезали деревянных гвоздиков. Из железного гвоздя отточили на камне шило. Из тонкой проволоки сделали иглу.

Из старых подметок и голенищ я скроил заготовку и вырезал подошвы. Выстругал из дерева высокие и тонкие каблучки.

Буквально из ничего, голыми руками я не сшил, а сотворил пару женских туфель, удивительной модели, прежде никем не виданной, ибо родилась она в моем воспламененном мозгу.

Первым свидетелем этого чуда был мой напарник Ибрагим. Он не верил, что мне удастся выпутаться из беды и соорудить из хлама хотя бы что-нибудь похожее на обувь. Поэтому, хоть и помогал мне, пыхтя и постанывая, больной и отекший от голода: часами мял кожу, сучил пальцами нитки из ваты, оттачивал на камне гвоздь, но глядел перед собой безучастным и безнадежным взглядом, примирившись с мыслью о неизбежной гибели. А когда не работал, сидел с закрытыми глазами на полу, скрестив ноги, как азиатский божок, и, раскачиваясь, гнусавил с подвывом то ли песню, то ли молитву. Теперь он совсем мало походил на потомка отважного и свирепого завоевателя Чингисхана. До того, как его угораздило назваться сапожником, он хвастливо кичился этим именем перед другими пленными, нетатарами. Нынче он больше напоминал старого издыхающего ишака.

У нас оставались в резерве почти сутки до окончания недельного срока, установленного комендантом. Я работал как одержимый, почти в беспамятстве, лишь изредка сваливаясь на пол, чтобы поспать часок-другой, и, надо полагать, со стороны Ибрагиму я казался свихнувшимся от страха.

В эту ночь Ибрагим тревожно спал в углу, всхлипывая во сне, а я, согнувшись в три погибели, при слабом мигающем огоньке свечи корпел над окончательной отделкой туфель, мял и натирал их, наводя на хромовые бока и носки глянец и блеск.

Уже розовело небо, когда я поставил обе туфли на пол, бортик к бортику, каблучок к каблучку, острыми, переливающимися тусклым блеском носками прямо к плоскому носу Ибрагима, поскуливающего по-щенячьи во сне. И тут же сам уснул, провалился в беспамятство, в мертвый сон, без тревог, без бреда и без радости. Пустой, выпотрошенный, бесчувственный и ко всему равнодушный.

Проснулся я вскоре. Меня разбудил истошный визг и рычание. Я разлепил опухшие веки и при ясном свете — солнце уже встало — увидел ошалевшего Ибрагима, уставившегося на дамские туфельки и по-звериному, опираясь на колени и руки, чуть не лаем выражавшего обуявший его восторг.

Должно быть, и Ибрагим в своей жизни таких туфель не видал. Он понял, что спасен, что останется жив, и вопил и визжал от счастья. Затем вскочил на ноги, легко, как будто не просидел рядом со мной всю неделю отечным безжизненным мешком, и, схватив в каждую руку по одной туфле, стал размахивать ими над головой, приплясывая и исходя гортанным криком, напоминающим клекот степной птицы. И выбежал из сторожевой будки. Вопя и держа за каблуки высоко над головой женские модельные туфли.

Время было как раз перед отправкой колонн на работы, и на плацу выстраивались серые шеренги голодных и невыспавшихся пленных. Конвоиры с собаками пересчитывали их. Как всегда, при этом присутствовал комендант Курт. И его переводчица и любовница полька Ада.

Сначала конвоиры чуть было не спустили на Ибрагима сторожевых собак, когда он, приплясывая и вопя, появился на плацу. Но увидели, чем он помахивал в высоко поднятых руках, и придержали рвущихся с поводков собак.

Шеренги полумертвых людей вдруг ожили, зашевелились, засветились улыбками. Ибрагим бежал перед ними, пританцовывая, и в его руках посверкивали на солнце, словно сделанные из хрусталя, волшебные туфельки. Переливались и поблескивали, как алмазы, над пыльным, утоптанным тысячами ног плацем, над грязным рваным тряпьем, в которое кутались худые, как скелеты, люди.

Курт принял туфли из дрожащих и потных рук Ибрагима. Не сказал ни слова, а только кивнул солдату, и тот грубо стал подталкивать растерянного татарина к строю уже готовых к выходу на тяжелые работы пленных. Другой солдат трусцой побежал в сторожевую будку, пинком поднял меня с пола, где я все еще лежал, и повел на плац.

Ада уже примерила мои туфли. Ее старые туфли французского или немецкого производства, одним словом, заграничные, валялись в пыли, а мои плотно и удобно сидели на ее маленьких крепких ножках. Я это определил по удовлетворенной улыбке, которая выдавила ямочки на ее сытых румяных щечках. Завидев меня, она бросилась навстречу и на глазах у Курта, у конвоиров с собаками и у серой голодной толпы поцеловала меня в губы, ладонями обхватив мой затылок.

«Вот сейчас Курт меня и пристрелит. Из ревности», — еще успел подумать я, видя шагающего ко мне на длинных худых ногах коменданта. Правая рука его в кожаной перчатке покоилась на черной кобуре с пистолетом. Но он не расстегнул кобуру, а той же рукой, не снимая перчатки, пожал мою руку и бесстрастным ровным голосом сказал, а Ада скороговоркой перевела, громко и радостно, чтобы слышали все на плацу:

— Я был не прав... назвав вас свиньей (он сказал мне «вы», а не «ты»)... Я сожалею.

И еще раз тряхнул мою руку. А потом приложил эту же руку в черной перчатке к своей фуражке, на черном околыше которой белел алюминиевый череп с костями — эмблема СС, отдавая мне, пленному, честь.

Эх, надо было видеть, что произошло в толпе пленных, неровными шеренгами вытянувшихся на плацу. Слабые, изможденные, до того ко всему безучастные люди зашумели, загорланили, захлопали грязными худыми руками. Глаза у людей засветились гордостью и удовлетворением. Весь лагерь разделил со мной мою победу.

Колонны ушли на работу. Я весь день проспал в пустом татарском бараке, и дневальные, подметавшие земляные полы между рядами двухэтажных деревянных нар, приближаясь ко мне, почтительно умолкали, чтобы не потревожить мой сон.

Поздним вечером пленные вернулись в лагерь и еле живые от усталости расползлись по баракам. Я уже встал, и каждый татарин, входя в барак с тощим ужином в солдатском котелке, счел своим непременным долгом подойти ко мне и потрепать по плечу или пожать руку. Один лишь Ибрагим не подошел. Нахохлившись и ни на кого не глядя, он сидел в своем углу на нижних нарах и хлебал из котелка пустую лагерную баланду. Он был обижен до глубины души. Все лавры достались мне, а его угнали на общие работы, словно он был совсем ни при чем.

Получилось так, хоть я никому не заикнулся о беспомощности Ибрагима, но и немцы и пленные без лишних слов поняли все и, не колеблясь, отстранили его от меня, лишили его радости победы. Татары в бараке подтрунивали над Ибрагимом, а он закипал злобой и лениво огрызался.

Потом, в воскресенье, за мной пришел конвоир и повел меня мимо бараков: татарских, русских, украинских, грузинских — только еврейского барака не было — среди всех пленных я был единственным евреем, и знал об этом лишь я один, а знай еще кто-нибудь, и лагерь был бы действительно «юден фрай», свободным от евреев. Немец вывел меня за проволоку, на ту сторону дороги, где в каменных, беленных известью домиках под черепичными крышами жила охрана.

Мы пришли к дому коменданта. Из открытых окон слышалось множество голосов, мужских и женских, пронзительно верещал патефон.

Курт встретил меня в дверях распаренный, в расстегнутом кителе, обняв, как своего, и повел к столу, за которым сидели немецкие офицеры в летной форме. Недалеко от нашего лагеря на берегу моря в бывшем санатории отдыхали выздоравливавшие после госпиталя раненые летчики. Курт устроил для них вечеринку, а чтобы мужчинам не было скучно, велел Аде позвать из соседнего поселка русских девок и женщин. Теперь они сидели вперемежку с летчиками, раскрасневшиеся от вина, смущенно хихикали и нестройно подпевали по-русски патефону. Немцы щупали их, тискали и откровенно спаивали, все время подливая им из бутылок с разноцветными наклейками. У меня свело челюсти, когда я увидел, сколько вкусной еды, давно позабытой мною, громоздилось в тарелках на столе, а от запахов пошла кругом голова. Почувствовал слабость в ногах, вот-вот рухну в голодном обмороке.

Ада, уже изрядно подвыпившая, завидев меня, вдруг вскочила на стул, на ее ногах я увидел мои туфли, а со стула полезла на стол, чуть не рухнула, но ее поддержали, вскочив со своих мест, летчики, и, утвердившись на ногах, стала танцевать на столе, передвигая ноги в моих поблескивающих туфельках, среди бутылок, рюмок и тарелок с едой. Она, видно, имела немалый опыт в таких танцах на столе, потому что не разбила ни одной рюмки. Иногда она высоко задирала ногу и потряхивала ею в воздухе над головами летчиков и пьяных баб, демонстрируя всем мою работу. Она поступала именно так, потому что, покрикивая по-немецки и по-русски, пальцем тыкала в меня:

— Это он... такой мастер!.. Его работа!.. Ни за какие деньги такие туфли не купить!

Летчики, чтобы удостовериться в качестве моей работы, с хохотом хватали ее за ноги, и чаще не там, где были туфли, а повыше, под юбкой, и громко и дружно одобряли:

— Экстракласс! Вундербар! Отлично!

Курт унял шум за столом, подняв свой бокал, и сказал тост, держа левую руку на моем плече, из которого я, мучимый голодными спазмами в желудке, уловил, что я — не русская свинья, а настоящий мастер! Талант. И что я действительный потомок древнего монгольского завоевателя Чингисхана и не опозорил свою расу. Что немцы уважают талант и, хотя я пленный враг, он не питает ко мне вражды, а, наоборот, преклоняется, потому что талант заслуживает поклонения. Курт был пьян и многословен.

Мне поднесли выпить. К столу, естественно, не позвали, а оставили стоять рядом. Я пригубил рюмку, и первый же глоток спиртного обжег мои иссохшие от голода внутренности. Пить я не стал, знаками показав, что у меня с животом не все в порядке. Тогда Курт и гости стали хватать со стола все, что попадалось под руку: куски колбасы, жареного мяса, пирожки, груши, виноград, и совать мне. Я двумя руками завернул край моей гимнастерки, и они свалили туда, как в корзину, всю снедь, сколько вместилось. Солдат отвел меня в лагерь, и весь татарский барак всполошился, завидев, какое богатство я принес. Пленные, худющие, в грязном белье, сползали с нар и, поводя голодными носами в воздухе, с заблестевшими глазами окружили меня, как сказочного Деда Мороза, заглянувшего по ошибке в ад.

Посреди барака стоял дощатый стол, и, сопровождаемый тяжело сопящей толпой, я подошел к столу и отпустил край гимнастерки. Куски мяса, колбасы, рыбы, гроздья винограда, слипшиеся пирожки высыпались на темные доски стола, и тотчас же над ними, заслонив все от меня, выросла крыша из сплетенных скрюченных рук, жадно хватавших все, что попадалось.

Стол опустел. На нем даже крошки не осталось, а счастливчики юркнули на нары, подальше от голодных глаз соседей, и там, давясь, зачавкали, заскрипели челюстями. Мне так и не удалось отведать ничего из того, что принес. Кажется, и Ибрагиму не досталось, потому что он не вылез из своего угла, когда я пришел. Он обходил меня, старался не замечать, как лютого врага. А ведь я спас ему жизнь. Но этого оказалось мало. Человеческая слабость. Жив остался, а сейчас подавай ему славы, раздели с ним успех. Хотя, если честно взглянуть на вещи, он к нему имел самое отдаленное отношение.

Ревность и злоба — нехорошие чувства. Опасные. От них один шаг до подлости. Ибрагим оказался способным на подлость. Он донес на меня. И не немцам. А нашему, русскому, из тех, что переметнулись к врагу, пошли к ним на службу и выслуживались изо всех сил. Их мы опасались куда больше, чем немцев.

Ибрагим сообщил, что никакой я не татарин, что я — еврей. Что он ночью слышал, как я во сне разговаривал по-еврейски. Ибрагим спал на другом конце барака и ничего не мог слышать, если б мне даже взбрело на ум заговорить во сне на языке моей мамы, который я едва помнил. Потому что по-еврейски в нашем доме заговаривали лишь тогда, когда хотели, чтобы мы, дети, не понимали, о чем взрослые толкуют.

Но случился феномен. Я действительно бормотал на языке, которого не знал, но лишь слышал. Должно быть, от нервного напряжения, в котором пребывал дни и ночи в лагере военнопленных, где я был последним и единственным уцелевшим евреем. И что-то сдвинулось в моей психике, и язык матери, запечатлевшийся, как на патефонной пластинке, в глубинах моего мозга, вдруг ожил и сорвался с моих губ.

Соседом по нарам был у меня черноморский моряк, попавший в плен в Севастополе. Тоже татарин. Но москвич, из интеллигентов, едва понимавший свой родной язык, как и я свой. Однажды ночью он меня растолкал и зашептал в самое ухо:

— Ты — еврей. Во сне бормочешь по-еврейски. Я-то знаю... всю жизнь с евреями жил по соседству.

Я, конечно, стал отпираться и тоже шепотом, чтобы

другие не услыхали, и попробовал втолковать ему, что все это ему приснилось, что это — бред!

Моряк только грустно усмехнулся:

— Ладно. Пусть будет так. Но в другой раз забормочешь, я тебя снова разбужу. Я ведь не донесу... а другие... могут.

И будил меня несколько раз. Не говоря ни слова. А я тоже молчал. Только смотрели понимающе друг на друга, пока сон снова не одолевал нас.

Донес на меня Ибрагим, который физически не мог расслышать, на каком языке я объясняюсь в сонном бреду, потому что его нары были расположены слишком далеко от моих. Мой же сосед шепнуть ему об этом тоже не мог. Бессмысленно. Если уж он решил заложить меня, то зачем это делать через Ибрагима? За выдачу еврея полагалось хорошее вознаграждение, и, уж став иудой совсем, неразумно уступать другому тридцать сребреников.

По доносу Ибрагима меня вызвали в комендатуру. Там уже околачивался Ибрагим и, как только меня привели, повторил офицеру охраны, из русских предателей, что я — еврей и он это опознал по моему бормотанию во сне.

— Попался? — с усмешкой посмотрел на меня офицер, русопятый тип с волжским окающим акцентом, по всему видно, в нашей армии был младшим лейтенантом, «ванькой-взводным», не более того, и перед таким, как я, стоял навытяжку, а сейчас наслаждался выпавшей ему властью.

— Да я и по морде вижу, кто ты есть! Не пойму, как раньше тебя не разоблачили? Надо же! Целый год среди нас... русских, ходил еврей...

Отпираться было ни к чему, спорить с этим типом, у которого руки чесались загнать мне пулю между глаз, было бессмысленно.

— Вот сегодня повеселимся... Публично расстреляем... Когда вернутся с работы. На плацу... Пусть народ полюбуется на последнего живого еврея.

И, видно, для того, чтобы убедиться, что я живой, а не привидение, вытащил револьвер, ухватившись за дуло, и наотмашь ударил меня рукояткой возле уха, в висок.

У меня загудело в голове, словно оглушили. Но не упал, устоял на ногах. Упади я, у моего истязателя не хватило бы тормозов сдержаться, сохранить меня для публичной расправы, и он, озверев при виде крови, разрядил бы в меня, лежащего, всю обойму.

И не только потому я остался жив. Моим спасителем оказался... комендант Курт. Он вошел, когда я стоял, прислонившись от слабости к стене, и рукавом гимнастерки размазывал кровь по щеке.

— Он — еврей? — Белесые брови Курта полезли вверх, когда русский офицер, захлебываясь от служебного рвения, доложил ему, как я был разоблачен.

— Ты — еврей? — подошел ко мне вплотную Курт и оценивающе стал рассматривать мое лицо, выискивая в нем хоть какой-нибудь семитский признак.

Я вытянул руки по швам, прищелкнул стоптанными каблуками ботинок, потому что знал, немцы не любят расхлябанных, опустившихся людей, а выправка и подтянутость вызывают у них симпатию, и отрицательно мотнул головой.

Мы долго, до умопомрачения долго, смотрели друг другу в глаза.

Курт достал из кармана носовой платок и протянул мне. С радостно запрыгавшим сердцем я прижал его носовой платок к кровоточащей ране на виске.

— Какой же он еврей? — обернулся Курт к офицеру, а потом перевел взгляд на растерянно шлепающего губами Ибрагима. — Ты оклеветал своего товарища, чтобы обманом получить награду... Свинья... без чести и совести. А еще потомок Чингисхана... Опозорил свою расу. Он, — Курт ткнул пальцем в мою грудь, — действительно потомок Чингисхана!

Курт приказал, чтобы русский офицер, ударивший меня, принес свои извинения тут же, при нем.

Русопятая рожа поползла в вымученную улыбку, и, окая по-волжски, этот гад прошипел:

— Ну, бывает. Прости, дорогой товарищ...

— Ты мне не товарищ, — сорвалось у меня с языка, хотя вступать с ним в пререкания не имело никакого смысла.

Курт ничего не понял и отдал второй приказ: Ибрагиму всыпать двадцать палок. Публично. И первый удар предоставляется мне.

Ибрагиму крошили кости палкой на том же плацу, где должны были расстрелять меня и по которому совсем недавно он бегал, ошалело пританцовывая, с дамскими туфельками в высоко поднятых руках. Эти туфельки, изготовленные моими руками, спасли ему жизнь, а сейчас из-за меня его на том же месте лишали жизни.

Двадцать ударов палкой по спинному хребту и здоровому человеку не вынести, а уж лагерному доходяге сколько нужно?

Рыхлая, в складках, обнаженная спина Ибрагима желтела перед моими глазами. Я держал в правой руке толстую сухую палку достаточной тяжести, чтобы одним ударом переломить хребет. Но не ударил. Отдал палку лагерному палачу и отошел.

С сухим треском врезалась палка в человечье тело, и этот треск был треском костей. Ибрагим взвыл по-собачьи. После третьего удара он умолк. А после пятого из его горла потекла жирной густой струей черная кровь.

Я отвернулся и зажмурил глаза. И близко, у самого уха, услышал тихий голос Курта:

— А ты чувствительный... совсем как еврей.

БЕРЛИНСКИЕ ОКНА

Дом был большой, в пять этажей. И даже больше. Потому что из черепичной крыши тоже поблескивали окна. Там жили люди. Правда, победней, чем внизу. И поэтому крышу вполне можно было считать этажом. Шестым. А если учесть, что и подвал был обитаем, и туда под землю вели кирпичные ступени, а если лечь плашмя и заглянуть под решетки и там увидать окна, а за окнами тоже людей, то выходило, что дом семиэтажный.

Тянулся дом бесконечно — от угла улицы до угла, поворачивал направо до следующего угла, потом еще раз направо и еще раз. Получался квадрат, огражденный серыми кирпичными стенами, и этот квадрат был двором. Без единого дерева и травинки, залитый серым в трещинах асфальтом и очень похожий на тюремный двор в известной берлинской тюрьме Моабит, до которой отсюда было всего три остановки трамваем.

Сходство с тюремным двору придавали кресты на окнах. На всех окнах, на всех этажах. Как тюремные решетки. Белые кресты из бумажных полосок, наклеенные на каждое стекло, под строгим присмотром фрау Шульце — уполномоченной по гражданской обороне. Бумажные кресты, если верить фрау Шульце, предохраняли стекла от ударов воздушной волны, если поблизости взорвется бомба. И, в подтверждение ее слов, во всем доме были целы все стекла во всех окнах, хотя Берлин бомбили каждую ночь, и отбой воздушной тревоги звучал, только когда наступал рассвет, который немного смягчал багровое зарево пожаров.

Видимо, не только бумажные кресты спасали окна этого дома, но и кое-что другое. Дело в том, что здесь не было поблизости заводов и других важных объектов, а лишь жилые кварталы, населенные измученным от бессонных ночей людом, и поэтому Бог миловал пока этот район, и ни одна бомба еще не упала сюда.

Фрау Шульце носила мужской пиджак, а на его лацкане — круглый значок члена нацистской партии с черной свастикой. Ее муж, герр Шульце, до войны состоявший в должности дворника при этом доме, сложил свою рыжую голову в снегах далекой России в боях за свой фатерланд и обожаемого фюрера. Фрау Шульце, как и подобает истинной германской женщине, сменила покойного супруга на его посту и даже получила повышение, став уполномоченной по гражданской обороне и получив таким образом немалую власть над всеми обитателями дома.

Ее боялись все, старались пробегать мимо, не встречаясь взглядом, потому что казалось, будто выцветшие водянистые глаза фрау Шульце могли читать мысли, не высказанные вслух. А тогда и недолго загреметь в ближайшее отделение гестапо, где фрау Шульце считалась своим человеком и захаживала запросто, как к себе домой.

По ночам, после сирены воздушной тревоги, когда со всех этажей, толкаясь, бежали вниз люди, волоча хнычущих детей и чемоданы с самыми необходимыми вещами, и исчезали в пасти ближайшей станции метро, где глубоко под землей и даже на рельсах отсиживались до отбоя, дом пустел и одна лишь фрау Шульце, как часовой, стуча железными подковами на подошвах мужских ботинок, медленно обходила двор, проверяя, не заметно ли хоть единой полоски света из-за плотно зашторенных окон, на которых особенно четко белели бумажные кресты. Потом она совершала такой же обход снаружи, по пустынным улицам, и, убедившись, что на вверенном ей участке соблюдается установленный порядок и ни одна продажная душа не посылает вражеским летчикам световые сигналы, она спешила к зенитной батарее, стрелявшей по невидимым самолетам с соседней площади, и там без устали таскала снаряды, помогая незрелым юнцам-артиллеристам громить в берлинском небе проклятых евреев. Евреями она считала всех, кто был против Германии и фюрера. И англичан, и американцев, и русских. И немцев, не проявлявших должного рвения на службе родному фатерланду. Весь мир, по ее глубокому убеждению, был евреями, и маленькая Германия, истекая кровью, отбивалась от этой напасти.

Но еще одно живое существо появлялось в гулком пустом дворе, окруженном темными окнами с бумажными крестами. Мальчик по имени Гейнц. Когда все жильцы убегали в метро, а фрау Шульце, завершив свой обход, отправлялась на зенитную батарею, Гейнц выбегал на серый асфальт, озирался по сторонам, мельком взглядывал в небо, где метались лучи прожекторов среди серых комочков ваты — взрывов зенитных снарядов, аккуратно ставил перед собой желтый футбольный мяч с пятью кольцами Берлинской олимпиады на коже и легонько толкал его ногой. Мяч катился по асфальту, подскакивал на трещинах, мальчик бежал за ним, снова толкал ногой, и начиналась игра. В пустом дворе, похожем на тюремный, куда, как в колодец, со всех четырех сторон смотрели ряды черных окон с белыми бумажными крестами на стеклах.

Весь день мальчик отсиживался в тесной квартире прачки Гертруды и мог смотреть на мир лишь через залепленное крестами окно. И то — с большой опаской. Стараясь не привлечь к себе любопытных взглядов.

Потому что мальчик был евреем, и об этом знали только он, прачка Гертруда и... фрау Шульце. Фрау Шульце догадывалась, кто такой этот темноволосый мальчик с большими черными, как ягоды черной смородины, глазами. Прачка Гертруда уверяла ее, что Гейнц — сын ее племянницы, а племянница погибла при бомбежке в Эссене, вот Гертруда и привезла сироту к себе. Хотя, видит Бог, здесь бомбят не реже, чем в Руре, и неизвестно, где человека поджидает его судьба. А что у мальчика темные волосы, а не светлые, как подобает иметь арийскому ребенку, то у него отец был не немец, и Гертруда не собирается это скрывать, а итальянец. А итальянцы, как известно, такие же христиане, как и мы с вами, фрау Шульце, и к тому же наши союзники в борьбе с общим врагом.

Фрау Шульце делала вид, что верит Гертруде, но строго-настрого приказала не пускать мальчика во двор и лучше держать его подальше от людей. Потому что не у всех жильцов дома такое доброе сердце, как у фрау Шульце.

Сердце фрау Шульце подобрело не случайно: с тех пор как Гертруда привела к себе черноволосого мальчика, она стала стирать белье фрау Шульце бесплатно.

Мальчик был евреем, и жил он в Берлине, который считался полностью очищенным от евреев. Года за полтора до этого всем евреям без исключения велели явиться на сборные пункты со своими пожитками, и оттуда их повезли в товарных поездах на Восток, в Польшу, где им обещали работу и пищу. Их увезли, и больше никто о них не слыхал.

Гейнц не уехал с папой и мамой и маленькой сестренкой, потому что заболел как раз в эти суматошные дни, когда во всех еврейских домах стояли стоны и плач, и мама буквально сходила с ума при мысли, что повезет мальчика в холодном вагоне с такой высокой температурой — у него, не дай Бог, начнутся осложнения, а легкие у ребенка и так слабые, так что даже страшно подумать, к чему это может привести.

Прачка Гертруда, которая каждую неделю в пятницу утром приходила к ним в дом с большой корзиной вкусно пахнущего свежевыстиранного белья и, позавтракав на кухне, уносила все грязное белье, была в семье своим человеком и ходила туда еще задолго до рождения Гейнца.

Пришла она и в тот день, когда евреев выселяли из Германии, хотя навещать евреев в то время было небезопасно и можно было легко угодить в черные списки. Гертруда была женщиной простой и немудрящей и потому не думала о гестапо. А пришла потому, что надо было отдать постиранное белье и получить немножко денег за свой труд. Белье она отдала, а денег не взяла. Где уж было говорить о деньгах, когда в доме такая суматоха, все вещи валяются где попало, чемоданы не запираются, маленькая девочка хнычет, а Гейнц от жара бредит в своей кровати, прижимая к груди желтый футбольный мяч с пятью кольцами Берлинской олимпиады на коже.

Гертруда сказала, что везти куда-то Гейнца в таком виде значит везти его на верную смерть, пусть мальчика отдадут ей, у нее он будет как у Бога за пазухой, а когда все уляжется и люди придут в себя, вспомнят, что их Господь создал по своему образу и подобию, тогда родители вернутся в Берлин и Гертруда вернет им Гейнца в целости и сохранности.

Она унесла мальчика, завернув его, как младенца, в теплое одеяло и посадив в бельевую корзинку. Гейнц ехал у нее за спиной и прижимал к себе мяч.

Каждое утро из всех подъездов выбегали оравы мальчиков и девочек со школьными ранцами на спинах и, толкаясь и шумя, заполняли двор, а затем исчезали в воротах.

Гейнц из-за бумажных крестов провожал их глазами, и, когда последний школьник убегал на улицу, он отходил от окна. Гейнц в школу не ходил. Чтобы он не совсем отстал от своих сверстников и не кончил свою жизнь таким же малограмотным неучем, как прачка Гертруда, она заставляла его читать вслух Библию — единственную книгу в доме, с пожелтевшими страницами и темным переплетом, на котором был вытиснен продолговатый крест.

Гейнц уже в третий раз читал Библию от самого начала до конца. Весна сменилась летом, затем наступили холода. А мальчик все читал Библию, и Гертруда, слушая его монотонное, безо всякого выражения бормотание, удовлетворенно кивала:

— Книга-то для христиан написана, а все о евреях рассказывает... Поэтому никакого греха не вижу...

К весне не стало жизни от бомбежек. Каждую ночь самолеты висели над Берлином. Трещали зенитки, метались, как очумелые, лучи прожекторов, тяжело, с подземным гулом рвались бомбы. И город горел. Квартал за кварталом. Покрываясь закопченными язвами руин.

От родителей Гейнца вестей не приходило. И мальчик стал понемногу забывать их. А Гертруда раньше многих узнала об их судьбе. Она теперь стирала в доме высокого чина из СС, и жена этого чина сказала Гертруде, что, мол, слава Богу, отныне Германия навечно будет чиста от евреев, ибо всех их, как телят, угнали в Польшу и ни на какие не на работы, а для окончательного решения еврейского вопроса. Их там прямо из эшелонов загоняли в газовые камеры, травили, как крыс, газом и сжигали в специальных печах, которые работали круглые сутки, без перебоя, все равно как заводы военного значения.

Гертруда мальчику ничего не сказала, а только чаще вздыхала, слушая, как он заунывно читает вслух Библию — и думала о том, что надо его запирать в доме и прятать подальше от фрау Шульце.

Жизнь для Гейнца начиналась после сигнала воздушной тревоги. В пустом дворе он носился как чумной, гонял мяч по серому, в трещинах, асфальту, разминая вялые мускулы, затекшие от долгого сидения в доме. И даже покрикивал. И даже пел. Потому что кругом стреляли зенитки, и его голос был слышен лишь ему одному.

В эту ночь он играл с особым упоением и пел и кричал во весь голос. Потому что бомбы, сотрясая землю, рвались совсем близко, возле тюрьмы Моабит, а зенитки, как собаки, сорвавшие голоса от бессильного лая, захлебывались на площади, и Гейнц не без злорадства представлял себе фрау Шульце, таскающую к орудиям снаряды, и бомбу, которая наконец настигнет ее, разорвав на куски и избавив мальчика от самого опасного врага.

Гейнц поискал глазами окна фрау Шульце. На них бумажные кресты были наклеены особенно аккуратно, как образец для других жильцов. Мальчик изо всей силы ударил по мячу. Он взвился над двором, как от ноги настоящего футболиста, и, описав полукруг, врезался в окно, зазвенев разбитым стеклом.

Мальчик похолодел. Он стоял, пригвожденный к месту посреди двора, на него, как на преступника, немо глазели черные окна с бумажными крестами, а в одном окне крест был разорван, и осколки стекла висели на обрывках бумаги.

Это было окно фрау Шульце. И там, в темной глубине ее квартиры, валялся желтый футбольный мяч с пятью олимпийскими кольцами — неопровержимая улика, по которой фрау Шульце без труда найдет преступника и сдаст его в гестапо. А заодно и прачку Гертруду, опозорившую арийскую расу противозаконным укрывательством еврейского подкидыша.

Над ним высоко-высоко ныли авиационные моторы, словно прощаясь с Гейнцем, которому теперь уже спасения нет. И светлые прожекторные мечи, скрещиваясь, сражались над его головой, готовые вот-вот обрушиться на него — сжечь и испепелить.

Земля задрожала под ногами у мальчика, он упал, ощутив упругий толчок в грудь. Грохнуло так страшно, что у него заложило ватой уши, и ему показалось, что вокруг зазвенели колокольчики.

Когда он поднялся на ноги, то увидел, что весь двор, как рождественскими блестками, засыпан осколками стекла, и окна, все подряд, без исключения, на всех этажах, стоят пустые, без стекол, с рваными клочьями бумажных полос на рамах. Разбитого окна фрау Шульце никак невозможно отыскать среди сотен подобных.

И мальчик ожил, задвигался, запрыгал по скользкому стеклянному крошеву и так радостно и счастливо засмеялся, как это случалось с ним когда-то, когда он жил с мамой и папой, и никто ему в этом мире не был страшен.

Прожекторные лучи весело плясали вместе с ним, носясь по темному небу, и невидимые моторы пели ему песню.

ЭХО ВОЙНЫ

Из всех курортов мира, а мне довелось побывать во многих местах, я отдаю предпочтение Ялте — маленькому белокаменному городу, сползающему по склонам горного хребта до старинной набережной, с витыми чугунными решетками, за которыми внизу плещется теплое, бирюзово-синее море, почему-то называемое Черным.

Особенно хороша Ялта весной. В апреле, мае. Когда еще не наступила сухая жара. Тогда все цветет. Цветут горы, поросшие лесом, цветут блеклые домики, увитые глицинией. Из каждой расщелины каждого камня тянутся лиловые, алые, розовые цветы, и смесь неимоверных запахов насквозь пропитывает воздух. Аромат не сухой и дурманящий, а свежий, росистый, ледяной от дыхания горной вершины Ай-Петри, до середины лета одетой в белоснежную шапку.

Апрель и май много лет подряд я проводил в Ялте, и когда я понял, что скоро покину Россию навсегда и безвозвратно, меня первым делом потянуло в Крым, попрощаться с Ялтой.

Приближался май. В Москве было сыро и холодно. С работы меня выгнали, и я томился в ожидании того, что власти предпочтут: отпустить меня в Израиль или сослать в Сибирь, чтоб другим евреям неповадно было следовать моему примеру. От такого ожидания можно потихоньку сойти с ума.

Я отправился в Ялту. Снял подешевле не то кладовку, не то сарайчик в двух шагах ходьбы от набережной. Там стоял деревянный топчан, напоминающий тюремные нары. Окон вообще не было, но до вечера там было вполне светло из-за щелей в дощатых стенах. В таком месте ночлега, кроме дешевизны, была еще одна бесценная для меня сторона. Ялтинские хозяйки сдавали под жилье сараюшки нелегально, а потому никаких документов для прописки не требовали. Мне было абсолютно ни к чему, чтоб ялтинская милиция узрела мой паспорт.

Ялта в эту пору запружена народом. На галечных узких пляжах тела лежат так плотно друг к другу, что негде ногу поставить, и напоминают, когда смотришь сверху, с набережной, лежбища морских тюленей.

В ресторанах мяса нет. Никакого. Даже кур. Ни рыбы. Одни макароны с несъедобным соусом.

Поесть прилично можно лишь в ресторане «Интурист», куда пускали только иностранцев. А аборигены, советские люди, перебивались чем попало. И не жаловались. Привыкли. Ялтинский воздух заменял пищу. Ласковый ропот моря заглушал голодное урчанье в животе. Люди жадно грелись, купались до изнеможения, на ночь напивались до чертиков, благо водка продавалась в изобилии, и были счастливы, потому что отпуск у них и надо насладиться праздной жизнью на год вперед.

Наступило 9 мая. Этот день в России празднуется как День Победы над фашистской Германией во второй мировой войне. В других странах победу отмечают 8 мая, а в России — девятого. Пьют, гуляют. На домах вывешивают красные флаги и по радио играют военные марши.

В тот раз исполнилось двадцать пять лет со дня победы. Четверть века. Круглая дата. Поэтому в Ялте с утра в садах гремели духовые оркестры, а на набережной в толпе среди загорелых курортников замелькали средних лет местные жители в старых армейских кителях, позванивая потемневшими от времени медалями. У одних не хватало руки, и пустой рукав кителя был подвернут и булавкой приколот к плечу, другие шагали на костылях, переставляя единственную ногу, обутую в начищенную гуталином туфлю. Все с утра были одинаково пьяны и возбуждены.

Таков уж этот праздник. Особенный. С примесью печали. Люди вспоминают молодость, пришедшуюся на войну, и своих товарищей, рассеянных в могилах по Европе. И грустят. Но и радуются, что сами-то живы, хоть и трачены, как молью, следами от пуль и осколков.

В этот день я тоже выпиваю. Граммов сто — сто пятьдесят водки. Не больше. В самом конце войны меня ранило в живот. Неудачно. До сих пор какие-то осложнения с желудком. И пить нельзя. Врачи заставляют придерживаться диеты: ни острого, ни соленого.

— Зачем же тогда жить? — спрашиваю их я.

— Чтоб строить коммунизм, — отвечают и смеются.

В этот день я забываю про наставления врачей и выпиваю свою норму и закусываю соленым огурчиком и квашеной капустой, а шашлык посыпаю перцем так, что во рту вспыхивает пожар. Такой день у меня раз в году.

По русскому обычаю в одиночку не пьют. Нужна компания. Душевная. Свои ребята. На худой конец, можно вдвоем с товарищем выпить и отвести душу в разговоре, в воспоминаниях. Но чтоб один?

Как на грех, сколько я ни толкался в толпе на набережной, никого из приятелей не встретил. Наступало время обеда. Самый раз выпить за победу. Ищу глазами, процеживаю толпу. Никого... с кем бы хотелось посидеть на пару.

И я пошел один. В ресторан гостиницы «Ореанда». В старомодную, в купеческом стиле, еще при царе построенную «Ореанду». Туда пускают исключительно иностранцев. Но и мне место найдется. Знакомая официантка. Клава. Оставлю на чай пару лишних рубликов.

Мимо метрдотеля, который следит, чтоб местные в ресторан не пролезли, я прохожу в цепочке шумных американцев. Одет я в заграничное, а рта не открываю. Дальше нужно глазами отыскать Клаву и показать ей один палец. Мол, место требуется всего одно. Клава пробегает вся потная, с тяжелым подносом в руках, и кивает мне, чтоб следовал за ней.

Так я получаю место в ресторане, где обедают сплошные иностранцы. Стол, который мне показала глазами Клава, уже был накрыт на три персоны. Пустовало, без посуды, место перед четвертым стулом. Я сел на этот стул, предварительно поздоровавшись не совсем членораздельно, ибо не сомневался в том, что мои соседи по столу если и понимают по-русски, то еле-еле.

Прямо передо мной хлебал украинский борщ худой негр, улыбавшийся застенчиво, чем сразу убедил меня в том, что он негр из Африки, а не американец, ибо американские негры белым так не улыбаются. За все время, что я провел за столом, он так и не проронил ни слова, и я даже представления не имею, на каком языке он объясняется.

Слева и справа от меня сидели две женщины. Белые. В прямом смысле этого слова. Блондинки. Не весьма выразительные. Чем-то похожие. Как мать и дочь. Что впоследствии подтвердилось. Это были немки. Туристки. Не из Западной Германии. А из нашего лагеря. Из Германской Демократической Республики. Из города Карл-Маркс-Штадт. Который прежде, до того, как коммунисты пришли к власти, назывался Хемниц. Эти сведения я узнал в первые несколько минут. Потому что по натуре я человек общительный и по-немецки, если напрягаю память, болтаю довольно сносно.

Я спросил, как им нравится Ялта, и обе немки переглянулись, а старшая, мама, сказала без особого восторга, что, мол, здесь неплохо, и похвалила Черное море.

Я сделал Клаве заказ. Она принесла закуски и покрытую морозным инеем бутылку «Столичной» водки и спросила, неужели я сам все это выпью. Я ей ответил, что она забыла, какой сегодня день, и она рассмеялась, тряхнув льняными косами, уложенными вокруг головы:

— Никого тут нет из наших, а то бы я тебе подсадила фронтовика для компании.

— А я мысленно чокнусь кое с кем, — ответил я, наливая в рюмку.

Немка, старшая, прислушалась к нашему разговору. Видно, понимала по-русски. И когда Клава отошла, спросила меня по-немецки:

— А какой сегодня день, что вы обязательно должны выпить?

— Я с удовольствием и вас угощу. Составьте компанию, — протянул я ей наполненную до краев рюмку. — Выпьем за победу.

— Какую победу? — подняла она брови.

— Неужели не знаете? — рассмеялся я. — Сегодня День Победы над Германией.

Она уже протянула руку к рюмке и пальцами коснулась моих пальцев, но отдернула так, словно ее электрическим током ударило. Рюмка дрогнула в моей руке, и водка пролилась на скатерть.

Уже который раз моя общительность ставит меня в неловкое положение. Ну какого черта я полез к немке с разговорами о Дне Победы? Над ее страной. Пускай она из наших немок, из нынешних союзников. Но ведь она была взрослой в той самой Германии, которую мы поставили на колени, и особой радости при упоминании об этом факте, естественно, не испытывает. Вот дочь ее — другое дело. Она родилась после войны. Для нее это всего-навсего история.

Я глянул на дочь. Ее серые глаза под слегка накрашенными ресницами дрогнули, и она отвела от меня взгляд, потупилась в тарелку. Следовательно, и ей неприятен этот разговор. Чего уж тогда ожидать от матери?

Мать была примерно одних лет со мной. Седых прядей я не обнаружил — у блондинок седина незаметна. Но на лице сквозь пудру проступали морщины, а под глазами набрякли нездоровые, с просинью, мешочки. У нее был острый носик, острый подбородок и тонкая, почти незаметная, верхняя губа — верный признак ядовитого характера. Да плюс короткие, подвитые, белесые волосы. Дочь намного лучше ее. Лицо мягче, женственней и, конечно, свежей. Хотя бы потому, что была совсем юной. Лет двадцати, не более. У матери худая, жилистая шея и угловатые костлявые плечи, выдававшие нелегкую жизнь и тяжелое бремя работы, которую эти плечи несли много-много лет.

У меня нет никаких предубеждений против немцев как народа. Я не возлагаю на весь этот народ тяжесть вины за преступления фашизма, так же как русские люди, на мой взгляд, не могут нести ответственность за немеьший террор коммунизма. Человек ответствен за свои личные поступки, а не за прегрешения государства. Ибо влиять на поведение государства отдельный его гражданин может еще меньше, чем, скажем, на капризы погоды.

За нашим столом установилось молчание. Только негр из Африки, косивший синими белками своих глаз на насупившихся женщин слева и справа от него, шумно глотал горячий борщ, втягивая толстыми большими губами всю ложку до самой ручки.

Я выпил, обжег нёбо водкой, глубоко вздохнул и зацепил вилкой кружок соленого огурчика.

Обе женщины не ели. И не поднимали глаз.

— Я извиняюсь, если испортил вам настроение, — счел я необходимым разрядить обстановку. — Но факт остается фактом... союзники победили Германию в той войне... и, может быть, поэтому я сижу с вами за одним столом.

— Вы воевали? — устремила на меня холодные серые глаза старшая.

— Да.

— И в Германии были?

— Конечно. Можно сказать, пешком прошел.

Глаза у нее сузились, и она цепко впилась взглядом в мое лицо.

— И в Померании были?

— Был. А что? Сначала в Пруссии... потом пошли на Померанию.

— А такой город... Шнайдемюль... помните?

— Как же? — оживился я, и снова увлекла меня моя общительность. — Шнайдемюль... еще бы не помнить... мы долго штурмовали этот городишко... улицу за улицей... дом за домом... там моих товарищей знаете сколько полегло? Вот этот ресторан... если наполнить до отказа... не хватило бы места...

— Значит, вы помните Шнайдемюль?

— На память, слава Богу, не жалуюсь.

— У меня тоже память хорошая...

Она произнесла эти слова таким враждебным тоном, что у меня заныло в животе. Возможно, оттого, что я нарушил диету. Так я подумал для успокоения, а на самом деле нутром почуял, что влипаю в очень нехорошую историю, в которую мне, при моем нынешнем положении, влипать никак не следовало.

На глаза у немки навернулись слезы, а верхняя тонкая губа мелко-мелко задрожала.

— Мама, — испуганно сказала дочь. — Тебе нельзя волноваться.

— Не мешай, — отрезала мать, сжимая губы, чтоб унять дрожь. Лицо ее быстро покрывала бледность.

— Я вас узнала.

— Меня? — глупо хмыкнул я, совершенно растерявшись оттого, что понял — имею дело с истеричкой. — Я, мадам, не имел чести быть с вами знакомым.

— А вам тогда этого не требовалось, — чеканя каждое слово, медленно произнесла она, не отрывая взгляда от моего, несомненно, покрывшегося краской лица. — Вы нас вынуждали под дулом винтовки.

— Что? Что? — откинулся я на спинку стула, все еще не понимая, что она имеет в виду.

— Я вас узнала... — прошептала она свистящим змеиным шепотом. — Это были вы... вы... русская свинья... меня изнасиловали в Шнайдемюле... я узнаю этот нос... вот эти мерзкие глаза... мне было семнадцать.

— Вы с ума сошли! — отпрянул я. — Мне самому тогда было семнадцать лет... я никого не насиловал... я был совсем мальчиком.

— Вы! Вы! — вскрикнула она так, что за соседними столиками обернулись, а наш негр перестал жевать и задержал ложку у толстых синих губ. — Вам было столько... совсем молоденький насильник. Навалились на меня бандой... сколько вас было?.. десять или двадцать?.. не помню. Но это лицо мне врезалось в память... вот эти глаза... этот нос... потому что вы были первым... а потом уж я ничего не сознавала.

Я не знал, что делать. Оправдываться, опровергать не имело никакого смысла. Она уже потеряла контроль над собой и не могла внять голосу разума. Я ей, без всякого сомнения, напомнил кого-то, кто ее, совсем юную девчонку, изнасиловал в оккупированном советскими войсками немецком городе Шнайдемюле. Изнасиловали целой группой, а запомнила она одно лицо, того молоденького солдатика, первым опрокинувшего ее наземь и содравшего с ее похолодевших от страха ног штанишки.

Самому себе мне не нужно было доказывать, что это был не я. Доказывать нужно ей, а она была невменяема. Зрачки глаз расширились, губы и подбородок дрожат, лицо бледно, а под дряблой кожей шеи разливается краснота.

В моей памяти лихорадочно всплывали картины четвертьвековой давности. Весна сорок пятого. Дымная и серая. Обгоревшие остовы готических красных зданий. Брызги грязного снега из-под танковых гусениц. Пустые улицы. Дома с распахнутыми настежь дверьми. Подушки и женское тряпье под колесами пушек, под стоптанными подошвами солдатских сапог.

Немецкие города безлюдели при подходе советских войск. Солдаты грабили поспешно покинутые жителями дома, доедали из еще не остывших кастрюль пищу, которую варили перед бегством немцы. Из погребов и подвалов вылезали на свет божий те, что не успели уйти. Женщины и дети. Парализованные от страха. Запуганные своей пропагандой, что русские всех вырежут. Неверно. Не резали. Я прошел Германию и ни разу подобного не видел.

Зато отыгрались на женщинах. На них брали реванш. Отводили душу. Я думаю, на всей территории Германии, где побывали советские войска, не осталось ни одной женщины в возрасте от тринадцати до шестидесяти лет, с которой бы не содрали солдаты одежды и скопом, взводами не пропустили в очередь.

Особенно боялись немки азиатов — киргизов, казахов. «Шницауге», косоглазые, как они их называли. Эти желтокожие, плосколицые и скуластые солдаты в русской форме наводили страх на немецких женщин, валили их прямо на улице, сдирали штаны с матерей на глазах у их детей.

Я сам однажды наскочил на подобное. Где-то под тем же Шнайдемюлем, будь он трижды проклят. Зашел в одиноко стоявший у дороги дом с распахнутой дверью. Хотел напиться. Думал, дом необитаем. Вошел на кухню. Слышу какую-то возню в комнатах. Видно, только что завтракали. Открыта дверь в другую комнату. Я заглянул. На широкой деревянной кровати среди перин и подушек лежал солдат в грязных сапогах и в шинели, не сняв с головы шапки-ушанки и закинув за спину автомат с диском на брезентовом ремне.

Из-под солдатского оголенного зада, с полуспущенными до сапог штанами, торчали в обе стороны тонкие и беспомощные ноги женщины, белые ноги с линиями голубых вен, и мелко дергались. А из-под плеча солдата, из-под его вспученного погона, словно кусок неживого парика, виднелись пучки спутанных светлых волос, щека и скошенный глаз. И одна рука, свесившаяся до пола и дергавшая растопыренными пальцами.

— Пейтер, век! Век! — стонала по-немецки женщина, отгоняя кого-то рукой.

Я метнул глазами вслед за ее рукой и увидел в других дверях, комната была проходной, белоголового мальчика лет восьми в штанишках со спущенной шлейкой и девочку, на голову меньше его, с чулком на одной ноге и второй босой, розовой от холода. Своего старшего, Петера, мать со стоном просила уйти, не смотреть и увести сестренку.

— Пейтер, век! Век!

А дети не трогались с места и, не плача, тупо смотрели на кровать. У девочки на верхней губе висела густая простудная сопля.

Я чуть не взвыл от стыда. От отвращения. От охватившей меня злобы. Как я не убил этого солдата, одному Богу известно. Я навалился на него, вцепился в плечи, сбросил с кровати и бил ногами по бокам, по спине, под ребра, пока он ползком, на четвереньках убирался из дома. Его скуластое широкое лицо было мертво от страха, и он даже не думал сопротивляться. Вздумай он, я бы его пристрелил.

Опомнившись, я оглянулся на кровать — среди сбитых в кучу перин и подушек, изгаженных грязью с солдатских сапог, женщины не было. И дети исчезли. Я не стал их искать и выскочил из дома на дорогу. Пройдя с полкилометра, я вспомнил, что зашел в этот дом напиться, да так и забыл набрать воды.

И вот двадцать пять лет спустя за чьи-то грехи меня, уже немолодого человека с пробивающейся сединой, в ресторане, на людях, незнакомая женщина, немецкая туристка, осыпает проклятиями.

— Русише швайн! — как плевки, срывались с ее губ непристойные ругательства времен войны, которыми немцы, тогда еще, вначале, победители, осыпали население оккупированной России.

— Ферфлюхте швайне-хунд! Я ненавижу вас.

Она обзывала меня «русской свиньей». У меня дома. В России, в стране, которая победила ее страну, на моем любимом курорте в Крыму, в ресторане, куда нас не пускали, а только иностранцев. И кого обзывала? Солдата-победителя! Да еще еврея. Который теперь сам собирается покинуть ставшую негостеприимной свою родину и искать убежища Бог знает где. Меня, ни разу не обидевшего женщину, объявить насильником! Какая чудовищная нелепость! Какой кошмар!

— Русише швайн! — повторяла она, готовая вцепиться ногтями в меня. — Я вас всех ненавижу! Всех! И вашу страну! Ваш воздух!

Ее дочка, пунцовая от волнения, плакала навзрыд и сквозь слезы твердила:

— Мама... мамочка... тебе нельзя.

За соседними столиками люди вставали с мест, громко звали администратора.

И я бежал. Выскочил из-за стола, бросился к выходу и, пробегая мимо выпучившей глаза официантки Клавы, крикнул на ходу:

— Потом рассчитаюсь!

За мной не погнались. Я смешался с толпой на набережной и ушел как можно дальше от гостиницы «Ореанда». Успокоился лишь у самого морского порта. Там, у пивного киоска, стояла очередь, и меня окликнул мой приятель по пляжу, Костя, моих лет малый, тоже бывший фронтовик:

— Эй, друг, валяй к нам, примем по стопочке. Сегодня наш день!

Очередь одобрительно загудела. Она состояла исключительно из мужчин, и притом немолодых. Кое у кого болтались пустые рукава, а один, безногий, подъехал в коляске.

Костя вынес в обеих руках еще две стопки водки. Отдал их мне, а сам метнулся назад за пивом и закуской. Мы выпили стоя. Под жарким полуденным солнцем. Я поперхнулся. Водка попала в дыхательное горло, и я долго кашлял. Фронтовики у киоска дружелюбно загудели:

— Не пошла! Сдаешь, пехота!

Потом мы с Костей гуляли в праздничной толпе на набережной, дожевывая пирожки, и я подробно, в лицах, рассказывал ему, что случилось со мной в ресторане. Костя слушал внимательно и только головой качал.

Мы продвигались по набережной, и я не заметил, как поравнялись с гостиницей «Ореанда». У ее старомодного, круглого, с колоннами, фасада стояла толпа, окружившая белый автомобиль «Скорой помощи» с красным крестом на боку.

Мы протолкались к автомобилю. Из дверей гостиницы санитары вынесли носилки, на которых покоилось человеческое тело, укрытое простыней.

За носилками, плача, семенила девушка, светловолосая, с пунцовым и припухшим от слез лицом. Я не сразу узнал ее. Это была одна из моих соседок по столу. Младшая. Дочь. И тогда догадка поразила меня: на носилках была ее мать. Мурашки поползли по моему телу. Я почувствовал холод, озноб, хотя день был жаркий по-летнему.

Среди зевак слышался шепоток:

— Иностранка! Инфаркт! Прямо в ресторане.

— Она? — догадался Костя.

Я быстро пошел прочь. Туда, где кончалась набережная и пыльная дорога вилась вверх, между домиками и кипарисами.

Костя, тяжело дыша, нагнал меня. Пошел рядом.

Мы молчали. Нам, немолодым, крутой подъем был нелегок, и мы дышали с ним как загнанные лошади. Потом, уж где-то высоко над Ялтой, откуда виден был весь залив и длинный бетонный пирс возле порта, с белым огромным теплоходом, застывшим на голубом стекле моря, мы остановились, потому что совсем выбились из сил. Видна была набережная и зеленая крыша гостиницы «Ореанда». Толпы уже не было. Как и не было автомобиля «Скорой помощи».

— Ты-то тут при чем? — пытался утешить меня Костя.

Я ничего не ответил. Смотрел бездумно, как оглушенный, по сторонам.

Кругом захлебывалась в цвету крымская земля. Каждый камень был усеян лепестками. Лиловыми. Голубыми. Алыми, как кровь. И дремотный нагретый воздух, приторно-сладкий, пропитанный запахами, был удушающе тяжел, какой бывает после боя, когда долго не убирают трупы и они начинают пухнуть и разлагаться.

— Эхо войны, — философски произнес Костя.

Горное эхо не откликнулось, не повторило его слов. Горы молчали, нависая над нами. И совсем высоко в небе посверкивала на солнце снежная голова Ай-Петри.

СУДНЫЙ ДЕНЬ

Еще с вечера Луис Розенвассер сказал своим постояльцам, что завтра он в них не нуждается, все свободны и могут заняться чем вздумают, потому что завтра Йом-Кипур, Судный день, и хоть он в Бога не верует, но работать в такой день не рискнет: не приведи Господь, прослышит об этом кто-нибудь из евреев-заказчиков, и создадут такую репутацию, что ломаного гроша потом не заработаешь. Да и вообще еврею, каким бы он ни был, пристойней в этот день, если не поститься, то хотя бы ничего не делать, сократив грех до позволительного минимума.

Дан Бен-Давид был знаком с Луисом уже с полгода, примерно с того дня, как он прилетел из Израиля в Нью-Йорк, имея в паспорте туристскую визу сроком на один месяц и острое желание зацепиться за Америку любым путем и не возвращаться назад. Срок визы давно истек, пять месяцев Дан жил в Нью-Йорке нелегально. Поэтому держался за Луиса. Тот хоть и обсчитывал изрядно, но давал безопасный кров и работу, на которой не разживешься, но и с голоду не умрешь. Если бы не Луис, Дану пришлось бы возвращаться с пустыми руками, истратив последние деньги на дорогу в оба конца.

Иностранцу с просроченной визой трудно подыскать работу в Нью-Йорке. Кто станет связываться с таким, чтоб потом нажить неприятности с полицией? Одна надежда была на евреев. Но нью-йоркские евреи обожают своего брата израильтянина, когда он живет в Израиле и выигрывает войны, что доставляет им неслыханную радость. Но когда он убежал из Израиля и хочет стать таким же, как они, — издалека обожать свою родину, они дружно поворачиваются к нему спиной и даже не хотят смотреть в его сторону. Он оскорбляет их лучшие чувства.

Луис Розенвассер отличается от таких евреев тем, что он сам когда-то, еще до того, как Дан родился, сбежал из Израиля, называвшегося тогда Палестиной. Сбежал, когда там шла война за независимость, и у него, если верить ему, были на то свои политические причины. Поэтому Луис не испытывал никакой враждебности к таким парням, как Дан. Наоборот, это подчеркивало еще раз, что он был прав, покинув еще в 1948 году берега Палестины. И он брал их без документов на работу, платил им не чеками, а наличными и за совсем небольшую плату позволял жить в своем доме.

Что это был за дом — это другой вопрос. Таких трущоб Дан и в Тель-Авиве не видал. Дом стоял в жуткой дыре в Бруклине, и слева, и справа от него, и напротив, через улицу, на несколько блоков тянулись такие же трехэтажные дома, некогда окрашенные в бордовые и черные цвета, но теперь облупившиеся до кирпичей, с пустыми выбитыми окнами без рам и без входных дверей. Все эти дома были давно покинуты, необитаемы. Все, что можно унести, с них ободрали. Когда поднимался ветер, начинался такой концерт, хоть уши затыкай: гремели листы кровельного железа, свистела провисшая проволока, жалобно скрипела забытая под потолком люстра. По ночам в них не светилось ни единого огня, и одному пробегать такую улицу было довольно страшно.

Светились окна только у Луиса Розенвассера. На втором и третьем этаже. Первый стоял пустым, и окна его были наглухо забиты листовым железом от воров. Луис располагался наверху̀. Второй этаж был в распоряжении квартирантов, которые одновременно работали на Луиса. Теперь их осталось двое. Месяц назад Луису удалось избавиться от третьего постояльца, вечно пьяного парня откуда-то из Алабамы. Он говорил с таким южным акцентом, а кроме того, у него были выбиты все передние зубы, так что понять его даже Луис порой не мог. Парень, когда протрезвлялся, был золотым работником, все горело у него в руках, и никогда не спорил, получая плату. Но он протрезвлялся все реже и реже, и полиция несколько раз напоминала Луису, чтоб больше не держал у себя этого бродягу.

Дан платил всего двадцать долларов в неделю за жилье — смехотворную цену по нью-йоркским масштабам — и имел за это кровать с хорошим матрасом, продавленное кресло и шкаф, где висели и лежали его вещи. Кроме того, он мог пользоваться кухней, большой и захламленной, и не платить отдельно за газ и электричество.

Второй постоялец имел свою комнату рядом, но с согласия Дана перетащил к нему свою кровать и тумбочку, и они зажили вдвоем. Он тоже был из Израиля, и они могли разговаривать всласть на иврите, отдыхая хоть на время от необходимости мучительно подбирать английские слова. Он был сверстником Дана из Назарета, города в Галилее, и звали его Махмуд. Махмуд был арабом. Израильским арабом. В Назарете живут арабы-христиане. Иврит он знал лучше, чем арабский язык. И Дану он был ближе и понятней, чем нью-йоркский еврей.

Махмуд родился уже после создания Израиля и поэтому своей родиной считал не Палестину, как другие арабы, а Израиль. За это кое-кто из соплеменников косился на него и нехорошо качал головой. С другой стороны, как араб он не чувствовал себя в стране на все сто процентов дома. Подрос. Еврейских мальчишек, с кем раньше гонял мяч, взяли в армию. Его — нет. Не доверяют, следовательно. Взорвется на базаре подложенная террористами бомба, полиция начинает хватать всех подряд арабов. Несколько раз замели и Махмуда, только потому, что ему случилось быть поблизости. И даже по шее дали. А что будет дальше? Одному Богу известно. Махмуд попрощался с родными, и вот он живет нелегально в Нью-Йорке у Луиса и дает ему эксплуатировать себя до поры до времени, пока ему не удастся сделать себе хорошие документы и больше не быть нелегальным иммигрантом.

Дан покинул Израиль по другой причине. Он-то служил в армии, танкистом. И служил слишком долго. Сначала положенный срок, а потом снова призвали из-за войны, и он побывал даже в Египте, на той стороне Суэцкого канала. Затем долго лежал в госпитале. Вот и вся молодость прошла. А хочешь купить автомобиль — даже не подступайся. С израильскими налогами это по карману только богачу, или правительственному чиновнику, или вору. А здесь на второй месяц он купил подержанный пикап всего за двести долларов. Чуть подтянул его, кое-что поменял, ведь он — танкист и в машинах толк знает, сейчас ходит, как новенький. Вот только бы гринкарту достать, сделаться легальным, и тогда он заживет как человек и навсегда попрощается с Луисом, чтоб больше и не вспоминать о нем.

Луис был по-своему добрым человеком, хотя обсчитывал нещадно, что, впрочем, не намного делало его состоятельней. Вот эти три этажа полуразваленного дома на мертвой, покинутой даже неграми улице. И визитная карточка, где он назвал себя генеральным подрядчиком и, кроме домашнего, указал несуществующий служебный телефон. Вернее, существующий, но не его. Это телефон маленькой конторы одного еврея, секретарша которого согласилась за небольшую плату отвечать на звонки, адресованные визитной карточкой ему, Луису Розенвассеру, и по вечерам звонить ему домой, чтоб сообщить, кто искал его в течение дня.

У него то ли не было денег, то ли желания вставить зубы, и в свои пятьдесят с чем-то лет он шамкал пустым ртом с несколькими изъеденными желтыми корешками.

Когда-то он купил этот дом за бесценок, рассчитывая со временем заработать на нем. Он больше не вложил в него ни копейки, дожидаясь лучших времен, и дом окончательно обветшал. Лестницы зияли дырами на месте обвалившихся ступеней, перила шатались, и на них было опасно опереться. На все три этажа оставался в исправности один туалет, на самом верху, и Махмуд с Даном бегали по нужде мимо кровати Луиса. Что стоило исправить нижний? Благо рабочая сила бесплатная. Но Луис не желал. Случится чудо, и появится на рынке интерес к его дому, тогда он вложит в него сколько нужно, отделает как игрушку и продаст за сказочную сумму. Не случится чуда, зачем тратить хоть один цент на эту развалину? Луис подождет еще немного, заколотит двери и уедет отсюда, как это раньше сделали соседи. Правда, грозится он уехать который год, да все никак не соберется и состарился вместе с домом.

Луис был неудачником. Больше двадцати лет в Америке, имеет давно гражданство, а не достиг ничего. Даже экзамены на водительские права не сдал, а вынужден всегда, когда нужен автомобиль, просить кого-нибудь об одолжении.

Луис — генеральный подрядчик по визитной карточке, а на деле мелкий маклер, рыщущий по небогатым кварталам, как голодный шелудивый кот по помойным ямам, в поисках какой-нибудь ремонтной работы: крышу поправить, новые полы настелить, поставить кирпичные ступени к веранде. За меньшую цену, чем берут другие. И, найдя заказ, поднимает своих постояльцев с постелей, и те делают всю работу. Сам Луис гвоздя в стену вбить не умеет. Он суетится, кричит на них без толку, спорит и торгуется с хозяином. Когда работа выполнена, генеральный подрядчик получает с заказчика плату, сумму которой рабочие не знают, и наличными дает каждому по паре десятков долларов. Когда Луис берет на дело нелегальных иммигрантов, расчет проходит спокойно, без эксцессов. Но если он вынужден прихватить парочку нью-йоркских негров-наркоманов, которых никто больше на работу не возьмет, тогда при расчете случаются скандалы, и однажды Луиса крепко побили, отчего у него с тех пор шея плохо поворачивается вправо.

Деньги, что ему правдами и неправдами удается оставить себе, такие мизерные, что за все годы жизни на такой опасной улице его ни разу не пытались ограбить. Уголовный мир знает Луиса. Часть своего дохода он получает от экономии на материалах. Негры, истратившие на наркотики свои последние центы, по ночам таскают для Луиса из пустых домов радиаторы парового отопления, уцелевшие доски с полов, оконные рамы.

Луис по-своему щедр и даже любит своих земляков-постояльцев. Сделав удачное дело, он не поскупится и принесет домой парочку бутылок израильского вина «Кармель», купит в арабской лавке на Бруклин-Хайтс настоящего кофе с горькими зернами кардамона, и они втроем закатывают пир на третьем этаже, рассевшись на кровати хозяина. Поют на иврите израильские песни, и тут араб Махмуд обставляет Луиса, потому что Луис не знает новых песен, а только старые, времен еще до создания государства Израиль. Они дружно ругают американскую пищу, наперебой доказывают друг другу, что израильские помидоры не чета здешним, а уж о винограде нечего и говорить. Что же касается кофе, то уму непостижимо, как такой богатый народ может глотать гадость, называемую «регуляр кофе», которую в Израиле даже кошка бы пробовать не стала.

Размякнув от вина и слегка обалдев от чрезмерно выпитого арабского кофе, крепкого, как динамит, Луис начинает разглагольствовать о политике и причинах своего несогласия с Израилем, тряся морщинистой, как у индюка, шеей.

— Вы, мальчики, не поверите, а я все своими глазами видел. И никогда не прощу этого социалистам, будь они хоть сто раз евреями. Они нас, правых, боялись больше, чем арабов. И когда мы, «Эцель», из Америки доставили в Израиль, где каждая винтовка была на вес золота, целый корабль с оружием, Бен-Гурион выставил пушки на пляже и потопил «Аталену». С оружием и с людьми.

Я стоял на тель-авивском пляже рядом с Менахемом Бегином, можете его спросить, и мы оба плакали. А что было делать? Поступить как они и начать резню? Евреев против евреев? Нас бы тогда совсем арабы задушили. Я махнул на все и уехал. И был прав. Вы сами знаете, до чего социалисты довели нашу бедную страну. Иначе бы вы не сбежали. А как обидно! Какая могла быть страна! Жемчужина! Изумруд! Бриллиант!

И тут выяснялось, что даже Махмуд тосковал по Израилю. А уж о Дане и говорить нечего. Он часто во сне с умилением видел грязную заплеванную тель-авивскую автобусную станцию — тахану мерказит. А то вспоминал шоссе Тель-Авив — Иерусалим, вьющееся среди невысоких холмов Иудейских гор, покрытых сосновым лесом, высаженным здесь руками первых поселенцев. По этому шоссе, будучи в армии, он много раз перегонял свой танк, поставленный на платформу автотягача, и сам сидел наверху на броне и, как король, оглядывал окрестность.

Свои проклятия социалистам Луис завершает тостом в честь Америки — страны, где, правда, невкусные помидоры и кофе — на смех курам, но где перед каждым открыты большие возможности. И тут же, близоруко щуря глаза, спрашивает:

— Посмотрите, мальчики, я плохо вижу, там не крыса бегает?

Чтоб зацепиться за Америку, надо жениться на американке. Это самый верный путь. Каждый нелегальный иммигрант это знает. Был момент, когда Дану казалось, что он уже у цели. Луис подрядился сменить электропроводку в магазине одного еврея в Квинсе и послал туда Дана, потому что Махмуд умел выполнять работы по дереву и бетону, а Дан знал электротехнику и слесарное дело. Работа была пустяковая, и Дан справился с ней за полдня. Хозяин, очень довольный качеством, пригласил Дана обедать к себе домой. Как потом выяснилось, не только поэтому. У хозяина была дочка на выданье, а такой еврейский парень из Израиля, с такими золотыми руками, мог оказаться неплохой партией для нее. И для Дана это было то, чего он искал. Не красавица, но вполне симпатичная. И папа, который поможет на первых порах.

Дан после этого обеда дважды был у них в гостях и вечерами ходил с ней смотреть кино на Квинс-бульвар. Он ей нравился, и оставалось сделать лишь предложение. Но именно тогда черт дернул ее за язык, и она созналась ему, уверенная, что это обрадует его, что мечтает уехать из Америки в Израиль, и даже свадьба ее будет там. Потому что она хочет, чтоб ее дети не стали хиппи, как это сейчас модно в Америке, а выросли нормальными, полноценными евреями. На третье свидание Дан не явился.

Сегодня, в Судный день, Дан не знал, куда себя девать, и отправился в Манхэттен побродить по Пятой авеню и поглазеть на витрины. У него была мысль сходить в кино, но это обошлось бы в четыре доллара, а просто погулять по самой богатой в мире улице не стоило ничего. А еще здесь была возможность повстречать кого-нибудь из земляков, потрепаться, отвести душу, а может быть, и получить дельный совет.

На Пятой авеню было особенно заметно, как много сабр махнули рукой на Израиль и свили себе неплохие гнездышки здесь, за океаном. Продавцы в магазинах, особенно почему-то там, где идет торговля радиотоварами и поношенными джинсами, разговаривали по-английски с бронебойным ивритским акцентом, а уж в желтых такси каждый третий шофер был бывшим израильским парашютистом или танкистом. Луис, горько усмехаясь, уверял Дана, что если прочесать весь Нью-Йорк, то здесь можно укомплектовать из дезертиров парочку парашютно-десантных и танковых дивизий для Израиля.

Летом Луис привел сюда Дана, на Пятую авеню, потому что был День Независимости Израиля, и нью-йоркские евреи отмечали этот день большим парадом. Сотни оркестров в чудной маскарадной униформе времен Наполеона маршировали по центру Манхэттена, сотрясая воздух «Хавой-Нагилой» и «Золотым Иерусалимом». А между оркестрами шли бесконечными толпами еврейские дети и старики, помахивая израильскими флажками и полизывая мороженое. Они шли весь день по Пятой авеню, и казалось, что кроме евреев в этом городе вообще никого нет, если не считать негров и пуэрториканцев, которые вообще неизвестно как сюда затесались.

А на тротуарах стояли любопытствующие зрители с очень знакомыми физиономиями. Целыми семьями. И разговаривали между собой исключительно на иврите. Как и Дан с Луисом, это были исключительно беглые израильтяне, и по случаю Дня Независимости они тысячами выползли из всех щелей огромного Нью-Йорка и, заполнив тротуары Пятой авеню, ликовали вместе с американскими евреями, славя далекий Израиль, но в марширующие колонны не совались — это было бы уж совсем неприлично.

— Ну, скажи, не цирк? — брызгая слюнями, сатанел Луис, стараясь перекричать оркестры. — Эти, кто никогда не поедут на Ближний Восток рисковать своей шкурой, демонстрируют любовь к Израилю на безопасной Пятой авеню, и им аплодируют бежавшие оттуда мужественные евреи. Цирк! За который мы еще заплатим!

Дан прошел сегодня Пятую авеню с 42-й улицы до Сентрал-Парка и двинул обратно, но пока не встретил знакомых среди фланирующих вдоль зеркальных витрин пешеходов.

По Пятой авеню в Судный день густо шли автомобили, и к этому трудно было привыкнуть. В Израиле в этот день замирала вся страна, и самый отчаянный безбожник не то что в Иерусалиме, но даже в декадентском Тель-Авиве не отважится в этот день сунуться на улицу в автомобиле.

А в Нью-Йорке хоть полно евреев, больше, чем во всем Израиле, но город все же нееврейский, и в Судный день по нему автомобили гоняют не в меньшем числе, чем в любой другой день.

День выдался теплый, но в щели между небоскребами небо заволакивали серые тучи. У многих, кто прогуливался по Пятой авеню, были в руках сложенные зонтики. Даже негр с бегающими глазками, незаметно сующий на углу прохожим мужчинам розовые листочки с приглашением посетить ближайший публичный дом, тоже держал свернутый зонтик под мышкой. Он сунул такой же листочек и Дану. Казалось, все прохожие смотрят на него и осуждают его за то, что он из тех, кто пользуется продажной любовью. А Дан и не собирался этого делать. Был он для таких затей просто брезгливым, да и тратить нелегко заработанные деньги на это считал унизительным для мужчины. Взял бумажку машинально, потому что негр сунул в ладонь.

Пройдя блок, он, отвернувшись к стене, развернул бумажку. На ней были нарисованы сочные женские губы. Дразняще полуоткрытые. И стояла цена. 10 долларов. Немного. Даже ему по карману. Тем более что он собирался сходить в кино и раздумал. Значит, четыре доллара сэкономил. Остается лишь добавить шесть.

Дан рассмеялся. Никуда он, конечно, не пойдет, а вот сейчас найдет урну для мусора и выбросит розовый листок. Он глазами поискал урну. Прохожие разворачивали над головами зонты. Дождевые капли стукнули Дана по носу, побежали по шее за воротник.

У него не было зонта, и он ускорил шаг. Свернул за угол, увидел, что люди прячутся под большой навес над входом в здание, и протиснулся между ними. Дождь с шумом забарабанил над головой.

На дверях подъезда были наклеены такие же розовые листки, какой он сжимал в кулаке, с женскими полуоткрытыми губами, и предлагалось подняться на второй этаж и нажать кнопку звонка. Только и всего.

Дождь заладил надолго, и автомобили, шмыгая мимо, поднимали фонтаны брызг, обдавая укрывшихся под навесом. Дан толкнул дверь и, не оглядываясь, пошел по лестнице, перешагивая через две ступени. Вот и дверь с наклеенными розовыми листочками. Он быстро, словно за ним гнались, нажал кнопку звонка. Загудел зуммер изнутри, и дверь медленно открылась. Дан прошел и услышал за спиной звук захлопнувшейся двери. Первое ощущение было, что он попал в западню. В длинном узком коридоре он увидел окошечко кассы, немолодую женщину в нем, мирно вязавшую спицами что-то из шерсти.

— Десять долларов, — отложив вязанье, сказала она.

Дан порылся в карманах и отсчитал десять долларов. Она взяла деньги и положила перед ним картонный билет, размером с автобусный, добавив ломтик жевательной резинки.

— А это зачем? — удивился Дан.

— Подарок фирмы, — усмехнулась она. — Не хотите жевать — оставьте.

Дан взял билет и жевательную резинку и двинул дальше по коридору, куда кассирша указала ему кивком головы.

Коридор перешел в тесный холл, и тут Дан увидел девиц. Их было пять. Они сидели на скамье, полуодетые, в купальных костюмах, густо и вульгарно накрашенные. Две негритянки с длинными худыми ногами и большими грудями, жирная, с рыхлыми бедрами немолодая пуэрториканка и две белые. Напротив них на скамье сидели двое мужчин, должно быть, клиенты, такие же, как Дан. Немного скованные, с зажатыми в пальцах билетами. Они искоса поглядывали на девиц, а те вообще не обращали на них внимания.

Негритянки курили сигары и о чем-то разговаривали вполголоса, пуэрториканка пила кока-колу из банки. Одна белая читала книгу в мягком переплете.

Дан нерешительно присел на скамью возле мужчин, и тотчас же его сосед, пожилой, неопрятно одетый негр, встал и подошел к пуэрториканке, протянув ей билет. Даже не взглянув на него, она взяла билет, поставила на скамью недопитую банку кока-колы и пошла вперед, вихляя широкими бедрами. Негр поспешил за ней.

Скользя робким взглядом по оставшимся проституткам, чтоб выбрать, кому вручить билет, Дан задержался на той, что читала книгу. Она была молода, немногим более двадцати, и в ней уже намечалась склонность к полноте. Груди распирали купальник, а на боках заметна жировая складка. Лицо круглое, с маленьким носиком и пухлыми детскими губами. Волосы темные, кудрявые, до обнаженных плеч.

И вдруг его глаза словно укололись обо что-то. С ее шеи свисал на тонкой цепочке и прятался между холмиков грудей серебряный Маген-Давид, шестиконечная звезда Давида. Она была еврейкой.

Даже не успев осмыслить, зачем она ему, Дан торопливо, чтоб его не опередили, подошел к ней и протянул билет. Она оторвалась от книги, взглянула снизу ему в лицо, кивнула и, заложив книгу закладкой, сунула ее в сумочку и повела Дана за собой. Туда же, куда пуэрториканка увела негра.

По обеим сторонам коридора располагались крохотные кабинки, с фанерными стенками, не дотягивавшими до потолка, и поэтому каждый звук был явственно слышен. В кабинах проститутки принимали клиентов, и оттуда доносилось мужское сопение, плеск воды, приглушенный говор.

Дан вошел вслед за своей избранницей, покачивавшейся на высоких каблуках, в ее кабинку. Там помещался матрас, положенный на кирпичи, стул, ведро и пластмассовый тазик на полу. На стенке была прибита крохотная полка, уставленная парфюмерными банками, флаконами, прижатыми большим рулоном бумажных полотенец.

— Разденьтесь, — сказала она, не взглянув на него, и Дан уловил крепкий ивритский акцент.

Она вышла, прикрыв дверь, и вернулась с ведром воды, когда он сидел на матрасе голым. На шее у Дана на тонкой цепочке висел такой же, как у нее, Маген-Давид, только не белый, серебряный, а желтый, золотой.

Она скользнула по нему ленивым взглядом и глянула ниже живота:

— Вы... откуда?

— Оттуда же, откуда и вы, — ответил Дан.

— Я из Тель-Авива.

— Я тоже. Рамат-Ган.

— Сюда насовсем?

— Не знаю.

На большее у нее не хватило любопытства.

Она поднесла к его коленям тазик с теплой водой, деловито помыла ему член и вытерла бумажным полотенцем. Потом опустила купальник, вывалив две крепких круглых груди, и сняла его с одной ноги, оставив висеть на другой. Дану она велела лечь на спину и, присев рядом, спросила:

— Как будем? В рот? Или туда?

Дан, помедлив, сказал:

— В рот.

Она взяла его член рукой, подавила и прищурила глаза, стала рассматривать головку, не выйдет ли наружу гнойный симптом венерической болезни.

«Ого, — подумал Дан, — она еще, оказывается, близорука. Должно быть, стесняется носить очки».

Удовлетворенная осмотром, она глянула ему в лицо:

— Только предупреждаю. Глотать не буду. Сегодня я пощусь.

Дан чуть не рассмеялся.

— Зачем же ты вообще вышла... на работу в такой день? Раз для тебя это важно... поститься?

— График составлен заранее. А в Бога я не верую, соблюдаю только традицию...

Она сделала глубокий вдох и чихнула, забрызгав Дану живот.

— Слушай, — приподнялся Дан, — мне уже ничего не хочется.

— Извиняюсь. Простудилась вчера. Нос заложило. Вы уже жалеете, что меня выбрали?..

— Ну, на что это похоже? — сказал Дан беззлобно. — Какая же ты проститутка? Обыкновенный еврейский шлимазл... чихает клиенту на живот.

— Ну, вы же свой человек? — улыбнулась она.

— Значит, меня можно так обслуживать?

— Знаете что, — сказала она, — я сейчас все устрою. Передам ваш билет одной черной девице, она вам все сделает. А мое время уже кончается. Мне собираться пора. Вы согласны?

— А сколько тебе платят?

— За каждый билет пять долларов.

— Значит, ты потеряешь пять долларов?

— Для своего человека не жалко, — и улыбнулась ему снова просто и по-дружески.

— Ладно, — согласился Дан. — Веди черную. А потом ты куда пойдешь?

— Может быть, к подруге...

— В кино не хочешь?

— Можно и в кино.

— Тогда жди на улице.

Негритянка быстро управилась, сделав все, что положено, и снова помыла Дану член, подставив тот же тазик с остывшей водой.

Когда он вышел на улицу, дождь уже кончился, но ручьи еще бежали вдоль тротуаров. Она стояла в плаще, с черным зонтиком под мышкой и улыбалась ему. Дан взял ее под руку, и они пошли на Пятую авеню.

— Меня зовут Тамар, — представилась она.

Дан тоже назвал себя.

— Шрам на ноге, это у тебя с войны? Мой брат был парашютистом... А ты?

— В танке.

— В танке — это плохо, — вздохнула она. — Горят заживо.

— Иногда, — согласился Дан. — Кто у тебя там остался?

— Мама и два брата. Я пишу маме, что учусь и работаю... посылаю ей доллары... и она рада за меня... Если б знала... Ты меня не презираешь?

— За что?

— Ну, что я этим занимаюсь...

— А разве дома у нас мало проституток?

— Но сегодня такой день, — вздохнула она. — Мама постится... И братья... Весь Израиль... Ни одной машины на улице... А здесь...

Они свернули на параллельную Мэдисон-авеню и придержали шаг у большой синагоги, из открытых дверей которой доносилось знакомое пение кантора — щемящий душу еврейский плач в Судный день. На их родном языке — иврите. И от этого повеяло домом.

— Зайдем, — показал глазами Дан.

Она кивнула.

Они поднялись по ступеням в обширный зал с люстрами. На скамьях сидели с молитвенниками в руках нарядные американские евреи: мужчины и женщины. Здесь была реформистская синагога. Дан взял со скамьи черную ермолку и надел на макушку. Они стояли у колонны, в проходе.

Кантор пел хорошо. Со слезой. Выговаривая слова на иврите с легким американским акцентом. От этого на них повеяло чужбиной, и они оба остро почуяли, как далеко они от дома. Во всей синагоге только для них двоих иврит был родным, а не наспех заученным языком.

Но кантор пел все-таки хорошо. С настоящей слезой в голосе. И слезы потекли сначала по румяным щекам Тамар, а потом появились и у Дана.

В Судный день надо плакать.

ОЧКИ

Когда, не без доли хвастовства, я сказал одному моему знакомому доктору из Тель-Авива, который и сам, и его жена, и его пятеро детей — все поголовно носили очки и расставались с ними лишь когда ложились спать, что, мол, вот я в свои почти пятьдесят лет ни разу не утруждал свою переносицу роговой оправой очков и представления не имею, как выглядит мир через выпукло-вогнутые стекла, тель-авивский доктор посмотрел на меня с грустью и прискорбием.

— Это все от дремучего невежества, — кротко сказал он. — После сорока лет всем нужны очки. Хотя бы для чтения.

И сунул мне в руки книгу с нормальным, не очень мелким шрифтом, предложив почитать вслух в присутствии всей его очкастой семьи.

Я раскрыл книгу где-то посередине, вытянул руку на всю длину и устремил свой взор, как музыкант в ноты, расставленные на пюпитре.

Докторова семейка, сверкая стеклами очков, дружно прыснула со смеху, заглушив мою попытку прочесть вслух первую фразу.

— Вот видите, — сказал доктор. — Вы держите книгу, как кокетка зеркальце. Через годик-другой вам не будет хватать и длины руки, чтоб что-нибудь увидеть в книге. Дальнозоркость, дорогой мой. Идите и смело заказывайте очки.

И даже порекомендовал мне магазин в Иерусалиме, где можно заказать очки совсем недорого и с полной гарантией, что хоть что-нибудь я с их помощью увижу. В этот магазин я отправился не один, а с женой. Она не намного моложе меня и, конечно, держит книгу за версту от глаз.

Очковый магазин с фамилией владелицы мадам Вильнер на вывеске мы нашли именно там, где он был обозначен в записке тель-авивского доктора, на углу улицы Шамай. Там, где сбились в кучу все кинотеатры Иерусалима и вечером протолкаться живому человеку абсолютно невозможно.

Мы пришли туда утром. Потому что мы не туристы из Америки и знаем, куда и когда можно ходить в славном городе Иерусалиме. Например, площадь Сиона мы вообще стараемся обходить. Террористы рвут бомбы только там и нигде больше. Возможно, из-за названия. Площадь Сиона. Они очень не любят это слово. Сион. Сионизм.

Один чудак, я об этом своими глазами, правда еще до очков, в газете читал, умудрился дважды подорваться на площади Сиона. Первый раз, когда взорвался холодильник, полный динамита. Этого малого хоть и не убило, но довольно крепко трахнуло. В госпитале он провалялся полгода. А когда выписался, в первую очередь пошел прогуляться, вы думаете куда?.. На площадь Сиона. За все полгода, пока он отлеживался в госпитале, там ни одного взрыва не было, но стоило ему ступить на ту самую площадь, как тут же взорвался заряд, побольше первого, и наш чудак с новыми ранениями вернулся в госпиталь, откуда отлучился всего на час.

Улица Шамай — это не площадь Сиона, хотя оттуда рукой подать. Мадам Вильнер, седенькая аккуратная старушка в очках с такими толстыми линзами, что ее глаз разглядеть невозможно, приняла у нас заказ, терпеливо и вежливо ждала, пока моя жена из сотни выбрала себе очень игривую оправу, и велела прийти послезавтра за очками. Деньги попросила вперед.

— Знаете, — сказала она, оправдываясь, — мы живем в таком городе и в такое время, что не знаешь, что будет завтра.

Мы ушли с квитанциями в кармане, и нам в спину мигали тысячи пар очков в самых неимоверных оправах, аккуратно и со вкусом разложенных в зеркальных витринах магазина мадам Вильнер.

Назавтра утром я совсем по другим делам оказался неподалеку от улицы Шамай и услышал такой взрыв, что чуть не оглох, и у меня уши до сих пор будто ватой заложены. Я побежал вместе с толпой к месту происшествия, с треском скользя по осколкам стекол из выбитых окон. Догорал автомобиль, где была заложена взрывчатка, на тротуарах ползали раненые. Один из них щупал окровавленными пальцами осколки оконных стекол и вопрошал:

— Где мои очки?

И тогда у меня екнуло сердце. Я вспомнил магазин мадам Вильнер. Магазин, как пишут в газетах, оказался в самом эпицентре взрыва. Его разнесло так, что от витрин остались груды стекла, обгорелые доски и еще какой-то хлам. Даже вывеска с именем владелицы валялась разбитая на противоположном тротуаре.

На следующий день моя жена собралась за очками. Я объяснил ей, что произошло на улице Шамай вчера, но моя жена сразила меня своей логикой:

— Если мадам Вильнер жива и не в госпитале, то мы по нашим квитанциям хоть получим обратно деньги.

На улице Шамай уже убрали обломки, и очень довольные подвалившей работой стекольщики, как ласточки, суетились в пустых оконных рамах на всех этажах. Витрины магазина мадам Вильнер были закрыты фанерными щитами, но двери были распахнуты, и на пороге стояла она сама, глядя на божий свет через толстые линзы своих очков.

Она взяла у нас квитанции и сказала:

— Очки готовы. Можете их получить.

Исчезла в обугленном нутре магазина и вынесла нам

две пары очков, тех самых, что мы заказали, и даже не забыла вручить нам кожаные сумочки для хранения очков: черную, строгую для меня и красную, кокетливую — для жены.

— Заходите, если обнаружите дефект, — улыбнулась она нам вслед. — Наша фирма работает с гарантией.

ЖЕНЩИНЫ ИЗ ЦФАТА

Что остается в памяти после войны? Не знаю, у кого что, а мне после войны Судного дня помнится лишь жуткий непрекращающийся шум. День и ночь. И никакой паузы, никакой передышки.

Поверьте мне, на фронте было слишком шумно не потому, что дело происходило в Израиле, а евреи, как известно, не из тех, кто разговаривает очень тихо. Это было бы полбеды и даже четверть беды.

Страшный шум, от которого было впору с ума сойти, происходил оттого, что бои на Голанских высотах велись на участке шириной в несколько десятков километров, а огневых средств, и притом самых мощных калибров, понатыкали в этой тесноте так много, что их бы хватило на целый фронт в Европе во время второй мировой войны.

Четыре тысячи танков грохотали и скребли друг друга железными боками на этом пятачке и палили из всех отверстий, пока не вспыхивали факелом и экипажи не сгорали заживо. А если к этому добавить ракетные установки, минометы, которые, как известно, тоже не имеют глушителей звука, и сотни дальнобойных орудий главного калибра, то даже ребенку станет ясно, что вздремнуть хотя бы часок в этом аду солдату с самыми крепкими нервами не удавалось.

Где уж тут уснуть, когда рядом бухают тяжелые орудия, и не поодиночке, а по три-четыре вместе, залпом, и от каждого такого выстрела из ушей начинает сочиться кровь. Потому что воздух детонирует с такой силой, что барабанные перепонки не выдерживают. Вся артиллерийская прислуга и все, кто находятся поблизости от орудия, при выстреле затыкают пальцами уши и широко раскрывают рты, чтоб уравновесить давление воздуха на барабанные перепонки.

Но это помогает как мертвому припарки. И кровь течет из ушей по пальцам. И все мы, что живы остались, после войны смущали собеседников, по несколько раз переспрашивая каждую сказанную ими фразу. Поэтому над нами часто смеялись. И мы тоже смеялись. Потому что лучше быть живым и немножко глуховатым и смеяться сколько душе угодно, чем сохранить слух, но сложить голову и, естественно, не иметь возможности ни разу рассмеяться.

Одним словом, проходили дни и ночи на Голанских высотах, и от постоянного шума мы ни разу не поспали и совершенно очумели.

Поэтому, когда нашему подразделению был отдан приказ передислоцироваться с Голанских высот на Синайский фронт, мы взвыли от радости. Наконец-то поспим. В пути. Пока с севера на юг пересечем весь Израиль и всю синайскую пустыню до Суэцкого канала. Это добрых семь-восемь часов дороги в абсолютной тишине, мягко покачиваясь на рессорах. Можно сойти с ума от одного лишь предвкушения.

К нам подогнали пассажирские автобусы и стали быстро грузить. Я попал в автобус из Иерусалима. На нем еще оставался номер прежнего довоенного маршрута. Девятый! Господи! Сколько я на нем ездил. Девятка идет мимо моего дома от горы Скопус до улицы Кинг Джордж. Когда я сел и погрузился в мягкое сиденье, я почувствовал, что в нем еще не остыло тепло от моего тела с тех мирных времен.

Мы влезли в автобус с личным оружием и боеприпасами, сбросили на пол каски, как по команде откинули на спинки сидений головы с небритыми заросшими лицами и уснули, словно в обморок упали.

Не знаю, сколько мы спали, мне показалось, что лишь одну минуту, как всех нас вырвал из глубин сна многоголосый женский крик. Поначалу мы ничего не могли разобрать. Автобус стоял в каком-то городе, окруженный толпой женщин. Потом оказалось, это город Цфат, в Галилее, в часе езды от наших прежних позиций.

Цфат — город религиозных евреев. Здесь всегда тихо и дремотно, как в синагоге.

На сей раз нас разбудил шум посильнее того, от которого мы избавились на Голанских высотах. Разговаривали одновременно и не сдерживая голоса сразу сто еврейских женщин из Цфата. Не только нас, они могли бы и мертвого разбудить.

Очень недовольные, даже злые, мы высунулись из окон автобуса:

— Чего вам надо? Дайте людям поспать.

— Нам ничего не надо, — загалдели они. — Дайте нам телефоны ваших жен и матерей, и мы позвоним им сегодня же, что видели вас живыми и здоровыми. Только и всего.

И мы перестали ворчать. Записали на обрывках бумаги номера своих домашних телефонов, передали в окно и уехали из Цфата, снова провалившись в сон, как в обморок. А из древнего города Цфата во все уголки Израиля пошли сотни междугородных звонков, за которые, между прочим, надо платить деньги, и немалые.

Моя жена уже после войны как-то вспомнила, что ей позвонил женский голос из города Цфата и с непонятным восторгом сообщил, что только что я был в Цфате, где меня видела эта женщина, и что я выглядел очень хорошо, прямо как картинка. Это я-то, не спавший неделю, небритый и немытый, похожий на черта.

Я, как мог, объяснил моей жене, что произошло с нами в Цфате и каким образом мой телефон очутился у этой женщины.

Моя жена вообще не очень склонна мне верить, и на этот раз в ее голосе я ощутил сомнение, когда она спросила:

— Она хоть молодая, эта женщина из Цфата?

МОЛИТВА

В самый разгар войны с немцами Сталин дал приказ прочесать все уголки России и найти литовцев, чтоб создать национальную Литовскую дивизию. Как ни старались военкоматы, кроме литовских евреев, бежавших от Гитлера, ничего не смогли набрать. Пришлось довольствоваться этим материалом. Литовских евреев извлекали отовсюду: из Ташкента и Ашхабада, из Новосибирска и Читы, отрывали от причитающих жен и детей, гнали в товарных поездах к покрытой толстым льдом реке Волге.

Здесь, в грязном и нищем русском городке, до крыш заваленном снегом, их повели с вокзала в расположение дивизии штатской толпой, укутанной в разноцветное тряпье, в непривычных для этих мест фетровых шляпах и беретах. Они шагали по середине улицы, как арестанты, и толпа глазела с тротуаров, принимая их за пойманных шпионов.

— Гля, братцы, фрицы! — дивился народ на тротуарах.

Впереди этой блеющей на непонятном языке колонны шел старшина Степан Качура и, не сбиваясь с ноги, терпеливо объяснял местному населению:

— То не фрицы, а евреи. Заграничные, с Литвы. Погуляли в Ташкенте? Годи! Самый раз кровь пролить за власть трудящихся.

Старшина Качура выстроил перед командиром полка новое пополнение. Евреи стояли на морозе, переминаясь в легкой изношенной обуви, одетые, как на карнавале, в шубы с лисьими дамскими воротниками, в плащи-дождевики и даже в крестьянские домотканые армяки. Шеи были замотаны шарфами всех цветов и размеров. Шарфы натянуты на носы и покрыты седым инеем от дыхания.

— Здравствуйте, товарищи бойцы! — гаркнул командир полка.

Вместо положенного громкого приветствия евреи простуженно закашляли, окутавшись облачками пара.

Старшина Качура, видя непорядок, уставился на начальство, готовый немедленно принять меры. Но командир полка движением руки отказался от его услуг:

— Новенькие. Не знают порядка. Научим! А сейчас... Строй, слушай мою команду! Кто парикмахер, — он с наслаждением помедлил, — три шага вперед!

Разноцветная, застывшая на морозе шеренга колыхнулась, выталкивая в разных концах замотанные фигурки. Примерно половина строя вышла вперед. Остальные топтались на прежнем месте.

Подполковник Штанько раскрыл рот, что означало высшую степень удивления.

— Столько парикмахеров? Га? А остальные кто?

— Остальные, товарищ подполковник, — взял под козырек старшина Качура, — по-нашему, по-русски, не понимают.

* * *

Когда евреев больше обычного тянет беседовать с Богом? В канун субботы, в пятницу вечером. Старший политрук отлично знал это, потому что происходил из религиозной семьи и вплоть до вступления в коммунистическую партию исправно посещал синагогу.

Именно поэтому в пятницу вечером во всех подразделениях проводились политбеседы, и агитаторы из штаба полка заводили нудный разговор о вреде религии — опиума для народа — как раз тогда, когда на небе загоралась первая звезда и во всем мире евреи зажигали субботние свечи.

Бывшего шамеса Шлэйме Гаха сам Бог избавил от такого кощунства. Не сидеть на такой беседе он не имел права, но зато он не слышал богохульных слов, потому что был глух. Он закрывал глаза, и ему становилось совсем хорошо. Можно было молиться в уме. Но Боже упаси шевелить при этом губами. Да еще покачиваться всем телом. Политрук Кац поймал его однажды за этим занятием, и рядовой Гах схлопотал пять нарядов вне очереди.

Минометная рота занимала высотку, глубоко окопавшись и построив прочные блиндажи. В тыл, к штабу полка, вел извилистый ход сообщения в человеческий рост, и по этому ходу в пятницу вечером, как раввин на субботнюю молитву, отправлялся на позицию старший политрук Кац, что доставляло жестокие страдания шамесу. Не приносили особой радости эти визиты и другим евреям.

Командир роты лейтенант Брохес был коммунистом и не видел разницы между субботой и воскресеньем. И вообще ему было не до Бога, потому что у него обострилась довоенная язва желудка. Но человек он был мягкий и к своим подчиненным относился не по-казенному. Поэтому никто не удивился, когда в пятницу после обеда он сказал, как бы между прочим, что старшего политрука Каца вызвали в дивизию и, возможно, политбеседа нынче не состоится. У шамеса Гаха заблестели глаза. Удивительнее всего, что лейтенант Брохес говорил не так уж громко, а шамес расслышал каждое слово. Бывает.

Евреи оживились. Стали шептаться, таинственно оглядываясь. От одного к другому ходил, как маятник, шамес Гах, очень возбужденный, но разговаривал на удивление тихо. Хотя, как известно, глухие разговаривают слишком громко, чем и славился шамес до этого случая.

Одним словом, евреи собирали миньян — десять человек, необходимых для молитвы, и готовились всласть отвести душу в канун субботы.

На немецкой стороне было тихо. За весь вечер раздалось два-три выстрела, и все. В тылу, в штабе, тоже не заметно было особого движения. По всем признакам канун субботы обещал быть спокойным.

С приближением вечера шамес занервничал. Не собирался миньян. Девять евреев, не забывших, что пятница — это пятница, он нашел. Не хватало десятого. Без десятого все шло насмарку, и молитва срывалась.

Лейтенант Брохес спросил шамеса, чем он так озабочен, и когда тот объяснил, в чем дело, даже рассмеялся и сказал, что это все формальности и если им так уж нужен десятый, то он, лейтенант Брохес, может посидеть за компанию. Правда, если это не надолго. Потому что он роту не может оставить без присмотра. Шамес просиял и попросил командира роты явиться на молитву с покрытой головой. Можно в пилотке. Или в каске.

Близились летние сумерки, и весь миньян собрался в блиндаже, в касках и с личным оружием. На этом настоял лейтенант Брохес на случай огневого налета противника. На ящик из-под мин поставили две свечи: две латунных стреляных гильзы от снарядов 45-миллиметровой противотанковой пушки. В гильзы налили керосин, сплющили концы, откуда торчали фитили из брезентового солдатского ремня. Такие светильники на фронте назывались «катюшами». В этот вечер «катюши» должны были послужить евреям субботними свечами.

— Где тут восток? — вдруг забеспокоился шамес. — Мы должны повернуться лицом к Иерусалиму.

— Хорошенькое дело, — сказал Моня Цацкес. — Из-под русского города Орла увидеть Иерусалим.

— Слушайте, евреи, нет таких крепостей, которых бы не могли взять большевики, — пошутил лейтенант Брохес, который был здесь единственным коммунистом.

Он снял с руки свой компас, положил на ящик, прищурился на мечущуюся стрелку и сказал:

— Вон там — юг, а Иерусалим к юго-западу от нас... Как раз там, где вход в блиндаж. Значит, можно стать лицом сюда, и вы не промахнетесь.

— Там — Иерусалим? — посмотрел в проем хода шамес Гах, и глаза его увлажнились. — Подумать только, там — Иерусалим...

Евреи стали в тесноте перестраиваться лицом к Иерусалиму, и со стороны можно было подумать, что они готовятся к выходу на боевое задание.

— Время! — зловеще шептал шамес Гах, хлопотавший возле свечей. — Кто следит за небом? Не упустите появление первой звезды.

Моня Цацкес не мог удержаться и не вставить свой совет:

— Только не перепутайте, чтоб не вышло греха: не примите сигнальную ракету за первую звезду.

Шамес неодобрительно посмотрел на него, и Моня заткнулся.

— Ну, есть звезда? — нетерпеливо спросил шамес.

— Звезды еще нет, — ответил голос снаружи, — но бежит к нам Иван Будрайтис.

— Что тут нужно этому гою Будрайтису? — возмутился шамес.

— Должно быть, ко мне, — сказал командир роты, — я его оставил у телефона.

— Ребята! — влетел в блиндаж скуластый Иван Будрайтис. — Кончай базар! Товарищ политрук Кац звонили, они идут к нам проводить политбеседу.

Иван Будрайтис выпалил это и сам был не рад — так он испортил всем настроение.

— Надо расходиться... — вздохнул лейтенант Брохес. — Может быть, в другой раз...

— И ничего нельзя придумать? — с тоской взглянул на него шамес.

Остальные евреи тоже выжидающе смотрели.

— А что я могу придумать?

— Я придумал, — сказал Моня Цацкес, и все головы как по команде повернулись к нему.

— Старший политрук Кац не самый храбрый человек в Литовской дивизии. Верно?

Евреи нетерпеливо кивнули, а Иван Будрайтис сказал:

— Это уж точно.

— Значит, — продолжал Цацкес, — если немцы сейчас откроют сильный артиллерийско-минометный огонь, то старший политрук Кац, уверяю вас, и носа не высунет из своего укрытия при штабе полка.

— Хорошенькое дело! — всплеснул руками шамес. — Цацкес, вы, должно быть, родились недоношенным. Кто же это немцам передаст, что евреи просят их об одолжении: открыть огонь? Не вы ли?

— Могу и я, но только, рэбе, я приму на себя грех — поработаю в субботу, что еврейским законом возбраняется... Хотя стойте! У нас же есть шабес-гой! Иван Будрайтис. Для него это не грех. Ваня, ты можешь сделать одолжение своим однополчанам?

— Смотря какое... — осклабился Будрайтис.

— Пустяк. Возьмешь мину и опустишь ее в миномет. Немцам не понравится, что их потревожили перед ужином. И они ответят. Так, что чертям станет тошно. Тем более старшему политруку Кацу. Можете не волноваться — его здесь не будет.

Никто ничего не сказал. Все думали. И на лицах у всех появилась хитрая ухмылка. Монина идея явно нравилась миньяну.

— Я — что? — сказал Иван Будрайтис. — Мне — раз плюнуть.

— Так за чем остановка? — нетерпеливо спросил шамес.

— А вот как товарищ командир роты скажут, — показал глазами на лейтенанта. Брохеса Иван Будрайтис, — так и будет.

Теперь все смотрели на Брохеса.

— Добро, — сдался лейтенант. — Но не больше одного выстрела. Боеприпасов мало.

— Будет сделано! — козырнул Иван Будрайтис. — А вам, товарищи, счастливо помолиться.

И исчез в быстро сгущавшихся сумерках.

— Как там? — нервничал шамес. — Звезды еще нет?

Вместо ответа хлопнул минометный выстрел. И взрыв донесся с немецкой стороны. Это сработал шабесгой Иван Будрайтис.

Немцы с минуту недоумевали, чего это русские их побеспокоили без видимой причины, затем грянули залпом из восьми минометов. Вслед ударила артиллерия.

Грохот прокатился по всей высотке. Взрывы распустили пыльные бутоны от вершины до подножия и дальше, в расположении штаба полка.

— Звезда! Звезда! — этот крик прорвался сквозь адский шум огневого налета.

Шамес трясущимися руками зажег спичкой обе «катюши», коптящее пламя колыхалось при каждом разрыве.

Шамес воздел руки над свечами, сощурил глаза, потому что сверху на него сыпался песок, и на древнем языке — лошен койдеш — провозгласил молитву, стараясь перекрыть грохот над головой.

— Барух ата адонай... элохейну мелех хаолам ашер кидшану бемицвотав ве цивану лэадлик нер шел шабат...

И весь миньян, за исключением лейтенанта Брохеса, вдохновенно подхватил, повторяя за шамесом начало субботней молитвы:

— Благословен Ты, Превечный, Боже наш, Царь вселенной, который освятил нас законами Своими и заповедал нам зажигать субботние свечи.

Сотрясалась земля. Трещали бревна перекрытия над головами. Со стен струился песок. Едкий дым из хода сообщения вползал в блиндаж. В девять глоток, при одном воздержавшемся, неистово молились евреи Богу на древнем языке своих предков в летний пятничный вечер 1943 года на русской равнине, отмеченной на военных картах как Орловско-Курская дуга.

— Барух ата адонай... элохейну мелех хаолам, ашер кидшану...

СОДЕРЖАНИЕ

Издательство выражает благодарность всем,
кто оказал помощь в подготовке
Собрания сочинений Э. Севелы.
Особо благодарим И. Раскина
и издательство «Стэнфорд Трайдент-Ориент»
за большой вклад в работу над проектом.

Уважаемый читатель!

Издательство «Грамма» предлагает Вашему вниманию первое в мире полное собрание сочинений классика современной литературы Эфраима Севелы.

В ***Том первый*** *включены два замечательных произведения, неоднократно издававшихся у нас в стране и за рубежом: «Легенды Инвалидной улицы» и «Тойота Королла».*

Том Второй*: «Моня Цацкес — знаменосец», «Остановите самолет — я слезу» и «Продай твою мать».*

Том третий*: «Мужской разговор в русской бане» — вся наша коммунистическая эпоха в любовных приключениях трех партийных функционеров, «Попугай, говорящий на идиш» — сборник трогательных новелл.Очень смешных. И очень грустных.*

Том четвертый*: «Почему нет рая на земле», «Зуб мудрости» и «Викинг».*

Том пятый*: «Всё не как у людей», «Мама».*

Впервые увидят свет «Сказки Брайтон Бич»

Наша серия удовлетворит самые взыскательные вкусы и коллекционеров, и читателей, желающих ознакомиться лишь с отдельными произведениями, хотя по своему опыту знаем, что прочтя одну лишь книгу Севелы, хочется и дальше жить удивительной жизнью героев, участвовать в событиях, мастерски воссозданных автором

По вопросам
приобретения и распространения
Собрания сочинений Э. Севелы
обращаться по телефонам:
(095) 912 1868 и 911 3338.
НПО «ГОЛОГРАМ»
(оптовые партии)

(095) 235 4641,
Москва, ул. Бахрушина 28
(ст. м. «Павелецкая»)
Литературный клуб «ГРАФОМАН»
(розница)